肉包不吃肉 著

风波吞天同征路

3

图书在版编目（C I P）数据

风波吞天同征路. 3 / 肉包不吃肉著. — 武汉 ：长江出版社，2022.6
ISBN 978-7-5492-7779-7

Ⅰ. ①风… Ⅱ. ①肉… Ⅲ. ①长篇小说－中国－当代 Ⅳ. ①I247.5
中国版本图书馆CIP数据核字(2021)第144423号

风波吞天同征路. 3 / 肉包不吃肉著.

出　　版：长江出版社
（武汉市解放大道1863号 邮政编码：430010）
市场发行：长江出版发行部
网　　址：http://www.cjpress.com.cn
责任编辑：江南
印　　刷：嘉业印刷（天津）有限公司
版　　次：2022年6月第1版
印　　次：2022年8月第2次印刷
开　　本：710×1000mm　1/16
印　　张：21
字　　数：473千
书　　号：ISBN 978-7-5492-7779-7
定　　价：42.80元

电话：027-82926557（总编室）027-82926806（市场营销部）

目录

第39章

重整战后的大泽城耗了七日。

到了第七日晚上，大军诸事已定，准备拔营班师。而到这个时候，顾茫因为时空镜而闪回的记忆，已经所剩无几。但这还不算最糟的，记忆就算缺失，再怎么说人也至少能像前往蝙蝠岛前一样，最糟糕的是因为黑魔之息不受控制了，所以顾茫的精神随时随刻都面临着崩溃。

梦泽每天都必须给他服下安神宁心的药，才能勉强压制住他的邪气。

这一天晚上也不例外，顾茫照例喝完了梦泽送来的药，而后坐在床沿，一边默默玩着手指，一边想着明天该以何种姿态面对墨熄。他总不能一直装睡。

正在他想得出神时，忽听得外头有近卫道："公主，望舒君求见。"

梦泽正在收拾汤药，闻言一怔，和顾茫对视一眼。

顾茫微感诧异："他怎么来了……"

"不知道，但你先戴上假面吧。"梦泽说着，将面罩递给他。

尽管军中修士现在大多笃信了这个神秘的"近卫"就是顾茫，此事已是昭然若揭，但再怎么样，揭开和没揭开也不是一码子事。最起码的窗户纸还是需要的。

顾茫刚刚戴好假面，慕容怜便金刀大马地进来了。

一进屋，桃花眼先扫过顾茫，而后才落到了梦泽身上。梦泽将最后一包药粉放入药匣子当中，转头对慕容怜微笑道："怜哥，明早就拔营回朝了，你不去早些歇息养足精神，来这里找我做什么？"

慕容怜没吭声，抽了两口浮生若梦，目光就又落到顾茫身上去了。最后他吐出青烟，拿烟斗朝着顾茫点了点，说道："我不找你。我找他。"

梦泽神色微变，但仍是温声道："他不过就是个小小的近卫，你有什么事，还是——"

"小小的近卫？"慕容怜冷笑，"梦泽，你帮墨熄瞒着别人也就算了。何至于连我也瞒着。你以为我不知道他是谁？"

"……"

“他把锦囊交给我，向我求援的时候，可是自己向我亮过身份的。”

梦泽顿时默然。

慕容怜道：“顾茫你过来。”

梦泽忙道：“怜哥，他之前解封妖狼之血，损耗很大。而且这些天他的神识也不稳定，很容易就会暴走，你还是先回吧。有什么事，返了都城再说也不迟啊。”

“什么意思？你是觉得我要揍他？还是觉得他要揍我？”

“……”

慕容怜凉凉看了她一眼：“放心吧，你哥我还不至于和个废物崽子动手。”说罢又朝顾茫不耐烦地一招手，“过来，我有话和你说。”

顾茫想了想，起了身，梦泽却道：“你精神不稳，最好还是别去——”

慕容怜却不理她，二话不说拽过顾茫的手，将他拖到营帐之外。

班师前夕，修士们各自都在忙碌自己的行李，主营帐周围没什么人。慕容怜一声不吭地拖着顾茫走出了好些距离，走到僻静的城郊河滩处，才总算松开了他的手。

顾茫不明所以，揉着被他捏红的手腕：“有什么事吗？”

慕容怜没有立刻回答他，而是在河滩边来回地走。月色照耀着粼粼湖水，反射在慕容怜苍白的脸上，慕容怜看上去颇有些焦躁，他衣襟微敞着，下面是重叠缠绕的绷带——之前那一战，他也受了不轻的伤，以至于将养了这些日子，依旧有些精神恹恹。

丝履“咯吱咯吱”踩着滩涂边的碎石，反复踱了几圈之后，慕容怜停下脚步。

他盯着顾茫，抬手狠抽了几口浮生若梦，干巴巴地开口道：“有个问题。想和你确认一下。”

“……”

慕容怜又狠抽了两口，抬起桃花眼凶狠地盯着顾茫：“但说之前我先问一句，你到底恢复了几成记忆？”

顾茫诚恳道：“之前恢复了好几成。现在大概两成都不剩了。”

慕容怜看上去仿佛噎了一下，而后脸色愈发阴沉：“那你现在还记得泥姨吗？”

顾茫摇头，还没摇两下，就被慕容怜厉声喝住了。

“摇什么头！前两天求我送锦囊的时候你还记得她，你小子给我想清楚了再回答！”

“前两天好像记得，现在记不清了。”

慕容怜暗骂一声，没好气道：“当时在望舒府让你跟我说真相，你偏和我装蒜，装疯卖傻。好啦，这回真的又傻了！你有什么用？”

说完又骂骂咧咧地踹了一脚石头。

顾茫无奈道：“你找我到底想说什么？总不能就是为了来骂我几句吧？”

慕容怜恼怒道：“废话！来找你当然是有事，不然你以为谁愿意瞧见你这张脸？”

顾茫摸了摸自己的面罩，确信自己的脸完全被面罩挡住了，单纯只是慕容怜在无理取闹而已。

顾茫道：“那你接着说吧。”

慕容怜张了张嘴，但却没有发出什么声音。如此反复几次之后，他咒骂着扭过头去，走到滩涂边，狠吸了两口浮生若梦，而后猛地吐了出来。一片淡青缭绕中，慕容怜一脸阴郁，说道：“我有件事情，是你从前脑子还清醒的时候告诉我的。我本来想找你再确认一遍。”

“……”

“但当时我觉得你言辞太过荒唐，我是不怎么信的。直到发生了最近这些状况。”

顾茫微微地睁大了眼睛：“啊？我曾告诉过你一件事情？”

慕容怜哼了一声。

“只告诉了你一个人吗？”

慕容怜又用鼻子哼了一声。

“什么时候？”

慕容怜再哼一声，答道：“是你刚被送回重华的时候。”

顾茫有些茫然：“是吗？但我那时候应该已经糊涂了呀。我多少都还有点儿印象，我被燎国送回城之前，他们重新破坏过我的记忆。”

慕容怜吞云吐雾道：“他们要真能把你的记忆毁彻底了，你至于还有那么一点儿印象？”

顾茫：“……”

好像说得也有道理。

慕容怜道：“你给我听着，我接下来要跟你说的这番话，就是回城那会儿，你亲口告诉我的。我头先觉得你这人心机颇深，与重华仇恨又多，所以并不愿意信你挑唆。但如今看来……”

他垂下睫毛，抖落烟锅里的灰烬。烟灰像是点点残雪般飘落在风里。

慕容怜思忖片刻，似乎在做最后的决断，最终他抬起头来，目光落在了顾茫脸上。

“你说的也未必就是假的。只是有些内容，我仍旧要与你取证，你是不是——”

话未说完，忽地劲风斜刺！

慕容怜本能地一惊，抬掌展开一重守护结界，只听得清脆一响，一支附着木水灵流的利箭从暗林中射来，径自击在结界上，猛地爆溅开！

“砰！！”

慕容怜毕竟积弱已久，加上之前的伤势未愈，这一击之下结界便散作齑粉。他一下子跌倒在石砾嶙峋的滩涂上，呛出一口血来。只一次交锋，慕容怜便已知此人实力远在他之上，他来不及再做第二次防御，便立即反应过来，对顾茫厉声道：“逃！！！”

顾茫大惊！

周遭林木便如那鬼影憧憧，枝叶树梢之上不住地传来暗杀者疾掠而过的瑟瑟声，慕容怜喘了口气道：“快逃啊！还愣着干什么？！”

“可你——”

密林深处陡然传出一个明显用幻术扭曲过的嗓音：“望舒君，你不用急着让他逃。没有人会伤着他。”

慕容怜森然道：“你是什么东西？”

“呵呵，你觉得我会告诉你吗？”那声音尖锐如夜枭地笑起来，“帝王宫闱，王室血脉，竟还有你这么天真可笑之辈，慕容怜，你可真令我大开眼界。”

慕容怜咬了一下沾血的嘴唇，忽然抬手迅速结起一道防御屏障，示意顾茫道：“还不快跑！”

“笑话！”

砰的一声响，随着对方的冷嘲，屏障被猛然震碎了。

“你觉得以你一个羸弱之身，还有顾茫这副残损之躯，你们俩谁能逃出生天？”

“不过，慕容怜，你大可以放心。我要杀的只是你而已，至于他——”那人的笑声便如尖刺一般钻入耳膜，“我若将他杀了，试问谁来替你的死背债谢罪？”

“放心吧，你死得不会很痛，不会很狼狈，反倒会很有价值。”

“来，动手吧！”

林木中那些游走疾行的暗杀者身影一下子得令蹿出，十余名黑衣劲装的修士擒弓持箭，立在杉树林顶，犹如狼群扑杀般地围困住他们。

为首的是个披着金边黑斗篷的男子，他一掠而起，身形轻盈地立在了最高的一棵树顶，背后是天穹上的一轮明月。

顾茫仰头看着这群刺客，原想抬手召唤永夜，可他的身体目前根本受不住任何的黑魔法术。就在他召念的一瞬间，他头颅中忽然暴起一阵剧痛，继而蓦地跪倒在了地上。

眼前晃动，耳中嗡鸣，恍惚间，顾茫听得那个黑衣刺客冰冷地下令道：

“就地诛杀慕容怜。”

“放箭！”

河滩旁黑鸦啁哳，从杉树林里啊啊惊起，扑腾着翅膀四下飞散。

风里弥漫起了浓重的血腥味，鲜红缓慢地从慕容怜的伤处洇开，浸润到他身下的瓦砾砖石上。

刺杀只在转瞬间就开始，很快地又结束。

这伙人行动迅猛，受过最严苛的训练，顾茫和慕容怜站得那么近，那些法咒却只攻击到了慕容怜，没有伤及顾茫半分。

并且他们暗杀的箭是由灵力凝成的，在没入血肉的瞬间便爆裂，因此慕容怜身上虽没有带着任何箭镞，却已被炸出了十余处血窟窿。他受伤的最开始，还没有立刻倒下，但是血越流越多，痛越来越深，最后终于支持不住，蓦地跪跌在地上，猛呛出一口血来。

顾茫看着他这样，脑袋里嗡的一声像有什么炸开了。

“慕……慕容……”

慕容怜捂着胸口最深的一处伤，不住喘息着，嘴唇以肉眼可见的速度失去血色，变得苍白发青。

树梢上的刺客里忽有一人闷声道：“主上，有人来了！”

“快撤！”

嗖嗖几道黑影闪掠，刺杀者就像来时那样，迅速消失在了密林深处。

慕容怜虚弱地骂道：“有种别跑……咳咳咳咳……”

话方说完，就又哇地吐出一口血，摇摇晃晃地整个扑倒在了河滩上。

明月当空，鲜血弥散，河滩边上瞬时只剩下了顾茫和受了重伤的慕容怜。

虽然在顾茫的记忆里，与慕容怜有关的好的回忆已然剩下不多了，但当他真的看到慕容怜浑身是血地倒在他面前时，他颅内最隐秘的那根神经还是被刺痛了。

他指尖发凉，在原处站了一会儿，忽然回过神来，忙上前去查看慕容怜的伤势。这一看之下，更是触目惊心，别的且不说，胸口那一处，已然被灵力箭镞爆得血肉模糊，血流不止。

顾茫本能地想拿手去捂，可是却无济于事，黏腻的鲜红很快就沾了他满掌，却根本堵不住慕容怜的失血。

“慕容……慕容……”

慕容怜这时候已经不行了，他的眼神都开始涣散，仰躺在地上，胸口急促地一起一伏，每一次呼吸都有更多的血涌流出来。

他费力地转动琉璃色的眼珠，看了顾茫一会儿，低声道：“你……”

“……”

“你……当真……那些……咳咳，与我……与我有关的事情……你……什么都不记得了？”

如果这番情景、这次问话提早一个月，在顾茫的记忆尚未消散的时候，那么顾茫或许会把真相都告诉他。

可惜太迟了。

顾茫瞧着慕容怜那双微微上挑的桃花眼，明明是那么漂亮的眼睛，却因为琉璃色的眼珠上浮，天生一副三白眼的阴狠模样。

“你至少……至少也应该……”慕容怜喘了口气，颤抖地伸出手来，似乎想要做些什么。但他的伤势实在太过严重，以至于浑身使不上一点儿力气。他死死盯着顾茫的脸，眸中闪动着某种极其复杂又极不甘心的光泽，他张了张嘴，刚想继续说什么，可是出口的却不是声音，而是淤血。

远处密林里有人声与灯火逼近，慕容怜苍白的脸庞上忽然闪过一丝清明。

他抬起鲜血淋漓的手，聚起一层薄薄的华光，抵着顾茫的胸膛很轻地点了一下，而后将他推开。

“跑。”

慕容怜的视线开始模糊，但他仍低哑地催促着。

“快跑……不然就……”又是一口鲜血涌上来，慕容怜的声音几乎已经微不可闻，他那双漂亮的桃花眼大睁着，眼珠子左右微弱地动了动，里头倒映出漫天星斗和顾茫惶然的脸来。呓语般的最后一句话从沾血的唇齿间飘落，“就……再也……解释不清了……”

“慕容怜！！”

“顾茫……”神志模糊之际，他低低道：“其实……我……我也没……”

话未说完，已是一口血涌将上来。慕容怜的手动了一动，似乎想最后再做些什么，可是他没有力气了，手蓦地垂了下来。

这一切发生地太突然，以至于顾茫脑袋里嗡嗡地，根本转不过磨盘来。

慕容怜想说什么？

几乎是在这一瞬间，闻声赶来的北境军巡逻修士提着风灯掠出了密林。灯火晃到他们身上，为首的巡逻队长沉默须臾，手中的灯盏蓦地跌落在了河滩边。

那修士失声道：“望舒君？！”

猎猎腥风刮过，戒哨自河边刺破苍穹，传遍了整片黑夜——

“快来人！！望舒君遇刺了！！！”

“抓住这个刺客！”

“擒住他！！”

顾茫并没有打算逃跑，可那些修士哪里会管？忽地斜刺里射出一道法术的极光，狠狠击中了顾茫的后背。

极光射来的地方有人大喊：“打中了！他跑不了了！”

“押回去！”

顾茫昏昏沉沉地在慕容怜身边倒下，他正巧是面对着慕容怜的，面对着那张怎么也教人看不透的脸——

这张脸此刻血色全无，那双总是带着嘲讽的桃花眼也紧紧闭着。

慕容怜之前是想和他说什么呢……慕容怜……又究竟是个怎样的人……

缺失了记忆的顾茫全无头绪，而他失去意识前最后的景象，便是一众赤翎营的人围了过来。

“你……当真……那些……咳咳，与我……与我有关的事情……你……什么都不记得了？”

“你至少……至少也该……”

也该怎样？也该记得些什么？

慕容怜昏迷前的话语在他梦境深处回荡着。

顾茫浮沉在一片茫茫然的黑暗之中，有一束光陡地自他胸膛处渗透而出。他在梦幻中坐起身子，摸了摸自己的胸口。

散发光芒的位置正是慕容怜最后用手指点过的地方。

光芒越来越明亮，从他心口处源源不断地涌流出来，最后在黑暗里化作了一只莹白的蝴蝶。顾茫仿佛受到了某种说不清的指引，他从地上爬起来，跟着这只白蝴蝶不住地往前。

梦境越来越深了。

随着灵蝶引路，他看到了赵夫人雾一般扭曲的脸："你如此冥顽不灵，以后如何才能继承你父亲的家业，为望舒府的门楣添光？"

他看到望舒府管家在浓雾里向他伸出手来："少主，时辰不早啦，你得赶紧回琴房修行去，若是迟了，免不了又要被夫人一通责罚。"

他还看到缥缈的雾气深处，少年墨熄拿着弓箭站在靶场上，黑金边的宽大衣袍随风飘摆，周围是一些面目模糊的学宫长老，都在夸赞他，褒奖他。

而慕容怜在角落里阴沉地看着，手里攥着一卷自己并不爱读的乐修书简。

梦境里陡然响起了无数潮汐般的声音——

先是赵夫人的："你永远比不过他。"

而后是学宫长老的："你总是不如他。"

最后那些声音狞笑着，拧成了慕容怜自己的自言自语。

"慕容怜，你永远比不过他。"

"你是个跳梁小丑、阴暗小人……你连自己喜欢什么都做不了主……"

"你是慕容怜吗？不，你只是一个你爹的翻模……一个牵线傀儡……哈哈哈哈哈……"

一路往前走着。

慢慢地，这些声音淡去了，白蝴蝶的光芒变得越来越强烈，它扇动翅膀时振落的荧光在不住地飘飞，逐渐将无尽的黑暗驱散。顾茫看到不远处的前方裂出了一道天光，起初是有风声从光束里传来，而后一点一点地飘下了花瓣，飞舞出了更多幻术凝成的蝴蝶。

他向前走去。走到了那片洁白中央，他听到了孩提时慕容怜的声音，轻轻地自那一片洁白的深处传来："是你吗……"

顾茫尚未回答，那只一直在前面翩跹的蝴蝶便陡然化作一个模糊的影子。

小小的慕容怜站在白光里，回头看着他："是你……"

几乎随着他这句话，忽地一道耀目的光闪过，激得顾茫猛地闭上眼睛，过了一会儿，他听到檐角悬挂的叮咚风铃。

一个谄媚的声音在说话：

"慕容小公子，您要的点心匣子，您再仔细瞧一瞧，要有什么不满意的，小的立刻就让糕点师傅拿回去重做。"

顾茫慢慢地睁开眼睛。

梦境已经换了模样，映入眼前的是一间金红相间的建筑物，满厅都堆摆着碗口大的山茶花，用人大多是四五十岁的憨胖女人，穿着制式统一的粗布花衣，在厅内堆着笑来回忙碌。

这是玲珑斋，重华都城最有名的糕点铺子。

幼年的慕容怜站在高高的杉木柜台前，仰着头，和掌柜的颐指气使地说话。

他那时候看上去才四五岁，非常稚嫩的一个孩子，却从头到脚都被竭力装扮上贵气逼人的饰物，恨不能连指甲都镶上宝石。但他又那么小一个，金的银的，翡翠珍珠全堆在一起，所以旁人乍一眼看去瞧见的不是个活人，而是个移动的小短腿珍宝柜。

生意人对于这种恨不能在脑门上都写着"我有钱"的客官自然是欢迎得不得了，再加上慕容怜又是重华数一数二的贵公子，所以哪怕是个乳臭未干的小娃娃，年过半百的掌柜的也恨不能曲意逢迎，跪着喊爹。

慕容怜伸出小短手，接过糕点匣子，打开一看，只见黄澄澄的酥饼油亮松脆，淡粉色的荷花酥层次分明，还有玲珑斋独有的奶冻，晶莹剔透的一小个，上头搁着一朵含苞待放的春桃。

慕容怜盯着看了一会儿，自己先伸手毫不客气地拿了一个然后塞进了嘴里，而后他含糊命令道："这个我要了。你再去重做一盒。"

掌柜的虽觉得他这一本正经却又馋虫大动的样子很好笑，但又不敢笑出声来，只得点头哈腰地应了，重新命大师傅又去蒸糕做饼。慕容怜便在这等待的过程中坐在玲珑斋的上座，就着一壶月季茶，半点儿也不含糊地把点心都吃完了。

顾茫正不解于慕容怜留给自己的幻境为什么会是这个，就见得掌柜的一掀竹帘，提着重新包好的一匣子点心走到慕容怜跟前。

"慕容公子，又重新做好一份啦，您再瞧瞧看？"

慕容怜很有些人小鬼大的意思，学着他娘亲的样子，颇为威严地摆了摆手："不必了，我拿走便是。银钱从我每月的账上划。"

掌柜："……公子，您没有账啊，只有您家的赵夫人有固定账……要不小的从赵夫人的账上划？"

"不行！"慕容怜瞪大眼睛，立时拒绝了他，而后又道，"你等着，我有钱。"

说完便开始从自己的小布兜里掏。

那布兜是赵夫人平日给慕容怜装闲钱的地方，赵夫人管得严，给他的钱两其实并不多，而且大多是散钱。于是掌柜的就眼瞅着穿金戴银的慕容公子从兜里掏出一把又一把寒碜极了的白贝币，拢在一块儿，一二三四地数了一遍，发现不够，又掏。

但四五岁的孩子能有多少钱呢？掏了半天，也都是一些零零碎碎的破贝币。

慕容怜仰起头来，显然有些心虚，但架子还是要有的，于是道："就这些了。不用找了。"

"……"

"后会有期。"

说完便提着糕点匣子，人五人六地在掌柜目瞪口呆且欲哭无泪的眼神中离开了。

回了望舒府，慕容怜就召来自己最亲近的侍从，先是装模作样地喝了一口茶，然后才掀起眼帘问道："咳……那个……那个小贱奴，昨儿被我推了一下摔破了头，现在还活着吗？"

顾茫怔了一下，他多少还有些印象，于是反应过来——

原来这段记忆是发生在自己被慕容怜从秋千推落，撞破了脑袋被林姨抱着去疗伤的那一段日子。

侍从摸不透慕容怜的心思，诚惶诚恐地答道："回少主，他还……还活着呢。"

慕容怜高深莫测地"哦"了一声，眼神迷离不定，重复道："还活着。"

"是……是啊，林姨带着他及时去看了药修，现在那小子大概是在林姨屋里歇着。少主有什么吩咐吗？"

"……没什么。"慕容怜道，"你下去吧。"

待侍从离去后，慕容怜跷着脚坐在桌前想了一会儿，最后他从储物盒里摸出了一枚古币，捏在手里自言自语道："抛着正面，我就去道歉。抛着反面，我就把这盒点心都自己吃掉。"

说罢一丢，钱币骨碌碌在桌上打了几个圈，最后正面朝上，不动了。

"行吧。"慕容怜没好气道，"反正是我推的你，道歉就道歉，也不会少根毛。"

于是跳下椅子，踮起脚从桌上将玲珑斋的糕点匣子拿起来，朝着林姨的房间走去。

顾茫虽然跟着慕容怜的脚步往前走，但他对于慕容怜要去看他这件事，是感到迷惑且意外的。

虽然他对慕容怜的记忆所剩无几，但是他很清楚慕容怜从来都没有好言好语地对待过他，更别提买了一盒点心去向他道歉了。

小孩子的爱恨情仇没那么复杂，今天你推我一下，我记恨上了，但你若明天给我一串糖葫芦，之前的记恨也就烟消云散了。所以顾茫笃信自己绝对没有收到过慕容怜的那一盒糕点——如果他确实收到过，他和慕容怜之间的关系无论如何也不会像后来那般水火不容。

怀着这样的疑问，他一路跟着慕容怜，最后来到了林姨的小屋外。

林姨的房外栽种着一株桃花，此时正值花期，开得风流稠艳。慕容怜在花树下站定了，整了整衣冠，不尴不尬地轻咳了两声，确保自己摆足了少主的架子，这才抬手准备敲门。

可指节还未触上门板，就听得里头传来了两个女人对话的声音。

“怎么摔成这个样子？”首先说话的女人音色威严，充满着压迫力，正是慕容怜母亲赵夫人的声音，“我让你带孩子，你就是这么带的？”

慕容怜听到自己娘亲的声音，脸上露出了些敬畏又吃惊的神色，本欲敲门的小拳头就放了下来。

接着，林姨柔怯的声音就从门板后头传出：“……对不起，是我疏忽大意了。”

“我看你不是大意，你是没有脑子。林姨，你在望舒府待着的这几年，我赵素素何曾欺辱过你？这孩子受了那么重的伤，你为何不来及时报我，难道是觉得我不会帮你？”

林姨忙道：“不，不是的。我没有……”

赵夫人却冷哼一声：“何必解释。我知道你一贯恨我，全重华都当我是个妒妇小人，难道就你是个例外？”

“夫人……”

“不用再说了。”赵夫人严厉道，“孩子我带走。你自己做好你该做的活儿，少在我眼皮子底下晃。”

林姨没有出声，但门板后面响起窸窸窣窣的脚步动静。

过了一会儿，赵夫人拔高了音调的嗓音刺透木板传了出来——

“你这又是干什么？”

林姨小声哀哀道：“夫人，求求您，您就把他留给我吧，您别看阿茫平日里总闹，他其实很怕生的，他在您那里根本没有办法好好歇息……”

“我是生人吗？！”

“不是……”

“那为何他怕我？我是会吃了他还是会毒死他？”

“我没有这个意思……”

“那你还不松手！你担心什么，我就算再不待见他，难道我会坑害他？”

“……”

“林姨，你清醒清醒，我是望舒府的当家，而他好歹是望舒家的种！”

死寂。

顾茫脑袋里嗡的一声闷响，简直炸开了，他几乎不敢相信自己的耳朵。

什么？谁是望舒家的孩子？

赵夫人……她……她这话是什么意思……她在说什么？！

脑袋嗡嗡作响声中，小屋的门吱呀一声开了。

可同样瞠目结舌的不仅是幻境里的顾茫，还有慕容怜。

慕容怜似乎想拔腿就跑，可是浑身就像被灌满了水银，动也动弹不得，在门口傻站着。

就这样和赵夫人撞了个正着。

“阿……阿娘……”

赵夫人是提溜着昏迷中的小顾茫出来的。她一眼瞧见慕容怜，脸上的血色迅速消失。

“你怎么在这里？！”

慕容怜抬起一张苍白的小脸来，惶惶然对着自己的母亲结巴道：“我……我……”

但赵夫人自己问完之后没有让慕容怜回答，她忽然反应过来什么似的，抬了一下手，止住了慕容怜的声音。而后立即掩上了房门，阻断了林姨的视线。

林姨：“夫人……”

“不许出来！”

“夫人……阿茫真的很胆小的……他总怕打扰到别人……”林姨尽管知道自己惹她厌了，却仍是怯生生却固执地，“您……您给他瞧了病，就别再让他留您那边了……我一定……”

“你给我闭嘴！”赵夫人猛地关上了门，“砰”的一声。赵夫人似乎并不想让林姨知道外面还站了个慕容怜，她压低秀眉，低声咬牙道，“过来。”

慕容怜呆立着没动。

“你给我过来！”

慕容怜还是回不过神，又惊又怕地仰头望着自己的母亲。

“……”

赵夫人暗骂一声，干脆扯住他的衣襟，左手提着顾茫，右手拎着慕容怜，头也不回地返去了自己的房间。

一进房门，赵夫人就屏退所有侍奴，将顾茫往床上一丢，然后对慕容怜道：“你都听到了多少？”

慕容怜那时候才那么小，哪里经历过这阵仗，吓得话也说不出，只睁大了眼睛，眸子里充满了惊惧的泪水。

“问你话呢。男子汉大丈夫的，两句话就哭，像什么样子！”

“我……我……”慕容怜手里还抱着那个点心匣子，被母亲逼得急了，哇的一声就哭开了，“我不是阿娘生的吗？我是捡来的吗？”

赵夫人一时愕然。

慕容怜这一哭，就有些一发不可收拾，他一会儿看赵夫人，一会儿看床上昏迷的顾茫，最后竟有些要抽噎过气的意思。

赵夫人琢磨了一会儿，算是明白过来了，她先是扶额，继而拍桌：“……慕容怜！你在胡思乱想些什么？我这般国色天香的人，怎会生出他那么难看的臭小子来？”

慕容怜的自恋和赵夫人简直是一脉相承，光凭这一点都可以断定慕容怜绝对就是赵夫人亲生的。

慕容怜抬起一只小手抹着眼泪，哽咽道："那你刚刚还说……你还说他是……是……"

赵夫人眯起眼睛。

慕容怜感受到了来自母亲的压力，声音轻弱下去，但仍是低低地说完了："他是我们家的人……"

这一回赵夫人没有立刻说话。

她走到慕容怜跟前，将他费力抱着的点心匣子拿过来，搁在了铺着金丝绣白鸟缎布的桌上。而后斟了壶花果茶，慢慢喝了一盏。

施染着丹朱的手指转动着汝瓷杯盏，赵夫人抬起眼来，却并没有看向慕容怜。她的目光落在了顾茫身上，过了好一会儿，她才道："慕容怜，你来。"

慕容怜犹犹豫豫地向她走过去。

赵夫人放落茶杯，又思索了一会儿，最终还是握住他的肩膀，对他说道："……这件事，你迟早都该知道，我本想等你再大一些的时候告诉你，不过既然你现在已经听到了，那我再瞒着也没什么意义。不过这个秘密必须埋在你自己心里，谁也不能说，谁也不许告诉，你明白吗？"

慕容怜懵懂地点了点头。

可是这么小的孩子，又哪里学得会保守秘密？

赵夫人也有这个考量，所以她拉过慕容怜的掌心，指尖凝光，在他掌中划落一个咒印。那显然不是什么好的咒印，慕容怜一下子便叫出声来："阿娘，好痛！"

"只是落印之痛而已。"赵夫人道，"此印落下，在你成为望舒府之主前，你今日所听到的秘密将注定无法出口。一旦你说错了什么，便会有远胜这疼痛的苦楚让你守口如瓶。"

她说着，松开了他的掌心。

"你别怪阿娘太狠心。你生在慕容家，若是露出什么的软处，做错半点事情，丢掉的或许就是你自己的性命。"

做完这一切，赵夫人才让慕容怜坐下。

她神色复杂地看着正捂着手背，睫毛上挂着泪水的慕容怜一会儿，而后才斟酌着开口，尽量把那一段被她隐瞒的前尘往事，以一种小孩子能听懂的方式道了出来。

"你父亲……他与我的关系……"

她斟酌着，最后仍是硬邦邦道："其实一直……都并不如你想象的那么好。"

慕容怜："……"

这事顾茫之前就听墨熄讲过，老望舒君慕容玄并不喜爱赵夫人，而是属意一位从临安来的姑娘。只不过后来由于权贵阶级的阻挠，慕容玄最终还是没有娶之为妻，而是和门当户对的赵氏结为了夫妻。

但这种事情，旁人毕竟只知其一，未知其二，唯独当事之人说的，那才是最真实的。

随着赵夫人的讲述，这段往事的真相，终于渐渐地浮出了水面。

原来，赵夫人虽然出身高贵，从前却不住在都城，她父亲是驻守东境边陲的重臣，一家人常年居住于封地，只在每年年终尾祭的时候，赵公侯才会携着妻女来王城参拜。

赵素素便是于豆蔻年华时，于一次年宴上见到了为君上弹琴献曲的慕容玄，从此喜爱上了这位年轻有为的贵胄。

只是她这人性子傲，旁人看出了她的心思，她不好意思了，就竭力否认，甚至故意作出鼻孔朝天瞧不起慕容玄的样子，以至于慕容玄对她并没有什么太好的印象，更不曾对她产生任何男女之情。赵夫人又是个自我感觉极其优良的女性，笃信哪怕自己每次见面都送给人家俩大白眼，慕容玄还是会发现她的美好并且拜倒在她的石榴裙下。

结果自然是十分惨淡。慕容玄没有瞧上她，而是在某一年，他于游猎时偶遇了一个从临安逃难而来的姑娘。

那姑娘不知怎么回事，大概是之前摔坏了脑子，许多东西都不记得，只知道自己姓楚，再问别的，她就零零落落都想不起来了。

但除此之外，她拥有的尽是美好，生得温婉动人不说，性子也十分柔和，一来二去的，慕容玄竟然与她生出了情愫。

其实若是冷静下来仔细想想，这是一段一眼就能瞧见没有出路的恋情。楚姑娘来路不明，出身低微……一切都体现着与慕容玄的不般配。

但奈何慕容玄那时候太年轻，把一切都想得乐观无比，于是头脑一热就去和当时的君上——也就是他哥哥坦白了他的心思，并请求君上给他与楚姑娘赐婚。

本来这也不是绝对不可能的事情。然而不巧就不巧在君上刚刚答应了赵公侯的求亲，承诺将他的女儿赵素素许配给慕容玄为妻。

这些纯血贵胄的婚事大多都是由君上做主的，君上根本没有料到慕容玄居然早已有了自己的中意之人。君无戏言，为了王族的颜面，他自然是把慕容玄的恳请一口回绝了，并要求慕容玄与楚氏一刀两断。

可慕容玄那时候与楚姑娘正是情浓，哪里能肯？一贯温文尔雅的他居然当庭与王兄起了争执，君上被他惹得烦心，又不想让自己弟弟太过为难，最后压着火气，勉为其难地表示，如若慕容玄实在放不下楚氏，那么待他娶了赵素素并诞下一儿半女之后，也可破例抬升楚姑娘的身份，允她嫁与慕容玄为妾。

老君上本以为自己已经是让了一大步棋了，却不料一向识趣的弟弟这一次却固执得厉害，执意不肯退让半分。

最终，雷霆震怒。

而这时候，临安封王岳钧天更是参上一奏，说他去查了楚氏身份，临安根本就没有姓楚的姑娘，此等来路不明的女子，不是探子就是妖孽。

君上怒火中烧之下，以妖惑之罪将楚姑娘收押司术台，将她投作试炼。

事情到了这般地步，慕容玄只能答应履行婚约，娶了赵氏为妻，以此请求放楚氏一条生路。

其实按君上的意思，他本来也没觉得楚氏是个密探，他清楚岳钧天趁机告的这一黑状只是出于私怨，所以他本来想的就是拿楚氏威胁威胁慕容玄就算完了，只要慕容玄乖乖地成了亲，满足了重臣赵氏一族的诉求，那么自然可以放过楚姑娘一马。

可赵公侯一家并不那么想。

除了自恋至极的赵素素没把外头的那些传言当回事，根本不觉得自己丈夫和那楚姑娘有什么了不起的。赵家的其他人却都觉得楚氏是个不得不拔除的眼中钉、肉中刺。再加上岳钧天从旁煽风点火，赵家的人就愈发坐不住了。

他们几番算计，绕过君上买通了司术台的修士，让他们放一个假冒的楚姑娘出来，而留下真正的楚氏继续在司术台被当作随时会丧命的试炼体。

本以为这样就替女儿夷平了情路上的绊脚石，可是世上无不透风之墙，赵氏一族的密谋很快就传到了当时正在前线的慕容玄耳中。慕容玄那段时日原本就非常低迷，此时再听闻这样的消息，顿时心神大乱，以至于在决战交锋中被敌军重创，最终竟病死于回城途中，咽气在凫水河畔。

赵家人没有想到，这一番弄巧成拙，非但没有帮着自家闺女，反而连累赵夫人守了活寡。噩耗传来时，赵夫人已有七月身孕，悲惊之下害了早产，痛苦中诞下了一个男婴，那便是慕容怜。

生育之后，赵夫人郁郁寡欢，沉浸于丧夫之痛中。她根本不知道新婚那日慕容玄其实是被人哄骗着饮了合欢酒，其实他对她毫无感情，还以为两人夫妻情深，却从此阴阳两隔。

直到她身子稍愈，去到亡夫书房暗自垂泪拾掇遗物时，发现了一沓丈夫生前与楚氏往来的书信。

当那绵绵情思、潺潺温语从字里行间涌流而出时，赵夫人才终于后知后觉地意识到一直以来都是她的过分自负居上，其实那些传言都是真的，她丈夫喜欢的根本不是她，而是那个卑贱至极的逃亡流民。

赵夫人如此心高气傲之人，又怎能不恼羞成怒？

她与对她隐瞒真相，只一心想让她嫁与慕容氏的家族长辈们大吵一架，摔桌砸门，仍是顺不过这口气，思及那个楚姑娘，更是气得受不了。

她竟不知不觉沦为了一个笑柄，而这一切全是拜她那个把她当作棋子的赵家，还有那姓楚的所赐！

赵夫人闹完了赵家，又怎会放过楚氏？几番打听之后，总算知道楚姑娘如今被羁押在了司术台的修罗间里。于是她怀着愤恨的心情去了司术台，那个时候，楚氏正被收了好处的修士提去做着药剂试炼。

她在司术台瞧见的却是一副被法咒封冻的躯体，面目全非、骨瘦嶙峋，还有……明显隆起的小腹。

“好几个月了，不过她一直被冻在玄冥之冰里，在里头待上一年，也不过就等同于在外面过了三两天。”修士与她解释道，“令尊大人原本是想直接要她命的，但那样做又太过明显，怕引起君上怀疑，便就先封冻起来了。”

“夫人，您是想现在就杀了她吗？”

赵夫人：“……”

她有些发呆。她看了丈夫写给这个女人的情书，心中本是妒恨难平。可此刻隔着玄冰，她张望里头那个与自己年岁相仿的女人。

只因没有一个好的出身，不可与喜爱之人结为眷侣也就罢了。脸也毁了，命也悬着，连孩子都无法保全，竟都是拜自己家人所赐。

她和她一样，说到底，都是棋盘上的子，两个牺牲品。

赵夫人心中五味杂陈，再瞧那孕育着生命的腹部——她本不是什么慈悲为怀之人，可她毕竟自己也才刚刚分娩，内心终归是较从前更为柔软的。踌躇良久，她终归是不忍心，于是将楚姑娘救了出来。

赵素素瞒着所有人，将楚姑娘藏在了望舒府邸的暗室里，并请了一个口风严实的稳婆照顾，直到孩子平安降生。

而为了掩人耳目，楚氏也被她改了姓氏，只取了其中一半，冠姓为林。

从此，世上再也没有那个楚姑娘了，而望舒府多了一个丑婆。

那便是顾茫的泥姨……

顾茫抱住自己的脑袋，眼前一阵一阵地发晕。掩人耳目……冠姓为林……临安楚氏……

这些零星的碎片像是尖刀一样扎入他的颅内，在他早已混沌不堪的脑海深处游弋着，刺激着他那些与之相关的记忆。

恍惚间，他好像听到有个柔软如缎的嗓音在低低吟唱着：“红海棠，黄海棠，一朝风吹多悠扬。小童相和在远方，令人牵挂爹和娘。”

唱歌的人隐约有着临安乡音，一曲江南水乡的童谣，哄着将入睡的孩子。

红海棠，黄海棠……

顾茫痛苦地往后退了一步，颅侧阵阵抽痛着。一面是消退的记忆，一面是被刺激出来的回想，七零八落的往事在他脑海里像流风回雪一般难以捕捉，却又冷不防地蹿出个影来，搅得他愈发混乱。

他仿佛看到了当年望舒府的小屋里，林姨披着褙子，依窗而坐，她一边拍着靠在她膝头入睡的顾茫，一边柔声吟唱："一朝风吹多悠扬。小童相和在远方……"

记忆中年幼的自己迷迷糊糊地眯缝着眼，冲她露出一个笑，梦呓似的喃喃着："泥姨，你唱得真好听。"

林姨目光温软得像是春絮，她摸了摸孩子的头发："阿茫若是喜欢，林姨便一直唱给你听。"

"那你不会累吗？"

女人微笑着："不会。"

"那你不会渴吗？"

"不会呀。"

稚子迷迷瞪瞪的，打了个哈欠，小兽一般蜷在女人的身边："泥姨，你要是我的阿娘，那该多好啊。"

抚摸着他的那双手蓦地顿住了，微微地有些发抖。

但那时候的顾茫根本没有留意到这些细节，也更没有抬头瞧见林姨复杂的神情，他只是缩了缩身子，调了一个更为舒适的姿势挨在她的身边。

敞开的小轩窗外，有细碎的花瓣随着春雨飘落，吹进屋来。

那淡淡的粉色，仿佛一场随时都会醒来的好梦。

"小童相和在远方，令人牵挂爹和娘……"

顾茫蓦地在梦境深处跪下，他的头颅像要被钝沉的巨斧劈开了，他抱着脑袋，伏在地上大口大口喘息着。

他像是濒死的鱼一般，痉挛得越来越厉害。慕容怜说——你至少该记得——

记得什么？记得林姨本不姓林，而是姓楚，他也不是什么望舒府的奴仆，而是慕容玄与楚姑娘的孩子……是不是？

他无法遏制地回想起自己写在书卷上的要事。而那上面反复被他所提及的一句话便是："望舒府于你有活命之恩，前尘难书，纠葛难表，望至少铭记此事，不与望舒君相为难。"

所以他未曾失忆前，本已是知道真相的，对吗？

仿佛是受到他强烈的心念震颤所感，一些原本已经沉入深渊的记忆像是蛟龙出水一般闪烁着浮出岸来。

在那海棠飘飞的童谣曲中，他模糊地想起林姨去世前对他说过的那一番话。

那个病骨支离的女人紧紧攥着他的手，干槁的嘴唇一开一合着，她对他说："阿茫……赵夫人……赵夫人虽然有这样……这样那样的不好……但她……但她并非像重华满城所传，是个……

咳咳，是个心狠手辣的妒妇……她……与她的家族不一样……她的心肠是好的……只是她为人太倔，许多旁人对她的误会……她是不想解释的……”

“可你不能误会她……若不是她……阿茫，你也来不到这世上啦……”

“你知道吗……她啊，她救过你与你阿娘的命呢。”林姨消瘦的脸颊上露出一丝浅淡的笑容，“所以，请你不要怨恨他们母子，赵夫人和小公子，其实……”

她说到这里，呼吸已经十分困难，苍白的嘴唇颤抖着，眼珠紧紧盯着顾茫的脸，像是要把他深深地印刻到魂灵深处去。

她的声音轻若蚊吟，却还是噙着泪花，坚持道：“其实……他们……也是可怜人啊……”

求而不得，退而无路。被血统与自尊绑缚住的一对母子。又能好过得到哪里去呢？

“泥姨！泥姨！！”小顾茫伏在女人榻边，女人的双眸依然睁着，有清亮的泪水顺着脸颊淌落，可是里头的光彩已骤然熄灭了。那时候的顾茫还并不那么知晓生死究竟是怎么一回事，可他懵懂地明白，这个会唱着童谣哄她的女人大概是再也回不来了。

他因此而号啕大哭起来。他是那么伤心，伤心于人生中第一次永远的别离，以至于他当时无法深究林姨临终前所述的那一番话。

是直到很久之后，他才恍惚明白能说出这番话的林姨，一定知道些与他身世相关的内情。至少林姨应当知道他的生母是谁。可她却未曾留给他追问的机会。

再后来，顾茫长大了。纵使慕容怜一直以来都刁难他，欺辱他，他也几乎不记恨他，与他争吵。

或许是因为林姨从来没有向他要求过什么，过世前唯一请他做的就是不要与赵氏母子为难。又或许是林姨从来没有骗过他，她说赵夫人对他是有恩的，那便不会是错的。

他一直都以感激的心情看待着他们。而另一方面，顾茫也一直在调查自己的身世究竟是怎么样的。他从坊间的禁册小本，从口口相传的流言蜚语中逐渐有了些模糊不清的猜测。

一年又一年，直到有一回，他在收拾望舒府尘封已久的书阁时，发现了一匣子慕容玄与楚姑娘往来的书信，一切终于水落石出。他终于清晰地意识到他应当就是慕容玄的子嗣，是慕容怜同父异母的手足兄弟。

而那时候，林姨也好，赵夫人也罢，都已作冢中芳骨了。

顾茫没有什么铁证能够证实自己的血统，事实上那个时候他也已经有了自己的梦想。他在昏暗处活久了，结识了陆展星，结识了一群尘埃里的狐朋狗友，他并不想蜕一层皮血淋淋地上岸，站到他本该归属的权贵族群里。

他当了那么多年的奴隶，深知其中疾苦，所以他更渴望带着寒窟里的人一道逆风前行，而不是独善其身。

他唯一对自己真实身份的留恋，只是在一次年终尾祭时，面对一叠慕容玄留下的祭祀袍，忍不住红了眼眶。

他伸出手，轻轻地抚上那一道蓝金色的英烈帛带。

趁无人，端端正正地束在了自己额前。

明明是属于他的东西，却只能犹如做贼一般偷着佩一回，未来得及端镜细看，身后的门就砰然大开。

慕容怜怒气冲冲地闯进来，眼中闪着的是愤恨又恼怒的光芒。

“你这个贱奴！你也敢动我爹的遗物？摘下来！！”

摘下来！慕容怜勒令得严厉又急切，甚至于伸手去夺顾茫的英烈佩：“这是我慕容家的东西，你算什么？！就你也配——”

顾茫那时候因为伤心而没有意识到，那一刻冲进来强夺佩带的慕容怜，似乎是太急，也太惶然了。

他曾以为慕容怜欺辱他，只是因为单纯地看他不顺眼。

原来不是的。就像他知道了两人本是兄弟的真相，而一直没有揭穿一样。慕容怜其实也早就清楚。正因如此，顾茫的每一点进步，都像掴在他脸上火辣辣的耳光，顾茫的每一次成功，都像在对他的权势构成莫大的威胁。

“你们同为血统继承者，若是你不好好学，望舒府迟早会是他的。”

“你怎能不如一个庶民生下的臭小子。”

“慕容怜，你要将他当作悬在你头顶的一把剑，想想看吧，如果有朝一日他知道了他也是慕容家的人，他怎会不夺你的权？”

他们两个人，一前一后，其实都已知道了与彼此的血缘关系。然而一个却始终对对方饱含警惕，恶意揣测。一个却守着母亲临终前的遗言，默默忍让着，保护着，直到今天。顾茫猛地从幻境中惊醒，急促地喘息着——

眼前是一片漆黑，他不知道自己身在何处，昏迷了多久，如今又是今夕何夕，他也无心知道。他只是嘴唇翕动着，抬起颤抖的双手覆住自己的眼。

周围俱是死寂，他躺在这黑暗中，神识混乱至极。他用力挼搓着自己的脸，触手却是一片湿润。他微微发着抖，慕容怜重伤时流出的鲜血仿佛还在他的掌心里。

第40章

朝会散了。

君上负手立在金銮殿后的露台上，天色灰蒙蒙的，乌云翻墨，朝着帝都王城压境。蜻蜓绕着花塘里的嫩荷低低盘飞，风里已然有了些暴雨将至的味道。

“君上，血魔兽的残魂已经投入试炼了，目前看来，一切都还顺利。”周鹤站在一旁，对君上回禀道，“不过，燎国那边的动静频出，只怕他们并不想留太多时间给重华做出应对。您今天在朝会上也说了，他们随时随刻都有大举兵犯的可能，我恐怕无法在大战爆发之前研制出您所需的东西。”

君上闭了闭眼睛：“谋事在人，成事在天。这血魔兽的残魂得来不易，已算是上天眷顾，孤信重华国祚之福，你不用多想，自去尽力便是。”

周鹤应了，却没有退下的意思。

君上侧过脸来：“怎么？还有事？”

“是。”周鹤道，“那血魔兽残魂十分虚弱，灵力无法全力发挥。属下听闻燎国国师乃是用魔琴替它聚气，但司术台并没有那样的器物。此一事属下思前想后都没有尚佳的解决之道，所以想斗胆向君上求助。”

“说来说去，你是想要一样能够蕴养血魔兽灵力的法器？”

周鹤点了点头。

君上蹙眉道：“这确实有些难办。本来此事可以委托岳家的人去做，但是岳钧天那老头儿的身体越来越差，不久前他携着岳府一众人去了临安旧封地，打算在浑天洞休养，一时半会儿是回不来的。”

周鹤问：“那清旭长老呢？”

“他也不在都城。他说自己到底与岳家有血缘关系，打断骨头还连着筋，虽然岳钧天不肯认他，但如今老头儿日暮西山，清旭是个不计较的人，所以也自己跟着去了。”君上道，“重华的炼器三大师，岳钧天、江夜雪、慕容楚衣，此刻都在临安封地。”

"……"

"不过血魔兽的事一定是最重要的。"君上道，"我今日便修一份传书寄予岳钧天，让他在临安休养的时候，先想办法把那法器研制起来，你不要着急。"

"是。"

君上想再叮嘱几句有的没的，这时候侍官小趋而至，低声道："君上，羲和君在外头候着，说想见您。"

君上于是对周鹤道："你先下去吧。"又对侍官道，"让他进来。"

周鹤退下了，在回廊里遇到了墨熄。

北境军自大泽胜仗归来，已经过了三日，三日间前线发生的异事传得是沸沸扬扬，就连周鹤这种两耳不爱闻窗外事的人都听说了两军交战时燎国国师拿顾茫要挟墨熄的事。更别提那些揣测。

一时间是满城风雨，虽然还无人敢翻到明面上来质问墨熄，但几乎每家每户，每一张嘴，闲下来都在暗中讨论着墨熄与顾茫之间的关系。

从前那些细枝末节，比如慕容怜曾说墨熄擅去落梅别苑探视顾茫，再比如墨熄曾在朝堂上为了顾茫的归属而与慕容怜针锋相对，诸如此类。

当时人们觉得没什么的东西，如今细细琢磨却是颇为可疑。

而周鹤作为曾亲眼见过墨熄劫囚的人，自然是比旁人更多出了几分揣测。因此他在廊庑下一见着墨熄，就发出一声冷笑。

"羲和君，又来替那位好兄弟求情？"

"……"

"这回可没那么容易，他可是暗杀望舒君的头号嫌犯呢。"

墨熄根本懒得理睬他，寒着一张英俊的脸，眼也不眨地与他错肩而过，向金銮殿的露台走去。

他到的时候，君上正坐在雕栏边上，折了一根狗尾巴草逗弄着池塘上头盘旋的红蜻蜓。

"君上。"

"嗯。你来啦。"

墨熄不绕弯子，开门见山地问道："望舒君如何了？"

"梦泽在负责看护他，状态不是太好，已经那么多天了，仍是没有醒转的迹象。"

"……"

"不过你放心吧，孤是知道内情的人，无论如何都不会相信望舒君是顾帅所刺杀的。只是他如今在风口浪尖上，对外的样子总是要做的。"君上顿了顿，接着道，"孤关押他待审的那间'牢房'，说是牢房，但孤也早领着你看过了，其实是利于他养病歇息的疗房静室，你若想去看他，也不用与孤通禀，径自去就好了。”

墨熄道：“我正是为此而来的。”

君上微微扬起眉：“怎么？”

墨熄来之前想了很多。想告诉君上即使王室给顾茫提供最周全的保护，他也无法放心；想说明他的前半生已与顾茫经历了太多的别离，他不愿意顾茫离开他的视线。

可是真到了这时候，却又觉得任何多余的解释都没有必要。

于是墨熄道：“我还是打算将他秘密接回羲和府去。”

君上沉默须臾，叹了口气：“羲和君，收押他审讯只是一个对外的说法，你也知道，自你们回城之后，孤根本不曾薄待于他，他身上的黑魔之息暴走，记忆紊乱到濒临崩溃，孤一直都在尽力替他医治。”

“我知道。”墨熄说，“我这几天也是缠身军机署，早出晚归，自知无法将他照顾得当，都仰赖君上替我照顾师兄。”

“你明白就好……”

“但我现在手头上的事都忙完了。我还是想亲自陪伴他。”

君上将狗尾巴草收起，惊得环绕的蜻蜓四散：“你不信任孤吗？”

“我只是答应过他，不会再离开他。”

君上叹了口气：“羲和君，如今整个重华都盯着他，也盯着你……外面那些传闻孤不知道你——”他没有再讲下去，顿了一下，说道，“他留在孤这里会更周全。”

但墨熄并没有任何商量的意思，只是沉默而坚持地看着他。

半晌，君上败下阵来，有些头疼地：“……好好好，你要真的不情愿，你就把他从孤的疗房领回去便是了，不过你要万事小心，千万不能教人觉察他还在你的府上。”

墨熄抱拳道：“多谢君上。”

正欲转身去接人，忽见得王宫的一个高阶暗卫疾掠而至。

那暗卫方自檐脊上跃落，便一个踉跄跌跪在地，显是受了极重的伤：“君……君上！”

君上愕然：“怎么了？”

“不好了！疗……疗房方向，有……有高手闯入！！”

疗房内，一个穿着黑衣劲装，身形修长的男人立在顾茫的床榻边。

他手中握着一柄弯刀，雪亮的刀刃上还沾着淋漓的血，殷红的血珠子一滴一滴往下落着。而顾茫坐在床榻上，隔着半透明的雾纱幔帐，望着这个慢慢向自己逼近的男人。

也许是身世回忆给他的刺激已然太大，顾茫的脸上没有太多的表情，只以一种近乎冰冷的麻木，盯着这个不速之客。

忽然顾茫开口道："为什么要杀慕容怜？"

黑衣人顿了一下："……你怎么知道是我？"

顾茫盯着他："燎国淬我如狼兽，我自有狼兽直觉。"

黑衣人："原来如此……"

顾茫咬牙道："所以为什么要杀他？！"

其实他原本并不指望此人能够回答，但黑衣人却慢慢顿住了脚步。而后低闷的声音就从他遮面的黑巾后传了出来。

"你弄错了。慕容怜确实是我动的手，但他却不是我想杀的，我只是受人之托而已。"

"……"

"不过我很清楚想杀他的人为什么要他的命。"黑衣男子说，"慕容怜知道的秘密太多了。换作是我，我也不会容他活在这世上。"

顾茫又问："那么我呢？你费这周章来杀我，又是为什么？"

"你还是弄错了。我根本不是要来杀你。"

顾茫盯着那滴着血的刺刀，说道："可真有说服力。"

黑衣男子抚摸着刀刃，淡笑道："如果可以，我确实是想直接取了你的性命，一了百了，最是干净。只可惜这事不太容易做到。"

"阁下私闯深宫静室如若无人，怎么取顾某的脑袋反而成了难事？"

黑衣人微微一笑："……果然是慕容怜知道的太多，而你知道的太少。"但他似乎也并不想与顾茫再多解释什么。重华王宫终究是高手云集，他就算身法再好，如果拖得久了，驰援来了，他也不能保证自己能顺利逃出去。

于是他道："我今日来，是想告诉你一个之前你一直百思不得其解的秘密。"

顾茫微微眯起了眼睛。

他多少有些猜到来人的用意了。

按照燎国国师的说法，他如今的躯体就像一只已经布满了细碎裂缝的容器，只要承载的刺激到了某种程度，他就会彻底崩溃，成为一个被黑魔之息完全吞噬的行尸走肉。来者没打算杀他，却打算告诉他一些秘密，显然便是打算再刺激一次他的心智。

顾茫坐直了身子，一双幽蓝的瞳眸死死地盯住对方。

没有那么容易。流言的摧折，慕容怜的重伤，林姨的身份，他的宗亲……那么多风浪都已向他袭来过，他的记忆确实混乱一团，但他至少还能维系自己神识的清醒。

他知道一旦被黑魔吞噬，情况将一发不可收拾，所以他不坠深渊。可对方还有什么秘密能够击溃他呢？

只那么短短瞬息，他的心里掠过了无数猜测，而那些猜测都成了他提前为自己穿上的甲胄——

他想着无论对方说出什么，他都不至于会受到更大的刺激。

直到那黑衣人对他道出四个字来。

“天劫之誓。”

顾茫在还没有反应过来这四个字的深意时，兽类的本能便已令他颅内嗡的一声，血流亦是不自觉地变冷。

他湖水一般透蓝的眼睛微微睁大了，他能感知到自己高筑的城防也好，穿上的甲胄也罢，都将被这四个字逼到土崩瓦解。直觉告诉他，他应当想尽办法不要再听下去，可是就像飞蛾会被烈火吸引，明知是死路，还是喃喃地问：“……什么？”

“你就从来就没有仔细思考过君上为什么会让墨熄来接手你的残部吗？”黑衣人的话就像尖针一样狠扎入顾茫的耳膜，“当年君上可是属意他接任赤翎军的，你觉得为什么他一个最纯正的贵族，最后却会成为你北境军的统领？”

寒意从胸腔里散出来。

那黑衣人唇齿叩得森森然，说道：“是因为天劫之誓啊。”

如同雷击，五内俱灼。

“就在你亲手刺了他一刀之后，他还于金銮殿前长跪了三日三夜，拖着病躯替你留在重华的残部求情。”黑衣人慢慢道，“他那么高傲的人……那一阵子简直把自己踩进泥尘里。他曾当着满朝文武的面替你说话，为你辩白，最后换来的是什么？还不是你那锥心一刺！”

“你知道重华那时候有多少人笑话他吗？”

“他原本结仇就多，那些平日里比不过他的贵胄都出来讥嘲他，说他识人不清，说他鬼迷心窍，甚至说邦国出了你这样的叛徒，都是他觉察不及时所致。他们觉得如果他能早些认清你的面目，那些无辜之人便不会枉死。”

“他们把战败与失利都归咎到他的头上。一面是家国对他的指责，一面是你对他的舍弃，一面是与叛国者的仇恨，一面是对你长久的情谊。”黑衣人一字一句都吐得清晰无比，恨不能化作尖针，每一针都刺透顾茫的魂灵。

“你以为只有你一个人在备受煎熬，有苦难说吗？你在地狱的时候他一样也在夹缝里生不如死。不同的是，你去地狱尚知自己是为了什么，他在夹缝却根本迷茫至极。你们所有人都瞒着他，替他做选择，枉顾他内心真实的感受。顾茫啊……”

黑衣人的嗓音仿佛在唇齿间浸淫淬毒。

“是你逼他的。”

顾茫像是被蛇蝎蜇刺了一般猛地缩到帘帐深处去，脸色苍白如纸。

“是你什么都不肯告诉他，将他的双眼蒙住。是你畏惧他的挽留会动摇你的决心，所以自私自利地将他支到边境去——是，你是果断决绝了，可你连一个让他好好与你道别的机会都没给他！”

“不……不是的……”顾茫抱着头，缩在帐褥深处，“不是的……”

“怎么不是？如何不是？顾茫，你把他的信仰、尊严、光芒，全都踩熄灭了。就因为你自以为是地认为他会按着你安排的路走，从此过上清清白白、高枕无忧的日子。你是何其刚愎自用！”

剧痛裂颅，顾茫困兽一般弓蜷着，低声地哀哀道。

“不是这样……我不想他这样……”

“你不想又如何？事实本已经如此。”黑衣人讥嘲道，“正因为你的隐瞒，让君上能够拿那三万残部的性命要挟你们第二次。第一次要挟你为密探，第二次要挟他绝不能反。”

“天劫之誓啊。”黑衣人满怀恶意地说与他听，“为了一个他以为永远离开了他的人，你的羲和君减耗了他十年的寿命，立下了不背叛君上，不背叛重华的誓言。”

“顾茫，不知你向他哀哀诉苦的时候，他把这些都告诉你了吗？”

明知故问的句子，却像是笞打在顾茫身上的鞣鞭，令他浑身都在瑟瑟发抖，嘴唇青白地哆嗦着。不知他把这些都告诉你了吗？

眼前仿佛又浮现墨熄那张五官深邃而英俊的脸。

墨熄抵着他的额头，低声地对他说：“师兄，没事了，都过去了。我们还有一辈子。”

他冒着灵核破碎的危险，掘得了顾茫叛国的真相，他带着顾茫泅渡上岸，听到了顾茫的痛苦，明白了顾茫的伤心，许诺了接下来无论发生什么都会和顾茫一同承受。

他唯独没有把自己的疮痍亮给他看。

唯独没有告诉顾茫，原来他们的一辈子，其实早已不再完全。那十年的阳寿，早已在无几个人知情的状况下，成了一个保全顾茫残部的誓言。

“你知道最可笑的是什么吗？”

黑衣人看出了顾茫濒临崩溃的痛苦，上前一步，眼中端的是恶意满盈。

“最可笑的是，顾茫。他那个誓言根本就是白立的。你和君上明明早就承诺好的东西，却让他像个傻子一样什么也不知情，急得夙夜难寐。其实就算他不立这个誓言，君上就真的会将你的残部为难吗？不会的。”

他胜券在握，他从顾茫的神情就可以看得出顾茫此刻的心境有多混乱，有多崩溃；他像是蜘蛛，从精心织就的蛛网里踱向那个困在网中不得脱的猎物。最后一击犹如闷棍击落——

“你们合起伙来整的高明算计，第一个算计的就是他。顾茫，我若是任何心疼墨熄的亲眷，我最大的希望恐怕就是望他这一生不要遇到你。”

仿佛瓷面在发出令人不安的破碎声。

“是你害惨了他。”

仿佛弓弦砰然绷断，顾茫痛苦地低嗥了一声，额头重重地撞击在床褥之间，他背脊弓着，手指埋入发髻之中，喉管里是兽一般的哀鸣。

天劫之誓，天劫之誓！！

多年前学宫校场的风仿佛又起了，白桦瑟瑟，树下捧着粽子小口小口咬着的清丽少年觉察到他的目光，怔了一下，转过眼珠安静地看向他。

那双尘埃不染的黑眼睛。

那个他初见时就觉得犹如璞玉般难得的少年……终究成了他们棋盘上第一枚沦陷的棋子，而他却还一直都浑然不知。

“羲和君、望舒君、陆展星……顾茫，你以为这些人的牺牲都与你没有关系，你错了。在你成为君上股肱，为了你们的正清公道而筹谋的时候，他们就都成了你手中的棋。你永远……也别想把自己摘出去。”

说完这番话，黑衣人把一枚窄小的，铭记了墨熄立誓往事的玉简放在了顾茫榻前。

他不动声色地望了一眼外头。

他知道自己不能再继续留下去了，已经有强势的灵力向静室的方向逼来。他必须得趁着现在离开。

但是他信心在握，他知道顾茫定是极难扛得住这一次打击的，何况他还把记载了这段残忍往事的玉简设法盗了出来，交与了这个已经濒临崩溃的男人。

黑衣人低声道：“我说的话你若不信，玉简是作不了假的，你便好好看看，你当年的一个错误决定，到底逼得他有多惨。”

说完回刀入鞘，疾电一般游上檐牙，很快便消失不见了。

墨熄和君上赶到的时候，静室周围已经环了一群近卫修士，但是没人敢靠近这间屋子。

“参见君上！”

“参见羲和君！”

君上停下脚步，瞧见冲天的怨戾魔气从屋内奔涌出来，直冲霄汉。黑色的灵流在空中一会儿扭曲成模糊不清的利爪之状，一会儿又变成双目幽蓝的狼首幻影。

君上厉声问：“刺客何在？！”

为首的近卫长面色苍白，抱臂道：“属……属下无能，那刺客身法极好，已经逃跑……属下已经派……派人去追了。”

墨熄则问：“顾茫呢？！”

近卫长这些天也不是没有听闻墨熄和顾茫的传闻，陡地被墨熄这样逼问，不由得冷汗涔涔，咽了咽口水，惶然道：“我们赶到的时候，顾茫的黑魔魔气已经爆发了，属下尝试着冲进去过几次，但……”

君上乜斜过眼，看他那狼狈模样，发髻纷乱，脸颊上有烟熏火燎的焦痕，口角还有没拭干净的鲜血。

指责的话到了嘴边，还是成了一声叹息。

他仰头，看着那间已经完全被黑魔之气笼罩的屋子。阴暗欲雨的苍穹之下，疗房被蹈舞着的雪狼虚影所笼罩，仿佛下一刻就会臼齿森突，将众人撕咬成渣滓碎片。

近卫长哭丧着脸和墨熄解释：“羲和君，这屋子里的魔气太重了，一般人根本进不去的。如今我们只能结阵守在屋外，一旦顾茫从里头暴走出来，那么就——”

墨熄没有等他把话说完，也不想听他把话说完了。

他在所有人都还没来得及反应过来的时候，逆着强烈的魔气，孤身闯进了静室里。

君上一惊：“墨熄！”

“羲和君——”

焰浪袭来，众人或惊或恐的呼喊声都被墨熄抛之于后，魔息风浪犹如尖刀锥刺着他，但不知是否因为他心中笼着一团因顾茫而生的火，他竟不觉得这魔焰有近卫长说的那般不可接近。

又或许是因为他的顾茫哥哥就在其中，所以赴炼狱入火海，亦不会疼。

在这世上，没什么能疼过失去。

墨熄猛地撞开了屋门，黄檀木门吱吱呀呀，里头更为疯炽的魔焰汹涌奔出，他抬手格挡了一下那几乎逼得人无法睁眼的灵流，而后向屋子深处看去。

顾茫就蜷在疗房的床榻上，身边是一卷已经被他的魔焰爆裂成碎片的载史玉简，他将自己的脖颈低垂，头颅深埋。墨熄只能看到一只兽一般蜷缩着的孤影，却瞧不见他的脸。

“顾茫……”

他快步到他身边，可还未触及他的肩膀，就被一阵强烈的魔气蓦地斥开。紧接着他看到顾茫抬起头来，那张清秀的脸庞此刻已爬上了黑魔咒印，他眼瞳充血，蓝色的眸子闪着森森然的幽光。

顾茫已经开始异化了。尽管眉目之间仍有些许清醒的残痕，但痛苦清晰地印刻在他脸上，似是处于醒与梦的边缘。

“你答应过我的……”顾茫忽然嘶哑地开口，他盯着墨熄的脸，却好像并不是在对墨熄说话。他鼻梁上皱，眸中闪着近乎癫狂的光芒，“你答应过我的事情全都没有做到！骗子！”

墨熄还未来得及反应，便被他猛地抬手紧扼住了咽喉。

“咳咳……”

顾茫瞧上去已经完全陷入了自己的狂乱当中，蓝眼珠子左右转动着，他起身，一面扼着墨熄的脖颈，一面逼将过去。

“我不求你能够给我正名，这些年我杀的人、我染的血，我都可以我也早就打算自己来背！可你究竟把我当什么？！”

墨熄被他扼得几乎透不过气来，他反握住顾茫的胳膊，喃喃道："顾茫……"

可此刻映在顾茫眼里的却并不是他的小师弟，而是八年前黄金台夜雨里的君上，是金銮殿前让墨熄立下天劫之誓的君王。

顾茫的头微微侧偏，一字一顿地从牙缝里磨出来："军队、兄弟、名声、记忆……我什么都没有了，蛰伏八年，成了一个人不人鬼不鬼的东西……而你呢？答应我的海晏河清，你给我看到了吗？答应我的人人公允，你让我瞧见了吗？"

"所有能算计的都被你算计完了！你能不能放过我？！我受够了！不想再听到你那些精彩的权谋，我只觉得恶心！"

人非圣贤，孰能毫无怨怼。胸腔里的那些愤懑，那些曾经被理智所禁锢的不甘在魔气的催化下变得如此强烈。

顾茫狠狠一击将墨熄抵住，紧盯着墨熄的脸，却辨不出眼前的人。他已然沉溺在了自己的痛苦与疯魔之中，脑颅里乱作了一团。

黑魔之息萦绕着他，释放得越来越鲜明，越来越强烈。魔痕也从他的心腔处不住地扩散，蔓延到手臂、脖颈……甚至眼睑之下。

"顾茫……"墨熄在不伤到他的情况下，竭力将他那痉挛的手微松开，"你看清楚……是……咳咳，是我！"

到底怎么回事？

那个刺客没有将人刺杀，但他显然是对顾茫说了什么不该说的，以至于击溃了顾茫的精神力，让他崩溃成了现在这样。

到底是……说了……什么？！

砰的一声，墨熄被顾茫猛地抵按在了墙上。他身后飘摆的魔狼灵焰更旺了，一双眼睛更是蓝得放光。

那双眼睛里属于兽类的疯劲越来越强，而属于人的理智却越来越少，唯一弥漫不散的是莫大的痛楚，熏红着他的眼眶。

"为什么……我留不住陆展星……"

质问逐渐成了充满自责的喃喃。

"为什么……会害得慕容怜……被人……刺杀……"

声音越来越悲切。

"为什么……"

他几乎是绝望地低下头，肩膀微微发着抖。

"为什么……会逼得墨熄走了那一条路……是我在左右他的人生……是我……"

黑衣人冷酷的声嗓仿佛就萦绕在他耳畔，那些真相像是刀子，将顾茫的心肝脾胃都搅得血肉模糊、支离破碎。

大颗大颗的眼泪顺着他布满魔痕的脸庞淌落，他身上的魔焰因绝望和痛苦变得愈发炽烈。

顾茫的自我在一点一点地消散，黑魔的咒印甚至已弥散到他的指尖。

顾茫哽咽道："是我……一事无成……将你们……将你们都累作了盘上棋子……"

展星、慕容、墨熄……顾茫崩溃地哀号着："你为什么要让他立下天劫之誓啊！"

墨熄蓦地一怔。随即他的目光落在那些被击碎的载史玉简之上。

他忽然什么都明白了。

顾茫的痛哭声仿佛是从鲜血淋漓的喉管里撕扯出来的，困境中哀哀地低鸣着，犹如濒死的兽："为什么要逼着他立下天劫之誓……为什么要害他到这一步……"

"我只是想让他过得好一些……我一直都希望他能过得好一些……"

"是我在害他……"

刚愎自用、自作聪明。什么路都没有给对方留下，什么真相都不肯让对方知道，最后落得这样的境地。

顾茫，顾茫……你太聪明。

血从黑色的衣襟下透出，墨熄被意识沦丧的顾茫狠狠抵着，靠得太近了，那爆裂的黑魔之气就像是数以万计的尖锥刺入他的骨血里。

可墨熄还是忍着剧痛，抵着魔气的重压，微微颤抖地将双手抬起来，一点一点地，最后他捧住了顾茫已经浑然失了神的脸庞。

血腥气从喉咙里翻涌而上，他低头凝视着顾茫的眼睛，似是想说什么，然而魔息对他的逼迫实在是太过强烈了，他最终什么也没说出口，只是用那战栗的指尖轻轻地覆上了顾茫脖颈的莲花咒印。

"我会陪着你的。"

"我不在的时候，这个剑阵也会守护着你。"

"只要你需要我，只要你愿意告诉我，只要你可以相信我……你就唤我一声吧，师兄。"

"我一定会来到你身边。"

过往的承诺犹如风吹雪散，被强炽的魔焰烧灼成了劫灰。

顾茫的周身每一寸都笼着那样危险的魔息，离近一寸，痛便深一分。墨熄抚摸着他颈侧的咒印，皮肤相贴处，直接被灼得皮破血流，却还这样固执地不松手。

最后，墨熄忍着剧痛，犹如信任斩尽误解，宽恕斩尽冤仇，纯净的魂灵穿过黑魔的诅咒。

他在颤抖，他感到魔气几乎是在瞬息间浸染了他的五脏六腑。可那又怎样呢？他终是守了他的承诺，就像年少时他将上阵远行前答应过他的顾茫哥哥的那样，无论有多险阻，他都会回到他的身边。

他珍视一个人，就是一辈子。与血统无关，与身份无关，与时间无关。

他从来就没有欺骗过顾茫什么，而这一年，这一刻，或许顾茫终于能够相信——他的诺言，从年少青涩的那一天起，说出了口，便是一生一世的。

“是啊，天劫之誓。”墨熄沙哑地，在他耳边轻声说，“你看……师兄，我都已经笨成这样了，所以你能不能留着再看看我？”

“我用十年的时间，换你再看看我，不要让我再犯傻，你……”

轻轻的咳嗽间，已有血沫渗上唇角。

墨熄闭上眼睛，手掌抚上顾茫的后脑。所有人避而不及的恶魔，他视若珍宝。

“你可愿意吗？”

顾茫大睁着眸，眼神失焦。

须臾静默，忽然，两朵莲花剑阵在这一瞬间散开万丈光华，剑阵与剑阵交错着，却因不愿伤及彼此而散作了纷纷扬扬的荧光羽翼，在他们周围飘落。

强烈的蓝光之后，黑魔之气蓦地熄去了。

顾茫身上盘绕的魔纹咒印敛入了皮肤之下，泪水顺着他的脸庞潸然滑落，那水汽洗去了他眸子里的混沌，剩下的是澄澈清明的湖蓝。

顾茫的眼睛逐渐恢复了神光，他轻轻地喃喃：“墨……墨熄？”

墨熄还未说话，顾茫就哭了，他几乎是崩溃地：“对不起，对不起……”

“我……我没有想要害你，我没有想要逼你……我真的……真的不知道你……就这样……就这样……”

“那可是十年啊……”

人的一生，又究竟有几个十年。你为什么这么固执，就这样为了一个当时你以为早已背叛你的故人把你的人生献去。

墨熄拥抱着他，抚摸着他的头发，抵着他的发顶，低声道：“是。那可是十年。”他将他拥得那么紧，喑哑道，“所以啊……你要一直好好地。不然我就会很生气。我一生气……是不是就活得更短了？”

长睫毛相叠处，俱是湿润。

“为了多和我在一起，哪怕多一天也好，师兄，你要乖啊。”

顾茫已是泣不成声。

“不要魔化，不要自责，不要离开我。”

墨熄抬手，拭去他脸庞上的泪痕。

明明自己也受了那么重的伤，却还保护着他。他湿红着眼眶，却仍浅笑着哄道：

“你要慢慢地，慢慢地……用余生陪我。”

"好不好……"

墨熄将顾茫从疗房内带了出来。

秘密在一个人心中，那叫秘密。在两个人之间，那叫契约。当第三个人知道的时候，就成了把柄。

目睹了墨熄救顾茫这件事的人足有十余个，虽然他们都是大内训练有素的顶尖暗卫，但他们终究还是人。

这世上没有十几个人知道还不透风的秘密，于是羲和君冒着生命危险去营救一个叛徒的事情还是插了翅膀一般迅速传遍了整个重华城。原本坊间的那些风言风语就很多了，待到这个消息一来，许多之前持着谨慎保留态度的人，也都纷纷陷入了质疑当中。

"羲和君是疯了吗，为什么要替一个反贼做到这样的地步？"

"我知道他们俩曾是出生入死的兄弟，但是就算如此，顾茫做了那么多十恶不赦的事情，也不该被原谅吧！"

一时间满城风雨，但墨熄却没有心情去管这些。

尽管他及时赶到，将顾茫从彻底魔化的旋涡之中解救了出来，但那个神秘"刺客"将天劫之誓告诉了顾茫，还是给了原本就已经濒临崩溃边缘的人又一次精神上的重击。

顾茫的神识终于覆灭了。

就像姜拂黎曾经警告过的，顾茫如今的情况变得比刚刚被燎国送回来议和时还要差，那时候顾茫虽然以为自己是一头野狼，但至少还保留着不少生而为人的心念。而再一次遭遇了创伤的顾茫，却在苏醒后近乎丧失了全部的人情。

"燎国当初淬炼他，原本就是想将他制成一件拥有血肉之躯的兵刃，不需要他有什么想法，只要他能服从军令那就足够了。"

梦泽诊治完顾茫的病情，站在羲和府的花园廊庑里，对神情憔悴的墨熄说道。

"不过想来当时燎国也是头一次做这种尝试，掌控的并不是很好。所以顾茫只是灵力发生了变动，魔气变得强大，除此之外，并没有立刻生出太多的异变。而当他后来出现狂暴的征兆，变得越来越不受燎国掌控之后，为了不被不可预知的危险波及，燎国选择了将他主宰记忆的两魄剜除，送回了我们重华。"

"如你所见，现在他已经发展到完全失控的地步了。除了还没有被最终吞噬，他差不多已经成了一个无法与人共情的……"

梦泽迟疑了一下，朱唇间的"怪物"两字，却始终无法说出口。

墨熄的神情太疲倦也太痛苦了。

她从小与他一起长大，认识他那么多年，真的极少见到他这样。

廊庑外下着绵绵细雨，池中红蕖随风摇曳，一尾金鲤自宽大的荷叶之下摇曳而过，点起縠纹粼粼。

这沉寂之中，墨熄忽然低声说了一句："但他还记得我。"

梦泽："……"

"我带他从疗房出来之后，他昏睡了近两日，后来醒了，旁人与他说什么，他都淡淡的没有反应，但还记得我。"墨熄垂了眼帘，像是在对梦泽说话，又像是在宽慰自己，"我与他讲什么，他总是会理的。"

"那是因为他尚未全然被黑魔吞噬。他如今这个状况，记忆基本丧失，只有极少残余。"梦泽叹了口气道，"其实我并不知道他还能坚持多久。"

"墨大哥，姜药师之前也对你说过的，他的这一次崩溃，如果没有两魄回归，那便是无可逆转的死局。"

墨熄蓦地闭上眼睛。

雨点敲在屋瓦墙檐，太湖石面。他漆黑的眉宇低蹙着，挺拔的鼻梁下面，一双薄唇紧抿。

若只是梦泽说无法可救也就算了，他至少还能怀有一线希望。可之前重华的第一药圣姜拂黎也早就提点过他同样的事情——

"除非找到顾茫那缺失的两魄，否则大罗神仙也救不了他。"

墨熄的指尖深陷入掌心里，忽然道："九州大陆，会引魂之法的药修有哪几位？"

梦泽陡地一怔！

"墨大哥，难道你要……"

墨熄转过身来，对她说："我想替他召回他缺失的那两魄。"

那种觉得无限荒唐的神情几乎无法掩饰地显露在了梦泽脸上，梦泽喃喃道："那……那无疑是海底捞针，魂魄一旦溢散，便可能失落在任何一个地方。茫茫天地，哪怕会引魂之法，找起来也可能要花上十年二十年，历经无数苦难。又哪里是轻而易举的事情？"

"我知道。"墨熄负手望着珠帘一般垂落于檐瓦之前的雨幕，"要找到那两魄当然不易。"

"但放下他不管更难。"

"……"

"从前所有人都觉得我家境落魄，注定永无出头之日，没有人愿意搭理我。我初入军营时，做什么都是一个人，一个人戍守，一个人探查，一个人吃饭。有一次陷入魔狼群中，染了一身毒血，我当时觉得没有谁会冒着危险来救我。因为我在重华一个可亲之人也没有。"

梦泽闻言略有些尴尬，那时候墨熄实在是太年轻了，她与他的交集也并不深，此时听他讲起这段往事，竟有些不知如何宽慰，只得轻轻嗯了一声。

墨熄道："是他来救的我。"

“没有考虑自己是否会被连累，没有考虑救回我之后是否能驱散魔气，没有在意我的身份和境遇。”

“梦泽。如今换成我，那也是一样的。无论有多难，无论结果如何，无论要花多久。”墨熄道，“只要他还活着一天，只要我还活着一天，我就不会回头。”

“直到我们之中的任何一个人死去。”

苍白的院墙边翠竹轻摇，沐着风雨，发出湿润而萧瑟的簌簌声。

梦泽瞧着眼前这个男人。其实这些日子城里风传的碎语闲言她都听到了不少，而作为离他最近的人之一，其实她心里比许多人都要清楚真相究竟如何，也清楚顾茫对墨熄而言究竟意味着什么。

可正因如此，她才觉得墨熄实在太过于坚强。

明明怀中揣着一捧将熄的火，明明眼前是一条漆黑的路，明明得到的都是最为令人崩溃的消息，但墨熄都忍了下来。

她当药修许多年，见过各种各样的人在面对困境时怯弱、绝望、退缩、失控的模样。子女悲伤地放弃重病的爹娘，丈夫软懦地抛下羸弱的妻子……那些人或许是被逼到了死角里，所以只能低下头颅。

她不是他们，没有置身其中体会到这些人的生活苦楚，所以不想妄自评判他们的选择是对是错，是自私是凉薄。

但她到底还是在看惯人情冷暖之后，会因为某一个人绝不向命数屈服的固执，而感到心弦颤动。

墨熄没有抱怨，没有苛责，没有任何的无理取闹或者崩溃失控。

尽管傻子都能看出他眉宇间压着的情绪太沉重，能够看得见他的指尖都在微微颤抖。可这个男人活得太清醒，对自己也太狠戾。他没有把心力辜负在任何不必要的地方，哪怕宣泄会让人稍微舒服一些。

他自始至终都以一种近乎对自己残酷的冷静，在处理着这些足够让他心碎无数次的梦魇。

梦泽最终长叹一声，说道：“引魂术……是三大禁术重生之术里的一卷分支。而能掌握这一门法术的药修，除了本身道行要足够深之外，还得有修习到此术的机缘。”

“在药宗传闻中，这些人大多已近大能，行迹不定，近乎神话。”

“不过……”梦泽停顿须臾，纤长的手指握住自己的袖口，下定决心似的，抬头说道，“我曾在一卷坊间药谱上看到过一个传说。临安城过去以北，有一片深林群山，山内住着一位隐士高人，掌握着重生之法。”

她几乎能看到墨熄黑沉沉的眼里聚起了亮光。

梦泽道：“引魂术是重生术的第一步，如果传闻属实，这位高人肯定能够召引顾师兄缺失的那两缕残魂……只是……”

她转开视线，低声道：“只是这个传闻不过寥寥几笔，根本无从考证临安附近是否有这样一位大修，如果有，此人消匿于山林，也定然不是那么好找。而且传闻里说了，那人的性子琢磨不定，高兴了救人，不高兴便故意害人，所以哪怕你们真的找到了他，也不知道究竟是祸是福。”

但劝归劝，梦泽瞧着墨熄的神情，也知道这人是绝不会放弃这一条路的。

梦泽叹了口气道：“墨大哥，你若真的要去，我也拦不住你。重华与燎国战事已开，怜哥又重伤卧病，至今生死悬于一线，不知能不能救回来，你若真的能让顾师兄恢复，对重华也是一件极大的好事。只是此事事关重大……我担心在这当口，王兄并不愿意让你远离帝都。”

她顿了一下，说道：“这样吧，你先回府去好生歇息，之前为了压制顾师兄的魔气，你也受了不小的伤。这件事情，就由我去和王兄解释恳求。”

她说罢，朝墨熄露出一个柔婉温润的笑容，尽管眼里隐隐的伤怀仍藏不住。

“对不起，我不是第一个慧眼识珠的人，在你家逢变故的时候，我也不在你的身边。……就让我再帮你这一次，若是你能把你……你在乎的人救回来。”她垂了头，纤细柔白的脖颈处垂着细细的碎发，“那我也是很高兴的。”

“你放心，交由我去与王兄说吧。”

雨越下越大了，梦泽与墨熄交代了几句用药需注意的地方，便唤来月娘，两人掌了伞回去。墨熄也进了房间去继续照看顾茫，空寂的庭院中只剩了几个仆役站着。

李管家亦在其中。

“师父，你怎么皱着眉头？你在想什么？”

新收的小徒将李微从神游中唤回，李微把目光从照壁那边转过来，清了清喉咙：“没什么。”才怪呢，方才梦泽公主与他家主上的对话他尽数听在耳中，却怎么听怎么觉得不太舒服。

李微曾是王宫里的奴役，妃嫔媵嫱他看得太多了。那些女子虽然出身华贵，但说到底骨子里也还是一个人，是人便会有感情，而感情是无法轻易释怀的。

所以才会有人守着空帐独坐到天明，才会有人听闻受尽深恩的某个宠妃病亡了就在自己宫内笑到酣畅淋漓，才会有算计、恨意、妒忌，才会有那么多的不可割舍。

但梦泽却是个令李微感到意外的姑娘。

她虽然也曾有所挣扎，有所悲伤，有所不甘，可她的挣扎悲伤不甘都让李微觉得太过于虚假，像是美人脸上的铅华。

那么容易放下的感情就不是感情了，何况她已经空等了墨熄十余年。还是说她作为重华三君子之一，气度果然不同于寻常女眷？

李微如是想着，不由得又将眉头微微锁起。

梦泽离去后，雨势渐成瓢泼，时不时有闷雷滚涌，覆压在重华大都之上。

顾茫还在睡着，但墨熄知道他怕雷，所以一直守在屋内不曾离开。此刻他正在西窗边执着金剪，将烛芯剪去一截，朦胧昏沉的火焰一下子便亮了，照得满屋明晃晃。

他回到顾茫身边，在床沿坐下。睡梦中的顾茫睡歪了枕头，于是他抬手替他重新摆正。也就在这时，他发现了枕头底下压着的书卷。

墨熄怔了一下，将那书卷抽出来。那是一本没有名字的书，只翻了一页，瞧见上面那熟悉的字迹，他就什么都明白了。

那是顾茫之前，为了留住自己的记忆而每日都会撰写一些的散记。

当时他想看，顾茫拦着他不同意，说若是被他看了，自己就会尴尬到无以复加，要求他在自己重新失忆之后才可以翻阅。后来顾茫又觉得自己这样说会让墨熄心情愈发沉重，于是就哄他说哎呀没准十年二十年自己也不会忘记太多，要墨熄别太担心。

没想到这么快就是“十年二十年”了。

墨熄将那书卷在膝头摊开，读着上面的一字一句。

顾茫在那回忆集上写了许多事情。

写了学宫的生涯，写第一次从军，写陆展星，写慕容怜，写君上，当然还有墨熄。但很快墨熄就发现，无论是记录任何一个人，哪怕是过去常苛待他的那一些，顾茫也都只记了别人的好。

厚厚一沓书卷，竟没有一个字的抱怨。

明明在学宫里受了那么多欺辱，他却只写“北学宫的烤饼金黄酥脆，价廉物美，真好。”

明明第一次从军生死一线，他却只道“结识了不少好友，身边的人一个也没有牺牲，特别好。”

他写陆展星，说人家“英雄豪迈”，写君王家，说别人“忧虑深远”。

哪怕写慕容怜，都是字迹清秀，心平气和地落下一笔“故人曾言，与我有恩，不可轻负。”

他记下的都是好的。那些人生中的凄惨、如影随形的恶意、求而不得的悲苦，都被他漫不经心地删去了。他来这人间一遭，为了一个太过轻狂的梦想而受尽折磨，但他也只想记得他所遇到过的所有的善良。至于那些丑恶的、黑暗的、疯魔的……不过是摔了一跤时身上沾染的尘灰，拍一拍就散了，都不必再提。

单看这一卷，仿佛顾茫从前走过一段恬静、美好的路程。

一生所遇，尽是善意。

灯花默默地在烛台里淌成幽潭，明明是这样无限温暖的回忆卷，却看得墨熄数次凝噎，要缓上许久，才能接着读下去。

正翻到写着学宫初见的那一页，垂泪之际，忽听得身边小兽一般细微的动静。他忙拭了泪转过头去，却见得顾茫不知什么时候已经醒了，正睁着一双湖水似的蓝眼睛默默望着他。

“你……”

“你不高兴。”

“……”

“为什么哭呢？”

对话仿佛又回到了落梅别苑再见时那样，他顾师兄的伶俐、活跃、张扬，绕了一圈，什么都没再留下。

但这一次，墨熄知道自己再不会嫌弃他，鄙薄他，不会将他欺负。

墨熄伸出手，一边揉乱了顾茫的头发，一边尽力拾掇出一池浅笑来：“我没有不高兴。我看你之前写的东西，觉得很喜欢。”

“我之前写的……”顾茫将墨熄膝头的书卷拿来，搁在自己面前反复地翻动。他低头看了看书，又抬头看了看墨熄，再低头看了看书。

他的神智已经被黑魔法咒侵蚀得残损不堪了，唯独对墨熄的信赖还固执地留着。

最后他把书卷一合：“记不得了。不过你喜欢，那我应该就写得很好。你总是对的。”

顿了顿，又好奇道：“我写了什么？”

“写了……你忘记掉的很多东西。你过去的三十年。”

“是吗？”顾茫因为思忖而鼓了一小处腮帮，他侧着脸想了一会儿，似乎很努力地在想了，但他想不起来。

他也无所谓，只很平静地问了一句：“那我过得怎么样？”

墨熄沉默良久，他的喉咙好像被最咸涩的海水浸泡了，湿润和苦意几乎要弥漫进他的每一次呼吸里。

他在顾茫坦然而好奇的凝视下，顿了好一会儿，才笑着说：“遇到的都是好人，碰见的都是好事。是很好的人生。”

顾茫微瞪大透蓝的眸子，长睫毛轻动。

“是吗？”

墨熄还未来得及再忍着痛楚应声，就看到顾茫笑了。

“那我真是好幸运。”说着摸了摸自己的脑袋，“就是有点儿可惜，那么多好事，可我都不记得了。”

“我就记得你，你对我一直很好。”

墨熄不敢看顾茫澄澈的眼底，近乎有些无措地：“……也不是一直很好。”

我也……我也做过伤及你的事情；我也曾经疏离过你。

可顾茫偏着脑袋思索了一阵，修改道：“你一直都是最好的。”

“……”

说完，伸出手，模仿着墨熄安慰他的样子，照葫芦画瓢似的也反过去摸了摸墨熄的头发。

在这一刻墨熄忽然那么清晰地意识到，其实不记得太多对顾茫而言未尝不是一种解脱。他不用再为陆展星的死痛苦，不用再为七万袍泽的亡背责，不用再每日每夜从自己掌缝里看到无辜之人的血。

他可以只看着回忆卷，只捕捉到过往所有美好的东西。只是墨熄无法这么选择——

顾茫黑魔魔气的爆发只在旦夕，他找回那缺失的两魄，唤回完整的顾茫，才能不使他堕入炼狱。

“师兄……”

“嗯？”

“无论怎么样。”墨熄握着他的手，认真地对他说，“我都会一直陪着你。”

顾茫坦然点了点头：“那真好。我也会一直都陪着你。”

窗外暴雨倾泻，又有雷霆响起。但这一次顾茫没有害怕，他转过幽蓝的眼睛，用一种近乎懵懂的好奇，望着铅灰色的天幕。

反倒是一直伏在旁边沉睡的饭兜被惊醒了，它呜呜低哼着，起身踩着四爪跑来床边，偎着他的两个主人坐下。

夜深了，骤雨滂沱。然而雨总会停的，黎明也总会来。

就像搁在两人之间的那一卷回忆书一样，回首望去，所记得的都是最光明的。

君上一开始并不想让墨熄陪着顾茫到临安去。用他的话说：“去这一趟找到大修的可能实在太渺茫，你不如还是等姜拂黎云游回来，他诊断了之后再说。”

又道：“我们得了血魔兽的残魂，如今周鹤正在钻研其道，或许不久之后就能创出抑制黑魔气息的术法，你留在都城，多少还能去看看状况，如果真的创出来了，也能马上给顾茫使用。”

但墨熄执意先去一试，再加上梦泽从旁劝谏，君上最终还是松了口。

只是临行前，他把墨熄唤到朱雀殿，对墨熄道：“羲和君，如今燎与重华的边关战事频频，恐怕很快就会再次爆发大战。你一向头脑清醒，也当知道顾卿的心意，明白他的为人。他一定不会愿意你因为他的事情而耽误战事，孤虽允你一月闲假，让你陪他去临安寻求招魂之道，但希望无论结果如何，一月后，你都要按时归来。”

墨熄道：“是。”

君上点了点头，想了一会儿，又叮嘱了几句：“如今望舒君险境未脱，岳钧天又年老病重，重华国内境况其实很是令孤不安，更何况宫中刺客、暗杀望舒君的刺客均还没有查出眉目，孤担心那些幕后之人还会对你下手。你这一路上，要多多留意。”

“另外，等到了临安府，若是有闲暇，你也去拜会一下岳钧天，敦促他快些将周鹤需要的法器炼出来，也让他们一家行事当心些，孤总觉得那些刺客的暗杀远还没有结束。”

墨熄一一都应了，临离别时，君上却又唤住了他。

“等等。孤还有一事。”

墨熄侧过头来，但这回君上却没有很快地说出他的想法，神情之间反倒有些犹豫。他斟酌了好一会儿，才道：“这段时日，坊间有些传闻，说你和顾卿实在走得太近……”

“……”

“孤且不多问什么，但是人言可畏，众口铄金，无论你们之间是什么情谊，只要存了心想中伤你，话都会说得很难听。你们之间的事情并不是最重要的，最重要的是他们会揣测你的居心，甚至已有人说你和顾茫一样，最终的目的都是想重演花破暗自立为王的旧事，其心不纯。”

墨熄听完了，却对君上笑了一下：“君上信吗？”

“……你说呢。”君上翻了个白眼，“孤再是多疑，至于多疑到一个立过天劫之誓的人身上？孤只是觉得这样下去于你驭军不利，你最好还是离顾卿稍远一些。”

墨熄道：“十多年前，我家门蒙尘的那些日子，一直是顾师兄在照顾我，于泥泞里陪伴我。他最好的兄弟陆展星曾在那时候劝他别和一个落魄贵族走得太近，以免以后我生出什么不幸，会累得他连坐受苦。君上知道他是怎么回答的吗？”

君上一时默默。

“他当年的答案便是我今日的答案。”墨熄顿了顿，曦光透过大敞的窗映照在他清丽的脸庞，他平静却执着地说了四个字。

“人贵有情。”

言下之意已很明显，无论是什么情，兄弟、袍泽、家人……情谊所在，人言也好，困苦也罢，都是九死不悔的。

他不会放下顾茫，亦不会因与顾茫在一起会染上污点而却步。因为当年，在他深陷泥淖的时候，是这个人伸出手，将他从寂冷与污脏中救了出来。顾茫不是他的污点，而是他长久以来，心底不灭的光明。

言至于此，若不想将场面闹得难看，也没有什么可再追问，君上颇有些疲倦地往夔龙黄花梨圈椅里一坐，朝墨熄挥了挥手：“真行，那孤还能说什么？再说孤就不是人了呗。好吧，就这样吧，赶紧滚滚滚。”

顿了顿，又愤愤道：“你也是不给孤省心的，你们都不给孤省心。”

墨熄抿了下薄唇，作了个揖，转身离开了朱雀殿，准备回去收拾东西，带顾茫启程前往临安地域。

第41章

从重华都城到临安不算太远，乘灵舟走水路，一天就到了。

这一路上顺风顺水，两岸重山猿声相啼，所过城镇也渐渐地从恢宏的深的檐斗拱建物变成了粉墙黛瓦，枕水人家。

替他们撑船的是个十七八岁的船娘，临安人氏，常年往来于这条水路之上。墨熄和顾茫常服出行，这船娘平日又只关心鱼虾多少钱一斤，明日风浪如何，对政事毫无兴趣，所以也没将他二人认出来。

一路上，她操一口吴侬软语，咯咯笑着和两人谈天说地，一会儿讲梨春国的风俗，一会儿讲燕北城的严冬，樊城的牛肉汤粉要搁着胡辣子最是好吃，北境一家炊饼摊子卖的炊饼咯吱酥脆。

顾茫一边咬着船娘赠给他们的小鱼干，一边懵懵懂懂地听着，忽然来了一句："你去过好多地方。"

"我？我才没有去过呢。"船娘的笑声比细竹竿子点起的清浪还要晶莹，"我到了一个口岸，教人家把吃的用的都送上来，我一年都不下几次船，嘿嘿，脚尖不沾土，我是水上仙。"

这要换作别人说，未免显得轻狂造作。可这娘子确实生得明若芙蕖，艳若桃李，笑起来的时候梨涡浓深，眼眸更是含情带水。她立在船头，素手纤纤撑着竹竿，衣袂飘飞、乌髻如墨的样子，倒真有些洛神出水的惊艳模样。

只可惜是个小话痨。一路上尽听她嘚嘚地舌灿莲花，墨熄听得有些累了，但侧头一看顾茫，他倒是津津有味，一双蓝眼睛瞪得大大的，有时候听入神了，鱼干衔在嘴里还忘了咬。

"我从小就跟捡我回来的师父在这小船上过，师父驾鹤后，就我一个人过，别看我船小，什么风浪没见过，什么人物没载过？"

墨熄见顾茫有兴趣，于是顺着船娘的话问下去："你都载过谁？"

船娘颇为得意地："不少大修啦，他们名号太长，我都记不住。不过我跟你们说，我师父在的时候，临安封王岳钧天还乘过咱们的船呢。"

墨熄颇有些无言，苦笑道："岳钧天自己是炼器大师，他怎需乘旁人的船？"

船娘一下子瞪圆了眼睛："我又没有说谎。怎么不会？他年轻时好喜欢微服出行，就有坐过我家的船，我当时还小，认不得他，回头我师父就告诉我，说那个色眯眯的就是岳钧天。有事没事就爱来临安城惹些风流债。"

"……"

"我师父还说幸好我小，再大一些，见到这个人，就要往脸上抹淤泥，不然我那么漂亮，就会被他看上，抓回去当小老婆。"

"……"

船娘道："幸好这些年他年纪大了，玩不动啦，我们这些撑船人都说没再瞧见过他私行南下。"说着拍了拍胸脯，"松好大一口气哦。"

这一番话顾茫听得糊里糊涂的，墨熄却颇有些尴尬。

岳钧天这个人好色，这是重华人尽皆知的事情。慕容楚衣和江夜雪这种后辈的孽缘归根结底也都是因为岳钧天太花心而导致的。

只是他没想到岳钧天在民间的名声这么糟，尤其他自己封地的姑娘们，居然都把他当作鬼怪传说一般骇然的人物，私下里这样说他。

不过船娘讲的也没错，岳钧天确实不靠谱，得亏他这些年身体不好，年纪也大了，不然继江夜雪、岳辰晴之后，他没准还能给自己再作出第三个继承人来。

船娘聊着聊着，有些飘飘然起来，边撑杆边道："唉，也无怪岳老头儿喜欢往我们这里跑，临安府多美人，有几家姑娘生得那叫一个水灵标致，我好几回在水上瞧见她们洗菜浣纱，那模样真是动人，也就比我差了那么一点点。"

墨熄听得头有些疼。

顾茫倒是很淡定，又咬了一口小鱼干，说道："你是好看的。"

船娘一下子便心花怒放、笑逐颜开，娇声夸道："小哥你也很俏。"

顾茫回头看墨熄："俏是什么意思？"

"就是你也好看。"

顾茫于是点头，对墨熄道："那这条船上你最俏。"

墨熄一时回也不是，不回也不是，最后转过脸去，望着粼粼湖水被一苇剪破，轻咳了两声。

快到临安城时，水上头的船只明显得多了起来。水乡到底与帝都不同，船楫横流，窈女浣纱，渔舟唱晚，越儿争泅。

墨熄甚至还看到一个最多四岁大的孩子浪里白条似的在河中游得欢腾，不由得道："水性真好。"

"那可不，这临河一带的住户都是先学会戏水，再学会走路的。"船娘咯咯地笑着，"两位客人，你们记得拾掇拾掇东西，等前头看到更多踩浪捕鱼的，那临安口岸就到啦。"

墨熄谢过了，又问道："姑娘，你这些年见过那么多人，可曾听闻临安山郊有个隐士，掌握着重生之术？"

他见她烂漫天真，也不在乎什么仙门术法，原本只是侥幸一问，并不太指望她能回答些什么，却不料船娘歪过脑袋："那是传说中的三大禁术之一吗？"

墨熄心中一亮，说道："正是。"

"哦……我之前确实有听几个船客谈起过这个传说，说什么临安城外是有这样一个高人。"

"可知具体方位？"

船娘摇了摇头："那我可没记那么清楚。我师父说过，生老病死都不能勉强，什么重生之术的，我听着也觉得太玄乎，当时就当成几句闲谈过了耳。你们若是有兴趣，不如去城内找一找修士问吧。最近岳钧天大老爷来封地休养祭祀，举家相伴，问那些修士肯定比问我有用得多。"

她言谈间瞳眸清澈，自有一番寻常百姓的从容释然。

其实也是，如若放舟天外，一生过得漫长悠闲，生死倒也不是什么非执念不可的大事。只是这样的恬淡宁静，却是从他们出生开始就注定求而不可得的。

到了口岸，墨熄与船娘结清了贝币，顾茫却有些依依不舍地盯着船娘悬挂在桅杆边的麻布袋。于是墨熄又问船娘买了一麻布袋的小鱼干，这回顾茫才高兴了，抱着麻布袋，一边吃，一边跟着墨熄走在临安城的巷陌里。

"卖蒸糕——荷花糕——桂花糕，步步高升——"

"白兰花啦，卖白兰花——"

此间风物与帝都不同，和北境边关更是迥异，顾茫一路下来左看右看，虽然一句话也不多说，但只要看到喜欢的东西，他就盯着那东西一动不动地杵着。没过一会儿，墨熄的乾坤囊里就装满了一堆莫名其妙的小玩意儿。

从竹蜻蜓到小泥人，从小瓷杯到小绢扇，丁零当啷一大把。

墨熄本来打算先直接去岳家在临安的宅邸拜会，但看时辰也不早了，于是改了主意，对顾茫道："我们先找一家客栈住下，然后我带你去吃晚饭，好不好？"

顾茫正叼着一只沾满糖霜的糖葫芦果儿，闻言也不出声，乖巧地点了点头。

两人寻了一家临湖的客栈，此时正值荷花的花期之末，推开窗子便能瞧见莲叶接天，无穷碧色，在开至繁盛的荷花上头蜻蜓停驻，更有莲蓬俏立，娉婷婀娜。墨熄将乾坤囊里的闲杂物件都放在屋子里了，然后两人下楼去问店家。

小二正在忙着擦拭桌子，见了墨熄便躬身问好。

墨熄道："劳烦，借问一下，临安城口味最佳的酒楼是哪一家？"

小二也是个明白人，见两位的打扮虽然不惹眼，但裁衣的布料却是顶好的品样，于是堆着笑道："哎哟二位客官，那可得先说清楚了，口味最佳的可未必就是最富贵的，有些个喧闹巷子里做的小炒顶好，就是怕二位贵客嫌弃。”

墨熄便回头问顾茫：“你要好吃的，还是地方舒服的？”

顾茫很耿直：“不能都要吗？”

墨熄便再一次询问地瞧向小二。

“又要地方舒服，又要吃得好，那就只能折个中啦。”小二道，“出了客栈门左拐，穿过三条大街之后会看到一家裁缝铺，往裁缝铺的左手边走，第二个巷子里有一家酒香楼。那家酒楼有上下两层，位置宽敞，菜嘛，做的虽然不是最好的，不过也很不错啦。”

小二顿了顿，又嘿嘿笑道：“掌柜的从前是个跑码头的，江南临水这几座大城的点心肴馔他们家都有，水晶虾球和糖醋鳜鱼最是好吃。哦，别忘了他们家的梨花白，真是酒香不怕巷子深，那倒是临安城酿的最好的酒。”

墨熄问顾茫：“想去吗？”

顾茫仍然没有放下他那袋小鱼干，闻言咬着鱼干点了点头。

谢过店小二，两人按照指点很顺利地就找到了酒香楼。大抵是地方较偏，店面租价公道，所以修得很大，环境确实比许多店家显得宽阔舒适。他们要了一间二楼的雅间，点了些特色大菜和小炒，又要了一小壶酒、一些糕点。

菜肴上得很快，不一会儿就齐全了。

但见得一颗颗饱满的虾球莹润剔透，摆在铺了绿荷的白瓷盘中。糖醋鳜鱼芡汁鲜亮，筷子一戳，尽是肥嫩丰腴的洁白鱼肉，蘸一蘸撒着细姜末的糖醋汁，端的是酸甜可口。蒜泥白肉亦是特调过的，三层五花肉，煮后切作蝉翼薄片，在冰鉴里冻过，端出来冒着丝丝凉气，肥腻全然消却，可蘸生抽与椒盐，入口只觉得滋味凉爽，肉质层次分明。

至于一些炝爆的小炒也滋味极佳，爆炒腰花打着好看的卷，端上来时仿佛还犹带灶台星火，嫩笋时件亦是爽脆非常。就连落汤青蔬菜汤也是碧嫩清口，教人看来分外有食欲。

两人正吃着，墨熄见顾茫特别喜欢那虾球，不一会儿一盘就见了底，所以打算把跑堂叫来再加一份。

正偏过头准备往楼下唤人，忽然见到楼下柜台前已不知什么时候来了个熟人，一身白衣，神情凝肃，正和掌柜的说着话。

墨熄怔了一下。慕容楚衣？

这么巧……不对，他随岳家来临安封地，不与岳钧天他们待在一起也就罢了，自己一个人跑到街头巷陌里来做什么？

慕容楚衣瞧上去精神状态很不对，他一贯是个飘然出尘的人，眉目间总是没什么过多的波澜，哪怕之前在蝙蝠岛与岳辰晴争执愤然离去时，情绪也是压着的。

但此刻的他就像早春的寒湖，有些东西已经在他封冻的冰面下藏不住了。哪怕墨熄他们隔着些距离，也都能明显地感知到他的焦躁与低落。

“什么？你问三十多年前码头边的住家？”掌柜的颠着发福的大肚子，正在噼里啪啦地打着算盘，他算钱算得正畅快，所以也只心不在焉地哼唧道，“哎呀，我早年是跑码头的没错，但是临安码头边住家那么多，没有上百户也有八十户啦，我哪里记得每家每户哦。”

“那一家姓楚。”

掌柜哼哼唧唧的：“姓楚的也很多啊，这姓在临安不罕见。”

慕容楚衣在打听一户姓楚的人家……还是三十多年前的？

墨熄略一思忖，旋即明白过来：端阳节的时候岳辰晴曾经说过，慕容楚衣这些年似乎都有意寻找自己真正的家人。而他手上拥有的线索其实并不多，只知道自己当年是被慕容凰从寺庙前抱回去收养的，襁褓里唯有一张残纸，纸上歪歪扭扭地写着一个“楚”字，除此之外再无其他。

慕容一脉，男子单名，女子双名。但慕容凰幼时身体羸弱，算命的先生说要给她起上一个男名才好养活，于是君上就给他们家这一分族开了特例。然而慕容凰一直觉得双名更好听，收养了这个弃婴后，便以他本家留下的“楚”字为由，取了一个名字，叫作慕容楚衣。

想来慕容楚衣是近来多了些线索，所以这会儿才会寻到这酒香楼来，向掌柜询问三十多年前的旧事。

果不其然，慕容楚衣并没有离去，而是从乾坤囊里取出了一枚金贝币，双指一推，递到了掌柜手边：“您再仔细想一想。”

掌柜一见金贝币，那打算盘的胖手指立刻顿住了，他一边把贝币收好，一边笑着抬头道：“贵人您看您这客气的，其实……”

他的笑容却在瞧清慕容楚衣长相的时候，忽然有些僵住了。

慕容楚衣：“怎么？”

掌柜却仿佛记忆深处的层岩被撬动，入了神地盯着慕容楚衣看了半晌，突地“啊”了一声，陡然睁大了眼睛：“是你？”但转而又连连摇头，“不不不，是她？”

随即又猛搓一把脸。

“不是，你难道就是她的……”

掌柜的讲得颠三倒四，似乎十分震惊且糊涂。但慕容楚衣却似听懂了他言下之意，一把抓住他的胳膊，上前一步，凤眸里闪动着明灭不定的光泽。

慕容楚衣低声道：“三十多年前，临安口岸，您是知道些什么的，对吗？”

掌柜的神情就跟做梦一样，缓了好一会儿才缓过神来，他见周围的客人与手下都向他二人投来好奇的目光，于是哆哆嗦嗦地掏出汗巾擦了一下脸，犹豫片刻，对慕容楚衣道：“仙长您……您先随我上楼去，我捋一捋……我捋一捋，上楼去我再说。”

两人便往楼梯口走。

顾茫见墨熄剑眉微蹙，顺着他的目光看过去，便问道：“你认识这个白衣服的俏人吗？”

他刚从船娘那里学来一个“俏”字，见慕容楚衣生得好看，于是干脆就叫别人俏人。

“……”墨熄道，“认识，你之前也认识他。你只是忘了。”

“哦，那我要去和他打个招呼吗？”

墨熄一把抓住他的手腕，将他按下来，摇了摇头。

“他有自己的私事要处理，何况你我与他并不算太熟，此时相见未免尴尬。”墨熄轻声道，“你先吃饭吧。”

对话间楼梯处便传来了脚步声，掌柜的引着慕容楚衣到了一间雅座，墨熄他们虽然瞧不见这两个人了，但声音却听得愈发清晰。

瓷盏叮咚，继而是冲泡茶水的响动，而后掌柜有些虚弱的嗓音从竹帘子后头传过来：“……冒昧问一句，仙长是哪一年生人？”

慕容楚衣便报了他的出生年份，那掌柜听了，反复呢喃了好几遍，似乎是在推算什么，随即又连连叹气。

“难道真的是……真的是她当年说的那样？”

慕容楚衣的声线润如浸水之玉，但其中裹藏的情绪却似岩下熔流：“掌柜若有所知，何不明言？”

“我……唉，我实在也是不敢确信，不过仙长这相貌……”掌柜说着，又哀叹一声，“好吧，好吧，我就先把我知道的都与你说吧。”

“那确实就是三十多年前的旧事啦……”

掌柜的慢慢开了口：“三十多年前，我来临安水路跑码头，那时候我是个穷鬼，吃了上顿儿没下顿儿，有时候饿得急了，就捡地上别人丢的半块饼，两口馒头。有一回我在码头边捡馒头的时候，被水岸边一家小饭铺的老板瞧见了。那老板是个好心人，便让我去他店里小坐，给我炒了一碗炒饭，一碗紫菜虾干汤。

“老汉店里头有两个女儿，一个儿子，三个人帮着阿爹一同拾掇饭铺。我还记得那饭是他家大女儿炒的，搁了一勺子猪油，一大勺子酱油，满满当当一大碗，又香又热腾。我捉襟见肘的时候，常去他家店里吃饭，不过也不吃白食，吃完了，我就帮着他家做些重活儿粗活。”

吸吸溜溜的啜茶声，掌柜的又喝了几口茶水，平复了一下心绪，接着道：

“这户人家姓的就是楚，一家都是善人，幺儿还小，那两个姊妹则是临安城内颇有名气的美人，方一及笄就有不少富商老爷上门提亲。不过她们俩的爹爹对她们宠爱有加，那些富商老爷因为门第缘故，是无论如何不可能将她们明媒正娶的，而纳作妾，老汉又绝不情愿。宁愿就由她二人自己选择，也没有将她们草率地嫁出去。

“名花无主，自然惹人惦念。她们姐妹俩的芳名便在当时越传越远，求婚的人也越来越难以对付。最后将一些横行霸道的贵族老爷也惹来了，软的不行，就来硬的，硬逼着人家爹爹交人。”

“那后来呢？”

“后来……”掌柜的长叹了口气，“其实后来发生了什么，我也没有亲眼看见，我当时开始做船运，跑商去了，一个多月都在泉州。而等我回来的时候，楚家的饭铺子已经被烧作了一片焦土。”

慕容楚衣一惊。

“我拉了周围的邻居询问，但他们都支支吾吾的，不敢多言。我那时候年轻，气不过这样的事情发生，于是不假思索地就冲去了官府里鸣哀报官，太师爷告诉我，是楚家经不住踏破门槛的姻亲纠缠，所以举家搬离了临安城。”

慕容楚衣沉冷的声音里隐隐透着一股几乎已压不住的愤怒。

“举家搬离又怎会要烧旧宅？”

掌柜道：“我也是这么想的啊。我当时就知道官府是没有和我说实话了。唉，楚家毕竟于我有恩，我不愿此事就这样不明不白地过去，所以我就在临安城不断地找线索，询问旁人……后来……后来……”

“后来怎样？”

哪怕事情过了那么久，旧事重提时，掌柜依然十分痛苦，他嗓音发着抖，又喝了好几口茶，压低声音：“后来……我就自己去找，最后在临安城郊，竟寻……寻到了楚家老爹的尸体，身首分离……”

他说到这里，禁不住一个寒战，眼眶发红，他不敢也不愿再描述具体情形，缓了一会儿，接着道：“我又是害怕又是伤心，正大哭着，忽听得——那……那草垛深处，隐约传来细细碎碎的声音，我就扒过去看，看到他们家的幺儿躲在草垛子深处，像小猫崽子似的瞧着我，也浑身是血。”

墨熄听到这里，已是十分愤然，而这时竹帘后头传来砰的一声瓷盏碎裂声。

掌柜惊道：“仙长，你……”

似乎是慕容楚衣太过于愤怒又太过于压抑，所以不慎把手中的茶盏给捏碎了。

“你……你手上都被划……划……”

慕容楚衣淡道：“不碍事。”

绸布窸窣，他好像是拿了块巾帕替自己把血迹擦止了，而后低声道：“您接着说。”

掌柜“哦”了一声，发着愣，眼圈红红的。他已经许多年不曾再忆此事了，此时真的再一一回顾时，情绪也就渐渐地漫了上来。

他沉默一会儿，接着道：“那个孩子年纪还很小，我问他话，他也说不太清，问他姐姐去了哪里，他也只是哭。我便埋葬了楚公，把孩子带回了我跑商的船上养着，他还没到记事的岁数，我希望他以后过太平日子，也就从此不再和他提这段往事，希望他长大后不要记得这个仇……”

"慢慢地，一天天过去，甚至连这个话都还不太会讲的孩子，都不再记得这件事情了。城里的人也渐渐把楚家一家给淡忘了……直到有一天。"

他顿了一下，而后道："楚家的长女忽然回来了。"

"不过她已经完全是另一副模样啦。"掌柜的嗟叹道，"蓬头垢面，患了失心疯，一直反复不停地说自己有个孩子，但那孩子被她一时糊涂抛下了。别人问她什么孩子，和谁生的，她都答不清楚，问她妹妹去哪里了，她就一直哭，说不要怪她，她也是有苦衷的。"

慕容楚衣："……"

掌柜掏出手帕，擦了擦鼻子，感伤道："官府的人听闻了这个消息，将她接去诊判，确定了她精神受了莫大的刺激，再也恢复不了正常以后，也就没有再去管她。乡人见她可怜，给她让了间荒僻的小屋住着，一开始去探视她的人还很多，可渐渐地，大家发现她嘴里颠三倒四就那么几句话后，觉得无趣，也就没有谁愿意理会她了。"

"我倒是带着她弟弟去看过她，可是她弟弟根本就不认识她，也不记得她了。而她一看到小孩儿就开始哭，说自己不该那么狠心，把自己的孩子丢掉不要，说不管再恨都不该恨去娃儿身上，又说看到小孩儿变成鬼了，坐在血里看着她。唉……"

"虽然当年的事情什么佐证也没有，但我多半也知道，其实当初他们一家根本不是什么举家搬迁，而是被王都的某个达官贵人看上了，强掳了那俩闺女过去。恐怕是楚公护女心切，便被他们残忍杀害，幺儿也被丢在草垛里，自生自灭。"

掌柜的说到这里，发了会儿呆。

"楚大姑娘当时说她有了个孩子，又不停地喊嚷说让她妹妹不要怪她，她是有苦衷的。慢慢地，大家就猜想，她当年是不是为了活命，做了什么不该做的，害死了她妹妹……所以活着回来的只有她一个，楚二姑娘却不见了。"

慕容楚衣神色渐黯，似乎并不愿意接受这是真相。

"就因为这个猜想，人们开始疏离她，讽刺她，拿她的疯痴开她玩笑。"

"我当时……我当时也没阻止，因为我对她的了解也不多，从前都是楚二姑娘为人更温柔热情，而她作为姐姐，总不太爱说话。我就觉得她或许真的对自己姊妹做了什么，才被自责逼疯的。这事儿搁在我心里，始终是个疙瘩，直到她临终的时候，我才知道——"

慕容楚衣一惊，蓦地打断他，沙哑道："什么？她……已经不在了？"

"早几年就不在啦……"掌柜伤感而自责地叹道，"……她走的时候，我去送她。许是回光返照，她终有一时半刻的清醒。那会儿她跟我说……"

掌柜的停了须臾，似乎是在思量自己是否要把这最后一重秘密告诉他。最后他许是瞧着慕容楚衣与故人极其相似的脸，终于道："她说，当年她与妹妹被贵胄掳掠，她自知逃不过，便佯作顺从，自愿解衣服侍，哄骗得对方放松了警惕，终于找着了机会可以放她妹妹逃走。可是她妹妹以为她为了存活竟不顾父仇委身人下，恨极了她，说宁愿死也不愿受她恩惠。”

慕容楚衣：“……”

“这时候我才知道乡人都误会她了，她根本没有为了自己苟活，害死自己的妹妹，所谓的苦衷，竟然是这个原因……她催楚二姑娘逃跑，遭了拒绝和误会，没有能够实现。她心中焦急，又想到她们如今已身在王都，到处都是权势骇人的门阀贵族，就算妹妹听了她的话逃出去，又能逃多远？楚大姑娘日思夜想，最终心生一念。她曲意逢迎作陪自己那位贵族时，曾见过不少世家贵胄，所以她最后的打算，就是想设个计，能让她妹妹得到其中一位的照拂。为了楚二姑娘能够好好活着，不用受辱，她便寻思着要找一位好心的贵族接受她的妹妹，那个贵族必须足够善良、正直，地位显赫，能够官压一级。最后她把目标锁定在了两个人身上。”

慕容楚衣：“谁？”

掌柜道：“弗陵君墨清池，先望舒慕容玄。”

墨熄冷不防在这场对话中听到自己父亲的名字，不由蓦地睁大了凤眼。

没有想到居然能在这一场往事中听到自己父亲的名字，墨熄一时间也是五味杂陈。

掌柜道：“然而楚大姑娘经过打听，得知墨清池家中已有一妻，且十分善妒，于是最终把目标定在了尚且独身的慕容玄身上。”

慕容楚衣低声问：“但那……楚二姑娘性子既然如此之烈，又怎会愿意听从她姐姐的安排？更何况若是让她知道姐姐所谋所忍皆是为了自己，她又怎会甘愿偷生？”

“是啊。”掌柜道，“所以楚大姑娘做的打算，就是根本不让她妹妹知情。她希望她妹妹能够不存痛苦，好好地把日子过下去。于是有一天……当满城王室去城郊游猎之时，她把妹妹带在了自己身边，趁之不备，往其饮的水里投了她偷来的忘忧药散。

她妹妹饮下忘忧散后，一切前尘往事皆忘，昏睡不醒。楚大姑娘便在这时候，把她悄悄地背到了慕容玄必经的路上——慕容玄见一个孤女奄奄一息，狼狈可怜，果然心生恻隐，命人将她救了下来。

楚姑娘做完这件事后，明白自己之前所有的媚惑逢迎都将被识破，所以打算孤注一掷趁夜逃离。可还没等她逃远，那个掳掠了她的贵胄就发现了她做的手脚，立刻勃然大怒，派人要将她追回。慌乱逃亡间，楚姑娘跌落陡坡，掉入了五毒渊。”

慕容楚衣喃喃道：“重华城东郊那个聚积着浓郁瘴气的积洼？”

“是……楚姑娘挣扎着从里头出来时，已经因为吸入了过多的毒瘴，头脑不太清醒了，开始变得有些错乱。但是仙长您应当清楚，那种瘴气的效力不是立刻就发作完的，而是会随着时日的推移变得越来越严重。”

楚姑娘还有些清醒的时候，怀着微渺的希望，想回到临安城去寻找自己的爹爹与弟弟。可是等她到了有人迹的地方几番打探，得到的消息却都令她倍感绝望，她一天疯过一天，而等到她发现自己居然已经怀了那个贵族的骨肉时，这种精神上的刺激到了顶峰——她差不多完全崩溃了。

雅间里静得可怕，别说是慕容楚衣自己了，便是墨熄，也一下子就明白了慕容楚衣就是楚姑娘和那个强辱她的贵族的孩子。

顾茫望着墨熄，低声道："你怎么脸色有些难看？"

墨熄摇了摇头。

他实在是不想再听下去，想带顾茫离开。可是这时候走出去只会更易引起对方的注意，而他是无论如何也不知道该怎么面对此刻的慕容楚衣的。

在这令人难堪的死寂中，慕容楚衣忽然听不出任何情绪地问了句："她为何不堕去那孩子？"

"这又怎么能够说得清。"掌柜的叹道，"她一定自己也没有明白自己到底是怎么想的。不过啊……人的情绪本来就是最捉摸不定的东西。不是说一念魔一念佛吗？我想她当时也应该是在弃和留之间挣扎了很久，犹豫着犹豫着，就到了不再适合堕孩子的时候了。但她心里应当一直有这个念头，所以她后来才会又动了心思，把婴儿抛弃在一座寺庙的门口。"

慕容楚衣蓦地闭上了眼睛。

掌柜道："楚姑娘临终前反复跟我说，当时她躲在树林里，看着一个衣着华贵的女子将她的孩子抱走，如释重负之余，就只觉得心痛，痛到不行了，忽然后悔想要将孩子追回，可那女子已经乘着车辇远去了，她怎么追也追不上，怎么喊也没有人理。"

"那成了摧毁她的最后一根稻草，那一天晚上，她便彻底疯了。"

掌柜讲到这里，自己也发了一会儿呆，然后才慢慢地开口补叙："至于他们楚家的小儿子……那孩子一直在船上替我做活儿。后来我年纪大了，想过更安稳的日子，就到临安开了家酒楼，但他倒是对船有感情了，所以直到现在，他也还是在跑码头，做着老营生。我从来没与他细说过他幼年时的事情。"

"……"慕容楚衣的声音低缓，有些沙哑，"他如今过得怎么样？"

"有妻有子，太平日子，说想趁着这几年年轻力道大，多赚些钱两，等再过几年，就带着媳妇儿孩子回临安置办个家业，让孩子好好念书。"

慕容楚衣又沉默了，半晌道："那很好。"

过了一会儿他又问："店家，您知道当初掳走那对楚家姐妹的贵族是谁吗？"

掌柜微微色变，肥厚的嘴唇嗫嚅着——他虽然在叙述的过程中从未提过那位贵族的身份与名字，但显然他是知道的，只是说传闻是一回事，指名道姓地供出那个恶贯满盈的男人来，却又是另一回事了。

这世上每个人的正义都不尽相同，有的人只能做到这里，再多的勇气便没有了，但终究也算是有自己的良善，不当太过强求。

慕容楚衣很明白这个道理，更何况他其实不用确认，心里也已多半有了个答案，还能是谁呢。

连一向最不爱多管闲事的墨熄都能轻而易举地猜到那个孽畜的身份。

慕容楚衣将掌柜的反应尽数看在眼里，也没有再多话，只道："我明白了。多谢店家。"

"不，唉，不谢……有什么可谢的呢。"

又是一阵默然。忽然间——

"店家，烦请您再答一个问题。""仙长，我想冒昧问一句。"

两人几乎同时开口。

慕容楚衣道："您问。"

掌柜支吾且犹豫地道："您……不会真的……就是楚……楚姑娘当年那个孩子……吧……"

"……"

"算了。唉，当我没问，当我没问。还是说说您的吧，您想问我什么？"

慕容楚衣静了一会儿，说道："我想问的是，临安府这一片，是不是有许多人家会在孩童降生后不久，就于他们的肩膀上刺一些刺青图腾？"

听到这句话，墨熄的手微微一顿，不禁怔住。

"哦……越人好文身，确实是有这样的风俗，不过也不是所有越人都这么干。"

掌柜道："其实这种习惯还是要看祖宗。具体的我也说不太清楚啦，听说就是很久之前，有些人家的老祖宗会供奉花神，认一种花当作家族的辟邪象征，然后请当时的一位大修在自己手臂上落一个印记。比如供奉芍药的，就落一个芍药痕，供奉牡丹的，就落一个牡丹痕。"

墨熄的脸色愈听愈差，听到这里，几乎有些发白。

掌柜还道："当时主持烙印的大修用的法术很精纯，这种印记不但落在了当时的那些信徒身上，还会被传承下去，他们的孩子也会于出生时自行带上这样的胎记。"

"不过因为那位大修施法的年岁实在太过久远，各家的印记其实都在慢慢淡去，有些效力不足的，其实已经看不太到了，估计再传个几代，这种胎记也就没有啦。"

"……"慕容楚衣静默片刻，问道，"那当年那户姓楚的人家……他们是否也有这一印记传承？"

掌柜想了想，答道："有的。"

空气凝滞得可怕。

"是什么？"

"莲花。"

如同雷霆震心，耳目昏聩，墨熄眼前一阵一阵地发黑，抬起眼来，隔着酒肆昏暗不定的烛光，看着对面顾茫浑然不知发生了何事的脸。

莲花……莲花……

过去的诸多碎片走马灯一般从墨熄脑海中穿过：先望舒与临安姑娘的传闻，顾茫与慕容怜的不对盘，慕容楚衣与顾茫的些微相似之处……

最后一个清亮沉着的声音从他的记忆里响起，那是不久前，姜拂黎在医治顾茫的病症时曾说过的——

“嗯？他肩上这个莲花瓣印……我好像在什么地方见过？”

是慕容楚衣。慕容楚衣一定曾因为什么原因请姜拂黎看过病，而被他瞧见了肩上的胎记烙印。

骨骼深处泛起层层寒意，真相像是倾世而落的汪洋之水，将墨熄浸没其中，让他无法呼吸。

他将眉眼深覆于掌心之中，背后泛起鸡皮疙瘩。慕容怜、慕容楚衣、先望舒、楚氏姐妹、顾茫……还有那个……还有那个顾茫曾经对他提及过的，当时他并不以为意的林姨。

所有人的关系都被这一根线缠绕着在他心里浮起，渐渐变得明朗，而因明朗而愈发变得可怖，整个人犹如置身冰水之中。

“墨熄？”

“……”

“墨熄！”

不知过了多久，才蓦地被顾茫担忧的问询声从纷乱的思绪中拽出来，墨熄猛地回神抬头，瞧见烛光下顾茫清秀的脸。

他出神了太久，隔壁慕容楚衣不知什么时候已经辞别了，掌柜的也已慢慢地下了楼，挺着肥大的肚子，拾掇好笑脸，重新招待入店的客人。

一切就像做了一场梦一样。但墨熄知道不是的，这一切不是梦。

他曾在时光溯回中见过顾茫与陆展星最后的拜别，顾茫是如此地希望这一孑然之身能有亲眷相伴。

他又想到岳辰晴曾说，慕容楚衣一向独来独往，是个庙门口的弃婴，从来不知自己亲人是谁，是否尚在人世。

这两个人一冷一暖，一个热烈地希望着，一个默默地寻找着，看似全无交集，而原来……而原来……

墨熄颤抖地闭上眼睛。

“墨熄，你怎么了？”

“没什么……”半晌，墨熄微哑地低声道，声音里不知是忧还是喜。喜自不必说，忧则是因为顾茫如今已这个样子了，又哪里再受得了身世刺激，兄弟相认，更别说这样一来，岳家慕容家的那些烂账就也落到了顾茫头上。

他一时间心绪复杂，也不知该说什么，只是抬手摸了摸顾茫的头，问道：“如果你……你在这世上还有至亲，你会高兴吗？”

顾茫困惑地："那是什么？"

"是与你最亲近的人。"

"那就只有你了。"

"如果还有别人呢？"

"可是没有别人再与我亲了啊。"顾茫微微睁大眼睛，"如果有的话，他为什么不来找我？"

"他……"

墨熄沉默一会儿，最终道："他会的。"

回到客栈，墨熄却毫无睡意。

他立在窗前，看着窗外一轮月，万户瓦上霜，心中思虑万千。

当年作践楚氏姐妹的那个贵胄，想来十有八九就是岳钧天。以慕容楚衣的个性，他不知会做出什么事情来，那结果势必会使得岳家与慕容楚衣两败俱伤。

而如若想阻止慕容楚衣铤而走险去报仇，那么告诉他，在世上他还有一个血亲兄弟需要他，显然是最好的办法。

他对慕容楚衣的了解不算太多，但多少能看出来慕容楚衣也很想知道拥有一个"家"，究竟是什么滋味。在复仇的快意和长久的温暖之间，他相信慕容楚衣会选择后者。

其实这样对谁都更好。

"墨熄。"

听到身后的动静，墨熄转过头，却发现不过是顾茫睡着之后的梦呓。

顾茫蜷在床上，薄被拉得很高，只露出了小半张脸，不知因梦到了什么而微微皱着眉头。

墨熄走到他身边，在床沿坐下。

他抬手，替顾茫将有些散乱的额发捋好，却见顾茫迷迷糊糊地睁开了眼睛。

墨熄嗓音温柔，低声道："吵醒你了？"

顾茫困倦地摇了摇头，过了片刻，眯着那透蓝的眼睛，咕哝着："我真的也有……哥哥吗……"

墨熄的手微微顿了一下，随即低低地"嗯"了一声。

"那他真的会来找我吗……"

"会的。"

"他会喜欢我吗？"

"一定会的。"

顾茫轻轻哼了一声，皱着的眉头就慢慢地松开了，那眉目之间多少有了些松快与期待的意味。

长夜之中，墨熄坐在他身边，看着他熟睡的样子，兀自思量着。就这样过了好久，他将顾茫的薄被盖好，而后起身，悄无声息地出了客栈，向城郊的陵葬墓地行去。

昏鸦啁啾，老树枯藤。

有一个衣冠若雪的男子立在临安城郊的墓园里，站在其中一座低矮的青石小墓碑前。那墓碑平日里也没有太多人打理，蒙着一层尘埃。上头的字斫刻得也并不深，边缘的字迹多有磨损。

慕容楚衣安静地瞧着它——

石碑是酒香楼的老板好心给故亡人立的，因此没有诸如“慈母”“爱妻”之类的任何名分，只有简简单单的四个字——

楚涟之墓

他是依着老板的指点寻来的，这是他兜兜转转三十年，第一次见到他的生母。

他曾经也怨过母亲薄情，将他弃于庙宇门口，心中也尝有怨怼，不明白她是有何种无奈才会冷血至此。

原来不是的。

慕容楚衣在楚涟的墓碑前缓缓跪坐下，抬起细长的手指，抚过墓碑的薄尘。他想开口唤一声娘，可是嘴唇动了动，却发不出什么声音来。

他从来就没有唤过任何人阿娘，三十多年了，陡然有一座坟可以让他念出这个称呼，他却也不再能轻易说得出口了。

明明只是那么简单的一个字，就跟尖刺似的鲠在他的咽喉口，令他感到疼痛与酸涩，却独不能成声。

他缓了一会儿，闭了闭眼睛，而后指尖凝上灵力，慢慢地从楚涟之墓这四个字上描摹过去。石粉簌簌落下，墓碑上浅淡的痕迹重新变得深刻，就好像一笔一画地斫刻在了他心里——楚涟之墓。原来她叫这个名字。

楚涟的坟墓旁是另一座更古旧的碑，没有名字，是老板为感当年一饭之恩，给被杀害的楚公立的冢。只是生怕官家发现，所以连字也不敢题，只在墓碑上雕绘了一朵小小的莲花。

慕容楚衣抬起手，隔着尘埃不染的白衣，触及自己的左臂。

他一直希望自己有个家。

这个墓园里的这两块碑，便是他苦寻的结果。冰冷得厉害。

他不是没想过要去寻找掌柜说的当年那个幸存的幼子，但得知人家妻儿环绕，家庭美满时，他又觉得自己的出现大概就又会像他在岳家一样，极度尴尬。别人的生活已经很美满了，他无须再添上一笔。

他在墓碑前跪坐下，一向清明的思绪混乱得厉害。恨、怨、不甘、怅然、痛苦，心口像是要被这些感情撑裂，什么也想不清楚，最后只呆呆地坐着。

半晌，他抬手再去碰他的母亲——触手只是冰冷的碑。他寻到的家也是冷的。

“当初他们一家根本不是什么举家搬迁，而是被王都的某个达官贵人看上了，强掳了那俩闺女过去。楚公护女心切，便被他们杀害，幺儿也丢在草垛里自生自灭。”

“慌乱逃亡间，楚姑娘跌落陡坡，掉入了五毒渊。”

“我在临安城郊，就……就寻到了楚家爹爹的尸体，身首分离——”

方才听到的一字一句仿佛诅咒般在他耳中回荡。慕容楚衣陡地恨生，他起身，掌心中陡然聚起一团光焰。

忽然身后传来窸窣的脚步声。有人在他之后不远的地方停下，低低唤了他一声：“慕容先生。”

慕容楚衣蓦地回头，眼神如电，厉声道：“谁？！”

墨熄立在两排碑冢之间，与他不远不近地相望着。

慕容楚衣微微眯起眼睛：“……怎么是你？”

“我今天黄昏的时候，也在酒香楼。”

慕容楚衣此时戒备森然，眼含威胁，比平日显得更加难以接近。

“你听到了——”

“我听到了。”

掌心中金光暴起，瞬间变成一柄吹毛断发的长剑，慕容楚衣剑眉低蹙，废话不说抬手一挥，霎时一道剑气光焰照着墨熄劈落，却被墨熄撑开结界，挡在了界外。

金色的剑芒与红色的结界相撞，火花爆溅间，墨熄望着他，说了一句：“慕容，我不是来与你打架的，我也不是站在岳钧天那边的人。如果我是，我就没有必要出现在你眼前。”

慕容楚衣一击未中，拂袖收起攻击，持剑于前，神情饱含戒意。

“那你来做什么？”慕容楚衣危险地眯着凤眼，“替岳钧天求情？”

“你应当知道我一向与他不睦。”

“……”

“他与我同朝那么多年，我不曾与他结党，不曾与他有私交，甚至不曾说过几句话。这些你不会不清楚。”

慕容楚衣没有说话，但剑身上流窜的嘶嘶灵流多少熄下去了一些。

过了一会儿，慕容楚衣挽剑于后，但依旧神情紧绷，他盯着墨熄，说道：“岳钧天昏聩无道，鱼肉封地那么多年，致使别人家破人亡，这笔账，我必须与他清算。”

墨熄点头道：“如果我是你，我也会那么想。”

慕容楚衣道：“那你拦着我的路做什么？”

墨熄问：“不拦着你，你就立刻去找岳钧天兴师问罪，手刃仇敌了？”

慕容楚衣厉声道："不行吗？"

"你这样报了私仇，你母亲也好，你祖父也罢，能得到什么公道？慕容，你清楚最应当做的是将此事报于君上，岳钧天一己私欲伤及封地百姓，已属失德，事后隐瞒，又属欺君。那是两重大罪，君上不会纵容姑息。"

慕容楚衣红着眼眶瞪着他："不会纵容姑息那会怎么样？会处他极刑？要他狗命？都不会。只会不痛不痒地罚上一罚，从此以后血债深仇一笔勾销。你以为我想不到？"

"另外，你也别和我说什么君上会按律法处置，"慕容楚衣冰冷道，"岳钧天强辱我生母的时候，律法在哪里？他杀害我家人的时候，律法在哪里？他做这些的时候没有半点律法的约束，到了我，我就得按着规矩走，是不是？"

墨熄望着他，半晌道："好。"

"如果你不愿听我的，执意要去手刃报仇，你去吧。"说着往旁边一让，"我不拦你。"

"……"

"但是慕容，你有没有想过你这样做的后果是什么？"

"岳钧天死了，你的仇是报了。但你一定也会被处以极刑。你或许觉得自己牺牲一些无所谓，可是岳辰晴呢？"

"对于岳辰晴而言，不管岳钧天再是令人不齿，那都是他的父亲。而你一直都是他敬仰的四舅。你杀了他父亲，然后你也因为这个原因被收押入狱，秋后问斩。你觉得岳辰晴会变成什么模样？"

慕容楚衣的眼神微黯，良久之后，他低沉道："我从未将岳辰晴视作自己的外甥。他高兴还是痛苦，与我又有什么关系？"

"是吗？这么无情。"墨熄道，"那你在蝙蝠岛，又为何要冒着生命危险，去救他性命？"

"我——"

墨熄道："你和岳钧天私仇了断，岳家内乱崩散，岳辰晴的日子绝不会好过。更何况除此之外……"他顿了一下，"除了岳辰晴之外，还有另一个人不希望你刀尖舔血。"

"你是说楚家当年那个幸存的小儿？"慕容楚衣抬眼道，"那你是想错了。他有妻有子，日子过得平静，我并无意去打破他的生活。我刀尖舔血不舔血，杀不杀岳钧天，都与他没有干系。"

"不。"墨熄却道，"我说的是另一个人。"

慕容楚衣微有不解地看着他。

墨熄看了一眼墓碑，说道："楚涟前辈的妹妹，当年被先望舒君救下。如今她虽已不在了，但她于这世上留了一个孩子。也就是你的表兄弟。"

慕容楚衣怔了片刻，似乎一下子无法理解这句话的意思，而等他反应过来时，他的凤目便微微睁大了。

"你应该听说过先望舒曾与一位临安来的姑娘相恋，却被岳钧天反复参奏为难，最后不得不散的旧闻。那个姑娘就是楚涟前辈的妹妹。"

慕容楚衣几乎是不可置信地："她与先望舒……有个孩子？"

"是。"墨熄道，"其实知道前因后果之后就不难想清楚为什么岳钧天当时竭力要污蔑她的身份，致使先望舒不能与她成亲。因为当初楚涟前辈虽然给她妹妹服下了忘忧散，但是忘忧散的效力并不一定是永久的。岳钧天唯恐有朝一日，楚涟的妹妹恢复了记忆，会把一切都公之于众。到那个时候有先望舒撑腰，他想做什么手脚蒙混过去，都不会那么容易。"

慕容楚衣："……"

"楚涟前辈的妹妹，她的孩子……你的兄弟，他和你一样。三十年来形单影只……慕容先生，他是需要你的。"

"他也想认你。"

月色之下，这个平素里器宇轩昂的男人脸色白得像一张纸，就连嘴唇也瞧不出什么血色。

慕容楚衣说："你又如何会知道……"

"一言难尽，但请你相信我不曾骗你。因为他的肩膀和你一样，和这碑上的印记一样。都有一道一模一样的莲瓣痕。"

慕容楚衣面色苍白至极，半晌道："……他是谁？慕容怜？"

"不，是顾茫。"

慕容楚衣丝履轻动，禁不住后退一步，愕然道："是他？！他……怎么……怎么……"

墨熄道："他不是叛臣，亦并非恶人。只是各种缘由极难解释，如今他身上的黑魔气息越来越重，若是再受崩溃打击，恐怕会神志尽失，彻底异化。我陪在他身边，虽能给予他支持，但你是他的血亲，有些东西是你能给，而我注定给不了的。"

慕容楚衣目光轻动，似乎是在压抑着什么，眼神极为复杂。

半晌他道："他……也随你来了临安吗？"

"是。"墨熄道，"你若是愿意认他，他一定会很高兴。"

"慕容，顾茫和谁都不一样，如果你觉得别人不需要你，我无法说什么。但他是需要你的。"

"三十年了……你让他喊你一声哥吧。"

慕容楚衣蓦地阖上凤目，过了一会儿，他抬起头来，沙哑地开口："羲和君，我一向……不喜与人私交过密，更不知何为亲眷。更何况岳钧天之仇……"

墨熄道："所以你宁愿失却兄弟，也要以自己的方式，报了三十年前的私怨吗？"

慕容楚衣抿了抿嘴唇，没有再说话。

良久之后，他终于松了口："我可以见他一面。"

"但是，明日岳家的所有人都要去浑天洞祭祀，我与他相见，只能约于后天。"

墨熄心下微松，说："好。我去与他说。"

见慕容楚衣没再推拒，墨熄又问："那岳钧天……"

"你放心。"慕容楚衣垂眸，片刻后说道，"岳钧天的事……不管怎么样，我会等与顾茫见面之后，再行处置。"

第42章

顾茫一听自己真有一个表兄，后天就会来见自己，不由得又是意外，又是惊喜。

他神智受损之后就很少流露出这样明显的高兴情绪了，以至于看起来精神头都好了不少。这一整天，他时不时地就跟墨熄打听："墨熄，表哥是个怎样的人？"

墨熄一来打算给他更多的期待，二来不想把话说得太满，于是只道："你见了就知道了。"

"哦……"

坐在客栈客房里玩了一会儿竹蜻蜓，又转过头问："那我见了他，要与他说什么？"

"你想说什么都可以，没有什么规矩。"

"那你们见到表哥，都会说什么？"

"……我没有表哥。"墨熄放下手里的书卷，看着顾茫睁得圆滚滚的蓝眼睛，劝慰道，"你不要紧张，他是你的哥哥，又不是你的仇人。"

顾茫看上去放心了不少。可是没过多久，他打量着自己的衣裳，跑到铜镜前仔细瞧了瞧自己的模样，然后又跑回了墨熄身边，拉着墨熄的衣袖："衣服。"

"嗯？"

"想换件新的衣服。这样表哥看了会高兴。"

墨熄几乎失笑："你是去提亲吗？"

"什么是提亲？"

"我说着玩的。"墨熄起身，对顾茫道，"你在客栈好好休息，客栈里落了我的防御结界，很安全。我去给你买一套新的衣裳回来。"

顾茫连连点头。

给顾茫挑衣服并不难，墨熄对他的腰身尺寸知道得一清二楚，不一会儿就从临安最好的一家成衣铺子里提了一只纸包出来。

回到客栈，他把纸包递给顾茫，说道："去换上看看，喜不喜欢？"

衣袍是纯白色的，用雪蚕冰丝绣着影影绰绰的流云纹，式样简洁，飘逸出尘。顾茫一向善近身格斗，从前喜穿窄袖劲装，后来成了俘虏，又成天没什么好衣裳，他还从来没有穿过这类宽袍长袖、银光流转的术士袍。

他小心翼翼地从屏风后面走出来，唯恐踩着了衣摆。而后在墨熄面前站定，蓝眼睛里流溢着不安。

"感觉……有点怪。"

他依旧束着松散的发髻，乌发垂在脸颊边，衬得皮肤很白，眸子清澈。换作这样一件衣服之后，确实很能瞧出些他与慕容楚衣轮廓上的相似之处。

墨熄温和道："很好看，你只是不习惯。"

顾茫有些诧异道："真的吗？好看？"

"嗯。"墨熄笑道，"你就穿着适应适应吧。"

顾茫欢欣地点了点头，但没过多久，就又想起了什么似的，还是跑去屏风后面将这套雪绡衣换下了，双手捧着抱了出来。

"怎么了？"墨熄略感意外，"不喜欢吗？"

顾茫道："会弄脏。"他说着，小心翼翼地将衣服叠起来，举起桌上的棕褐色油纸，忽闪着睫毛仔细吹了吹，然后重新将它包好，郑重其事地拍了拍，"我后天再穿。"

尽管魔息已经侵扰了他的头脑，但是对于亲情的渴望就像刻入了他的骨髓里，时时刻刻都在的。

墨熄看着他把装着衣服的纸包放在床头，没过一会儿，又干脆藏在了枕头底下。再过一会儿，翻出来偷偷再看一眼，伸出手小心翼翼地摸一摸布料，露出些不确定又满怀期待的神情。

围着这油纸包忙来忙去一整个晚上，之前买的竹蜻蜓小玩意儿全都失了宠爱，哪怕到了睡觉的时候，顾茫也还放不下心似的，隔一会儿就小声问一句：

"墨熄，表哥也穿这样的衣服吗？"

"嗯。他最喜欢这种。"

"墨熄，表哥他长得好不好看？"

"既然是你的表哥，又怎么会难看？"

"墨熄，明天的明天才是后天，我还要再等一天。我不能明天就见他吗？"

"他明天有一点自己的事情要处理，等他处理好了，他才能安安心心地过来。"

"那好，那你让他好好处理，不要急。"

"嗯。"

"墨熄……"

这些问题问着问着，声音渐渐轻弱下去，顾茫似乎还是想讨论更多与他哥哥有关的东西，但是他实在是有些困了，打了个哈欠，最后嘟哝着唤了一声墨熄的名字，还什么都来不及接着说呢，便迷迷糊糊地睡了过去。

第二天，顾茫还在被窝里蜷着，墨熄却起了个大早。一座城池最热闹的时候就是早市和夜市，墨熄打算去打听打听关于重生之术的传说，可是问了一圈，那些城民对修真的兴趣都不大，他们很清楚哪家的青菜豆腐最新鲜便宜，却不知道什么临安城附近的大修隐士。

对于这个结果，墨熄也并不算意外，如果大隐之士那么好打听，那也不叫什么隐士了。

重生之术没有眉目，却被热情的老太太告知了哪一家的早点最是好吃，墨熄于是去了，那铺子果然里三层外三层围了一群人。

他挑了个角落的座儿落座，对肩上搭着白汗巾的跑堂道："你们这里特色的早点，请每样来一份。"

跑堂朝气蓬勃道："好嘞！"

听起来墨熄这种点菜方式很是浪费，其实不尽然。早点铺子的花式就那么几样，全都上一遍对于一个成年男人而言也不算太撑。掌勺的做得很快，不一会儿，菜就陆续端了过来——鲜肉馄饨汤清馅细，虾肉烧卖弹嫩饱满，桂花圆子软糯甜蜜，爆鳝汤面爽滑浓郁，还有酥鱼焦黄香脆，蘸以清醋，醋酸解了油腻，更衬鱼肉滋味。以及临安城才做的油炸桧，薄如蝉翼的雪白面皮裹着两根酥炸油条，在小烤炉上压平了，夹了嫩葱，抹上厚实的甜面酱，一口咬下去油饼酥脆，面酱清甜。

墨熄一一尝过之后，依照顾茫的口味又点了几份让店家装碗带走。

正喝着汤面等待着，忽听得邻座的一桌城民正一边吃着饭，一边讨论着岳家的事情。

一个妇人道："今天一早，岳钧天领着岳家上上下下一群人，去了城郊的浑天洞，哎哟，我那时候刚从城外摘了新鲜的野菜回来，城门口就撞见他家的仪仗了，可把我吓的。"

她旁边的泥脚汉子就笑话她："你怕什么，你怕岳老爷抓你去当小媳妇？岳老爷看脸的，你这徐娘半老的，人家可瞧不上，别怕别怕。"

妇人大怒："老娘怎么了？老娘这是徐娘半老，风韵犹存！吃你的面去！别尽在这里瞎贫！"

同桌的另一个汉子则笑道："不过我听说岳钧天这几年的身体是一年不如一年了，年轻时风花雪月，如今可是一点儿精神头都没有了啊。"

"是啊。"妇人道，"你们是没瞧见他，脸色蜡黄，就跟棺材板里翻出来的人似的。哎哟，不过他那俩儿子倒是俊俏，可惜有一个是瘸子。"

"你说江夜雪？他也来了？"

"可不是，他自打被逐出家门后，也就这个时候才能随着岳家一道出行，毕竟是浑天洞祭祀嘛。"

他们那桌还有一个拼桌的外乡人，对临安以及岳府的事情都不太了解，刚刚他们在闲聊的时候，他一直没吭声，这回却实在忍不住好奇，咽下了汤面，问道："大哥大姐，这浑天洞……是个什么地方？"

妇人热心解释道：“那是一个积尸地。”

泥腿汉子补充道：“应该说是怨灵封印地。”

外乡人睁圆了眼睛，很是诧异：“啊……怨灵？”

“是啊。这事儿啊，是咱们临安城的老传说了。重华刚立国的时候，临安其实不在疆域版图中，而是掌握在蛮族手里。当时那支蛮族修炼邪法，将临安城的大部分百姓都关押到一个洞窟里，想要把他们杀死之后炼成怨鬼阴兵。”

“但是那支蛮族有这样的野心，却并没有这样的能力。他们杀害的人数以万计，尸首在洞窟内堆积成山，血流成池，那些枉死的人确实是怨气冲天了，可却根本不受蛮族的控制，反而将他们反噬吞吃，而后出来四处游荡，到处杀人。”

外乡人惊异道：“那后来呢？”

“后来，重华派出了当时的一位炼器宗师，也就是岳钧天的先祖，让他去临安镇压阴兵。”

“这位岳前辈十分聪慧，炼制出了驱灵的法器，最终成功地将那些厉鬼阴兵封印在了洞窟血池内，并且他与它们定下血契，使得这些怨灵愿意听从岳家世世代代后嗣的指令。而那个封印它们的洞窟，就叫作浑天洞。”

外乡人倒是不傻，当即说道：“一定付出了不小的代价吧？”

“可不是嘛。”妇人神神秘秘地，“我告诉你啊，听说岳家的当家，每隔三年都要供奉自己很大一部分的灵力给这些阴兵，直到他们退位都不能停的。”

外乡人啊了一声，忧虑道：“姐，那您方才都说岳钧天病啦，他还有灵力能喂这些阴兵吗？”

“肯定是没有了。”妇人道，“不过我听说啊，岳家当家的在迫不得已的境况下也可以选择血祭，就是以鲜血入池，亲眷从旁陪伴跪拜，这也能暂时抚平阴兵的躁动。”

外乡人听得不太舒服：“那要多少血啊……”

“那可太多了。”妇人做了个夸张的手势，“所以啊，这种祭祀一定都要有家人陪伴，因为岳钧天血祭之后，整个人会被消耗得非常虚弱，得要他血亲给他聚气、施法什么的，反正就是神神道道那一套。不然你以为江夜雪和他闹得那么僵，他会允许江夜雪跟他们一起去浑天洞祭祀？都是有算盘的！”

外乡人露出恍然大悟的神情，连忙点了点头：“受教了，受教了。没有想到岳家在临安还有这样一些传说，若不是亲来此地，我都完全不清楚。”

泥腿汉子挥挥手：“各个封王在各个封地都有自己的传闻，虽算不上是什么秘密，不过没人能比当地人更清楚啦。比如咱们临安，最最清楚的就是岳家那些鸡零狗碎的事情，就因为封王是岳钧天嘛。”

外乡人颇有兴趣地：“那还有什么传闻可以听？我请你们吃早点，劳烦大哥大姐，再讲些给我听好吗？”

这些人原本就喜欢说叨此类秘闻，哪怕没好处都爱逮着人讲，今儿偏偏碰上了感兴趣且还愿意请他们吃饭的，就更是高兴，于是那一桌人就又热热闹闹地谈开了。只是墨熄坐在原处，反复思考着他们所说的关于浑天洞祭祀的细节，心中忽生一阵不安。

岳家全家都集中在了那个洞窟里。并且岳钧天血祭完之后，灵力会削弱很多。再思及慕容楚衣昨日刚得知的三十多年前的真相……

陵园里慕容楚衣冰雪般冷淡的脸仿佛又浮现在眼前——

“等浑天洞祭祀完毕之后，我再去与顾茫见面。在那之前，我不会对岳钧天下手。”

墨熄忽觉得慕容楚衣说这句话时，倾注的或许并非完全的真心。

而正当这时，忽听得闹市口一阵惊呼喧哗，赶早市的人们自动分作了两拨，一个浑身是血的岳家侍卫跌跌撞撞地自东城门处跑了进来。他半张脸都被撕破了，把周围的妇孺吓得作鸦雀散。

那侍卫拖着腿脚往岳府的方向走，但他显然已经知道自己快撑不住了，所以当他扑腾一声栽倒在地时，他做的不是立刻爬起来，而是往前挪蹭了些许，抓住离他最近的一个路人，仰起头不管不顾道：“反……反……”

那路人吓得抖如筛糠，侍卫说话磕巴，他也跟着一起磕巴：“什……什么？”

“反了……岳……岳家……浑天洞……谋反了！”他话刚说完，哇地吐出一口鲜血，倒地而亡。

墨熄倏地起身，脸色瞬间阴鸷得可怕。

浑天洞在临安城郊的一座荒山上，墨熄赶到的时候，看见洞窟口横七竖八地倒了数十具尸体，都是岳家的侍从。

墨熄一连查探了好几个人的鼻息，都已是回天乏术，正欲立即进洞，却听得角落里传来了低低的哭声。他寻声过去，瞧见一个女孩子浑身是血，缩作一团，正躲在岩壁石缝间抽泣。

“小兰儿？！”

幸存的女孩儿正是江夜雪所收的小徒小兰儿，她瞧上去已经吓坏了，听到墨熄的声音猛地一哆嗦，撞鬼一样地回过头来，眼神发直，连声道：“不不不……不要杀我……不要杀我……”

墨熄立刻向她伸出手：“你别怕。是我。”

“你……”小兰儿噙着泪花盯着他瑟瑟发抖地看了好一会儿，突然哇的一声大哭出来，一下扑进了墨熄怀里，“呜呜呜，羲和哥哥，洞里杀人了……洞里杀人了……”

墨熄不习惯与人亲近，但兰儿毕竟还小，又被吓得那么厉害，他也不忍心挣脱，于是抬手摸了摸她细软的头发，低声哄了一会儿，待兰儿稍微平复下来，他问道：“你怎么会在这里？”

“是先生带我来的，先生怕我被人欺负，一直都带着我。”小兰儿哭道，“但是先生自己被人欺负了，他又让我跑……呜呜呜……我不是个好孩子，我害怕……我就真的跑了……”

墨熄心中暗忖，他原以为慕容楚衣若要复仇也只会针对岳钧天一个人，却没承想场面会闹成现在这个样子。

他对小兰儿道：“你先在这里待着，我进去看看里头是什么情况……”

小兰儿却一把拉住他：“哥哥，你……你不要去啊！那个白衣服的哥哥……那个白衣服的哥哥是个坏人，是他杀了岳伯伯！！”

墨熄蓦地一惊：“慕容楚衣已经将岳钧天杀害了?！”

“嗯……嗯嗯！”小兰儿含泪点头，“岳伯伯拿血祭了那一池妖怪之后，就……就很虚弱，连话都说不出来。先生和辰晴哥哥都在帮他输灵力……但那个时候，我就瞧见白衣服的大哥哥表情好凶，不太对，好像在犹豫什么……我刚想提醒先生，那个白衣服的哥哥就忽然动了手……”

“他……他一下子就杀了岳伯伯，又召出了很多竹子做的武士，到处杀人……先生和辰晴哥哥去阻止他，他也……他也根本不听……”

“先生怕打不过他，就给了我藏身符，让我先跑出来躲着。我……我怕极了……跑出来的时候，先生和辰晴哥哥都已经受了伤……”小兰儿越说越惶然，澄澈的眼睛里盈满了恐惧又伤心的泪水，睫毛一合就簌簌地滚落，“我躲在外面，能听到洞里的声音，一开始还在打，但是到了后来……”

她稚嫩的嗓音越来越低，低到了极点之后，忽然因悲伤而爆发，哇地大哭起来：“后来就什么都听不到啦，先生也没有出来找我，辰晴哥哥也没有出来找我！是坏人赢了，是坏人在这个洞里……”

她紧紧环着墨熄的腰身，仿佛生怕失去最后一个可以信赖之人，仰头含泪道：“羲和哥哥，你不要进去。会被杀掉的……呜呜呜……你不要像先生和辰晴哥哥一样……你不要去……”

墨熄听了，禁不住地齿冷。

慕容楚衣杀害岳钧天是易事，可收场却难，岳家的仆从也好，亲眷也罢，谁都无法坐视不管。难道他为了脱身，连江夜雪和岳辰晴也——

墨熄低头对小兰儿道：“我必须进去。”

小兰儿一下子就又泪水盈眶了：“呜……”

“但我一定会出来。你先躲在这里，我——”

小兰儿却激烈道：“我不要！我不要再躲着了！”

“……”

她一边哭一边抹泪：“我都丢下先生跑掉一次啦，我不要再躲着了……羲和哥哥你要进去的话，就带我一块儿进去吧。”

墨熄见她情绪激动，小手紧拽着他的衣角，无论如何也不肯松手的样子，又见四下里尸横遍野，竹武士踢踢踏踏。他知道小兰儿受到刺激容易暴走，她的状况已经很不稳了，若是无人抑制，只怕会愈发失控。

于是道："那你跟在我身后。但是一定要听我话，不要自己行事，明白吗？"

小兰儿连连点头。

墨熄将她从怀里放下，她便摇摇晃晃地跟上墨熄的脚步，两人一同打开石门，进了那阴风阵阵的浑天洞。

这个积尸洞窟很深，一路行去，两边尽是岳家仆役的残骸，洞内弥漫着一股浓重的血腥味。

"是管家伯伯……"

"陈阿娘……"

小兰儿因曾跟着岳辰晴回过岳府，所以在这一条血路上她认出了不少人，而每认出一个，她紧攥着墨熄衣角的手就颤抖上一分。墨熄不得不提前给她施了镇心术，以免她承受不住刺激忽然暴走。

小兰儿泪汪汪地："羲和哥哥，我好怕……"

"别怕。"

但墨熄心里其实也已晦暗到了极点。他无时无刻不在担心着接下来会瞧见谁的尸首，万一是岳——

"岳……岳……"

墨熄血液骤冷，蓦地顺着小兰儿指着的方向看去。

不是岳辰晴。

但他的心依旧狠狠一沉。是岳钧天和岳钧天的弟弟岳咏成！

这两位曾经在重华王都叱咤风云的王侯就像烂泥一样瘫在地上。

这兄弟二人的面部都定格在一种极度害怕又愤怒的表情上，可死亡已经带走了他们脸上的血色，这让他们的脸瞧来就和纸糊的假面一样，于浑天洞中透着丝丝鬼气。

小兰儿发着抖，紧紧靠住墨熄的腿，小声哽咽道："呜呜……怎么办……"

墨熄一边盯着小兰儿看，一边低声安慰她，但这种安慰也只是他能给小兰儿的，他并不能给予自己。

这一路下来，死的人已经太多了。他不知道接下来会不会看见江夜雪或者是岳辰晴的尸首。

慕容楚衣的仇恨与狠戾远远超乎了他的意料，他甚至都怀疑是不是祭祀时又忽然发生了些什么，以至于再一次刺激到了慕容楚衣的内心，才致使他这样大开杀戒。

但无论怎么样，慕容楚衣杀了这么多人，局势都是再也难以挽回的了。

"羲和哥哥，江先生他……"

墨熄抬手轻轻止住了她，带着她接着往前走，不过两人的动静都放轻了很多。岳钧天的尸身都在这里了，祭祀的积尸地定然已离得很近。

果不其然，当他们走到一个庞大滴水的钟乳石后面时，一个熟悉的声音就自空旷的洞穴内传了出来——

“我与你的仇，你自己心里比什么都清楚，用不着我再一一与你罗列。”

慕容楚衣？！

两人从钟乳石后侧身而望，几乎是看出去的同时，墨熄就本能地抬手一下捂住了小兰儿的嘴，闷住了她几乎出口的大叫。

小兰儿几乎要崩溃了。

只见翻涌着怨灵之息的血池旁边，慕容楚衣持着长剑，一袭白衣背对着他们。而在他面前，两个人皆以被束缚法咒所捆，一个坐在木头轮椅上，面色憔悴而苍白，正是江夜雪。他已被慕容楚衣打至重伤，藕色衣裳染得血渍斑驳，本就已经残废的腿脚更是鲜血淋漓。

另一个则跪在旁边，满脸是泪，一双眼睛大大地睁着，除了惊惧与痛心之外，那双眼睛里承载最多的竟是茫然。这不是岳辰晴又是何人。

岳辰晴一直在嘶哑微弱地喃喃，这种喃喃犹如抽空魂灵后无谓的重复：“……不要杀他们……求求你……不要杀他们……”

江夜雪则抬起眸子，悲伤地看着他：“楚衣……”

“说了多少遍，你不配唤我的名字。”慕容楚衣字句都透着冰冷。

江夜雪道：“……小舅。”

慕容楚衣一拂衣袖，剑眉怒竖：“我也不是你小舅！”

江夜雪闭了闭眼睛：“岳家就算有诸多不好，我……爹，他就算做过再多错事，这么些年……也终是与你一同生活。你心中便有再多的想法，又何至于要灭岳家满门……”

慕容楚衣嘴唇轻动，似乎想要解释什么，可到最后，他仍是侧了脸去，硬邦邦地：“我与你又有何可多言的。”

“……”

“杀戒既已开了，今日与岳钧天为伍之人，我一个也不会放过。”慕容楚衣盯住了江夜雪的眼睛，“包括你。还有岳辰晴。”

江夜雪沉默一会儿，最终低了头，他在之前与慕容楚衣的打斗中受的伤显然非常厉害，嘴角还在往外渗着血。他双手被缚着，无法擦拭，只得轻声道：“你还没杀够吗？”

“你若还没杀够，有什么便冲我来吧，不要为难辰晴。”

岳辰晴似已被刺激到失去了神识，只会不住地重复：“不要打了……四舅……你们不要再打了……”

江夜雪道：“辰晴他曾是真心仰慕你的。”

慕容楚衣沉默须臾，冷冷道：“我用不着姓岳的来仰慕。”

江夜雪闭了闭眼睛，沾着血的嘴唇一启一合："我知道你的冤仇，你恨极了爹爹，但若非辰晴的母亲当年将你从庙宇门口抱回来，将你养育成人，你又怎会有今天？"

"……"

"你记着了爹的仇，就忘记了凰姨对你的恩了吗？"

慕容楚衣一挥广袖，剑眉怒竖厉声道："我宁愿自己从未在这世上活过！"

"楚衣……"

"浑浑噩噩，一身孑然，长在辱我母亲，逼疯我母的仇家手下，这三十年来的生活简直是一场笑话！"

江夜雪摇了摇头，低声道："你是被仇恨蒙蔽了眼睛。凰姨从来对你那么好，那些往事你都记得，是不是笑话你自己心里也都清楚。"

"你今日不肯放过任何一个岳家的种，也当看在她的情面上，放了岳辰晴。"从来温柔良善的男人抬起头，目光决绝地看着慕容楚衣，"否则最终后悔的人，一定是你自己。"

慕容楚衣却道："我这一生最后悔的事情，就是进了岳家。"

言毕抬手一挥，照雪剑迸溅出灼灼华光，便向江夜雪刺去——

剑光照亮了岳辰晴浑噩茫然的脸，岳辰晴终于回过神，他猛地大叫道："四舅，不要！！"

血滴滴答答顺着金光熠熠的剑身流了下来，滴在了地上。

剑光浮动，映着两双对峙的眼。

那两双眼俱是凤目狭长，只是一双显得更冷峻，一双显得更薄凉。

慕容楚衣微微眯起眼睛："……是你？"

在方才那电光石火之间，墨熄出来阻挡。此时此刻，他的手正握着照雪剑的剑刃。尽管施加了一层防御结界在掌心之中，但照雪神武的力量还是太大了，他的掌心仍是被割破了口子，血不住往外渗着。

墨熄道："慕容，你收手吧。"

"……"慕容楚衣不答，只是化刃为光，蓦地往后掠了几步，白衣飘飞间将照雪剑散成数十道环绕在他周围的小剑，而后广袖一挥，这些利剑齐刷刷地向墨熄飞刺过去。

随着墨熄一同跑出来的小兰儿惊叫道："羲和哥哥！小心！"

墨熄撑开一道巨大的防御法阵，将其他人一并护在那防御阵后，另一只手一抬，厉令道："率然，召来！"

蛇鞭蓦地从掌心中游蹿而出，爆溅着烈红色的光芒。他一手接了率然鞭，于剑雨攻势消失的那一瞬撤回防御界，长身一掠逼近慕容，率然蛇鞭疾速朝着对方劈了下去。

一边与慕容楚衣缠斗交锋，一边朝着小兰儿厉声道："救人！"

小兰儿忙点头："好……好！"她跌跌撞撞地冲过去，先是一下子扑进江夜雪怀里，哇的一声哭出来，一边嚷着“先生，先生”，一边手忙脚乱地将江夜雪身上的捆仙绳解下。

江夜雪喃喃道：“你怎么回来了……怎么还带着羲和君……”

小兰儿却只顾着哭，她的年岁毕竟还是太小了，什么也答不上来。

江夜雪也不勉强她答，只叹了口气：“别哭啦，快去救辰晴……”

“呜呜呜……我……我这就救！”

小兰儿又急吼吼地把岳辰晴的束缚给松开了。岳辰晴躺在地上，他此刻仍在发抖，却不知是因为愤怒、害怕……还是心寒。小兰儿将他搀扶起来，岳辰晴看着远处和墨熄战得正激烈的慕容楚衣，看着看着，脸上的茫然就渐渐地散却了，泪水再一次盈将上来，痛苦使得他的脸有些抽搐和扭曲。

他破裂干枯的嘴唇嗫嚅着，似乎想要唤慕容楚衣，可是一个“四”字还未出口，便已哽咽不成声。他把脸猛地转了过来，就在眼泪夺眶时，他抬手呜咽着抹去了。

他走到江夜雪身边，红着眼眶道：“哥……”

江夜雪微微一震，岳辰晴从前只叫他喂，与他关系和缓后，也只喊他江大哥，从未直接唤过他哥。他坐在轮椅上抬起头来，一时竟显得是那么不知所措。

而另一边，墨熄与慕容楚衣打得星火四溅，灵流争锋。蛇鞭时而化作灵体，时而舞作瞬影，与慕容楚衣的照雪剑缠斗在一起，他二人都是身法极快的顶尖修士，交手时快得令人眼花缭乱，只是墨熄的打法十分狠戾直接，似一把利刃直刺对手软肋。慕容楚衣却行动如流风回雪，从四面八方压迫下来将敌方逼入死路。

两人如流星交汇，蛇鞭与长剑碰撞，擦出的剑气火光震得旁边的岩层簌簌落灰，山石震动。

墨熄低声道：“慕容，你说会去看他，会认他，会考虑他的感受。为何又要食言？”

慕容楚衣只持剑相抗，金红色的光芒映照在他英俊的脸庞上，也倒投在他那双冰冷的凤眸中。他没有任何回答，一副“打架就打架，有什么好说的”的模样。

“慕容，他还在盼你去寻他。”

慕容楚衣：“……”

宽袖一振，流云拂雪，慕容楚衣一言不发地将长剑一撤，点足后掠，而后竖剑于前。雪亮的剑光映着他的瞳眸。

慕容楚衣开口道：“照雪，催千山！”

他手中的长剑顿时散作无数碎光，那些碎光又在他身后汇聚成了滚滚灵流浪潮，他一袭白衣飘然如仙，一抬手，没有半点留情地吐出一个字来：“去。”

雪浪狂涌！！

墨熄眸色一暗，厉声道：“吞天！”

随着一声鲸声鸣啸，重鲸灵体听从墨熄召唤，摆动着半透明的躯体朝着慕容楚衣的照雪巨浪游去。霎时间白练翻波，鲸鱼逐浪，吞天的鲸声犹如自亘古传来的悠远回响——它张开巨口，将那源源不断的裂岸狂流吸入腹腔……

强烈的灵力激撞下，墨熄的黑袍和慕容楚衣的白衣猎猎飞摆，风浪几乎迷得人睁不开眼。墨熄转头对江夜雪他们道："快走！"

小兰儿一听墨熄这样说，又哭了："羲和哥哥……"

"快走啊！"

江夜雪咳着血沫，低声道："若我能唤醒血池里的阴兵，那就好了……"

岳辰晴："……"

岳家世代压制浑天洞的血池阴兵，但是除了压制之外，这些恶灵受了岳家的祭祀，也是愿意听从岳家当家号令的。

岳钧天死得突然，加之体弱，他并没有机会召出血池里的阴兵。然而岳钧天一死，岳家的当家之位便按律顺延给了嫡子——也就是正妻所生的岳辰晴。

可是岳辰晴的术法修为还是太弱了。而且他平素贪玩偷懒，根本没有好好修习过阴兵霸控之法，完全无法正常地施展出来。

所以此时，听到江夜雪的这样一声叹息，岳辰晴的心便如针扎一般疼。

他几乎要被自责和悲痛给洞穿心肺，如果他能唤醒血池里的阴兵，伯父就不会死，岳家带来的这些仆役也不会死……

他的四舅……他的四舅也无法杀那么多人，他本可以及时阻止的……不似现在，一窟地狱，遍地鲜血，他仰慕的人变得那样面目全非……

如果他好好用功一些，平日里不那么游手好闲一些，又何至于此，何至于此！！！

小兰儿还在哀哀哭着："不要……羲和哥哥……我不要再丢下人逃啦……"

墨熄咬牙道："听我的话，快走。"

可孩子毕竟小，多番刺激之后，哪怕墨熄之前给她施了镇灵咒，她那容易暴走的体质仍是有些控制不住了，她一边哭着，一边就隐隐有暴虐的灵流火焰从她心腔处爆溅出来。

江夜雪蹙眉咳着血沫，焦急道："小兰儿……"

再这样下去不行，一旦小兰儿暴走，她疯魔之下是分不清敌我的，场面会愈发不可收拾，闹得不好，所有人都将难以脱困，甚至会葬身于这浑天尸洞中。

江夜雪正欲强撑病体施展法术，镇定兰儿的心神，忽然手被身边的人止住了。

江夜雪愕然道："辰晴？"

岳辰晴脸上俱是泪痕，却不再似先前那般空洞与茫然。他望着江夜雪，含着泪道："哥，对不起。一直……一直都是我不好。我太懒了……又不懂事……太笨。一直想着当个舒舒服服的少爷，从来没有……没有好好努力过……"

“但是这一次……”岳辰晴哽咽着，目光却是不移的，他攥着江夜雪的手，“这一次让我来吧。”

“我是岳家的当家人了。”

“辰晴，你——”

岳辰晴没有再理会江夜雪，他松开江夜雪的手，施展轻功一跃跳至血池中央的鬼令台上。

江夜雪和慕容楚衣见状，两人都面色一变。

号召血池阴兵就犹如将帅领军，只有自身的实力足够强大，那些阴兵才会听命差遣。照理而言，岳辰晴的实力是根本不够格的。但是如若岳辰晴下定了决心，愿意捐出所有的灵力修为进行把控，甚至不惜以燃爆灵核为代价，那么就又是另外一回事了。

慕容楚衣大抵是看出了他的决绝，冷哼一声，袍袖间金光闪动，结了一个符印，只听得窸窸窣窣潮水一般的声音从外头传来。

小兰儿眼尖，第一个发现情况，失声惊叫道：“先生！又来了！”

上百只手持金刚刃的竹武士从洞窟之外涌进来，将江夜雪他们团团包围，另一些则向岳辰晴所在的鬼令台扑杀过去。

只是由于岳辰晴作为岳家的第一继承人，他站在了鬼令台上，多少对池中阴兵是一种感召，于是血池里有模糊的影子蹿起来，嘶吼着将那些试图扑向岳辰晴的竹武士带下池水。可是竹武士毕竟是无心之辈，一批沉入了血池，后来者仍无所畏惧地继续向前进攻着，场面依旧不可收拾。

小兰儿的灵流越来越不稳了，江夜雪将她揽过来，重新将镇灵咒落在她身上，但江夜雪的灵力毕竟不及墨熄，压制小兰儿的暴虐灵核只是杯水车薪。

小兰儿哭嚷道：“先生……竹武士……您也会的……您也可以……”

江夜雪摇了摇头，说道：“那是楚衣曾经教我的。我的竹武士在他的面前，不过是一堆废竹断木。”

小兰儿泫然：“怎么会这样……”

见情况越来越危急，岳辰晴脸色苍白，他下定了决心，凝出薄刃，在自己掌心中擦出一道血痕，蘸着鲜血在鬼令台中央的封灵石上画出一道繁复的符咒。

他这是真的打算贸然开始召唤池内怪物了。

“辰晴——！”

江夜雪想设法阻止岳辰晴，但他们之间所隔的血池已经开始汩汩翻涌，根本无法接近。

“浑天，有血池……”

“岳辰晴！你快停下！”

岳辰晴却席地而坐，双手结印，唇齿呢喃：“血池，宿阴兵。”

“岳辰晴！！！”

“辰晴哥哥……”

岳辰晴一边念着召唤咒。

他爹把这一套咒诀教给他的时候，曾经跟他说过：“咱们岳家是器修，平日里用不着修炼什么耗费灵力的心法，唯有这一术法，那叫杀敌一千，自损八百。不过这世上什么都是功夫不负有心人，你有事没事就都多练一练，只要练得够纯熟，你自身的基底够强大，那这咒诀对你的伤害也不至于那么骇人。”

岳辰晴记得自己当时懒洋洋地坐在长凳上听着，眼睛还总瞄着站在远处回廊里与下人正说着话的慕容楚衣。

岳钧天道：“你跟着我结印，然后念咒诀。”

“浑天有血池。”

岳辰晴就漫不经心地：“浑天有血池。”

“血池宿阴兵。”

岳辰晴再念，结的印也是歪歪斜斜的：“血池宿阴兵。”

“阴兵欲借道。”

“阴兵……”

忽地起风了，院子里的杏花吹落如雨，也就在这时，慕容楚衣与用人说完了话，回过头来。他当时只是被风声所引，转头看着满庭芳菲拂动，可却没料到岳辰晴正在望着他。他怔了一下，而也就在同时，岳辰晴朝他绽开一个灿然的笑。

“教你练功！走什么神！”

“哎哟——”

“还不跟着你老子念！”

岳辰晴委屈巴巴地：“又没什么用，我要召唤浑天洞的怪物干什么？”

说罢又故意扯大了声音，嚷嚷道：“我要有什么事，我四舅都会第一个出来保护我的！”

岳钧天气不打一处来：“你当他什么啊？他就是个外人！”

“才不是！四舅最厉害了，四舅最好！”小岳辰晴不依不饶地嚷道，“他才不是外人，他是我最喜欢的小舅舅！”

无论发生什么，他都会第一个出来保护我。

他最厉害，最好。是我最喜欢的小舅舅……

岳辰晴睁开眼睛，泪水无声地顺着脸颊潸然滑落，他周身散发出血红的光芒，阴兵之咒的反噬咒痕从鬼令台的岩石爬上来，一路上爬，顺着他的脚踝，腰腿一路上缠，蔓延至他的全身。

强行施展的号令使得他浑若万蚁噬心，又似千万根尖针刺入他的皮肉。

他爹曾跟他说过，血池召唤之痛，是最难忍受之痛。

其实并不是的。

透过闪烁的泪光，岳辰晴看向了和墨熄仍在激烈交锋的慕容楚衣，就好像多年前第一次学习这个法术时，在花雨里看着廊下的白衣青年。

岳辰晴咳出一口黑红的血来，含着泪，沙哑道："阴兵，若借道……"

杏花雨里的慕容楚衣越来越模糊，当时小院里自己嘻嘻哈哈的笑声也变得越来越远。

四舅会一直保护我的，他不是外人。

他……

裂心的痛蓦地爆裂开来，岳辰晴自知无法支撑太久，他浑身上下都燃起了半透明的猩红色灵流之火，他猛地将沾血的右掌击在封灵石的正中央，霎时间阴风四起，洞内昏黑。血池飞溅出数十道鲜红的瀑流，尖利的啸叫撕破地面狰狞上蹿！

"杀尽，拦路人！"

最后一句厉令念出，岳辰晴一下子跪倒在了鬼令台上，大口大口的鲜血从他口中汹涌而出。他模糊之中，能感知到一股阴森的力量在吞噬他修炼那么多年所积蓄的所有灵力，他的力量变得越来越弱，无可挽回地一去不回。

而与此同时，源源不断的阴兵从血池内跃将出来，听从岳家的新主岳辰晴的命令，潮水一般涌向慕容楚衣的竹武士。

霎时间，血溅，刀落，断竹纷飞，厮杀震天。

阴兵毕竟是几百年的冤魂老鬼，那些竹武士再强，也无法与之相抗，很快地战局就开始向岳辰晴那一方倒去。那些将竹武士拆卸砸毁的阴兵嘶吼大叫着，又扑向与墨熄缠斗中的慕容楚衣。

慕容楚衣原本近战之力就不如墨熄，撑到这时已是极致，这时候腹背受敌，更是节节败退。便在这乱战之时，斜刺里一只阴兵夺了竹武士的刀刃，趁着慕容楚衣阻挡墨熄的攻势，猛地朝他刺了过去。

只听得嗤的一声。

慕容楚衣琉璃色的眼珠转过去，白皙的脸上沾着星星点点的血，瞧来分外阴森可怖。他低下头，看到刺刀从他的背后刺入，又从胸肋之下贯出。

他顿了须臾，身形摇摇晃晃，目光再次转回墨熄身上的时候，竟带了一层茫然。

"墨熄……"

墨熄目光与他一触之下，竟陡地心惊肉跳，那就像是某种原始的直觉，突然觉得不对劲，随即寒意从背心瞬间密密麻麻地漫上后颈："你……"

慕容楚衣的眼神似乎在这一瞬间变了，他蹙着剑眉，低声喃喃道："我……我不是……"

他似乎想说些什么，可是他还没有说出口，刺杀他的那把刀就被阴兵蓦地拔出。

慕容楚衣身子蓦地一软，呛出一口血来，失却灵流从半空中跌落，犹如白色的蝴蝶坠入蜘蛛的巢穴，栽落在了尘埃里。

随着慕容楚衣的跌落，照雪剑的浪潮和吞天杖的灵鲸于空中最后一次相撞，而后照雪由于主人的战败而蓦地消失了，紧接着吞天亦被墨熄收回，上一刻还狂澜万丈、声势浩大地厮杀，下一刻便成寂静。

墨熄自洞窟之顶落回地上，走到慕容楚衣面前。

慕容楚衣不知是死去了还是昏迷了，但就算没死，他也已经受了很重的伤，鲜红的血浸透了他洁白的衣裳，他躺在那里，一点儿生气也没有，像是被抽空了魂灵的破碎傀儡。

那些洞窟内正负隅顽抗的竹武士失却了主人的控制，也纷纷作沙泥散，东倒西歪地摔在地上。

危机似是解除了，小兰儿在劫后余生地小声啜泣着，岳辰晴耗尽了所有灵力，并且身体受到了重创，此刻连施展轻功越过血池的力量都不再有。幸好江夜雪有机甲之术，他请出了属于自己的竹武士，让它去把鬼令台上奄奄一息的岳辰晴接了回来。

“哥……”岳辰晴勉强抬起脸，咳着血沫，含混道。

喊完这一声哥之后，他眼珠略显迟缓地转过去，转到了慕容楚衣那边。他一看到倒在地上的四舅，面部就狠狠抽搐了一下。

“……”

他说不出任何话来，更不知道自己此刻是怎样的心情，只一夕，他就像被拆开了骨头和血肉，揉碎成了泥渣。

最终还是小兰儿推着江夜雪的轮椅过去，三个人抱在了一块儿。

“没事了……没事了……你已经做得很好了辰晴……”江夜雪低声安慰道。

可无论他怎么安慰，岳辰晴都一直微微哆嗦着，止不住地颤抖。

他的伤势拖不得，慕容楚衣和岳家的情况也要尽快地上达天听。短暂的拥抱与安慰后，他们去到了一直看着慕容楚衣出神的墨熄身边。

“羲和君……多谢你……若是今日没有你，岳家所有人恐怕都会命丧在这浑天洞里。”

对于江夜雪的道谢，墨熄没答话，只是摇了摇头。

而岳辰晴离得近了，忍不住又看了慕容楚衣一眼，见慕容楚衣生死未卜的样子，一时竟不知是恨多一些，还是痛多一些。他只觉得自己的脊柱都像被拆散了，疼得弓下来，清秀的脸上不住地淌下细密的冷汗。

小兰儿在旁边搀扶着他，感到他颤抖得越来越厉害，看看他，又看看慕容楚衣，轻声道：“辰晴哥哥，你……你要是还有话要问他……我这里……我这里有续命的药……是我爹爹让我放在身上保平安的……”

说着从衣兜里小心翼翼地掏出一颗药丸，细声细气地："就是不知道还有没有用……"

她半扶着岳辰晴，小小的身子本就负荷着重量，一时便也腾不出手来去给慕容楚衣喂药。这个时候墨熄忽然道了一句："我来吧。"

他接了小兰儿的药，到慕容楚衣身边，背对着众人把药丸给人服下。而后他起身，就在众人都以为他准备要带上慕容楚衣和他们一起离开浑天洞的时候，却见得墨熄忽然抬手——

只听得"嘶嘶"灵流作响，出山洞的唯一一个通路被墨熄的结界封住了。

其余三人俱是一怔。

岳辰晴："羲和君？"

小兰儿也茫然道："羲和哥哥？"

江夜雪则蹙着眉，轻咳着不解地看向他。

墨熄没有解释，只忽然道："抱歉。我另有问题要问你们三个。"

三人不知他为何忽然发难，都有些愣怔。

墨熄首先转向江夜雪："江兄，我回重华后，我们第一次见面是在哪里？"

江夜雪面有疑惑，但仍答道："是……飞瑶台？怎么了？"

墨熄不答，第二个问题是问岳辰晴的："辰晴，北境驻边时你最常去吃的摊子卖的是什么？"

岳辰晴虽然不解，但仍沙哑地回答道："……是炊饼。"

墨熄看向了小兰儿。

小女孩儿茫茫然站着，睁着一双湿润澄澈的眼眸，仰头望着墨熄："羲和哥哥……"

墨熄问道："你曾经送过你顾茫哥哥一样东西，还记得是什么吗？"

小兰儿咬着嘴唇，仔细想了一会儿，细声道："我……我不记得了……"她有些惶然地，"一定要想起来吗？那……那我再好好想一想！"

墨熄道："你想不起来也没有关系。我再换一个问题，你和我第一次见面是在哪里？"

"我……"

"这你总不至于也一点儿印象都没有了吧。"

小兰儿支吾着，一时竟答不上来。

墨熄眸色一沉，只见得黑影闪过，女孩儿的脖子已经被他忽地出手擒住！

小兰儿尖叫一声，惊慌失措道："呜呜呜，我……我……"

墨熄抬起另一只手，双指间夹着一枚白色药丸。正是小兰儿之前递给他，想要让他给慕容楚衣服下的"续命丹药"。

墨熄森然道："这个药，你以为我真会给慕容喂下去吗？"

他当时就已起疑，迅速于袖中调换了丹药，方才给慕容楚衣服下的，其实是他自己乾坤囊里随带的伤药。

“你说这是续命丹……我却要看看这丹药除了续命之外，里面还有没有什么夺人意志心魄的东西！”

墨熄手指一捻，白色的药丸被搓成了粉末，果然里面蠕动着一条细细的蛊虫。果然！！

墨熄瞬时脸色一变：“说！”

他咬着牙，扼着小兰儿柔嫩的咽喉，鹰一般的眼睛狠盯着她。

“你到底是什么人伪装的！”

小兰儿大哭道：“我不知道你在说什么，救命……救命……辰晴哥哥，先生……”

墨熄见她仍是不愿承认，不愿再与她多言，掌心催动灵力相探，一探之下，发现她虽看似灵流汹涌，但竟只是躯体上附着的薄薄一层幻术假象，不由一惊——

她那颗暴虐灵核竟已枯竭了……

她也是个傀儡！

多年来与人交手的直觉让墨熄蓦地将手收回，可仍是迟了，一层黑气自他指尖上开始蔓延，竟是燎国的尸僵草之毒！！

“你——！”

“真是令我为难啊。”小兰儿挣脱了钳制，往后退了几步，小女孩忽然咯咯笑道，“墨兄，你这个人，怎么就不能装傻，一定要追根刨底呢？”

这般语气，俨然已不再属于一个六七岁的孩子。

墨熄想压下指尖的魔毒，可是没有用，尸僵草的毒性极其霸道，蔓延迅速，不一会儿那麻痹感就已经散到了他的大半身子。

他微微喘息着，迎着浑天洞晃动的光影，看着安静地立在血池边的那个小女孩。

女孩脸上是一种与她年龄完全不符的神态：“我本来呢，只是打算让你当个见证人的，可你呢……不识好歹，却更愿意当个枉死鬼。墨兄啊。”她叹息着，声音渐渐轻弱下去……

而就在此时，另一个声音在墨熄背后幽幽响起，阴森道：“真是人间有路你不走，地狱无门你非要闯……”

墨熄忍着堕心草之毒蔓延的剧痛，蓦地回过头去！

只见江夜雪坐在轮椅上，那张脸仍沾着血，却全无之前的虚弱。

江夜雪双手交叠，好整以暇地看着墨熄，一歪头，微微一笑，温声道：“是你知道的太多了。怨不得我杀你。”

墨熄心口一阵剧痛，却并不是因为堕心之草。

他看着江夜雪的脸，一句话也说不出来，视线也渐渐地开始模糊不清。

岳辰晴几乎疯了：“哥？”

江夜雪低低“嗯”了一声，微笑着——岳辰晴一下子就崩溃了，浑身都在发抖，抱着脑袋，怎么也不敢相信，更不敢深思："不……不可能……不会的！怎么可能！"

"傻瓜，这世上又有什么是绝对不可能的呢。"

江夜雪淡笑着，竟从轮椅上站起，朝他们走过来。

岳辰晴的瞳孔骤缩，面无人色："你……你根本就……"

江夜雪一身藕白衣衫，身段颀长，衣袂飘飞，那风姿端的是君子如风，温润如玉。哪里会是个残废的瘸子？

"是啊，我早已经康复了，只是还没有告诉你而已。"江夜雪说着，一抬手，瓷玉般的指掌间燃起一簇白金色的火焰，正是小兰儿灵核才有的辉光。

一招杀咒凝于掌中，江夜雪将目光从岳辰晴身上移开，转向了墨熄。

"羲和君，抱歉。我要拿你先下手了。"

并无二话，瞬息劈落！

墨熄之前与慕容楚衣激战已经消耗了很多灵力，这时候又中了尸僵草之毒，这毒发作很快，能在极短的时间内使人全身麻僵，到最后便是动弹不得。墨熄勉强招架，灵流的强烈碰撞中，他喘息着抬起头来。

"是你……夺取了她的灵核……"

"哦。只一交手你就感觉到了？"江夜雪的笑容依旧是那般温柔，"是啊，小兰儿那颗暴虐灵核留在她身体里，只会是她的隐疾，但我将它的灵力以秘法吸纳之后，它却能为我所用，成为我的利器，医好我的腿疾。"

他说着，手中的金光愈发强盛，朝墨熄逼压下去。

"不然你以为我为何要收留她？我可一点儿都不喜欢小孩子，尤其是这种爱哭的，看着就心烦得紧。"

两人相抗之下，刺目的华光将江夜雪那张月夜梨花般俊美无俦的脸照得那么明亮。可墨熄却从没有像今天这样，觉得这张脸如此陌生。

"江夜雪……你简直是疯了！"

"人取蛇胆入药医病，我也只不过是在为我的腿疾寻个方子而已。"江夜雪道，"更何况，我把她从学宫要回来的时候，她已经因为无法控制自己而要被褫夺灵核之力了。学宫夺和我夺，又有什么区别？"

暴虐灵流碰上暴虐灵流。只是一个虚弱，一个强盛，江夜雪操控着小兰儿的灵力，一点点地将墨熄摧压下去。

"不要负隅顽抗了，墨兄。你已经耗损了太多力气，此时此刻你根本不会是我的对手。"江夜雪说的一点儿也没错，细密的汗从墨熄额头渗出，尸僵草的黑气也已经一点点地上爬，侵蚀了他的手腕手臂。

墨熄甚至无法屈指再第二次召唤吞天了。而就在这个时候，他陡听得岳辰晴在旁边悲怒至极，喑哑着嗓子喊道：“阴兵——”

他竟想调动那些还没有回到血池内的怪物，阻止江夜雪的屠戮！

江夜雪眼神陡变。虽然岳辰晴的灵力与体力此刻都已到了极限，再用这种禁术不但可能无法奏效，更有可能直接身死于此。但比起被尸僵草成功控制住的墨熄，这时候显然还是岳辰晴更为危险。

于是，在岳辰晴咳着血，还未及念出“从令！”二字时，江夜雪蓦地撤回了施加在墨熄身上的力道，广袖招展飞掠到岳辰晴面前。

狠狠一击，将岳辰晴击倒于地。

江夜雪不无阴鸷地眯起眼睛：“你怎么总爱给我找出些事情呢，岳辰晴。”

岳辰晴盯着江夜雪，喉咙里发出悲惨极了的哀号：“你……骗我……你骗我！！！”

“那是你自己傻。”江夜雪淡淡地，他面对着墨熄的时候尚且还会笑眯眯，而面对岳辰晴的时候，他脸上的所有笑意都敛去了，眼神冷得像冰碴一般。

他似乎觉得墨熄那边伤情太重，且魔草之毒根本无法自解，所以还是岳辰晴更令他在意，也更使他感到威胁和恶心。

他一步步走到岳辰晴面前，居高临下地睥睨着自己这位同父异母的兄弟。

江夜雪其实是很高的，站在岳辰晴面前时，那冷意与压迫感着实令人感到肌骨发寒。

“你自己傻，没有头脑，不信任你四舅，你又怨得了谁？”

“我没有！我只是……我只是……”

“哦，你没有？”江夜雪冷笑道，“你‘只是’不小心召出了血池里的阴兵，又‘不小心’重伤了你舅舅，是不是？”

岳辰晴脸色灰败。

“岳辰晴，你当真是被他保护得太好了。哦不，不对，不止是他。”江夜雪道，“你还被你爹，被你伯父……被岳家所有人当傻子一样宠着护着，最后就真的成了个连骂人都只有两个词的废物。”

他说着，一把揪住了岳辰晴的头发，将他从地上提起。而后侧了一下脸，不用出声，早已被他掏空了灵核制成傀儡的小兰儿便乖乖推着轮椅朝他们走了过来。

江夜雪手上力道极重，紧扼着岳辰晴的脖子，将他摁坐到那把轮椅上去。

岳辰晴寒毛倒竖，根本不愿坐到轮椅里。他面色苍白且歇斯底里地挣扎着，可换来的是江夜雪更狠的力道。江夜雪不由分说也不容拒绝地将他摁在了椅中。俯身，眯起眼睛，伸出两根手指，托起了他的下巴。

“如果你是坐在我的位置上长大的，弟弟。你就不会长成这样一副天真无邪的愚蠢模样。你简直是傻得令我羡慕，你知道吗？”

岳辰晴浑身都在发抖。他似乎有很多话想说，崩溃的，愤怒的，悲怆的，恶毒的……但就像江夜雪所说的，岳辰晴自幼被保护得太好，以至于他甚至连骂人都只有那么两个词。而那可怜巴巴的几句话根本无法承载他此刻的情绪。

他像是要被这些情感压碎，他已经被这些情感压碎了。

他在这支离破碎间，能颤抖地拾掇起的，最后只有无力的质问——“你为什么……你为什么要这样做……”

“我为什么不该这么做？”江夜雪立在轮椅前，这把椅子他坐了许久，此刻终于轮到别人坐在上面了，他内心的微妙滋味令他眼眸潋动着幽光。

“岳辰晴，你我同为岳家的子嗣。你过的是什么日子，我又是什么日子？”

岳辰晴抬起眼眸，沙哑道：“人人都道你是个君子……原来你……你心里藏污纳垢……竟比谁都深……”

江夜雪原本一直都很冷静，或薄凉或阴森，或恶毒或虚伪。唯独没有过愤怒。

可这句话就像一把密钥，撬开了他心里最锈蚀的一把锁。那蓄积已久却从不出柙的怒焰烧将上来，让他的眸色发亮，面目竟变得有些扭曲：“我藏污纳垢，枉为君子？”

江夜雪森森然嗤笑出声：“岳辰晴啊岳辰晴……世上谁都可以这么说我，唯独你不配！你知道你在与谁说话吗？！”

江夜雪拂袖回头，眼睛瞪着岳辰晴的时候里头爬满仇恨的血丝。

他一把搠起岳辰晴的衣襟，紧盯着那张脸，唇齿充满恨意地叩出令人不寒而栗的句子：

“如果不是我救你。岳辰晴。你早就是一具冢中骨一个泉下人了！是你的活，换来了你所谓的那个君子的死！！你还说我枉为君子？！你有什么脸面！！”

这腔扭曲的仇恨积压了太多年，当它真的喷薄而出的时候，令江夜雪恨得浑身都在发抖，他猛地将岳辰晴松开，力道太大，以至于轮椅往后滚了一圈。

江夜雪仰起头，他眼眸通红地瞪着岳辰晴，而后环顾着象征着岳家最阴狠法力的浑天洞，环顾那些只听从岳家当家召命的阴尸，目光瞥过被尸僵草麻痹了肢体的墨熄，瞥过浑浑噩噩的小兰儿……最后落到昏迷于地，受伤极重的慕容楚衣身上。

他的胸口好像被一根细小的针狠狠地刺了进去，痛并非无法忍受，却让他呼吸困难，眼圈发红。

他狠戾地乜过眼，恹恹地望着岳辰晴，再一次重复那句诅咒一般的话：“是你的活，换来了你所谓的那个君子的死……”

岳辰晴不明白他具体在说什么，可单就这几个字便已足够令他面色如土。

岳辰晴的声音低低的：“你什么意思……”

“什么意思？”江夜雪冷笑道。

空气中腥味浓重，见证着这一切的不可回头。而只有江夜雪自己清楚，其实二十多年前，如果他选了一条别的路——什么大杀戮便也不会有，岳家的一切，他所要的一切，都该是他的。

第43章

二十三年前，摆在他面前的，曾有两条路……

那一年，他年岁尚幼，某一日，他被母亲唤到了偏房里告知了一件事，如今想来，那便是他地狱之路的源起。

饶是过了那么多岁月，他仍能记得那一天，母亲谢氏那张姣美极了却也阴郁极了的面容。

她对他说："夜雪，我们往后的日子该怎么过呢？"

屋内焚着令人昏昏沉沉的龙涎香，昂贵的熏香缭绕着同样衣着精奢的谢夫人，她满头珠翠，雪玉色的藕臂上戴满了金钏银镯。记忆里母亲一直是这样穷奢极华的打扮，未必好看，但她爱极了这样的绚丽。

因为那代表着岳钧天对她的宠爱。

在重华教坊，绮年玉貌的琴女多如黍米，而能够平步青云，走到她今天这一步的，又有几人？

谢夫人自傲于她曾经的成功，又无限忧虑于她今后的处境。她很清楚，岳钧天与慕容凰是有婚约的，而她的野心并不止步于做一个低三下四的妾。

为了独占岳钧天的心，她使出了浑身解数。非但自己平日里极尽讨好丈夫，更是将江夜雪领到了府邸当时最贤德的一个宋先生门下，请宋先生在教授他炼器之术的同时，也教他做人做事的道理。

所以江夜雪年幼时与母亲接触不多，反倒常与宋先生一道读书论话，老先生是个良善端正之人，也教得他温文谦和、宽容修雅。

她是如此努力，岳钧天自然也被她迷得神魂颠倒，岳钧天那时候对江夜雪无限满意，酒至酣处，甚至还曾说过自己百年之后，想要让江夜雪继承岳家，成为这个炼器世家的宗主。而听到了这句话的母亲，哪怕明知是一句醉言，亦是欣喜得搂着江夜雪亲了又亲，无限欢喜。

但只可惜，岳钧天再是好色，再是风流，也终究是个寡恩之人。谢夫人是深知他脾性的，所以短暂的欢愉后，她依旧会忧心忡忡地对江夜雪讲："你莫要看你爹如今待我们都好，但那个人总还是有一天要入主岳府的。一旦那个人过了门，你与我就只能低三下四地做人，那日子不会好过了。"

就是这一天了。

谢夫人将他唤入房中，拉着他的手，端详了他一会儿。忽地将他拥入怀里，紧抱住他，对他说："阿娘只有你了……只有你……"

"娘……"

女人哽咽半会儿，才道："雪儿……慕容凰……慕容凰要嫁进岳家了。"

"……"

"在下月的初一……"谢夫人将他放开，手却仍紧攥着他的衣袖，犹如攥着救命的稻草，她双眼通红地盯着他，那双美目一点儿不美了，全是仇恨与偏执。

"可是雪儿……娘不甘心啊……怎么能甘心……"

"阿娘……"

女人的脸上说不出是怕，是恨，还是别的什么情绪，唯一可确认的是那些情绪将她的脸都扭曲了，浓深的铅华在这一刻失去了所有稠艳，反倒令她瞧来像是深渊里挣扎的厉鬼："我们一定要去争，去斗，去抢。你明白吗？"

然而江夜雪那时并没有任何争抢的意思，其实母亲迷恋的那些钱帛也好，地位也罢，他都并不在意。眼前拥有的这些，他早就觉得足够了，甚至太过丰奢，如若令他选，他倒更喜爱书中所述"结庐在人境，而无车马喧"。

只是望着阿娘那双哀哀的，甚至近乎偏执的眼，这些话他说不出口。

他一贯心善，不愿令人伤心，又何况是自己的母亲。

"你放心吧，会有办法的。总会有办法，娘不会平白让她把你的东西都夺走，娘也不会任你被他们欺负。"

"这岳府就只有你与阿娘是一条心，夜雪，雪儿……阿娘的好孩子，阿娘以后做的一切都是为了你，你也一定要向着你娘，知道吗？"

"一切都会回到我们手里的。"

他眨了眨眼睛，他是个很早熟也很早慧的人，他不苟同自己娘亲对权财的极度渴望，但他清楚她卑微的出身，明白她这一路走来的不易，也知道她唯恐朱楼崩塌的恐惧。所以他能在心里与她和解。

只是他无心争斗而已。

慕容凰嫁入府邸的那一天，她的母亲盛装打扮，尽态极妍。她本就是琴女出身，从前过惯了曲意逢迎的日子，拾掇出一张精致的笑脸来对她而言并非什么难事。她知礼地恭迎她，谦和地忍让她，卑微地奉承她。

江夜雪看着心中不是滋味，便在喜宴开始，宾客满座的时候，悄悄地离开了那觥筹交错的大厅。

天色很暗，晚来落雪。

他紧了紧身上的裘衣，想起后院梅花开得正艳，就打算去那里折两枝摆到母亲，还有先生的屋里。于是踩着咯吱咯吱的细薄新雪，一路行去花园。

而后他就在那里见到了一个白衣若雪的少年，披着鲜红色的斗篷，正站在大雪里，仰头看着粉墙黛瓦边的老梅树——那是他与慕容楚衣的第一次见面。

那一年，他和慕容楚衣都还很年轻，甚至可以说是稚嫩又青涩。

他根本不知道眼前这个瞧上去好像比他年纪还小的少年若真论起辈分来，其实是他的小舅舅。他还以为这是哪家宾客带来的小公子，偷偷跑到院子里赏花。

慕容楚衣心情瞧上去不是很好，看梅花正看得专注，也没有注意到身后来了什么人。

直到一角绘着云天鹤影的青色油纸伞从他头顶探出，遮住了他的雪，也挡住了他的花，他才吃了一惊，蓦地回头。

江夜雪朝他微微一笑，很有兄长的姿态："你是谁家的孩子？怎么这么大的风雪，也不撑把伞呢？"

慕容楚衣睁大眼睛，先是往后退了一步，又往后退了两步，脸上的神情渐渐从惊讶变成冷淡。他没有回答江夜雪的问题，而是直接道：

"你是谁？你来这里做什么？"

这问题问得简单粗暴，没有礼貌，对方看样子也不想和他废话。

但是江夜雪的脾气很好，他虽然年纪小，却时常在包容与照顾别人，所以他微笑道："我姓岳，我叫岳夜雪。至于我为什么来这里……因为这里是我家啊，你在看的这株梅花，也是我最喜欢的。"

对方闻言不知为何眯起眼睛："哦？你就是岳夜雪，谢依兰的那个孩子？"

江夜雪陡地听到这么小的孩子居然直呼自己母亲的名字，而且还呼错了，再是好涵养，也不禁有些好笑又有些着恼。

不过他没有发作，只是伸手把这少年拽过来，拽到自己宽大的油纸伞下，温和地教训他："听好了，我娘名叫谢兰依，不叫谢依兰。还有，雪很大，你再这样傻站着就要着凉了。走，我带你回花厅去找你家长辈。"

对方却"啪"地一下毫不客气地打开了他的手："没规没矩。你知道你是在跟谁说话？"

江夜雪失笑，莞尔道："你这孩子……"

"孩子？"慕容楚衣摘下斗篷帽檐，捋了捋有些凌乱的额发，严肃地看着他，薄唇一开一合，认真道，"岳夜雪，我是你舅舅。"

江夜雪一下子睁大眼睛："……"

过了一会儿，噗地笑出声来，伸手去探那少年的额头。边探边笑道："你啊。你可是冻坏了，烧着了脑袋……？"

这一番闹剧最后是怎么收场的，更多细枝末节，江夜雪也记不清了，只记得最后慕容楚衣颇不高兴地拂袖离去。而等大婚宴后，他随着母亲去拜会正房大夫人，并且给大夫人敬茶的时候，他发现梅花树下的那个少年居然就立在慕容凰身边，一脸淡漠地看着他。

直到那个时候，他才终于知道，原来这个与自己年龄相若的白衣少年竟真的是他的小舅舅。名唤慕容楚衣。

慕容楚衣虽与他住一个府上，平日却不爱与人接触，十日里能有三日露面已是十分难得。江夜雪初时还想与他说说话，但是碰的冷钉子多了，也就罢了。

宋先生教过他，说君子之交淡如水，他一心要求自己修养如竹，慕容楚衣不愿与他过多来往，他便也不去强求。

只是世上的人并非都如他宋师父一样平和善良，慕容凰与岳钧天成亲后，在家里也好，在外头也罢，他都能敏锐地感觉到那些人态度的变化。那些曾经总随着他谄媚逢迎的人是最早消失的，而后一些长辈对他也不再似往日般热络。

他只是为人和善，并不是迟钝，这些事情他看在眼里，也很清楚原因究竟是什么。不过他待人温柔，不爱计较什么宠辱得失，所以也并不觉得有什么。

唯独谢夫人的怨戾越来越重，让他感到一些忧虑与苦恼。她总是对他说，今日岳钧天又赠了慕容凰什么样的首饰，那些首饰要多少多少钱，多么多么珍贵。又或者对他说，今日慕容凰又置办了怎么样的行头，添置了什么模样的衣裳……

时日推移得越久，她的话语便越难听，有时甚至都到了不堪入耳的地步，听得江夜雪微微皱眉，却因为她是他的娘亲，所以也只能在心里叹息。他也不是没有宽慰过她，可只要他说一些开导她的话，她便瞪他骂他，说他“不求上进”“不知疾苦”。

久而久之，江夜雪也只能不复多言了。

再到后来，谢夫人对慕容凰的妒恨心病变得日渐严重，而待到慕容凰有孕后，她的恨意简直令她面目扭曲。

慕容凰是王族，又是正室，所有人都摘星星摘月亮似的哄着她。所受的优待是谢夫人哪怕怀着江夜雪时也从未感受过的。

仆人们见风使舵，对两位女主人态度上的差距变得越来越鲜明，甚至有些往日受了江夜雪不少照顾的小厮也开始变得阴阳怪气。谢夫人恨得厉害了，就对江夜雪说：“你看看，你说什么以德服人，说什么随遇而安，你服了什么人？你的日子又怎么安了？”

江夜雪心里虽有些不好受，却还是坚持认为自己为人处世的方式并没有错。求富贵易，求问心无愧难。

只是渐渐地，就连父亲都为了照顾慕容氏的感情而对他显露出疏离的意思，整个宅邸除了宋先生，再没什么人愿意主动接近他。他的心里多少还是难受的。

也正是那一年的暮春，宋先生生了病，卧床不起，暂时不能教授他炼器之术了。江夜雪便自己琢磨着做了些巧工，可他一向敬重关心师长，不忍叨扰病中的先生，便带着这些器物去寻府中的其他炼器幕僚。

可得到的，却全都是回避和佯作无奈的拒绝。

“不好意思啊，夜雪公子，我今日尚有许多公务要处理。”

“真是抱歉，夜雪公子，老夫身体不适，待好些了再与你切磋技艺，你看好不好？”

“鄙人才疏学浅，恐怕指教不了公子。”

一府问下来，竟没一个愿意的。

江夜雪抱着他做好的木头机甲，颇有些落寞地低着头走在空荡荡的回廊里，正茫然时，却忽听得身后有人叫住他。

“岳夜雪。”

他回过头去，脸上犹带着失落与伤心，却对上了慕容楚衣的脸。

他的小舅皱了皱眉：“你这是什么表情？”说着白衣飘飞地自拱门之后走过来，低头看着他怀里的机甲。

“你做的？”

“嗯。”

慕容楚衣拾起了其中一只小滴漏，端详了一番：“东珠血晶为沙，沉檀香木为体……是你自己想的？”

江夜雪彼时也知他的炼器名声，有些尴尬地说道：“是。”

慕容楚衣却没有笑话他，把那小滴漏放下了，说道：“来我炼器房吧，我教你。”

江夜雪无论如何也没有想到慕容楚衣竟会愿意主动点拨他，不由得睁大眼睛，愣在原处。

慕容楚衣说完就往前走了，走出一段见他没动静，淡然回过头：“还不跟上？”

“哦，好，好啊……”

这之后的一段时日，直至岳辰晴降生，可以算是江夜雪人生中最充实也最快乐的一段日子。

慕容楚衣虽比他年长不了太多，却于炼器一道上极有造诣，教了他许多从前并未设想过的炼器方式与秘法。

他们两个人之间，慕容楚衣从来我行我素，是不在乎别人眼光的，也根本无所谓江夜雪受不受人欢迎，在这家里是什么地位。而江夜雪更是有种伯牙子期知音难逢的慰藉，无论母亲怎么说，他都照旧每日去慕容楚衣的炼器室寻他。

为此，谢夫人说的话越来越难听，对他的失望也日渐深重，说他“不孝顺”“胳膊肘往外拐”，甚至还觉得慕容楚衣是慕容凰派来离间他们母子俩的。

有一次她辱骂慕容楚衣被江夜雪阻止之后，她便对他大发雷霆，从此再也不愿意理会他，不肯听他的任何解释，更不肯让他回她的别苑居住。

江夜雪无意与母亲吵架，也不愿将动静闹大了叫人笑话他阿娘，于是无奈之下，只得不太好意思地问慕容楚衣，能不能先住在他这个院子里。

慕容楚衣扫了一眼满院子的陈设——炼器台上的刀具规尺有江夜雪的一套，凳子有江夜雪常坐的一只，甚至还有些慕容楚衣根本不喜欢而江夜雪惯用的小文玩摆在了案头上。

慕容楚衣冷淡地回了句：“你觉得你问不问我有区别吗？”

江夜雪：“……”

两个少年也有特别闲的时候，慕容楚衣并非外界看来那般全无别的兴趣，他也会买来路边小童喜爱的巴掌大的竹武士，然后懒洋洋地斜卧在竹榻上，叫江夜雪拿两只来与他对打。打着打着，却又从其中思忖出了些新的法器，于是一画图纸便是彻夜，时常趴在地上握着规矩就直接睡了，醒来又接着画。

而几乎每次慕容楚衣睡着的时候，江夜雪都会忍不住多看他几眼。

这个人怎么会是他小舅呢？

明明那么年轻，那么青涩，趴在地上握着笔睡觉的时候，还时常会不小心把毛笔尖上的墨渍沾到脸上。那么傻。

有一次慕容楚衣睡了一半，大约是梦到了什么所以迷迷糊糊地醒来，半醒半睡间发现江夜雪在看着他，便有些不耐烦地问：“你看我干什么？”

江夜雪的声音温和得令他自己都有些意外。他笑着低声对他说：“我看小舅，觉得好威严。”

慕容楚衣大概根本没有听懂他的玩笑，或者压根儿没有听他在说什么，只低低哼了一声，长睫毛颤着颤着，就又睡了过去。

江夜雪记得自己就是在那时候看着他，产生了某种隐晦又可怖的独占欲，那种独占欲让他自己不寒而栗，甚至想要夺路而逃。

他那时候根本不敢深思，若是深思了，大抵会觉得自己怎会这样罪恶滔天，哪怕并无血缘，哪怕慕容楚衣不过是慕容凰捡来的一个弃子，但地位摆在这里。他若对慕容楚衣有那样压迫性的想法，他该是多么狂悖不堪？

也就这样浑浑噩噩战战兢兢地又过了数月，慕容凰生产了。随着那一声婴孩的嘹亮啼哭，这个显赫的家族里有两个人自此堕入了地狱。

一个是他的母亲谢夫人——因为岳府迎来了它真正的正统，嫡子出身的男婴，岳钧天给他起名为辰晴。

辰晴、辰晴……慕容凰的儿子是光明的，意味着晴空万里与旭日东升，而她的孩子是什么？长夜里的一场皓雪，哪怕曾经再是千里江山换素装，太阳一出，也就都化了，什么都没有了。

她怎能不寒心，如何不怨恨？而另一个堕入地狱的人，则是慕容楚衣——因为慕容凰难产而死，他猝不及防地失去了那个收养了他，给予他第二次生命的“姐姐”与“母亲”。

他再无恩人了。

第44章

慕容凰过世之后，慕容楚衣变得愈发沉默寡言，他时常把自己关在炼器室里，岳府上下能轻易见着他的人只有江夜雪。

丧期间，慕容楚衣默默地捏了许多泥人，给他们灌注灵力，慢慢地调试着，让它们学着慕容凰的神态言行，在他的小院里走动着。江夜雪明白他心中难过，也不多言，拿过泥人小偶的图纸也照着做。

不过他却不止做像慕容凰的，从他手里捏出来的泥人，有一些像慕容楚衣，有一些像他自己，甚至还有一些，捏得像那个刚刚出生的，被命名为岳辰晴的孩子。

那些嚷嚷闹闹的泥人行走在小院里，嚷嚷闹闹地喧哗着，打碎了原本沉窒的气氛。

慕容楚衣阴沉地看着他："你到底想干什么？找碴吗？"

江夜雪走到他身边，想拉起他的手，却只牵住了他的衣袖："楚衣，你不能只活在凰姨的影子里。"

慕容楚衣蓦地将自己的衣袖抽回，狠倔道："我没有。"

说着便似不想再与江夜雪多言，只转过身，独自走到了机甲台前，看着那些捏泥人的残瓷碎片，慢慢地闭上了眼睛。

身旁却传来那温和的嗓音，有什么轻轻晃着他的衣袖，不依不饶地："楚衣、楚衣……"

"都说了我没有！你能不能别——"

转头却发现说话的只是一个小小的泥偶，眉目间有江夜雪自己的模样，正笨拙地哄着他："不难过，不难过。"

慕容楚衣："……"

"会好的，会好的。"

慕容楚衣沉默地瞪着它，瞪了一会儿，眼眶慢慢地就有些红了。他转过头，看到江夜雪站在屋舍宽大的檐下，背后是铅灰色的天空和飘飞如雪的残花，藕白色的衣袂随风飘动着。

两人隔着一段距离，遥遥相望着，慕容楚衣几次想要开口，却都止于唇齿，最后他只得恨恨地，低声道了一句话："你捏得也太丑了。"

江夜雪"噗"地笑了，仿佛某种禁制破除消融了，他朝慕容楚衣走过去，思忖片刻，以一个宽慰的姿态轻轻地拥抱了慕容楚衣一下。

"你说的对。"江夜雪温和地哄着他，"那小舅亲自教教我怎么捏，好不好？"

慕容楚衣："……"

他们那时候的关系当真是最舒适的，江夜雪尚克制得住那种扭曲的独占欲，慕容楚衣对他也很亲。其实江夜雪后来时常会想，如果自己不去阻止后来发生的那件事，会不会一切都不一样。

浑天洞里，江夜雪抬手扼住岳辰晴的脖颈，眼眸眯起："岳辰晴，你知道当时，如果不是我帮忙，你早就该死在我母亲手里了吗？"

岳辰晴栗然，江夜雪褐色的瞳仁离他那么近，里头仿佛攒动着经年前消散的光影。

在慕容凰过世后不久，某一日，江夜雪拿着慕容楚衣为那孩子做好的木头小玩具，打算到厢房里逗岳辰晴玩。

他虽然知道府衙内许多人对他的态度正是因为岳辰晴的出生而改变的，但对于那个裹在襁褓里的孩子，他其实并没有任何的敌意与恶意。

反倒是慕容楚衣，虽然怜惜这个孩子，但碍着面子，从来不主动去寻他，只是把精心打磨好的小物件随意递给江夜雪，让他给岳辰晴送去。时间久了，小木人、小木马、木头小鱼、竖着耳朵的小兔子……慕容楚衣做的东西摆满了岳辰晴的摇篮。

江夜雪看着手里的木头松鼠，又是好笑又是无奈地叹了口气，他想，真应该让慕容楚衣自己来瞧瞧，若是再这样送下去，小辰晴哪里还有睡觉的地方？

一路思忖着，走到岳辰晴的房门外，推门进去时却听得"哐当"一声。

江夜雪看护岳辰晴的嬷娘犹如惊弓之鸟蓦地转过头来，打翻了的药碗在地上摔得粉碎，里头的药剂淌在石面上，发出"嘶嘶"的异响。

"夜……夜雪公子！"

他立刻就辨认出碗里装的原本是烂肠断魂的毒药，惊怒之下，他一把拽住了惊慌失措的嬷娘："怎么回事？！你在做什么？！"

嬷娘是个贪生怕死之徒，立刻叩首连连，跪在地上向江夜雪哭诉真相，说是谢夫人逼迫她，要她乘人不备将毒药灌入岳辰晴口中的，如若不照做，便是全家性命不得保全。

江夜雪听着他母亲的行径，只觉得整个人如坠冰窟。他无论如何也不敢相信自己的娘亲居然会为了权势做到这样残忍的地步，于是他带着嬷娘一同去寻了谢夫人。

而得到的结果，却是谢夫人歇斯底里的打骂。

"你有什么可指责我的？我这是在为你今后的路扫清障碍！你这个不争不抢的废物！"

"什么道义，什么良心……这个世道本就是弱肉强食，是你太天真了岳夜雪！你知道老娘我是怎样一步步才走到今天这个位置的吗？你没在泥潭里挣扎过你根本不清楚与人为奴是什么滋味！你等着吧，二十年之后……不，不用二十年，十年之后你就知道老娘做的这一切狠事都是为了你！这里是岳府，不是什么猫猫狗狗家，有他没你，有你没他！你知道吗？！”

“岳夜雪，我怎么生出了你这样妇人之仁的混账！”

他那时候亦是伤心又恼怒：“阿娘，那是一条人命啊！你为何会变成今天这样……”

“你能问出这种话就说明你根本不懂什么叫王侯之家！岳夜雪，今天的我就是今后的你！！你等着吧！你留着他，那些本属于你的东西日后就会一样样成为他的东西，到那时候……”女人尖利的笑声仿佛从多年前的那个夜传来，“你一定会后悔你今天阻止了你的母亲……”

“你一定会后悔的！”

你一定会后悔的……

这个双眼赤红，瞳仁里仿佛爬遍蛛丝的女人日趋疯狂，罹患癔症，最后甚至对岳钧天出言不逊，当众辱骂他是个刻薄寡恩之徒。

其结果，自然是不言而喻。岳钧天原本宠她，便是因为她恭顺温良，进退得当，令他能感受到那些在贵胄女人身上完全寻不到的无限温软。

现在温柔帐成了醋坛缸，他又还有什么留恋的？

谢夫人所受的宠爱一夜落寞，众人见谢夫人惹得岳钧天生厌，再无东山复起之日，便纷纷离散，连医治她的药修都不再尽心竭力。

这一切江夜雪看在眼里，他与她毕竟是母子，母亲疯魔如此，当儿子的心里又怎会好受。他去她的病榻前照料她，设法从府外请来其他的药师医治她，可是谢夫人一瞧见他便是尖声打骂，又撕又咬，甚至差一点就用剪子刺进了江夜雪的喉咙。

她谁都不认了，谁的话也不听，又过了没多久，谢夫人于梁上自缢。

仆人们发现她的尸首时，她一头乌发上设法簪满了她得到的最昂贵的华彩珠翠，手臂上颈子上戴满了金光灿灿的镯子、项链、挂串、宝珠，身上还不合仪制地穿上了公侯夫人才能穿的五彩雉鸟袍，是她从慕容凰的遗物里偷来的。

她甚至还写了遗书，满纸荒唐，字句间恍然以为自己才是这家的女主人，拥有着极高的尊位与权力……

这个女人的野心与幻梦，以一种极度悲惨又非常可笑的方式留在了这个世上。她的那纸遗书令岳钧天对她仅有的同情也消失殆尽，她有一句话是说的没错的，岳钧天就是一个负心薄幸之徒。

他命人仓促应付了她的丧葬，甚至没有再去看她最后一眼。她身上的夫人华服被换成缟素，璀璨华盛的梦，成了冰冷寒碜的碑。

而由于谢夫人的亡书上几近狂热地写着“我儿岳府少主岳夜雪”，甚至还写了“我儿必取岳钧天之位而代之”，尽管知道是疯话，岳钧天还是对江夜雪心中存下了疙瘩。他的态度影响着岳家其他人对江夜雪的态度，曾经那些似有似无的疏离，一夕之间，都成了赤裸裸的嘲笑与鄙薄。

“疯女人的儿子。”

“他们母子俩好大的野心啊，哈哈哈哈。”

江夜雪失了亲人，心情本就不好，不愿与人往来。加之他一贯气度翩翩，饱读圣贤之书，是个不愿搅和到泥潭里去的君子。

所以受了这些委屈，他也不去多说什么，别人当他和谢夫人是一丘之貉，他也不做争辩。

他能争辩什么呢？难道能把自己从前阻止过母亲鸩杀弟弟的事情说出去吗？她就算再狠再毒，从前也待他好过的，如今人都已经死了，他怎么忍心再往她的棺材板上盖一道污名。

罢了。那些苦楚，他都独自吞咽了下去。

只是谢夫人的诅咒就像一道白幡，一直幽怨不散地在他眼前飘荡着——“那些本属于你的东西迟早会成为他的东西……”

“你会后悔的……”

“今天的我，就是日后的你。你只是还不懂什么叫王侯之家而已。”

多少次午夜梦回时惊醒，满头大汗地醒来，他仓皇地朝外头看去，慕容楚衣仍在灯下专注地调试着木甲。

他就又喘息着躺回床上，尚好，至少慕容楚衣还相信他，并不认为他贪图权势，暗恨岳辰晴。至少他还能留在慕容楚衣的别苑住着，醒来的时候，也还能看到他珍视的人就在他的身边。

因着这样的缘由，江夜雪并没有怀着什么过多的怨恨。

甚至当岳辰晴会说话后，咿咿呀呀流着口水笑着向他伸出手，唤他“哥哥，哥哥”的时候，他是打心底里觉得这个柔软的小生命很可爱，值得被保护，被照顾，不要经受与他一般的苦楚。

就这样，岳辰晴逐渐长大了。

很快就到了可以去学宫修行的年纪，由于他是慕容凰的儿子，是王室血脉，岳钧天为了巴结君上，什么最好的都给岳辰晴，什么机会都留给岳辰晴，甚至将从前一些赠予江夜雪的法器又都拐弯抹角地收了回来。

“你弟弟从小就没了娘亲，他可怜得很，你做哥哥的，多让着他一点儿。”

“你弟弟需要更多的照顾，你很懂事，不要和弟弟争抢。”

“你从小读了不少圣贤书，应当知道什么是礼让。”

府上某些恬不知耻、狗仗人势的小厮都阴阳怪气地笑话他：“夜雪公子，懂得谦让，方为君子呢。”

看不惯的宋师父要出言训斥，却被江夜雪拦住了，江夜雪摇了摇头：“算了，不用和他们一般见识。”

但是随着身边的东西一点点地被搬空，江夜雪心里终究也一点点地被蛀开了一个窟窿，那个窟窿越来越大，失望、恐惧、怨恨，都在里头盘桓着打转。

直到有一天，岳钧天把他唤到跟前："夜雪，你随着楚衣修行了那么久，该学的也都学会了，今后还是让辰晴多跟着楚衣吧。"

江夜雪怔了一下："什么？"

"为父是说，小孩子启蒙，更需要一个好一些的师父带着他。你懂事，今天就把屋子收拾出来，让你弟弟住去，他也喜欢黏着楚衣。你俩啊，不愧是兄弟，什么都像。"

江夜雪逐渐地从震愕中反应过来了，但却没有动。

他的这个举止让岳钧天颇有些意外。因为岳钧天已经习惯了他什么都说好，什么都说无所谓，所以见他没有立刻答应，反倒觉得奇怪："你怎么了？"

"父亲。"江夜雪眯起眼睛，压着怒火，"我难道还不够懂事吗？"

"……"

"你觉得我还剩下什么？你不如把我从这个家赶出去，这样是不是更遂了你的心，辰晴会不会觉得可以玩的地方更敞亮？"

岳钧天从未被他这样出言顶撞，不由得大为愤怒，拍案道："你放肆！"

"不是我放肆，是你所做太过！在你眼里我究竟算什么？！"

"岳夜雪！！你怎敢如此胡说！！"

那一天，江夜雪与岳钧天大吵一架，江夜雪只是性子好，人品端正，并不是窝囊，他真的发火了只会让场面一发不可收拾。岳钧天被闹得面上无光，呼哧气喘，最后指着江夜雪的鼻子骂道："你就是个孽畜！你娘说你想取代我，我看你就有这个野心！你装得太深！！你就是不盼着老子好！不盼着你弟弟好！！你和你娘根本就是一个模样！！"

吵到最后，全府皆知，父子二人互相都存蒂已久，从吵架最后变为了动手。但江夜雪毕竟年轻，又无援手，很快就被岳钧天制住。

鞭杖像疾风骤雨般狠抽下，鲜血横流。

岳辰晴闻讯跑来，看得心惊，忙去求情："阿爹，不要再打了，不要打哥哥……"

"你懂什么！他母亲是个怎么样的人，他也一个样！"

说着鞭子又要照着江夜雪倔不低头的脸抽下去——

"住手。"

一道疾光闪过，是极为灵力丰沛的符咒，在江夜雪面前撑开结界。岳钧天猝不及防，手臂一酸，鞭子失手震脱。他又惊又怒地回过头，看到慕容楚衣从门外走进来，臂挽拂尘，指捻咒印，冰冷地盯着自己。

"岳钧天，你够了！"

“你？”岳钧天嘴唇颤抖，“你……你居然帮着这个孽畜……”

慕容楚衣扶起江夜雪，转头森然道：“他是我外甥。”

“你再动他一根指头试试看，看我会不会让你好过。”

由于慕容楚衣的出面，事情最终还是没有再闹大。

夜深人静的别苑里，两人坐在屋檐下，台阶上。慕容楚衣替他裹着手上的伤，那伤口比鞭痕更深，是他与岳钧天争执动手时被父亲的神武所伤。

父子吵架，当爹的居然拿了神武来对付儿子，这简直是匪夷所思的。

慕容楚衣沉默着，难得问了句：“还疼吗？”

江夜雪不答，良久之后，低声沉闷道：“我娘临走之前，曾说过，用不了二十年，我所有的一切，都会变成辰晴的东西。”

“……”

“可如果我说我从没想过要和辰晴争岳家，你会信吗？”

慕容楚衣道：“我信。”

江夜雪没有想到他会答得这么快，甚至没有片刻的犹豫。其实他原本不想哭的，可是听到慕容楚衣如此坚定地说了这两个字，他忽然觉得那么难过，那么委屈，他一下子就埋首于膝，泣不成声：

“我从来就没有想要争夺什么。”

“我真的没有想当岳府的主人，我没有这个野心。”

“能给的我都给了，为什么还要把我最后剩下的唯一不能给的也夺走。”

慕容楚衣陪在他身边，轻轻叹了口气，拍着他的肩膀。而江夜雪那时候大抵也是头脑乱极了，那么多年的压抑撕开了一道宣泄的口子，他其实是失控的，他抬眼瞧着慕容楚衣安慰他，心中情绪如同潮涌难抑——他也不知道自己是怎么想的，或者在这一刻，他根本什么都没有想，待到他反应过来的时候，他已经紧紧抱着慕容楚衣，道尽了他心里的偏执欲望与疯狂。

“你跟我走吧，我真的不想让别人再和你这样亲。”

“你为什么不能只是我一个人的小舅呢？”

“如果真的有一天岳辰晴想和我夺你，那我——”

江夜雪颅内突然一片空白。他说了什么？他在说什么？他要说什么？

如果岳辰晴想要和他争夺慕容楚衣，那他会怎么样？他甚至都不知道自己的魔怔竟已不知不觉到了如此可怕的地步，他没有说下去，但他回过神来时看到慕容楚衣苍白的脸色，就已经知道了自己方才情绪失控时，流露出了怎样的狰狞。

怕是和他母亲那时候一样吧。女人的诅咒仿佛又回到耳边：“如今的我，便是将来的你……”

也不知过了多久，慕容楚衣终于从极度的震愕中回神。他像被蝎子刺着似的猛地推开他，霍然起身，一张俊美的面庞上血色全无。

“你怎么会——”

江夜雪听到慕容楚衣的声音，脑子终于清醒过来，他一下乱了手脚，涨红了脸，慌忙道：“楚衣，我……”

慕容楚衣却在江夜雪试图站起来解释些什么之前，一下子后退了数步，又惊又怒地瞪着他。

“小舅，对不起，我……我只是……我……”

小舅这个称呼愈发尖锐地刺中了慕容楚衣，小舅……他还把他当作小舅，知道亲缘？那为何会有这样的念头，对岳辰晴包藏了这样的祸心？江夜雪难道不知岳辰晴是他在这世上最要守护的人，是他的恩人慕容凰唯一留下的血脉吗？！

岳辰晴是他断不能触及的逆鳞，是他看得比自己性命更重要的存在。

慕容楚衣眼中骤雨疾风，极是混乱。几番抿了抿唇，想开口却又觉得太艰难。他一直在心里敬佩江夜雪的君子气度，宽容为人，谁知江夜雪内心深处竟怀着这样的恐怖偏执，他一时觉得冷汗涔涔。

他脸上青一阵白一阵，最后不等江夜雪再说话，便拂袖转身，头也不回地离去了。

从那之后，慕容楚衣便与江夜雪变得疏离起来。

江夜雪几次欲与他道歉，想要将话讲清，但慕容楚衣一直躲着他，不愿与他独处。几次碰壁之后，江夜雪终于明白慕容楚衣不肯再理他了。

江夜雪只是想让慕容楚衣知道，他其实并不会去做那些他所说的事情——是，岳辰晴是他心里生的刺，但他宁愿一生沉于这刺痛里，也不会选择把那刺拔出来，因为他知道那是慕容楚衣在乎的东西，他便会选择忍着痛，给予岳辰晴身为兄长的关爱与照顾。只要慕容楚衣还与他如从前一样就好。

但这样一个弥补的机会，慕容楚衣终究是没有给他。

与小舅交恶之后，江夜雪在岳家便彻底成了一个孤家寡人，他再怎么圣贤，到底还是个涉世未深的少年，在这样的境况下，他内心深处无可避免地滋生出了痛苦、不甘、失落以及迷茫。幸好他从来懂得压抑自己，一直都在努力排遣着自己的情绪。

直到，那一年的深秋。

第45章

那年秋天，岳府一行人因君上任务，前往北境炼制兵甲。

彼时岳辰晴年纪尚小，贪玩不懂事，饶是被父亲叮嘱了很多次，也忍不住隔三岔五偷跑去野郊游玩。但是北境是重华与燎国的交界处，并非什么周全之地，有一天岳辰晴偷摸着溜出去了，却到了很晚也没有回来。

岳钧天大急，唯恐儿子遭遇燎国的刺客伏兵，立令所有人出去寻找。

江夜雪和慕容楚衣自然也不例外——

“你还记得那段经历吗？”浑天洞的血池之光映着江夜雪的脸，也映着岳辰晴的脸，“你那时候是那么骄纵任性，仗着所有人都宠着你，不知天高地厚，为所欲为，想跑到哪里去就跑到哪里去，为了找你，我们把北境最险恶的几处地方都寻遍了，但都找不到你的踪影。”

他抬起岳辰晴的下颌，森然道：

“最后还是我用自己炼制的法器尝试，才终于探得了你的下落。”

岳辰晴瞧上去崩溃极了，也混乱极了。

他的眸光一片涣散，江夜雪的话，他不知听进去了多少。

可江夜雪似乎也并不在乎他是否将他的言语全都听入了耳中，这么多年的秘密憋在他心里，如今终于到了可以诉之于人的时候，哪怕岳辰晴聋了瞎了，是一具死尸，他都无所谓。

“我追踪到你，发现你竟自己越了重华的屏障界，跑到了燎国的国境里。”

“我找到你的时候，你的状况和现在差不多的凄惨。当时燎国的国君在边境反复进行魔化试炼，野郊有大量魔气侵染的恶兽出没。你冒冒失失地闯过去，不知是被什么魔兽所伤，倒在草堆里，昏迷不醒。”

江夜雪说到这里，似是自嘲地冷哼了一声：“那时候其他人都还未寻至，天地间好像就剩下我和你，只要我动一下手，你也就死了。那些被你夺走的东西，就都可以回到我身边，无论是那些无趣的死物，还是慕容楚衣这个活人，甚至是岳家。什么都可以是我的。”

他抬起手，慢慢抚摸过岳辰晴的咽喉，挨近了，似是在问别人，但又好像问的是自己。

他轻声道："岳辰晴，我当时怎么就那么傻，没有杀了你呢？"

大概是怕慕容楚衣伤心吧。江夜雪明白，但他未曾把这句话说出口。事到如今……那时候对慕容楚衣小心翼翼的珍视，已经不必再提了。

浑天洞静谧幽深，唯有他的嗓音。

被毒药僵困住的墨熄也好，重伤昏迷的慕容楚衣也罢，还有早已被制成傀儡的小兰儿，此刻都不过是他面前的蝼蚁，是他反败为胜的见证。

江夜雪说着那些往事，神情其实很有些扭曲，他盯着岳辰晴眼睛的时候，再也无法把那里面的人和曾经君子如风的自己交叠在一起。

可那又怎样呢？他早已把过去的自己割舍。

"你那个傻哥哥。"江夜雪低声道，"他是真的傻极了，不知是因为什么，他不但没有杀了你，还替你着急。他见你快不行了，发了报信烟火后，就不顾魔气侵染，替奄奄一息的你洗净了魔气，并输送灵力给你，吊住你的性命。"

江夜雪说到这里，仰起头，轻轻笑了起来："你说他有多可笑啊……当初的我有多可笑。"

"那一口气，我替你吊到了岳钧天赶到的时候，自己却受了侵蚀。可我们的爹爹呢，他见你伤成那样，只急着将你带回去疗伤，却根本没有注意到我的情况。"

"不过……"他闭了闭眼睛，看不出他说这句话时的情绪，"也亏得他没有注意到我的情况。"

"我当时为了不让你再受吞噬，将你承受不了的魔气全部都渡到了自己身上，这番举动实是危险至极。因为一旦这层魔气最终无法驱散干净，按照重华的律法，是要将感染者处死的——幸好岳钧天寻到我们后，眼中只有你，全然视我为无物。"江夜雪嗤笑，"我在他眼里，从来便是一个可有可无的庶子，若是威胁到了他的声威，成为他的污名，他定会不管不顾地将我献出去，处以极刑。"

"我母亲说得很对。岳钧天刻薄寡恩，为了保全他自己，他什么都可以做，什么都可以付出，又何况是早已令他生厌的我？"

"所以，我中了魔毒的事情，便对谁也没有说，与你们一同回到营地后，我趁着所有人的注意都还集中在你身上，就自己一个人悄悄地回了房间——岳辰晴啊。"他叹息，"你永远也想不到那天晚上我有多痛苦。"

痛苦二字他说得很淡，但眸底的颜色却是极深。

"五内焚火，生不如死，说什么都是轻的。"

"哦。"江夜雪顿了一下，淡淡笑道，"抱歉。忘了你是岳家的少主，从小被呵护得太好，什么苦都没有吃过。我跟你说这些，你又如何能懂？"

"再后来呢，我就试了许多种方法给自己拔毒，但都无济于事。那种魔毒是重华从未接触过的类别，根本克制不住，反而在我体内扩散得越来越厉害。那一阵子我时常会感到挣扎和困顿，觉得自己内心的愤恨与不甘变得那么鲜明，鲜明到令我自己都觉得陌生。”

“……”

“我挣扎了很久。”

那血淋淋的噩梦已经过去，人性与魔性的交锋当年想也知道有多痛苦，如今却都成了他嘴里轻描淡写的句子。

江夜雪停了片刻，说道：“直到有一天，我忽然觉得自己不必再挣扎了。”

“岳辰晴，我是为了救你，才变成那个模样的。可我痛不堪言的时候，我又能对谁去说？从小到大，忍让、宽容、退让、谦和，最后却落得这样的局面。我受够了，我终于想明白了，兄弟手足又如何？我恨你，恶心你，我不愿再当当初那个傻子！”

墨熄虽浑身僵麻不可解，但江夜雪的话他都能够听见。他闭上眼睛，眼前仿佛是年少时江夜雪温柔而恭顺的模样，对什么都很温和，待任何人都很好。

蓦地，那个影子碎了，浑天洞里是江夜雪森森然的冷嘲：

“我娘说得没错，你确实夺走了我所有的东西。如果没有你，那些本都该是我的！我又何必要让你？就连你的命……岳辰晴，也是我施舍了你两次，才容你在这世上多活了这些年！还有你的四舅……”

说到慕容楚衣，江夜雪眼中的恶毒里蒙上了一层濡湿，“你以为他不理你，疏远你，责骂你，不看你，是因为不喜欢你？”

“哈哈哈哈……天大的笑话！我告诉你，根本不是的。他在重华最爱的人就是你，因为你是你那高高在上、无人可及的母亲……是慕容凰的儿子，所以他哪怕不要自己的命都会护着你！”

岳辰晴身子蓦地一震，含泪抬头。

“他不睬你的真正原因……”陡地嗤笑出声，江夜雪仰头道，“其实是因为我对他下了手啊。我顺心而活之后，体内的魔气不再令我痛苦，反倒能够为我所用。然后我便发现……那魔气可施展的地方当真是太多了。而其中最令我心动的，便是我可以利用它去侵染一个人的身体，从此那个人除了我之外，就再也接近不了别的人。”

岳辰晴湿润的睫毛颤抖着，出离的愤怒从他胸中升起，他那失魂落魄的神情犹在，可是震愕与怒焰却让他空洞的眼睛有了焦距。

他喃喃道：“你控制他……”

“不。我从来都没有控制他。”江夜雪转眸盯着岳辰晴，淡道，“那魔气不纯，并没有那么大的功效。只是，每月朔望时，他都会倍感灼热煎熬，只有饮了我颈间血，或者服下最上品的镇心草才能得到缓解。”

“不过很可惜，寻常他宁愿自己打坐强撑过朔望，也不愿自己来找我，只有当镇心草也舒缓不了他的痛苦时，他才会失去理智，被迫来到我的身边。”

说到这里，他像是想起什么似的，转头瞥了墨熄一眼，微笑道：“羲和君冰雪聪明，应当明白过来那一日你来学宫找我，见我屋内散乱，被上有血，便是出于这个缘由。他当时是实在受不住了，才来了我这里。他那天理智尽失，在我房中到处乱砸东西，我给他喂了血和镇心草。”

岳辰晴听到此处，怒嗥着打断他：“江夜雪！！我杀了你！！我杀了你！！！”

江夜雪却以轮椅上的机栝将他困住了，轻描淡写道：“吵嚷什么！我看他自己一点一点地丧失理智，看他每一次毒发都比之前更加崩溃。我就是要让他自己跪着求我给他血，那才是我所喜爱的情形。”

岳辰晴真的快疯了，而江夜雪瞧着他的神情，心中愉悦更甚。他说：“我对他的这个原则，无论是我心态改变前，还是改变后，都从来没有变过。”

“我必须把他留在我的身边，谁也不许看他，谁也不许亲近他……为此我下了黑魔咒，只要他对某个人过于亲近，他身上的毒便会传到那个人身上，并且我不允许他把这件事说出去，一旦他说了，他便会即刻失去理智，成为只知雌伏于我的卑弱傀儡。所以，你看。”江夜雪冷笑道，“我虽然得不到他，但他周遭也不再有什么碍眼的人了。”

“我可以一直等他。十年，二十年。我甚至可以容许他一直狠倔，不向我屈从。但我绝不会允许他身边还有其他人环绕，尤其是你。”

岳辰晴道：“你……你简直是个疯子！！”

“那又如何？”江夜雪波澜不惊地，“君子我早已当腻了，当疯子也没什么不好。另外，你也不必这么愤怒，这世上多得是更令你背脊发寒的真相呢——譬如，你知不知道，其实我以黑魔之气伤人的事情，当今君上早就清楚，并且是他曾经全力支持我这么去做的？”

君上？！江夜雪淡淡然说出的一句话，却如巨石入潭，溅起千层巨浪。

岳辰晴悚然：“怎……怎么可能……”

墨熄不似他这般年轻无知，但也正因如此，一股更深的寒意瞬息裹挟了他。

君上那张常年深陷在裘绒深处的脸，泛着苍白，时常带着捉摸不定的浅笑，眼睛里似是有情谊，然而他似乎是一个有着千张假面的男人，他情深意切的时候瞧上去那么真，意气风发的时候瞧上去那么真，疾恶如仇的时候瞧上去那么真，悲痛欲绝的时候瞧上去依然那么真——墨熄见过他许许多多张脸，君上的情绪便如戏子脸上的妆一样可以画到极致。

他到现在都不确定哪一张才是君上真正的模样，何种情绪才是君上心里真正的情绪。

而如今江夜雪说君上支持他用黑魔之气，他虽感到不寒而栗，却发现自己连半点惊讶都没有。

重华的君上亦是个疯子，他早就知道的。

江夜雪盯着岳辰晴道：“我当时看你一点点成长，看你开始主动黏着楚衣纠缠不休，哪怕他刻意疏远你，你也不气不馁。我就觉得……你这个人，果然和蛞蝓一样，黏糊到死，令人讨厌。”

“从小到大，你看中什么，我便要失去什么，你当真是让我恶心极了，那种恶心越演越烈，到了最后。”江夜雪顿了一下，狭长的眼眸中闪着极恶意的光彩，“我便忍不住，想对你下个黑魔法咒。”

“你说什么？！”

“你别那么惊讶，其实我倒是希望直接杀了你，只不过你若是死了，楚衣不免又要伤心。”江夜雪慢条斯理地，“我疼他，不得不留你一条狗命。所以我才想给你下咒，想让你变成一个浑浑噩噩的傻子，再也别围着楚衣打转。”

“本来我就要成功了的，法咒都已经打入了你心里，只消等足一个时辰，谁也救不了你。”

他说到这里，脸色慢慢阴沉下来。

“只可惜，那天……有一个人，他早不来晚不来，偏偏那个时候来府上做事。他碰巧发现了你的异状，便多事地把你送到了神农台医治。”

岳辰晴：“是……谁？”

“还能有谁。”江夜雪神情极其厌恶，“自然是我的好兄弟，那位九死不悔，一心不改，浑身浸透了黑魔之气还在做垂死挣扎，困兽犹斗的——我们的顾帅啊。”

墨熄闻言一怔。

江夜雪说到这里，免不了去打量不能动弹也不可言语的墨熄，森森然道：“我可真是厌弃极了他，所以他越不希望伤害的人，我就越要伤害，他越在乎的东西，我就越要毁灭……羲和君，其实你以为我不知道修复玉简之后你会瞧见什么东西吗？你以为我那时替你还原了卷牍，是想要帮你吗？”

江夜雪轻轻发出一声冷笑。

“我只不过想让你生不如死，让他在黑魔之道里越堕越深！”

“谁让当年是他阻了我的计划，坏了我的好事？他还差一点儿让我的行径暴露在老君上眼皮子底下！我怎能不恨他！”

墨熄：“……”

“当年就是他多管闲事，将岳辰晴送到了神农台，让药修发觉了岳辰晴体内的黑魔气息，向金銮殿禀奏了这个消息。太险了。如果被老君上知道我修炼黑魔咒，我必死无疑。”

“幸好那个时候，老君上不在都城，而是和岳钧天等人一同在唤魂渊祭祀，于是这件案子便落到了当时的太子——也就是当今的君上手里。”

江夜雪顿了顿：“我不得不说，当今君上是个颇有能耐的人，他很快就查到了我身上，用诉罪水提审了我。我那时候以为一切就到此为止了。”

“岂知，最后却并没有。”

他眼中潋着幽光："太子发现我可以炼制魔药之后，非但没将我供出去，反而将我收入麾下，还与我做了个约定。"

岳辰晴："什么约定？"

江夜雪道："他要我以自己的黑魔之气，替他进行他所需要的试炼。而作为交换，他会替我在朝中隐瞒情况，并且许诺我，待到时机成熟，他会帮我名正言顺地夺回我在岳家的权位，让我成为岳家之主。"

岳辰晴："……"

"所以那些年，我与他钻研了许多黑魔之物、禁忌之术。"江夜雪拂袖，"我几乎见到了帝国所有的黑暗，包括顾茫是密探一事，我也早就知道。君上的那些见不得光的筹谋，又有几件是我没有从旁出谋划策的？"

江夜雪说到这里，似笑非笑地望向墨熄："哦，对了。再告诉你们一件有趣的事儿吧，其实……陆展星当年所中的那枚珍珑棋子，根本就不是燎国的人打入他体内的。"

江夜雪笑吟吟道："是我炼的棋，君上出的主意。"

一阵沉默后，强烈的觳觫伴随着剧烈的恶心涌上来！

如果说墨熄先前只是觉得失望，可在他明白过来江夜雪这句话的含义后，他竟面色苍白几欲作呕！

黄金台上，尊王的豪言；朱雀殿里，君上的悲语——

"顾帅，你与你的军队是孤最不可割舍的珍宝。"

"你以为孤构陷忠良的时候心里能安吗？！"

"火球，孤并非铁石之心，只是人在九重，身在囹圄。"

"孤又何曾能安呢？"

记忆里君上那张悲戚凝重的脸慢慢地扭曲，成了恶鬼之形。

尽是谎言！

江夜雪淡道："君上很早之前就打算派人去燎国搜集更多的黑魔术法了，他也早就觉得顾茫的权势应当尽快削去。陆展星中蛊，凤鸣山兵败，黄金台之约——君上一步步都算得很清楚，为的就是将顾茫的羽翼拔除，成为他的牵线偶人。而最后，他也都做到了。"

说到这里，江夜雪又冷冷地笑起来，似是在讥嘲顾茫的天真，又像是在嘲笑自己："所以，谁不是君上棋盘上的一颗棋子呢？我也是一样的。只是我看得透罢了。"

"还有我那个未婚妻，秦木槿……从前她对于自己要嫁给一个无甚地位的庶子一事从来都很不满。却在君上收我入麾后，逐渐变得主动与热络起来。后来她家出了私铸货银的重罪，她孤立无援之中就愈发纠缠于我。"

江夜雪面露鄙薄，漠然道："我又怎会不清楚其中原委？君上不知晓我的心思，以为我多少与秦木槿有情，其实这个女人根本就是他安插在我身边的眼线。我心里雪亮，但我既想要他助我光明正大重夺岳家，便也不想得罪他，于是我也配合着，不顾岳钧天反对，坚持与她成婚。而君上想瞧见的结果也就是这个。只要我身边有一位他安排的夫人，我登上岳家家主之位，岳家就日夜在他的掌控之中。他打的就是这个算盘。只可惜啊……秦木槿自己不争气，在一次与燎国的对战中死了。”

从前人人都道江夜雪夫妇伉俪情深，原来都是假象而已，恩爱是一场戏，婚姻是一场局，唯有她的死是令他大为痛快的事情。

“我们那位君上素来多疑，自然把她的战亡归咎成是我发现了他的心思，所以蓄意将她谋害。”江夜雪说到这里，稍事停顿，眉眼间那种鄙薄而狷狂的气韵便愈发鲜明。

“真是太可笑了。她自己不中用，怨得了我？”

“但不管怎么说，从此以后，君上便对我渐失信任。而那时候，顾茫也已成功地打入了燎国内部，成了联结他与黑魔法术的新的引线，他便开始将我从党羽中渐渐孤立开去，许诺给我的岳家势力也迟迟没有着落。”

江夜雪幽森道：“再到后来，我在战役中伤了腿脚，成了残废，他对我的冷淡就愈发鲜明。我问他何时兑现承诺，他却总是敷衍了事，神态中也已有了极不耐烦的意思。

所幸刻薄寡恩这四个字，我已于岳钧天身上领教了个透彻。”江夜雪冷笑道，“与虎谋皮，焉能不做周全打算？我心知他极有可能过河拆桥，见我再无可利用之处后就将我杀害灭口——所以有一天，我悄悄告诉他，我早已制作了百余法器，如果我死于与他有关的谋划，这些法器就会即刻触发……”他舔了舔嘴唇，豺狼一般的姿态，“将他这些年的阴暗丑闻，尽数公之于重华上下。”

江夜雪嗤笑出声，犹如得了大胜：“他听了我的布局，这才慌了神，又端出那副惺惺之态，哄我说岳家迟早都是我的，让我再等等他。还亲自去了修真学宫，给我谋了个舒服去处。”

笑容敛去了，剩下的唯有阴沉。江夜雪森森道：“可惜啊，我又怎会再信他。那个王座上的人不敢动我，我亦不再与他为伍，只是彼此都有秘密握在对方手里，有些事情看破不说破，互相留着几分薄面罢了。其实我很清楚他的一切所作所为，包括他一心夺得血魔兽的残魂是为了什么。”

墨熄又是一阵齿冷。血魔兽残魂……

耳中嗡嗡血流声涌。墨熄心寒得厉害——血魔兽残魂，是顾茫冒着性命危险，为了阻止燎国重新唤出魔兽而夺回来的。难道君上得到它是为了……

像是能洞悉他的心，江夜雪道：“君上自然没有骗你们。若要燎国得到了最后一缕血魔兽魂魄，势必战火骤起，重华也就完了。只不过，他夺血魔兽残魂，并非为了九州太平，而是为了他自己的千秋霸业。”

“君上并非等闲之辈，也非厌战之人。其实你们更应当做的是自己设法将那魂魄重新封印，而不是交到他的手里。”

他几乎是有些嘲讽地笑起来："顾茫想要阻止的战争，恐怕非但没有阻成，而是加剧了它的催生。看着吧，燎国很快就会为了那一缕魂魄重新无休止地向重华开战，而我们的君上……他自会在这场他期盼已久的战役中用你们的血和命来反杀，从此成就他的辉煌。"

墨熄："……"

江夜雪："如今他有了他新的走狗顾茫，我呢，医我的腿，夺我的权，谁也奈何不了我。"

岳辰晴脸上挂着泪水与血污，不可置信地喃喃着："医你的腿？"他终于反应过来了，颤声道，"……所以你接近小兰儿根本不是为了照顾她，你是瞧中了她的灵核……"

"是啊。"江夜雪大大方方供认不讳，"她的灵核在她身上是个危险东西，但被我夺来，就既能给我提供灵力，又能源源不断地为我嵌入自己腿中的义架提供灵流。有什么不合适的。"

"你……为了自己能恢复健康，让她成为一个傀儡……为了一个岳家……你谋划浑天洞之变……你杀了那么多人……"岳辰晴盛怒之下，血泪满眶，"江夜雪！！谁能认你？！谁能容你？！"

江夜雪嗤笑："你是不是猪啊？出了这个洞窟，谁还知道这些人是我杀的？我可是用了所有魔息催动了楚衣心里的魔种，哪怕派一百个验尸官来，结果都是一样的——他们全部死于慕容楚衣之手。"

岳辰晴失控道："你还要毁他清誉！让他替你顶罪？！"

"他早就没什么清誉了。"江夜雪淡道，"至于顶罪……那倒不必，我大可以威胁君上，让他把人给我从天牢里偷换出来，从此世上再也没有慕容楚衣这个人，我将他锁在岳家府邸深处，他照样还是为我所得，性命无忧。你放心吧。我就算杀尽岳府人，也一定会放了他。"

说着手中凝起一道华光，江夜雪召来自己的佩剑，堪堪然点在了岳辰晴的喉尖。

"岳辰晴，我让你在这世间多活了这二十载，也算是成全了你我兄弟一场。"江夜雪微笑道，"九泉之下，你可别恨我。"

言毕抬手一挥，径直一剑刺了下去！

然而就在这时，江夜雪眼前忽地晃过一道青色，他蓦地回剑后撤，长眉竖起，震愕道："竹武士？！"

格挡了他杀招的正是慕容楚衣所做的竹武士，那青皮傀儡持着弯刀，发出呼喝之声，护于岳辰晴之前。

江夜雪一惊之下，以为是慕容楚衣苏醒了，可是回头看去，慕容楚衣分明还躺在血泊里闭着眼睛。他心中骤冷，忽然反应过来——

是岳辰晴！岳辰晴之前的窝囊竟是装的！

当初打剑魔李清浅时，岳辰晴曾以一声惨叫便唤来了竹武士的回护，这些竹武士的第一主人是慕容楚衣，而一旦慕容楚衣失去了意识，它们第二个遵从的便是岳辰晴的命令。所以其实在江夜雪讲话的时候，岳辰晴就已经悄悄地把游荡在洞窟各处的竹武士都召了回来。

江夜雪蓦然调转视线盯向岳辰晴，见岳辰晴的神情虽然极度悲痛，但却并不似方才那般涣散失神，他不由得咬牙道：

“岳辰晴……倒是我小觑了你！”

岳辰晴咳着血，喘息着抬起头来：“我说过……我已是岳家的当家……又怎会……”血沫染得他唇齿都是猩红的，“我又怎会，容你在浑天洞里……为非……作歹！！”

说罢厉声喝道：“都动手！”

数十只竹武士得了令，瞬间从高处岩石后蹿出来，前仆后继地扑向江夜雪，它们爆发出尖锐的嘶吼，展开激烈的厮杀。

趁着数量庞大的竹子机甲和江夜雪缠斗一处，岳辰晴挣开了轮椅上的束缚，摇摇晃晃地起身，走到墨熄面前。

他对魔毒未解而不能言语的墨熄道：“羲和君……抱歉……岳家的事，平白连累了你。”

岳辰晴黑眸湿润，他瞧上去疲惫极了，眼睛里闪跃着某种决绝：“但是……我是不会……我是绝不会让四舅和你白白蒙冤受累的……”

说完这句话，他拖着伤痕累累的身躯，转身一步步地朝血池方向走去。

墨熄猛地一凛——他难道是要血祭怨灵，索了江夜雪的性命？！

江夜雪显然也看出了岳辰晴的目的，他暗骂一声，手中佩刃忽然金光大炽，猛地一振，便将潮水般包涌着他的竹武士炸开了大半！

紧接着，一道金色锁链游出，直取岳辰晴下盘！岳辰晴体力虽虚，却也是跟随了墨熄在外打了两年战役的人，他并不似他哥哥想的那样软弱无能，这一道锁链竟被他强撑着创痛避开。

岳辰晴喘息着，眼中蒙着泪，恨意中却也混杂着许多别的情绪：“江夜雪，我从来就不喜欢吵嚷，不喜欢打架，更讨厌争来夺去……如果你的私心就是要让我把占了你的东西都还给你，那你为何不早与我言明！”

江夜雪冷笑：“怎么，你还想退位让贤？别傻了岳辰晴，这世上所有的权位都是要靠夺的，哪怕是太子也一样。”

“为了夺权，你就非要杀那么多人吗！你现在站在这些尸骨上得了岳家，你心里能安？”

“如何不能安。”江夜雪阴冷地嗤笑道，“我早已过了什么心安不心安的愚蠢岁月，别说一个浑天洞的人了，哪怕要全九州的修士来给我铺路，我也不会感到丝毫不妥。”

岳辰晴双目通红地望了他一眼，似乎不打算与他再多说了，只恹恹地：“……你不会如愿的。岳家也好，四舅也罢，你永远也得不到。”

说完纵身欲往血池跳落。

可就在这电光石火间，忽然一道金索牢牢束住了岳辰晴的腰，将他殉灵的举动硬生生地止住。岳辰晴蓦地回头——

小兰儿面无表情地擎着锁链，正极为冷淡地看着他。

原来方才江夜雪一击未重，便将锁链灵力转移到了岳辰晴之后的傀儡小兰儿身上，小兰儿借此从背后突袭，岳辰晴猝不及防，竟被她紧束着挣脱不能。

江夜雪趁机猛地震开了那些围攻他的竹武士，在爆开的断竹片与硝烟中，这看似斯文儒雅的男人步履从容而面目阴鸷，步步逼近，最终走到了岳辰晴面前，抬手一把捏住了他的脖子。

“岳辰晴，你急着死，我巴不得送你上黄泉路。”江夜雪指上用力，岳辰晴在他发狠的钳制下瞬间脸涨得通红，说不出一句话来，“但血池你就不用跳了，你休想着和池子里的怪物们拿魂魄做交易，来阻我好事！”

他夺走的小兰儿的暴虐灵核，在他体内流窜着强大的焰电。

“还有，请你不要可笑地再以什么岳家之主的身份自居。浑天洞的这些怨灵注定不会听命于你，你刚刚愚蠢地自爆了灵核之后，已经成了一个废物，再也成不了岳家的当家。”

“而排在第二的继承人，是我。”

言毕他忽地抬掌，对着岳辰晴的心脏位置当胸击落！

岳辰晴哇地吐出一口鲜血，那嘶嘶灵流在一瞬间便将岳辰晴本就已经岌岌可危的灵核震作了齑粉……

江夜雪眼中闪动着兀鹰扑杀时的寒光，他似乎打定了主意要让岳辰晴感到无力回天，感到心如死灰，因此他在彻底毁灭了岳辰晴的灵核之后，蓦地一抬手，厉声喝道：“听我号令！”

嗓音在浑天洞内回荡着，紧接着洞中响起了无数嘶叫，那些之前昏昏然不知当如何自处的怨灵恶魔一下子清楚了谁才是新的主人，引颈张嘴，发出震动岩层的怒吼。血池内更是猩红翻波，更多没有跃出池面的恶灵在池水中躁动地噶嗥着。

江夜雪长笑，继而笑容狰狞，以一种极其鄙薄的语气，对岳辰晴道：“岳辰晴，清楚谁才是岳家的主人了吗？！你不能再驱使它们了，因为你根本就不够格！”

“他不够格。”

忽然，一个清冷的声音在江夜雪身后响起：“那么我呢？”

江夜雪蓦地一怔，脸上那种轻狂傲慢之气尚未褪去，就倏地反应过来，立刻回头：“楚衣？！”

慕容楚衣不知何时已经苏醒了，他挣扎着，捂着伤口，从血泊里站了起来。他比任何时候都狼狈，那白衣飘飞似仙若神的仪态已经不再，可令人不安的是他那种从容与淡漠却一点儿也没有少。

甚至在那张因为失血过多而格外苍白的面庞上，显得比平时更甚。

慕容楚衣漠然看着江夜雪：“岳夜雪，我够格吗？”

同为庶子，江夜雪是谢夫人所出，慕容楚衣是楚姑娘之子，嫡子岳辰晴丧失了驾驭它们的能力之后，对于血池怨灵，其实无论是慕容楚衣还是江夜雪，那都是一样的。

慕容楚衣同样燃起了炽烈的灵焰，那火光映得他那双凤眸极为明亮。他沉声喝道："听我召令！"

怨灵们又翻沸了，之前遵从江夜雪命令的恶鬼们重新按着慕容楚衣的指示，调转头，向江夜雪和小兰儿逼近。

江夜雪眯起眼睛："楚衣，你知道你不会是我的对手。"

慕容楚衣没有答话，只源源不断地向那些血灵献祭着自己的灵力。

江夜雪道："你这又是在和我胡闹些什么。比灵力你根本比不过我，更何况我还能重新操控你的心智，你——"

"都起！"

慕容楚衣厉声一喝，那些怨灵全部嘶吼着向江夜雪扑杀过去。江夜雪拂袖，暴增了自己的灵流，欲重新将这些恶灵拉回自己的阵营。

可就在这时，他听得慕容楚衣冷笑了一声道："岳夜雪，你说的对。"

"你夺人灵力，毁人灵核，喂人毒药，操纵人心。我是比不过你，力不及你。"

江夜雪紧盯着他，一时还不明白他的意思。

"我当你傀儡，当得极腻，但为了守护岳辰晴，我一直忍着，再恶心我也扛着。"

"……"

"说实话我忍到头了，岳家的事我也不想再管。"

江夜雪听他放弃，松了口气，上前了一步："楚衣，你若不插手今日之事，那么我看在你的面子上，也不是不能……"

慕容楚衣却平静地看着他。

"江夜雪，你不用和我谈条件，你这辈子，也都别想再操控我。"

江夜雪一怔。

慕容楚衣的神情里隐约有一丝叹息的意味，他低声道了一句："二十余年了，你我之间，该了结了。"

江夜雪骤然反应过来，猛地上前，失色喊道："楚衣——！"

但来不及了，他捉了个空，慕容楚衣的衣袂擦着他的指尖飞过。未及江夜雪挽回，那沾血的白衣已经倏然飘摆，坠入汹涌的血池熔流之中！

死寂。

一时间，岳辰晴也好，江夜雪也罢，甚至是墨熄，都不觉得这是真的。

慕容楚衣太决绝也太干脆了，和他从前做的任何一件事情一样，他只要想好了，那就去做了，什么更多的话也没有，也不与任何人留恋，不向任何人解释。

又或许是他知道江夜雪能够很快地再一次操纵他的身躯，所以他没有留给江夜雪挽留的机会。

慕容楚衣好像一贯都是无情的，哪怕对他自己。

有那么一瞬，墨熄觉得慕容楚衣很快会再从中御着照雪谪仙般重回地面，就好像曾经在击杀剑魔李清浅时，那人轻描淡写又胜券在握的模样。

可是没有。血池汩汩翻腾着，再一次爆溅蹿出的是一道猩红色的巨浪，浪潮幻化作扭曲的恶灵之形，嘶吼着向江夜雪猎杀而去！

岳辰晴终于在这洪流中回过神来，声嘶力竭地喊道："四舅啊！！不，不要啊啊啊！！"

而江夜雪呢，他却还怔在原地，双目大睁，目眦欲裂。

他抬手，那瞬息间的攻击他明明是可以阻挡的，可是他眼前仿佛还晃动着慕容楚衣被血池吞没时的情形，耳边仿佛还萦绕着慕容楚衣最后说过的话。

他甚至不觉得这是真的。他的算计里，算尽了所有人的死，谁的命都可以拿来做筹码。可他唯独没有算过慕容楚衣。

江夜雪僵硬着立在那里，甚至或许连他自己都不明白自己为什么会愣在原地。在他未来得及叩问自己的心，也未来得及明白自己的感受究竟是什么的时候，血池的狂流已怒席着劈来，猛地将他裹挟。

瞬间，那些浓烈的红色充斥于他眼前。江夜雪不由得颤声喃喃道："你当真……你当真就……这么厌我？"

无人回答，眼前的猩红好像多年前那一树老梅，倚在粉白色的墙边，开得正是鲜艳……

那时的他，年轻、端正、一尘不染，从未对不起任何人。他撑着伞，走到背对着他站着的少年身后，微笑着温柔地开口："你是谁家的孩子？怎么这么大的风雪，也不撑把伞呢？"

而慕容楚衣回过头来，眼里没有恨，也没有后来的失望与伤悲。只安静地看着他。

和初遇时不一样的，恍惚间他好像看到慕容楚衣朝他笑了，那少年在风雪与梅花的映衬下，对他说："初次见面，我叫慕容楚衣。"

江夜雪心脏陡地刺痛。他前半生固守正道，未换得人世公正，但好歹有慕容楚衣信他护他，而后半生他满手血腥，筹谋尽算，就在他将要把权力都收回掌中的时候，却发现阻在他面前的，竟是同一个人。

但慕容楚衣曾是保护过他的。

在众人皆与他远离，故友皆避之不及的时候，是慕容楚衣给了他一个容身之处，给了他一个认同、鼓励与一个家。

或许慕容楚衣并不是厌他，是他自己在堕入魔途的那一刻，亲手把慕容楚衣所尊重的江夜雪诛杀。

最后的知觉里，他听到的唯有岳辰晴撕心裂肺的悲号和哀哭："四舅！！"

他哪里是你四舅啊。江夜雪这样想。在故事的一开始，他分明只是我的……如若我们的时光只停留在那一年，那一天，那一棵老梅花树下，该有多好呢……

“四舅……四……四舅！！”

怨灵狂流将他吞噬。

血浪退去，连带着岸上的竹武士残骸，跃出血池的怨灵都被裹挟了回去。小兰儿倒在地上，已经彻底昏死过去，岳辰晴扑通一声跪在地上，跌跌撞撞着向血池方向爬过去，他脸上俱是泪，恸哭着。

“四舅……不要……不要走……啊……我再也不生你气了……求求你……求求你……”

像是终于回应他的哀求，忽然一道温润的白光竟自血池渊里浮起。

岳辰晴蓦地抬头，瞳孔收缩，浑身都在颤抖，嘴唇的颜色瞬息褪得干净。他是那么绝望又那么充满希望，手足并用着在地上磨出一道道血痕，他向那边爬去：“四舅……”

浮出血池水面的确是慕容楚衣，但他已是献祭的魂魄之状，他没有更多的灵力，也没有更多的时间，那皓白的躯体已渐透明。

就像从前岳辰晴闯了祸，他出来救他时一模一样，慕容楚帛带飘摇，衣袂翻飞，照雪的剑光笼罩着他，令他若天神下凡一般落在了地上。

而和从前不一样的是，慕容楚衣往日里救他，总是一副不耐烦的样子，也不正眼瞧他，更不与他说话。

可是这一次，失却了江夜雪施加在他身上的黑魔咒，慕容楚衣再也不用顾忌自己过于接近谁就会把魔气沾染给那个人，他终于如岳辰晴曾经渴望的那样，温和地、微笑着垂下眼来，抬起那浮着白光的手，轻轻地覆在岳辰晴的发顶上。

岳辰晴泣不成声，终是泪如雨下。

“你已经做得很好了，岳辰晴。”慕容楚衣的声音缥缈如烟，在大劫过后的浑天洞内飘散，“只可惜，四舅从来没有好好地陪过你，教过你，也不曾疼过你。”

“不是的……不是的！！你待我好的！是我辜负了你，是我……四舅你不要走！你换我好不好，换我好不好……”

“你在说什么傻话呢。”慕容楚衣伸出两指，轻点了岳辰晴的额头，“你还年轻，今后的路还有很长。这是我最后一次救你了，以后自己要多加勤勉，好生努力。你记住，你不只是慕容凰的儿子。”

他顿了一下，温言道：

“你也是我的外甥，岳辰晴。”

说完之后，他行至墨熄身边，将手覆在墨熄的心口，将最后的魂力一点点地传抵过去，遣散那难以纾解的魔毒。

墨熄呛出一口血来，终于可以动弹，沙哑地道："慕容……"

慕容楚衣摇了摇头，低声问道："你还没有告诉顾茫，我就是他哥哥，是吗？"

"……"

"那就永远都不要告诉他了。"慕容楚衣轻声道，"抱歉了，羲和君。"

他的手从墨熄胸膛前移开，那虚影变得越来越模糊。

"人各有命，缘浅缘深。看来我与他注定无缘。明日之约我终难赴，还请你让他……让他自多珍重。"

最后一点光华也渐渐消散，只有慕容楚衣的声音还弥于洞中，是这些年来人们从未听过的温柔。

"别再盼我……"

顾茫坐在客栈的窗边。

他早已经醒了，看到墨熄设下的结界，知道墨熄是有什么事情暂时出去了。所以他一点儿都不着急，乖乖地坐在那里，等着人回来。

如今的他被折磨得太厉害，感官与情绪都迟钝得不成样子，他很少能体会到什么鲜明的情绪，喜怒哀乐在他这里都像是兑过了水，变得很淡。

可是他看着天边慢慢泛起的鱼肚白，想到天亮之后，便是与"哥哥"约定好的日子了，他即将会有一个兄长，会有一个家，他露出些高兴的神色，趴在窗户边，盼望地看着红霞漫天，旭日一点点地浮出地平线。

他想了想，起了身，去将墨熄给他买的白衣取了出来。

他觉得自己总是毛手毛脚，这样干净的衣裳实在太容易弄脏，所以他虽然喜欢，却不太敢穿。但是今天他要见哥哥，所以那必是不一样的。

墨熄回来的时候，正是天色将亮未亮，晨昏交错之际。

他推开门，恍惚看见窗边立着的人，颀长清秀，玉扣束着长发，皓白如雪的衣袍垂落及地。他有那么一瞬间心脏重重一跳，恨不能以为昨夜浑天洞的一切都是梦，倚靠在窗边的就是慕容楚衣，慕容楚衣来赴约了。

可是没有。

慢慢地他看清了，站在那边瞧着他的人是换上了新衣的顾茫。

安静地、驯顺地、带着期待地——等他将他的兄长带来。

"墨熄？"顾茫见他回来了，先是高兴，随即又瞧见他衣上尽是鲜血，又觉得茫然，他朝他走过去，"你怎么了？"

墨熄没吭声，事实上他也说不出更多的话来。

从浑天洞回来的人只有三个，除了被送去坐医堂救治的小兰儿，他和岳辰晴两人都近失语。岳辰晴经历了呜咽与号啕，便一直坐在血池旁发呆。他恐怕一直在回想他对慕容楚衣的所言所行，想起他是如何听信了江夜雪的话，将原本就孑然一身的四舅推向更黑暗的深渊。

慕容楚衣没有留下什么遗物，唯一可以勉强算上的，大概就只有洞窟内那些破碎残损的竹武士。

它们如今都听岳辰晴的命令了，因为它们已经失去了亲手将它们斫刻出来的那个人。

但是，在浑天洞，当墨熄无意触碰到其中一只时，它还是缩成了巴掌大小，安静地躺在地上，好像是为了完成谁的遗愿，等着他将它带回一般。

墨熄将那只小小的竹武士取出来，递到了顾茫掌心里。

顾茫愣愣地，但他也只是迟钝，并不是笨。他一直很善解人意，尽管这种善解人意有时候带给他的只不过是更多的苦难罢了。房间内静得可怕，过了一会儿，顾茫小声问："他不会来了，是吗？"

"……"

"他是……不喜欢我吗？"

墨熄压抑着悲伤，对顾茫道："不，他有些自己的事情要做，不得不先离开。他很喜欢你，所以才要我把这只小竹人送给你。等他做完了自己的事情，他还是会回来的。"

"那是要多久呢？"

"可能要……很久很久……"

顾茫默默地，过了好一会儿，他轻声问："墨熄，你怎么哭了？"

他怎么哭了呢？

浑天洞之变只在短短一夜之间，却好像把沉积了十余年的事情都搅了个天翻地覆。

江夜雪的宽和温柔是假的，他与秦木槿的恩爱是假的，慕容楚衣的自私无情是假的，君上的种种言语亦是假的。

他好像活在一个环环相扣的局里，他以真心待人，以赤诚示人，可换来的不过是一张又一张的假面。

他曾经以为自己为家国做的都是对的，恩怨是非分得那么清楚，然而一场惊变之后，却发现他们不过都是棋盘上的一枚子。

当今君上究竟是有多狠的心，才能谋算着让江夜雪去蛊惑陆展星，赔上七万将士的性命，再赚得顾茫无路可选只能听从他命？

五年的密探生涯，背负着罪恶与血腥独自强撑下去，甚至为了夺回最后一片血魔残魂，再一次丧失了生而为人的意识，错失了与兄长相认的机会。付出了那么多，他们是希望战火平息，九州太平的。

可原来不过是为君上磨快了手中的刀剑而已。

他只觉得无限疲惫。

因为这浑天洞惊变，墨熄没有办法再和顾茫留在临安寻那隐士大修。岳家的惨案不胫而走，烽火般很快从临安传遍了整个重华。

举国震荡。

墨熄和顾茫一起，帮着岳辰晴收拾打理，陪他扶柩返回帝都。

丧礼进行得像是一场无声的荒诞戏，王室要保有颜面，不许明面上揭露岳钧天曾经的丑恶行径，但世上无不透风的墙，其实众人心中都明白事情的真相原本是什么样的，哀悼和颂歌就显得格外可笑。

墨熄隔着飘摇的白幡，密密麻麻的送葬之人，遥望着祭台之上，君上酾酒的端肃模样，指甲深陷入掌心——这个人到底将他的臣子、他的兵卒、他的百姓，看作是什么呢？

岳家的群丧没有持续太久。

除了岳辰晴本就已无心思之外，更多的是因为重华确实与燎国战事频发，这边君上还在祭拜，那边就已经有军机署的人等着向他禀奏边境战况了。

风中弥漫着沉重的硝烟之气。

江夜雪说的没错，重华与燎国的战役并没有因为血魔兽的残魂被他们所得而就此平息，反而变得一触即发。

丧礼上人心惶惶，就连一贯最为乐观的几位王侯也都明白——重华与燎，大战在即。

"听说燎国国师又创生了新的法术，在边境交战的时候他就用过，那法术就和瘟疫似的，可以在短短两三日就让几座城池的人全部沾染魔气。"

"天啊，这该怎么办？"

"唉，不知道啊，听说司术台和神农台都早就在想破解之道了，只希望这主意能想得快一些，燎国这些日子不断地往边境陈兵，恐怕很快就要大打。"说话的人一脸死灰之色，"要是没办法抵御这些魔气，谁敢冲锋陷阵，这不是送死吗？"

"反正我是绝不会去前线的……"

一片窃窃私语。

这边是岳家的大伤痛，那边却是几个老贵族在悄声商讨着如何在即将来临的战火中保命，人与人的悲喜忧虑到底是不相通的。

岳辰晴无意再留于陵地，接受那些人并无太多真心实意的致哀。他回到了岳府——岳府死了那么多人，如今空荡得可怕。他慢慢地在廊庑下走着，每走到一处，想到一些往事，心就很痛，像是喘不过气来似的佝偻下身子，要在原地坐上好一会儿，才能使得自己再往下走去。

他明明还是这么年轻，却一夕之间好像锈蚀了身上所有的骨骼关节，连行走都变得这样的困难。

他来到慕容楚衣的炼器房门口，发了很久的呆。

这是重华最难进入的地方之一，需要秘术与令诀。但是岳辰晴好像福至心灵，又好像笃信着什么，他抬手去推门，守门的机甲小偶人吱呀着从暗匣内冒出来，问他：“所来者何人？”

那声线低低的，昆山玉碎般动听，却是慕容楚衣生前留下的嗓音。

岳辰晴好像被这声音所伤，胸口闷痛得说不出什么话来，他根本不知道秘术和口令是什么，他只是躬下身子，脸埋入双掌之中，哽咽着。

“四舅。”

呜咽成了号啕。而那小偶人只是静静地望着他。

岳辰晴蜷跪在炼器室外，泣道：“四舅，我想你了……”

咒诀绝不会是这个，可是炼器室紧闭的大门却发出沉闷的响，吱呀一声向两边打开。岳辰晴愣怔地看着，慢慢地站起来，走进去。

那里面东西摆得有些凌乱，主人是个忙碌极了的人，图纸钉了满墙，上面绘制着各式各样的机甲和法器，有许多都还只是慕容楚衣生前的设想，还来不及去一一实现。岳辰晴一张一张地看着——

重华贪嗔痴，明明名气差到这个地步，慕容楚衣把自己关在炼器室内炼制的，却尽是些造福于人的东西。

取水的木甲，避邪的法器……

这些草图都还堆在他的案上，慕容楚衣受了诅咒，不能亲近任何人，于是他对这尘世所有的好意都留在了这些图录上。

他大概曾以为自己的一生会很长，孤寂虽难忍，但至少能将这些构想一一于指端实现。

岳辰晴翻着他案几上的东西，一些榫卯、几枚圆钉、竹武士的各部位关节。他每拿到一样东西，都会细看一会儿，而一想到慕容楚衣生前制作这些是为了什么，他就觉得心中愈痛——贪嗔痴，贪嗔痴，最为无情的炼器者——窗外尽是骂名，窗内忧思人世。

每一张图纸下细细的注脚都令岳辰晴哽咽，眼眶发湿，有时候必须忍上好一会儿心头的难受，才能继续将之读下去，明白这一只木甲是为了助老人方便，那一件宝器是护小童周全。

岳辰晴甚至发现了一沓模仿岳家手笔的金刚不破符。

他将那一叠符纸攥在手里，忽然明白原来当年李清浅剑魔作祟，重华人心惶惶而穷苦之人无力购买岳府护身咒时，给那些穷人默默送去符纸的人，根本就不是江夜雪，而是……

岳辰晴捧着那些泛黄的纸张，犹如胃部被谁狠狠揍了一拳，他哀声痛哭起来——是四舅啊。

一直以来，贪嗔痴不是他，戒定慧才是他。

那温柔的人，宽容的人，哪怕被逼到绝境里也一直坚持着做到问心无愧的人……都是他的四舅慕容楚衣啊……

“四舅……四舅……”

岳辰晴失声痛哭，炼器室的滴漏还在无声地流转着，砚台里的墨没有洗，一支湖笔还搁在白宣纸旁。就好像慕容楚衣因为什么事情，才刚刚匆匆走出去一样。

死物无情，这满屋子的机甲图谱并不知道，它们的主人，其实再也不会回来了。

岳家群丧结束后的第二天，重华王都上空忽有一只翎羽漆黑的巨禽飞过，那禽鸟生得像鹰，可除羽翅之外，浑身皆是兽类白毛。此怪禽不知如何入境，振翅扶摇入云，速度极快，哪怕最迅速的御剑师也无法追上它。

怪禽在王城上空盘旋一圈后，化作一道黑风，腾云消失，而后王都便天降暴雨，下了足足三日，不知日夜晨昏。

等雨停之后，许多人都忽然罹患了疾病。神农台的药修一一察断后得出了一个令人胆寒的结果——魔气。

那些人无一不沾染了浓重的魔气，重华从不修魔，无法驾驭这些浊瘴，神农台虽能勉强净化，却也是杯水车薪。染病的人太多了，许多人没有等到神农台救治就已经因无法承受瘴疠痛苦而亡，有些人没有死，但也得了失心疯。

在战场上见识过燎国国师九目琴的修士们都开始纷纷揣测，说那只怪禽就是九目琴其中一只眼睛里放出的魔兽。

又有人说，这是燎国新炼出的魔禽，可以引云降雨，使得沾上过雨水的人被魔气所侵染。

众说纷纭，一时间人心惶惶。

君上为此愁眉不展，偏生姜拂黎和梦泽此时都不在王都，姜拂黎云游未归，梦泽则在不久前因身体不适，又去了别城的汤泉宫疗养。城内虽然有别的药修，但事发突然，又是从前从来没有遇到过的病症，所以那些药修们忙得焦头烂额，却仍然是捉襟见肘。

顾茫也受到了这场暴雨的影响，不过他一直在竭力克制着自己，没有让自己失控。

重燎之间的情势一天比一天危急，终于有一天，燎国陈布于重华边境的大军集结压境，兵走险路，选了一条最短也最偏奇的路线，往王城方向绕袭。

面对这样岌岌可危的境况，朝中一片哗然。有人说应当赶往前线主动开战，有人说应当趁此时机加固王城防御，竟还有人在这时候唉声叹气嫌王城修建位置离燎国过近，为降低战损，建议直接弃城迁都。

这些人平素里就是绣花枕头，之前那场大雨，将他们里头的谷草全都泡烂了，臭气简直弥漫到了外头来。

并且还振振有词："如若那头怪禽再次出现，让修士们都染上了疾病，那这仗还怎么打？"

"先撤吧，留得青山在，不怕没柴烧。"

"没准那头怪禽，就是他们重新炼制的新的血魔兽，这直接对冲，岂不是全无胜算？至少咱们要先研制出能够驱疫辟邪的解药，才能和燎国正面交锋，否则就是白白地浪费战力啊。"

一群人七嘴八舌各执一词，好像一只怪兽身上冒出了无数个脑袋，在互相吠叫撕咬着。君上被吵嚷得头疼欲裂，又确实无法解决魔气疫病的问题，只得接连修书催促不知在哪里逍遥的姜拂黎回城。

撑到第八日的时候，姜药师总算是收到了书信，赶回了帝都。

闭关三日，解药终出。

正好这一天，拥蓝关传来捷报，说击退燎国先头军队，燎军暂后撤回了凰河北面。朝中颇慰。君上一为祝捷，二为布药，三为再议应战之策，于是传讯王城诸君，今夜戌时，于王宫金銮殿设宴，宴上赐药议事。

这场宴会，墨熄原本是不想去的。他对君上的厌恶已经到了极致，之所以还没有去和君上算总账，实是因为国中动荡，内忧外患，而且顾茫最近的身体状况也非常差，出了浑天洞一事，他们去临安找引魂大修的计划也被拖后了。

他担忧顾茫的身体，却也不放心交给其他人医治，碰巧梦泽不在帝都——听说他们前脚刚走，梦泽就害了病，不得不前往汤泉宫调养歇息。

于是既然姜拂黎也会在宴上出现，并且还会带来抵御魔气的药，墨熄想了想，还是打算带顾茫同往。

面具戴着终究是有些闷人，顾茫坐在马车上的时候，就将那面具往上推，露出一双迷迷蒙蒙的蓝眼睛，托腮望着竹帘外晃动的灯影。另一只手则一直在把玩着慕容楚衣留给他的那一只小竹武士。

顾茫有两样最宝贝的东西，一样就是这只竹武士，还有一样则是那个来历不明的锦囊。

这锦囊，墨熄从第一次在落梅别苑瞧见它起就一直很在意，可是无论顾茫恢没恢复神识，都没有告诉过他这个锦囊的来历，问得多了，他就只可怜兮兮地说“我也没什么印象，完全想不起来，只知道它很重要。”

墨熄每次一瞧他那委屈模样，再多的话也就说不出来了，后来就更不愿意再刺激他，只好忍着不让自己看到那个锦囊就干生闷气。

顾茫后来大抵也瞧出他的不高兴，于是给他瞧过锦囊里的东西——其实什么稀罕的物件都没有，就是一块洁白的贝币，上头不知是谁写了一个淡淡的“火”字。

“是什么火系术士给你的吗？”

顾茫摇头，瘪着嘴嘟嘟哝哝地说“我就是不知道啊”，一边把贝币放回去，又把锦囊重新贴身收好。

“只是觉得很喜欢，不能丢。”

而那到底是谁赠予他的东西，让他这么喜欢，让他和慕容楚衣的竹武士一样心心念念地放不下，至今仍是不解之谜。

到了金銮殿，众门阀已来得差不多了，却仍显得冷冷清清。

墨熄参加过重华许多宴会，极少见到如今晚一般惨淡的情景——岳府自是不用多说，岳辰晴根本没有来赴宴。梦泽公主的席位也是空着的，还有望舒府……

看着属于慕容怜的那个位置，墨熄心里说不清是什么感受。从临安见闻中，他已然知道慕容怜就是顾茫的另一个兄长，血缘亲密甚至超过了慕容楚衣，可是慕容怜和慕容楚衣毕竟不一样，他就像他自己所抽的浮生若梦，吹到风中，散作迷雾。

谁也捉摸不透他到底是怎么想的。

从小到大，慕容怜没少欺凌折磨顾茫，甚至在顾茫回城之后将他丢去落梅别苑羞辱，好像只要将顾茫打压得越惨，卑贱的境遇越甚，他就越安心。可是顾茫真的有危难了，他又不愿意了，要死要活也会把人救回来。

周遭有贵胄在窃窃私语。

"哎，听说了吗？望舒君好像快不行了啊。"

"是吗？君上不是已经派了神农台最好的修士救治，怎么还会……"

"一直就吊着一口气呢，君上也是为了他尽力啦。"

"除了君上谁还管他呢？人缘那么差。"

红漆卷云腿的宴桌空荡荡的，墨熄忽然想到赵夫人死后，慕容怜也早已没有可亲之人了，他看似一呼百应，其实拥护他的不过都只是仰仗于他的仆从，或是畏惧于他的下属罢了。

不知顾茫对于慕容怜而言，究竟意味着什么呢。

开宴了，君上与姜拂黎一同从后间出来。姜拂黎在外云游许久，似乎是清简了些，大抵是因国运危重，他没有像往常那样桀骜不驯，而是安静地站在君上旁边，青衣宽大，宽袖垂拢，低着眼眸，难得的沉稳可靠模样。

"今日唤你们前来，发配解药是其一，其二便是孤指望你们计较出一个应对之道。"君上于鎏金楠木圈椅上入座，"至于那些不战而退的谏言。"

他阴恻恻地抬眸："若有谁想说，便不必再说了。"

那几名鸽派老臣耷拉着眼皮互相悄没声地瞥视着。

君上将这股暗流尽收眼底，冷笑道："还给彼此使眼色呢？之前你们主退的原因是说魔障难消，孤觉得也是那么回事儿，可如今姜药师把解药都炼出来了，还想着打退堂鼓。就这么怕？"

有老贵族颤巍巍道："君上，燎此次失信于前，妄用禁术在后，其意图便是要夺回他们的最后一缕血魔兽残魂。其实我们大可以对那血魔兽残魂做些手脚，然后将它还给燎国，这样他们便不至于大军压阵，与我朝决一死战。那血魔兽呢，因为被咱们损坏了，燎国一时半会儿也无法将它复原，那么大战就可以再拖上个十年八年——"

君上嘿嘿笑了："拖个十年八年做什么呀？"

"这个，十年八年间，什么都有可能。重华可以设法将他们复活血魔兽的谋划打断，也可以研究沉宫主留下的仙兽图录，炼出仙兽与之对抗。总之老臣以为，重华如今正值薄弱之际，实在不适合以卵击石，望君上三思。"

君上大笑道："谕述君，孤看十年八年不是为了给重华时间准备，而是为了给您老人家养老吧？您看您这个岁数了，过了十年八年也就差不多该归西了，您驾鹤西去之后，哪儿管它洪水滔天呢？"

谕述君被君上戳中了内心，陡然变色，但仍坚持道："君上，苍天可鉴，老臣句句丹心——"

君上仍笑着，眼睛里却一点儿笑意也没有："嗯，拖下去吧。"

"君上——！"

笑容消失了，王座上的男人看上去冷到了极致，浑身都在散发着寒意。

"孤说，把他给我拖下去。"

"是！"

"姜药师的解药不必再留谕述君府上的一份了。"君上淡漠道，"谁若再说这主退之言的，都趁早给孤解甲归田，不过自然了，药，孤亦是不会予你们，谁愿为重华出头，为百姓做事，孤才愿保谁的命。如谕述君这般想着要偏安一隅回家种地的……"

他眼中寒光森森，贝齿轻启。

"那便自求多福吧。"

能够驱散魔气保住性命的药剂掌握在君上手里，一时间那些原想要七嘴八舌的人都纷纷闭了嘴。

君上一双鹰眼环顾整个大殿，而后又笑了："你们要一直都像现在这样，如此整齐划一，言听计从，那重华一统九州，四海升平，就有盼头了。"

墨熄听在耳中，不由一阵厌恶。

君上说什么最后都会绕到子民乐业、百姓安康上来，尽管从前他就知道君王之心不可测，所言不可能全然是真的，但也不知他能虚伪到这个地步。其实说到底，君王对黑魔根本不是一个"用"，而是"贪"的态度，顾茫曾经冒着那样大的痛苦为他搜罗来的术法，恐怕都是君上垂涎已久的东西。

四海升平是假的，是套话，是他驱策忠臣与英雄的一面旗，一统九州才是这个男人的真言。

既然暂且无人再主退，君上便命姜拂黎去将锦盒中的驱魔药一一派发给每个府邸的主人。等待之中，顾茫坐在墨熄旁边，一双蓝眼睛安静地跟着姜拂黎动来动去。

"你为何总看着他？"

顾茫道："他发的是什么？大家好像都想要。"

墨熄解释道："是药。"

"药不是很苦吗？"顾茫皱起眉头，"为什么都等着吃这个……我们也会有吗？"

墨熄抬手摸了一下他的头："我会给你想办法要些甜的。"

看着顾茫心满意足地点了点头，墨熄在心中叹了口气，转眼看向远处布药的姜拂黎。他打算等宴会散后单独和姜药师谈一谈，不知顾茫的病情还有无方法可好转。

姜拂黎正在和长丰君说话，浑天洞一战过后，小兰儿昏迷至今，她灵核被江夜雪夺去，又被施作了傀儡，小小躯体承受了太多的苦难。长丰君因此悔恨不迭，这些日子也为女儿的康健操碎了心，他拉着姜拂黎不停地说着些什么，但姜拂黎始终淡淡地，只回个一两句，最后干脆抽袖子走人。

只是他与长丰君言语之间，他递给长丰君的一小粒驱魔药不慎掉在了地上，长丰君显然没有得到自己想要的答复，伤心至极也不想管自己的死活，根本不理会这一枚驱魔丸滚到了哪里。

姜拂黎扫了他一眼，也不打算和他啰唆，只替他把药从地上拾了，长手指一推，放回筵桌前，而后转身去到下一桌。

可目睹了这全程的墨熄却隐约觉得有哪里不对劲，他尚未想清楚是哪里怪异，有一种毛骨悚然的直觉先爬了上来。

他盯着姜拂黎看，瞧不出任何异样，但就觉得似乎有一个很重要也很浅显的东西错了，只是他一时竟想不起来。

姜拂黎不对劲，有一点非常不对劲，到底是哪一点……正当他皱眉深思时，忽听得一个飘忽幽冷的声音在金銮大殿门外响起——

"放下你们手中的药。都别吃。"

众人一怔，齐刷刷地向门外看去。

但见一个宝蓝色华袍的男子慢慢地拾级而上，眉眼似狐，神情恹恹，他看上去非常虚弱，但至少能走能动，也神志清明。

有人惊嚷出声："哎呀，望舒君？！"

这个缓步行来的男人，不是传言中命悬一线、重病难愈的慕容怜，又是谁？

大殿内一时寂静如死，唯独那些高照的缠龙纹蜡烛还在张扬地燃烧着，映亮每一个人的脸。慕容怜慢慢地从阴影里行出，步入殿内，在目光之海的中央站定。

抬脸，三白桃花眼幽冷地望向王座上的那个男人。

"君上。"

王座上的男人却没有在看他，而是用一种近乎可怖的眼神盯了神农台的大长老一眼，而后才转过来，与慕容怜目光相接。

明明是如临深渊的一张面容，却还勉强铺上一层热络，几分关切，笑道："望舒君身体抱恙，怎的还来赴宴？"

慕容怜淡道："托君上的福，已大好了。"

说罢便又对众人道："放下你们手里的药，那不是解药，是毒药。"

众人悚然皆惊："什么？！"

君上沉默片刻，眼波黑沉，而后微抬了一下下巴，示意神农台长老过去搀扶慕容怜："陈长老，望舒君这些日子总说胡话，你这当主医官的，也不知道将他看仔细了。还不快带他下去休息？"

"啊……"陈长老愣了一下，忙颠颠地下去，"是，望舒君您病得都出癔症啦，快和老臣往内室去小歇片刻。"

说罢就想去拉慕容怜的袖子，但慕容怜却乜着眼，冷淡地对陈长老道："老宝贝，这段时日你给我的药里掺了些什么，你心里清楚得很，趁我现在脾气还没上来，赶紧给我滚。否则我让你知道什么叫疼。"

陈长老满头冒汗，被慕容怜训得直缩脖子，又战战兢兢地往向君上。

君上的脸色逐渐地有些发青，但仍是沉住气，挤出一丝笑来："慕容怜，孤看你是病昏了头。"

慕容怜没吭声，他是所有旁戚里生得与君上最为相似的，而此刻他立在殿下，那张与君王相近的脸全无恭敬，漠然对着王位。

这让君上陡生一股激灵，很久以前那个关于"紫微星乱，兄弟阋墙，同室操戈"的预言猛地浮上他的心坎——只是慕容怜乃是旁系，并非主族，怎么会是他？如何会是他？

君上的手一点点在楠木扶椅上捏紧，青筋根根暴突，却还咬牙笑道："也怪孤，没有医好你。让你失了神志，跑到这金銮殿上来胡闹。"

"君上说的这是哪里话。"慕容怜淡淡道，"君上这些日子，可是日夜都让陈长老好生照看着我。既不能让我马上死了，免得引人怀疑，又不能让我恢复健康，因为我知道得太多。"

君上嗤笑一声，阴沉着脸："你是浮生若梦抽得太多，花天酒地，醉生梦死。孤看你连醒与梦都分不清了。"

他反复强申慕容怜"害了癔症，胡说八道"，原本众人还惊惧不信，但此刻一提浮生若梦，有些人脸上的神色就有些放松下来——

谁都知道浮生若梦抽多了，人会产生幻觉，慕容怜这几年从来烟袋不离手，想来已确实是病入膏肓。再看慕容怜此刻的模样，衣冠随意，不经打理，确实是一副疯模样。

然而这些人里却不包括墨熄。

墨熄太清楚慕容怜这个人要搞事时的样子了，哪怕仪态再是不端庄，眼神却是狠冷的，像盘旋在青空之上的兀鹰。更别提他如今已知君上是个什么样的人，还有姜拂黎给他的隐隐不适感……

慕容怜没有疯，是君上希望将他打成一个疯子。因为疯子说的话，自然是不可信的。

这时候，他的衣袖忽然被轻轻拉了一下，墨熄回头，见顾茫怔忪地望着慕容怜，心中微动，问道："怎么了？"

顾茫答不上来，瘪着嘴，呆呆的。过了一会儿，说道："我眼熟他……我之前被关起来，大家说我刺杀了一个人，是他吗？"

墨熄拍了拍他的手安抚道："那件事不是你做的。"

顾茫又不吭声了，蓝眼睛一眨不眨地盯着慕容怜，忽然又道："……要让他。"

"什么？"

顾茫好像也被自己的反应呆了一下，但还是遵从本能地："我记得我要让他，不能恨他。"

"……"

又有些苦恼地："但我不记得他是谁了。"

正喃喃着，慕容怜忽然侧过脸来，目光越过其他人，径直落到了顾茫脸上。以顾茫此刻的心智状况，他很难说清楚慕容怜那是一种怎样的眼神——烦躁、攀比、认同、释然……好像这些情绪一一闪过，最后却又杂糅在了一起。

顾茫大睁着眼睛，有些迷茫地望着他，脑中却隐约一疼，似乎闪过月夜河滩边慕容怜沾血的脸庞，伸手推搡催促着他："逃啊！再不跑你就说不清了！"

顾茫忍不住低低地闷哼一声，抬手扶住自己抽痛的额角。

"你这个贱奴！就你也配碰我爹爹的东西？你给我摘下来！"

"戴上这锁奴环，你就永远是我慕容怜的走狗。"

孩提时与少年时那些充满了恶意、布满了尖刺、饱含着怀疑的尖利嗓音刺痛着他的头颅，最后却又都成了一个女人温柔的声音：

"阿茫，他们是与你有活命之恩的，许多事情林姨说不清楚，但是……不要太恨他们，好吗？"

还有慕容怜遇刺时沙哑的催促："快逃……"

顾茫忍不住低头皱眉，咬着后槽牙，眼神迷离。觉察到了他的异样，墨熄立刻问："你怎么了？"

"我……"顾茫低声嘟哝着，"我不知道。"他抬眼再一次望向慕容怜，这一次是和慕容怜对视了。慕容怜的眼神一下子有些闪躲，但随后又转回来，不服气似的瞪着他，再到最后，却一点点地软下去，变得平静。

顾茫忽然轻声道了一句："我信他的，他不是个疯子。"

距离太远了，慕容怜并没有听到顾茫这句话，但他好像在与顾茫的对视之中，坚定了自己心里的某个念头。

他再一次转头看着君上，声音抬高了：

"我慕容怜从前只想保我望舒府世代福祚，无所谓旁人死活。为此我从来自满于偏安一隅，为君不疑我而肆意骄纵，飞扬跋扈。三十余年，未曾有过半分什么可值得我自己得意之事。可偏偏我有个兄弟，被我踩进泥潭里还不忘自己该干什么，被泼一身脏水还能固守初心护卫重华百姓。我在担忧他觊觎我位，抽我家底的时候，他却在忍辱负重，不为己谋。我觉得我被他比下去了。"慕容怜抬起桃花眼来，一字一句，字句清晰，"老子不高兴。我慕容怜什么时候服过输？我与羲和君斗，与长乐君斗，与天争与地争与命争——我最后输给这样一个出身微贱的小子？"嗤笑一声，却再无任何嘲笑顾茫的意思，慕容怜抬起烟枪，狠狠抽了一口，呼出的薄烟中，他沉静道，“我不服。”

君上眯起鹰眼：“慕容怜，你差不多该胡说完了！”

“慕容辰。”

此三字一出，满殿栗栗哗然。君上亦是面色寒白。

这个名字已太久没有出现在金殿上过，但谁不知道那就是君上的名字？！

殿前直呼君上名，其罪当诛！

“慕容辰。”慕容怜慢吞吞地又重复了一遍，把这三个字的音，每一个都发得清晰无比。他冷笑道：“你给我听好了，从前人人都道我慕容怜是纨绔，老子今日转了性子，今日我偏要做回英雄。”

“你离英雄两个字差得远！”

慕容怜象征性地欠了欠身子：“承让承让，您离无耻两个字却非常近。”

君上压着滔天的怒焰，一字一顿地：“慕容怜，你是活腻了想死吗？”

慕容怜冷笑道：“宝贝儿，我不是已被你派人杀了一回了吗？”

他说罢转过身，对着满朝文武，说道：“诸君认清楚了，你们手里的药丸——根本不是什么驱魔的方剂，而是左右人心的药引！”

众人一愣之下，大惊。

“什么？！”

“左右人心的药引？”

君上鼻梁上皱，面生虎狼之色，阴沉道：“真是荒诞不经，无稽之谈！人人尽知姜拂黎医术登峰造极，为人自在不羁。慕容怜，你就算存了心要污蔑孤，你也编一些不那么离谱的东西！”说罢转过眼，“姜药师，望舒君说你协助孤蛊惑人心，孤倒是好奇，世上哪里轻易就有什么能够左右旁人的办法？”

姜拂黎道：“最有效者，唯八苦长恨花、珍珑棋子。不过并不轻易。前者需要魔族之魂方能栽培，且开花极难。后者则是上古三大禁术之一。”

说罢，他冷淡地瞥了一眼慕容怜。

“望舒君，你委实高看姜某了。”

“听到了吗？”君上阴寒道，“慕容怜，你总不会说孤炼就了这两者其中的一样吧？更何况八苦长恨花也好，珍珑棋子也罢，施法方式都绝不会是让人服药。”顿了顿，目光掠向众臣，“不过诸位若是有谁惶恐，信了慕容怜的话，大可以将药丸还与姜药师，自去寻那抵御魔气的办法！”

君上这样一说，那些本就贪生怕死的老臣们如何愿意？

踌躇片刻，有人道：“慕容怜，你疯了？君上万人之上，又何须大费周章左右什么人心？我看想左右人心的人是你才对！”

慕容怜冷笑道："君上为何需要左右人心，方才他自己不是已经说过了吗？"言罢重复了一遍之前君上的话——你们要一直都像现在这样，如此整齐划一，言听计从，那重华一统九州，四海升平，就有盼头了。

"这……"

众臣闻言皆默，有人偷眼去窥视君上的神情。

慕容怜眯缝着眼，以一种近乎刻意的怜悯，说道："慕容辰，没事儿，我真是太理解你了。你说你这一路走来吧，当太子的时候，成日被人戳脊梁骨，先君驾崩前又想着把你换下王位。好不容易登基了，遗老也好，裙带也罢，各有各的算盘主意，你看似高高在上，可却像困在笼中的鸟儿，翅膀扑腾得再厉害你都飞不出去，展不开拳脚。你怎么能甘心呢？"

"你做梦都希望有一群老老实实的臣子，最好一点儿意见都没有，你说东，他们就往东，你指西，他们就往西——宁愿养一群竹武士也不想养一群叽叽喳喳的文官武将，这话你自己说的，但愿你自己没忘。"

朝堂上群臣俯首，君上沉默片刻，面无表情地拊掌道："慕容怜，你可真能编。还是你疯得厉害。"

慕容怜淡笑："不敢当，我只是为了在你之下苟活，日夜揣测你的心意迎合你，了解你了解得比旁人清楚而已。"

君上讽然点头："好。就算你说的对，就算孤确实怀了心思想要把在场诸位重臣全部变成傻子傀儡。那么孤用什么？是八苦长恨花，还是珍珑棋子？如若孤掌握了其中任何一个法术，孤也不必费着心思给你们发什么驱魔药了，直接种花种棋子，岂不更好？"

慕容怜道："关键是你不会啊。你不会八苦长恨花，亦无法掌握珍珑棋子，所以你这些年如饥似渴地钻研了不少燎国黑魔咒，为的就是提炼一种脱胎于这两种法术的操控办法。效用不会那么强，损耗也不会那么大。"

"当然了，世上哪有这么容易的事情。你的试炼也好，炼制也罢，一直都差一些火候，试来试去那么多年，也没有办法做到满意。只有当羲和君替你夺来了血魔兽残魂，你才终于炼出了能够使服用者完全听从你命令的丹药。而在那之前，你一直都没有办法让受控者达到你心中预期的模样。"

君上坐在高座上，双手交叠，下巴微微抬起："是个很动人的故事，证据呢？"

慕容怜没说话，他慢慢地抬起自己手中的烟枪，抽了一口，一节一节地吐出来："慕容辰。你以为我不知道江夜雪曾经是你的谋士吗？"

"就算是，又如何？"

"慕容楚衣被江夜雪控制，唯有镇心草可以舒缓。而我抽的浮生若梦，里头私夹的烟丝也是镇心草。"

慕容怜说罢，淡淡道："慕容辰，三年前，你在我酒里下了控心药粉，尝试着迷惑我的心智。你以为是你的药引全然无效，其实不是的。你当时炼的药，虽不完美，不过已有作用，是我一直在靠抽浮生若梦来保持我头脑的清明。”

他说着，吐尽最后一口薄烟，冷笑道：“你以为你对我做的卑鄙事，我慕容怜真的就毫无所查吗？”

墨熄闻言蓦地一凛！

他想起来自己之前在学宫偶遇慕容楚衣，在对方身上闻到一股很熟悉的气息，当时没有想起来是什么，但此刻慕容怜一说，他忽然意识到那正是一种非常类似浮生若梦的味道。

“慕容辰。”慕容怜淡淡道，“有句话你或许不爱听……但是时也命也，你生在这个时候，就必然得面对这些内忧外患。而不是想着怎样以歪门邪道把所有人都变成对你言听计从的样子。”

“是，重华多的是匹夫脓包废物点心，确实惹人生厌令人心烦。可你若是没有本事浪里淘沙，只能把每张嘴都禁言，把每个人都变成无有思虑的傀儡——那才是重华真正的末日。”

有臣子往后退了一步，难以置信地摇头：“君……君上？他说的是真的吗？”

“难道这真的不是驱魔药，而是真如望舒君之言，是操控人心的药丸？”

君上漠然不语，于高座之上，神色晦暗不明，过了片刻，他说道：“诸君就算信不过孤，也总该信一信姜药师。”

“姜药师在重华这么多年，他是个什么样的人，在不在乎孤的立场，诸位再是清楚不过，如果诸位认为姜药师伙同孤一块儿要将你们都制成乖乖的活人傀儡，那好。”君上无所谓地一摊手掌，“那就把药还给药师吧，也没谁强迫你们服下。”

“……”

众臣左右互睨，交换着眼神。

他们一时间也吃不准究竟应当信谁，他们心里也很清楚，如果望舒君说的是真的，这药一吞，君上就有办法轻而易举地操控他们。

可如果不是呢？如果望舒君是出于别的什么目的，想要构陷君上呢？

若是现在把药放下，无疑就是告诉了君上自己站到了慕容怜那一边，万一判断错误，想要再要回丹药来，那几乎是不可能的事。

正纠结着，就听得君上冷道：“如今重燎交战，燎国驱使恶兽降雨，将魔气遍布重华。孤殚精竭虑，终日冥思苦想破解之道，却被慕容怜横泼脏水。孤也无所谓辩解，诸卿要信便信吧。”

说着转过头：“姜拂黎。”

“嗯？”

“把那些不被需要的丹药都收回来，不必人人都发了。”

“是。”

一听君上要立时收回药丸，有人终于急了，一些本身就不太信得过慕容怜的贵胄站出来，他们豁了出去，指着慕容怜便骂道：“你发什么疯？”

“慕容怜！你这人一贯骄奢淫逸，自己烂到骨子里想抽个浮生若梦，竟还栽到君上头上，何其无耻！”

“他不就是这样不择手段的人吗？当年他在学宫里是使了怎样卑劣的花招才在竞师大会上赢过羲和君的，你们又不是不知道。”

而有些人听到这句话，则把目光投向了墨熄：“你说是吧，羲和君？”

墨熄却并没有应和，这些人吵吵嚷嚷，他却一直蹙着眉头盯着姜拂黎看。

众人疑惑道：“羲和君？”

墨熄依旧不说话，而就在他们以为墨熄不打算表态了的时候，他却忽然开口了。

他对姜拂黎说：“姜药师，慕容怜烟枪里究竟是不是填有大量镇心草，你是最清楚不过的，你为何不当场验一验呢？”

慕容怜回头瞪他：“墨熄你什么意思？这姓姜的根本就是慕容玄的走狗！你让他来验我？”

墨熄却道：“姜药师在重华开了那么多年坐医堂，我倒觉得他未必如你所言。”

“姓墨的，你——”

就连顾茫也拉他，小声道：“墨熄，你这样做不对……”

但墨熄却轻挣开顾茫的手，径自走到慕容怜面前，抬手拿过了烟斗。在慕容怜愤怒的注视中，转手递给了姜拂黎：“姜药师请验吧。”

姜拂黎沉默片刻，接过那烟斗，从系着的烟袋里取出几缕烟丝，在掌中细细查看。

大殿的灯烛昏幽，时不时地因为风动而光影晃动着，所有人的视线都集中到了这里，看着姜拂黎仔细地查验慕容怜的烟草。

而也就是因为这样，墨熄终于印证了自己心中的想法，他在姜拂黎抬头欲言的一瞬间，忽然凝出率然蛇鞭，一下子鞣鞭化剑，点在了姜拂黎的喉咙口。

众臣不知为何陡生此变，惊道：“羲和君？！”

“这……这……”

姜拂黎亦眯起杏眼，问道：“羲和君，你这是何意？”

墨熄冷冷道：“姜药师。你左眼不是夜盲吗？”

众人也惊：“是……是啊……姜拂黎不是一只眼睛夜里瞧不见东西的吗？！

墨熄森然道：“姜药师，你从前一到晚上就要佩戴琉璃单镜才能视物，如今你是打算告诉我，你是多年夜盲忽然就痊愈了，还是打算告诉我——”

他顿了顿，声线冷得掉冰碴。

“你根本就不是姜拂黎？”

群臣闻之瑟然，的确如此，姜拂黎是有夜盲症的，而且那夜盲症的状况十分特殊，哪怕灯烛再亮，只要一到夜晚，他的左眼必然看不清东西，必须戴上单片琉璃镜才能正常行动。

姜拂黎脸色微变，片刻之后道："姜某云游四方，医好了自己的疾病又有什么奇怪，难道还要特意知会羲和君一声不成？"

他虽如此争辩，但众人俱是疑窦不减。姜拂黎来重华已经那么多年，夜盲症一直就没有好过，哪儿有这么巧的事情，偏偏在这节骨眼上痊愈？

可墨熄却道："哦？那真是要恭喜姜药师了。"

姜拂黎拂袖，冷哼一声。

"只是有件事，我仍想请教一下姜药师。药师之前给顾茫看病，说曾有一病人类似顾茫，肩上有一印记——不知姜药师可记得那印记是什么模样？"

"……"

大殿内寂静如死，唯有水滴漏声流淌回荡着。

墨熄等了良久，不见他答，冷淡道："你真是好大的忘性。"

这般蹊跷对话之下，其他人也忍不住了，纷纷向姜拂黎询问一些往日里只有他们与姜药师知晓的事情，姜拂黎在这一众人的逼问之下脸色越来越差。墨熄的率然剑仍抵着他的喉尖，能感觉姜拂黎的灵流波动在这一片混乱中越来越不稳，甚至趋近于……暴虐。

墨熄蓦地一凛，回剑后掠，厉声道："当心！"

有人反应迟缓，避之不及，墨熄落地瞬间抬手落下重重结界，几乎就在同时，"姜拂黎"站着的那个位置迸溅出耀眼刺目的银光，强烈的灵流如同塞外朔风猛地卷起，砸在结界壁上，发出骇然的砰砰巨响。

"这……这到底是什么东西？"

"怪物……是怪物！"

一声令众人栗然的啸叫从白光的核心内撕裂而出，穿透屋瓦，直通霄汉！那恶兽的嘶鸣饱含着浑厚的灵力，一些修为浅弱的，或者年迈的人只觉得胸肋震颤，有些颓然倒地，有些则直接哇地吐出一口鲜血来。

慕容怜亦是唇角渗血，他慢慢地退到墨熄和顾茫身边，先看了顾茫一眼，正对上顾茫湛蓝的眼睛，不由有些尴尬，又转开视线去看墨熄，皱眉问道："这到底是什么？"

墨熄盯着白色旋流里的那一团越来越清晰的影子，说道："应当是我们替他捕回来的血魔兽残魂。"

话音刚落，好像在印证他的猜测一般，大风卷地，狂流爆散，只听得"砰"的一声轰鸣巨响，金銮殿的顶瓦被捅了个大窟窿，宫人惊叫避让，泥沙般簌簌下落的狂流中，那道白光从屋顶冲出，于昏黑的夜空下化作一只目若金鼓的庞然巨兽！

但见它鹰喙犬身，羽翼鹏张，所过之处风雷电涌，空中已响起闷雷重声。它睨下眼珠，幽蓝色的巨瞳就像两面华光漫照的宝镜，透过破损的檐瓦，映照着下面那些面色各异的赴宴之人。

有人失声尖叫道："是……是降雨的那个魔兽！！"

"它不是燎国的恶兽吗？！"

可更多人反应过来了——他们回头，以一种看疯子般的眼神，看向王座上的那个男人。

重华君上慕容辰，依旧像从前任何时候那样，极是镇定且冷淡地坐在高位，魔兽搅起的风云落下的电光在他黝黑的瞳仁里明灭，他森森然看着众臣，嘴角竟带着一丝讥笑。

有人反应了过来，颤声问："难道是……是您？"

"君上……"

"慕容辰！重华之前的那场魔雨原来是你降的？！根本和燎国没有关系！是你想逼得我们走投无路服下你的'驱魔药'！这……这只恶兽是你炼育的！！！"

诘问声如潮似海，君上微微一笑，苍白而英俊的脸上是一种压抑着的疯狂。他十指交叠，淡道："孤给过你们机会，盼着你们乖乖听话，驯顺俯首。孤等了你们许多年，是你们自己不珍惜，便休怪孤武断专绝。"

"慕容辰！！你疯了？！燎国尚且是用黑魔法咒对抗外人，你身为一国主君，只为了让臣民服从于你，不惜炼就魔兽戕害自己的邦国百姓，骗文武吃下你的药，往你一环扣一环的陷阱里钻？！你——你何其恶毒！枉为人君！！"

陡然间真相哗地浮出水面，在场所有的贵胄也好，要员也罢，哪怕从前再是窝囊，也禁不住怒火中烧，目眦俱裂。

"昏君！"

"禽兽不如！！"

慕容辰冷笑道："怎么？诸位爱卿想要逼宫不成？"

"你做了这样荒唐的事情，为一己之私，妄修诡道，害死百姓，你还想要安坐在这王位之上？"

"慕容辰，你不配为君！"

"孤配不配，难道是由你们说的吗？"慕容辰嗤笑一声，舔了舔嘴唇，一副鹰视狼顾之相，"想要改天换地，也不看看你们这群废物脓包有没有这个本事。"说着指尖一抬，沉声道，"净尘，诸臣难训，诛杀反贼！"

被他用血魔残魂重新炼化的这只异兽于夜空中发出一声嘶鸣，霎时间云气聚合，飞沙走石，电光狂涌中，它猛地化作万道剑光，朝着大殿劈刺落下！！

一时间只听得破碎震响，砖瓦飞溅，无数剑光如同冰雹砸落，底下的修士们仓皇愤怒间，纷纷打开结界自保相抗。可那血魔兽实在太过凶悍，哪怕只是一片残魂所重新炼就的异兽，依然锐不可当。

"爹！！"

“主上！”

变数生得太快了，有的老贵族平日里四体不勤，疏于修炼，这一瞬间根本应对不能，竟直接被血魔剑气贯穿，暴死于金殿之上。大殿内顿时一片哀声，惨叫不绝。

“开结界！快开结界！”

“谁来救救我爹……呜呜呜……”

“这妖魔太厉害，我撑不住了……”

瓦砾往下落着，剑光往下坠，逃无可逃。有个随着父亲来的小孩儿坐在尸首旁边，眼见着就要被第二波剑雨刺杀，顾茫忽然自结界里冲出去——

慕容怜一惊：“喂！你不要命啊！”

谁知顾茫灵力虽损，身法却没有落下，他一把抱起孩子，迅速回掠，也就是在他避闪进墨熄的结界阵中时，魔兽净尘展开了第二次剑雨击杀。那孩子运气好，得救了，但是更多人却没有这么好运。

净尘的第二次攻势比第一次更狠更凶，又有不少人抵挡不住，防御结界破裂，而后鲜血四溅。

血雨腥风之中，墨熄转头看向君上。

面对这场突如其来的屠杀，重华之君慕容辰脸上没有半点波澜，仿佛这样的情形已经在他脑海里演练了千百次，又好像众人于他而言就真的如竹武士般，只是些随意可丢可弃的棋子。重淬的魔兽净尘还在掀起更多的伤亡之势，墨熄掌中蓝光凝聚，盯着君上，厉声下令道：

“吞天——召来！”

权杖伴随着鲸啸破空而出，伸展成通体流光的强悍神武。

吞天之鲸显形，巨尾甩动腾跃，天然便成一道笼罩了整座金銮大殿的屏障，而净尘竟像是很忌惮这吞天之灵似的，无数剑光倏地收回，重新于高空聚成鹰翅犬身的原形。它嘶叫着，朝吞天巨鲸的幻体不住发出威胁低吼，却在云霄之上腾跳，不敢轻易应战。

在墨熄的吞天护佑之下，殿内诸人暂得喘息，他们有人颓然倒地喘息，有人则满脸泪痕地扑向自己的亲眷，更有人恨意迭生，径直就想不管不顾冲上去去杀了慕容辰。

“慕容辰！！！”

“爹……呜呜啊啊啊！爹啊！”

可让人不安的是，明明在这样的局势逆转之下，慕容辰却没有什么畏惧，也没有什么惊讶，他用一种令人毛骨悚然的平静，转动眼珠，将目光落在了墨熄身上。片刻，唇角研开一个幽幽的笑。

慕容怜眯起眼睛：“你笑什么？”

“我笑羲和君确实是好能耐，自幼便是天赋异禀，拥有吞天之力，当真教人羡慕。”慕容辰慢悠悠地。

“倒是你啊，慕容怜，你怎么不动你的脑子想一想？你以为你会是孤第一个拿来做傀儡试炼的人吗？不，只有那种还在试验阶段、尚不成熟的黑魔之毒，我才会用在你身上。”

“在拿你试炼之前，孤拥有着唯一一颗沉棠当年留下来的丹药，乃是以魔族八苦长恨花的花种所炼，孤用它制成了能够蛰伏于人心长久不被发现的傀儡丹——绝无仅有的一颗。孤十年前就选定了一个足够强大的人，把药蛰藏在他体内。如若遭遇到今日不测，孤就会唤醒那颗药，让他立即失去自我，为孤效力。”

“……”

猛地一股砭骨寒意从脚底蹿将上来淹及全身。

“你觉得孤会把它用在谁身上？”

几乎所有人的视线都又惊又恐地落到了墨熄那一边，就连墨熄自己的脸色也变了。

慕容辰依旧从容不迫地高坐于王位之上，淡淡道：“这本是孤最坏的打算，没承想最后还是得这么做。”

他说着，一抬指尖，倏地燃起一丛火焰。

幽光跳跃在他的黑瞳深处，君上盯向护着大殿诸人的墨熄，唇齿轻叩，道出四个字来：“傀儡丹，散！”

随着君上这一声令下，众人皆是栗然，唯独顾茫心智有损，不知具体是什么状况，但他瞧见这个事态也明白了应当是与墨熄有关。

他本能地怕墨熄受伤，却又不知该做什么，本能间就这样扑拦在墨熄身前，想替他挡住不清楚会从哪里来的危险。

而除了他之外，其他人全都散在边缘，戚戚然以求自保。也无怪乎他们如此，谁都知道墨熄的实力有多可怕，一旦被君上操控，后果不堪设想。他们与墨熄没有太深的情意，又怎会无缘无故地冲上去护着墨熄，做那无用之举？

墨熄无论如何也想不到自己居然早已被君上种下过傀儡丹，颅内嗡鸣之间，他一把将顾茫推了开去。顾茫只睁着透蓝的眼睛望着他，怎么也不肯动。墨熄厉声道：“慕容怜！把他带走！”

“不走。”

顾茫一下挣脱了慕容怜的手：“我保护你。”

“……”

墨熄眼眶陡地湿润，不再看他，而是对慕容怜道：“带走。”

君上见此情景只是冷笑，他指尖的操纵魔火已点至沸热，咒诀默念，在最后忽然合指——

墨熄推开顾茫：“走啊！”瞬息间光华刺目，映亮君上成竹在胸的脸。

“入心。”

那华光猛地爆溅，散作无数光点飞散空中，继而尽数涌向墨熄胸口。顾茫急得不得了，笨拙得像赶虫子般替他赶着，可是又哪里有用？光点穿过顾茫的掌心，无法阻拦地朝着墨熄的方向聚拢。

顾茫都快急哭了："墨熄……"

慕容怜见情况越来越不妙，只怕墨熄体内被种下的傀儡丸很快就会发作，紧紧攥住顾茫的衣袖，将他拽开去，厉声道："你做什么都没用的！傀儡丸是用魔种八苦长恨花做的药引，除非献出灵核力，花上好几个时辰，不然谁都解它不掉！快走啊！"

慕容辰眉眼间尽是嘲讽："想走，已经太迟啦。"

那些火种一般的细碎光点已全部聚拢到了墨熄体内，墨熄咬牙，最后看了顾茫一眼，闭上眼睛，低声对吞天道："……弑主！"

慕容怜闻此骤惊！猛地抬头看着他。他知道墨熄这是在对吞天下令，一旦自己失去理智，便让吞天立即诛杀宿主！

"火球儿……"

墨熄抬眼看向慕容怜："带顾茫走。"

与此同时，慕容辰指尖一点，说道："听令！"

白光一下子绚烂到了极致，吞天于九霄夜空不安地游弋，似乎准备随时俯冲而下，卷起的滚滚灵流令人几乎无法睁眼，光芒越来越强，越来越烈。

顾茫看着被光束所裹挟的墨熄，看着墨熄苍白脸上的神情，几乎是失了控地："墨熄！！"

"不要过去——！"

可就在这挣扎间，忽然那团白光像是失了控，砰然散去，重新化作点点光辉，飘散在空中。

慕容辰蓦地睁大眼睛。

其余人也愕然："怎……怎么回事……"

本要席卷墨熄神智的白光流萤一般飘飞，到了最后……

点点滴滴，倏然熄灭。

第46章

金銮殿内众人俱寂，灯影轻晃，墨熄自己亦是不知所以地重新抬起眼，手抚于胸前——他竟没有如预想中的失去理智，成为慕容辰的傀儡？

是慕容辰早年炼制的药失了效用？还是……

慕容辰蓦地站起，桌几侧掀杯盏碎裂，他平日里的镇定不复存在，那眼神充满了震愕、愤怒，以及不可思议。他的声音仿佛从齿缝里被撕成了碎片然后震落成灰：“怎么可能？孤当年——孤当年明明是亲眼看着你服下的——绝无可能……绝无可能！！”

雷霆般的暴怒里，忽听得一声轻轻叹息。

那声叹息却不是殿内的任何一个人发出来的，众人寻声望去，见得破败损毁的朱漆大门外，不知何时已立着一人。

她披着一件薄薄的黑底金边披肩，一头墨玉长发在脑后绾束成髻。铅华未饰，只戴着一只金色的发扣，便算是缀饰。

慕容辰不可置信地眯起眼睛：“是……你？！”

来者不是旁人，正是重华的戒定慧三君子之一，亦是重华的公主——慕容梦泽。

一股愤怒涌遍周身，慕容辰陡然明白过来，他气得浑身都在发抖，目眦欲裂，眼白血色如蛛丝，厉喝道：“你竟敢——你竟然背叛孤！！”

梦泽面色清寡，看不出是怜悯还是悲伤，她摇了摇头：“是你做得太过了，王兄。”

她款步入内，颦眉望着慕容辰：“我早劝你收手的。是你自己不听——甚至还做到这样决绝的地步。慕容辰，这重华不是你一个人的。你怎么到此刻还是不醒呢？”

说着，她走到了慕容怜身边站定。

这显然已经意味着梦泽在这场争斗之中选择了站在慕容怜这一边，而不是她的另一个哥哥慕容辰身旁。慕容辰紧盯着他们俩，当年卜筮所说的“兄弟阋墙，同室操戈”愈发在他耳畔隆隆回荡，慕容怜……慕容怜……初是装作招摇纨绔，后又装作堕落萎靡——他真的是小看了他这个旁系兄弟！

慕容怜扫了梦泽两眼：“不是去汤泉宫了？我以为你赶不回来。”

梦泽淡笑了一下，却没说话。

她与慕容怜这番熟稔自然的对话，更是让慕容辰寒毛倒竖，怒焰腾张。他忽然意识到了什么，危险地眯起眼睛：“慕容梦泽……你暗中帮了他多久了？”

梦泽还未答话，慕容怜就懒洋洋道：“也没太久吧，她本来也没打算向着我。你好歹是重华国君嘛，她是个乖巧懂事的孩子，之前一直听你命令，在暗中监视着我。后来吧，你发现我打算把一些秘密和顾茫说了，心中着急，你就派人在河滩边暗杀我——慕容辰，这当真是你走的最失败的一步棋。”

“你觉得梦泽会乐意见到你杀了我吗？她只会觉得是她自己报信之过。所以那之后，巡逻的修士将我救回，你让神农台的长老用药将我拖死，不好好医治，可她却一直在暗中帮我调换药引，使我活命。”

慕容怜说着，淡淡笑了一下：“不然我可能早就已经如你所愿，‘不治身亡’了。今日也不会站在这里与你说这些话。”

“好！好！”

慕容辰的目光在二人之间逡巡，半晌咬牙道：“慕容梦泽，孤当真是……白信了你！白宠了你！你到最后，竟这样帮着他？！”

“我从来没想过要帮任何人。”慕容梦泽道，“我只做对得起我自己，也对得起重华的事。”

慕容辰仰头哈的一声嗤笑：“对得起你自己？对得起重华？”眼神陡地凶狠如食腐之鹫，“慕容梦泽，你帮着旁戚对付你亲兄长，你对得起你自己？你食君俸禄，受君器重，却与外人逼宫主君，你对得起重华？”

哗地拂袖，黑金衣袍猎猎招张：“天大的笑话！”

梦泽平静道：“辰哥，若非你太过决绝，我又何至于此。自你继位以来，你一直想着排除异己，绝灭懦夫与小人。但是怎么可能？只要是条命，哪怕是牲畜，都会有自己的私心私欲，自己的万千念头……”

慕容辰怒道：“但那是错的！！”

“我没说那是对的。”梦泽沉和地望着他，“软弱、争斗、贪婪、嫉妒，这些怎么可能会是对的？只是你我永远也无法改变他人之念，也永远无法绝去人之本性。你与其想着怎么样让那些各怀私欲的群臣都对你俯首帖耳，不如想着你自己怎样做好贤君良王，去引着他们往更敞亮的路上走，而不是指望着所有人都变成傀儡泥塑，不听你话你就一颗丹药喂下去。辰哥，怜哥从前对我说过的一句话没有错，当整个重华只剩下一个声音的时候，那才是这个邦国的末路。”

“从前？”慕容辰冷笑道，“这么说，你果然是两面三刀，一边在替我做事，一边又与慕容怜为谋……慕容梦泽，作为重华三君子之一，你便是这样无愧于心的？”

梦泽沉默了一会儿，她原本似乎是厌倦于争辩，不愿与慕容辰细究此节，但在慕容辰的咄咄相逼下，她最终还是抬眼说道："作为重华的人，我不能再看你这样一错再错。我也不忍心让你一而再，再而三地利用与伤及你的手足同袍，你的忠臣与战将。"

"多年之前，你把傀儡丸投在墨大哥的杯盏里，让他成为随时等你唤醒的杀人利器。再后来，你又设计让顾茫走上叛国之路，成为你的密探，你找出一个令他无法拒绝的冠冕堂皇的理由，让他别无选择地为你搜罗情报，为你铺路。"

慕容梦泽的声音不响，但金殿内每个人都在凝神而听。有人听到这里，不由得惊道："顾茫是密探？他……他难道不是叛贼……"

慕容梦泽道："他不是。"

"这……"

"凤鸣山一役，只是君上为了给自己萃选出一位能够忍辱负重的探子。为了得到这个探子，君上以江夜雪的秘法将陆展星暂时控制，令他铸成斩杀来使，阵前失德的大错。"

"陆展星当年是被控制的？！"

"不错。"慕容梦泽继续道，"被炼化不完全的珍珑棋子所控。陆展星含冤入狱后，顾茫被逼入绝境，而君上便在此刻给了他密令，让他前往燎国诈降，成为埋伏在燎国的探子，不断地向重华提供谍报与黑魔秘术。"

这实在是太令人惊愕了，若是平时有谁对满朝贵胄说这番话，只会被嘲作疯子，可是金銮殿上刚经过一番劫难，死的死，伤的伤，魔兽净尘仍在顶空盘旋嘶吼，只因有吞天之鲸的护佑，它才一时不敢上前。

所以这时候，梦泽的内容虽然匪夷所思，可他们却没有不信。

慕容辰则于王座之上，他武力并不及在场诸位，净尘亦被隔绝于殿外，一时无法阻止梦泽之言，只能阴恻恻地盯着她，似乎在思忖当如何使她的言语不堪一击，又似乎只是在想应当如何将她撕成碎片。

他曾是那么信任她……唯一的，他自认为可以放心的亲人，他的亲妹妹……最后将他的罪行悉数收罗，和盘托出的人，他怎么也没有想到最后竟会是她！！！

慕容辰不禁冷笑起来。

有人扬声道："可即使这样，顾茫也是助纣为虐！他帮着君……帮着慕容辰搜罗黑魔禁术，为的是什么好处？是许他回来升官发财，还是许他无数金银财宝？"

墨熄被触怒了，厉声道："他为的是七万座碑和一个清平世道。什么升官发财金银财宝，顾茫回来已经那么久了，他过的是什么日子难道你不知道？！"

"……"

梦泽见墨熄震怒，抬手拦住他，轻轻摇了摇头，说："当年君上劝顾茫入燎，并未告诉顾茫自己真正的目的。顾茫领命之后，以为君上是一心为了应对燎国，为了知己知彼，研究破解之道，所以才一直为重华传递着情报。他自然知道自己是受了利用，但他当时并未想过君上私心至此。”

那人道：“所以……顾茫根本不知道慕容辰是为了将黑魔咒据为己用，甚至用黑魔咒控制群臣之心？”

“是。他并不知情。”

然而这个时候，慕容怜却忽然说了句。

“不，这一节梦泽你说错了。君上想用黑魔法术害自己的臣民……这件事，顾茫只是一开始不知道而已，到后来，他其实是完全知情的。”

墨熄闻言长眉蹙压：“如何可能？他若知道，早会与重华通风报信。”

慕容怜却摇了摇头：“他无法报信。报信也阻止不了什么，反而会白白捐了君上对他的信任。但他确实很早就知情了。”

顿了顿，他在一众惊愕的目光中，对墨熄慢慢说道：“火球儿，早在洞庭水战，顾茫刺杀你之前，他已经发现了我们这位君上的真正野心。帝国的神坛猛兽，不是个一直被利用的傻子。”

梦泽听到此处，低低“啊”了一声，吃惊道：“他在洞庭水战的时候就知道了？”

“是。”

“那，那难道……难道他当时刺伤墨大哥，又不阻我将重伤的他带走，是刻意为了让我发现墨大哥的灵核已经被傀儡丹所侵蚀？”

慕容怜点头道：“多半如此。”

梦泽喃喃：“我当时正是因为要给墨大哥疗灵核之伤，所以才能够觉察到墨大哥中了傀儡丹，于是便用尽方法将它剥离了，但我没有把这件事禀奏君上，我心中觉得蹊跷，后来几经查探，我才知道是君上密谋所为……”

她转头瞧着此刻浑然不知所谓的顾茫，脸色微白：“原来那时候，你……你竟是故意的……”

顾茫听到她说自己，懵懵的：“什么？什么故意的？”

墨熄摇头道：“不可能。我曾读过顾茫与君上的书信，五年来他一直在与君上传递情报，他若是知情，又为何会愿意继续为君上献上黑魔咒语？”

“那火球儿你有没有觉得，顾茫前期给君上的书信里附着大量关于燎国黑魔咒的施展秘诀。而到了后期，却常常只提供军情与国情的密报，却极少谈论黑魔之术？”

“……”

慕容怜这样一讲，墨熄回想当时看的那些书信，竟果真如此。

慕容怜道：“顾茫很清楚，如果自己暴露了，慕容辰就会毫不犹豫地将他灭口，或者直接将他这枚棋子放弃，然后令找他人继续前往燎国搜罗秘术。所以他尽管已知道慕容辰是个怎样的人，却还一直隐忍着，按往常那样给君上修书。”

"只是打那之后，他就很注意，他给君上的信极少谈及黑魔之术，就算谈了，也只写一些看似很机密，其实派不上太大用场的东西。"

墨熄："……你又怎么会知道得这么清楚？"

慕容怜往烟袋里填入烟丝，点着了，凑近唇边抽了一口，在呼出的淡青色烟雾之中，他沉声道："因为这些话，是顾茫亲口对我说的。"

墨熄脸色骤变，"什么时候……"

"在他被作为议和礼送回城的前一天。"

"什么？！"

慕容怜在众人愕然的目光中，慢慢地说道："……不用太惊讶，君上曾经把处置顾茫一事交由我掌管。所以在他回城的前一天，我就出了城，我私下里见过他。"

"在他返程途中？"

"在他返程途中，就在皂水边上。"

"……"

"人人都以为，顾茫是被燎国清除了所有的记忆，打碎了灵核，又抽空了两魄，所以才变成当时那个鬼样子。"慕容怜顿了顿，"其实不是的。燎国确实为了防止顾茫泄密，摧毁了他的神识，但他们并没有毁掉那些与燎国机密无关的记忆。所以，其一，顾茫的所有记忆不是燎国毁去的。"

群臣悚然："什么？！"

"竟不是燎国？！"

"不错。其二，都说顾茫的那两魄是被燎国抽走的，这一点也是假的。顾茫的魂魄不是被任何人抽走，而是被他自己拿出来挪作了他用。是他自行捐出，与燎国没有任何干系。"

这句话比前一句还要令人震愕，若说前一句只是涟漪，这一句却成了巨浪。

墨熄后退一步，本就淡薄的嘴唇更是血色全无："怎么……可能？他这是为什么……"

"他是为什么这么做，君上应当是最清楚的。"慕容怜瞥了慕容辰一眼，"先别说这个了，我们还有第三件事要谈——"

"其三，顾茫最终的记忆丧失地是在皂水之畔，他所有回忆的抹去，其实全都是拜我们这位重华国君所赐！"

慕容辰目光如鹫："慕容怜，你要妖言惑众到什么时候？！"

慕容怜淡淡道："我就知道你会这么说。你之前想要暗杀我，也是这个缘故。没有办法，谁让当年被你派去赐他忘忧散的人……"

慕容怜顿了顿，抬起桃花眼道："就是我呢。"

慕容辰："……"

"我一直视顾茫为眼中钉肉中刺，知他叛国之后，倍感耻辱，认为他给望舒府蒙羞，恨不能得而诛之。当时君上看出了我的心态，秘密召我来到殿前，告诉我——顾茫其实并不是叛国，而是个密探。”

梦泽轻声道：“你知道了他的密探身份，又为何还会这般恨他？”

“哪儿有这么简单。”慕容怜冷笑道，“君上告诉我，顾茫当年是以密探身份出去的，但卧底卧到了一半，顾茫提出一个要求，希望功成回国之后，让君上助他成为望舒府之主。”

“……顾茫断不会提这样的价码。”

“但我当时怎么知道。”慕容怜翻了个白眼，“君上抓准了我的戒心，便对我说，他并没有答应顾茫的这个条件。顾茫取我而代之的要求被君上拒绝，心生怨恨，最后假叛成了真叛，后来一直在替燎国卖命，以此报复重华。”

重华是个人都知道慕容怜从前将顾茫欺负得很惨，君上编造谎言，说顾茫心生歹意，想要借着邀功的机会将昔日之主拉下马，这是再顺理成章不过的事情。

而作为望舒府的当家，慕容怜听到这个消息时会是什么心境？

慕容怜道：“我听闻此事，自是愤怒。但又觉得蹊跷，既然顾茫已成了真叛国，燎国又为何要把他作为议和礼送回来？”

墨熄看了君上一眼，问慕容怜道：“他怎么说？”

“滴水不漏。说是他容不得顾茫如此行径，于是秘密修书给了燎国的主君，告诉燎君顾茫原本赴燎时的身份，并说顾茫曾经窃取了诸多燎国机密献与重华。燎国遂觉得此人两面三刀，心术极其不正，不可继续留用，所以将他送回。”

慕容怜又抽了一口浮生若梦，接着说道：“慕容辰当时告诉我，顾茫是个贪生怕死之徒，燎国还未动手抓他时，他便已经感知到了他们的意图。为求自保，顾茫曾修书给君上，说自己已经摸清了燎国孕炼血魔兽的密室，并且在里面看到了血魔兽的幼兽。他愿以魂魄之力将它的力量封印，秘密带回献于君前，只望能饶其不死。”

“我当时完全信了他的话，对顾茫厌弃到了极致。气愤之下，我质问君上，难道我们就要这样答应这个叛贼的要求？”

“君上答我说，顾茫受过了黑魔重淬，若是贸然杀死，不知会化作什么前所未见的妖邪，断不可以如此而为之。所以他确实是答应了顾茫的提议，而他要我做两件事情——”

“第一件事，他要我趁着押送顾茫的列队还未进城，前去密见此人，要他交出封印了血魔兽力量的魂盒。”

墨熄问：“那第二件事呢？”

“第二件。他给了我一颗药丸，说顾茫出身贫寒而至高位，可知其生性何其狡诈。虽顾及黑魔异变，不能将他杀害，但若是由着他神志清明，他定会与身边之人……例如狱卒设法造谣。以顾茫的口舌，什么都可能造得出来，所以一定要让他神识尽毁，记忆全失——这颗药丸就是为此而炼的。他令我得到顾茫献上的血魔兽魂盒后，就立刻把丹药给他服下。”

墨熄听着，指尖深陷入掌，随着过往的件件真相浮出水面，君上曾经吐出的蛛丝脉络清晰可见，犹如一张天罗地网，将他们笼在中间。

墨熄低声道：“可你见到顾茫之后，顾茫不曾告知你真相吗……”

“他确实说了几句。让我不要太过相信君上之类的。但你觉得我那时候会信谁？”

“……”

“更何况，我当时见到顾茫的时候，许是负责押送他的看守对他动了私刑，他的神志很模糊，胸口有一道新伤，还在往外淌着血，他根本没有力气和我说太多的话，就已昏了过去。”

慕容怜顿了顿，继续道：“不过当时确实有一件事令我觉得蹊跷，那就是他除了把封印着血魔兽力量的魂盒给我，还给了我另外一件东西，让我无论如何都要保存好，然后找机会销毁掉，且此事绝不能让君上知晓。”

慕容梦泽问道：“他给了你什么？”

慕容怜没有立刻回答，而是瞧向高座之上的慕容辰。

“君上，你煞费苦心地让墨熄从大泽城再给你带来一片血魔兽残魂，才能炼出你这只长着鸟嘴狗身的怪物，想必是顾茫当年献给你的血魔兽力量魂盒，你打了这么多年还没打开吧？”

他说着，嗤笑道：“知道你为何打不开吗？”

慕容辰到了此刻，亦知再装也无用，因此森冷道：“为何？”

慕容怜吐出烟霭：“因为顾茫当年用自己的一缕魂魄铸就的魂盒与别的不同。他做了调整，打开它，需要一把钥匙。”

梦泽惊道：“那就是顾茫当年要你保存的东西？”

“不错。”慕容怜道，“当时我留了个心眼，这件事与谁都没有提过。”

慕容怜说到这里，几乎是有些冰冷地看向慕容辰。

“君上苦心孤诣得来的魂盒竟然打不开，想必是钻研了许久也不得门道。也幸亏我天性多疑，亦知你为人奸猾，到底没全信你。否则只怕顾茫回城那一年，你就该将重华的人全部洗作木雕傀儡了。”

慕容辰银牙紧咬，盯着他，陡地爆出一串戾然长笑。

“慕容怜……慕容怜，原来你当初既不信我，也不信顾茫……哈哈哈哈……！”

慕容怜无所谓道：“是啊。”

“那你这辈子究竟相信过谁？！”

慕容怜淡道：“我和你一样，慕容辰。我们俩都是那种人——谁也不信，唯独信自己。”

他说着，眼神淡漠而疏离：“你的闹剧也该收场了。放下你一统九州的大梦吧，我早已把顾茫给我的钥匙毁了。”

慕容辰笑声不止，双目赤红地盯向慕容怜。而后视线一个一个人逡巡过去，从墨熄，到顾茫，到慕容梦泽……乃至群臣。

最后他眼神犹如厉鬼，森森然道："慕容怜，你以为孤钻研了那么多年，当真没有得到第二种解法，可以打开顾茫封印的力量魂盒吗？"

慕容怜闻言，倒是不以为意，反而近乎嘲讽地笑了起来："君上若要真有这本事，何苦还要去大泽城将血魔兽的一缕残魂夺回来？更何况燎国已经重新饲育出一只新的血魔兽，唯独缺了一片魂与力量之源而已。君上若是此刻设法打开魂盒，自己得不到什么，只会让燎国的那只魔兽力量激增，浴火重生。"

慕容怜顿了顿道："替人做嫁衣，你可不会这么蠢吧。"

"那要看孤是替谁做的嫁衣了。"慕容辰的目光犹如两池浸染着剧毒的水，狠戾道，"慕容怜，你是知道我的，比起外敌，孤一贯更恨家贼。"

慕容怜神情微动——是啊，他们这个君上，自幼就活在诅咒的阴影中，对身边的人不无警惕，他的獠牙上更多沾染的是手足同袍的血，甚至疯狂到想要用黑魔咒控制群臣，让人人对他俯首听令。

但他之前并不认为慕容辰能将整个重华的安危不放在眼里。毕竟皮之不存，毛将焉附？可此刻他看慕容辰的神情，竟是仇恨压过了理智，一派鱼死网破之态，不禁陡地心惊。

只是慕容怜面上仍冷峻，沉冷道："你待如何？"

"这句话应当孤来问你吧。"慕容辰恨道，"你隐藏野心这么多年，为的不就是今日之变，你可以坐收渔翁之利。"哗地扬袖指向王座，"取代孤的位置，成为重华主君？"

慕容怜漠然道："我还真没想过。我觉得你那位置特别傻，和个神龛似的，而我一点儿也不想当泥像。"

慕容辰却道："有谁信。"

他说着，忽然抬起手，悬空一握，厉声道："封印，阵开——！"

随着他这一声暴喝，大殿外忽然传来隆隆轰鸣。群臣悚然望去，透过破损的墙垣与敞开的窗，可以看到重华王宫内最高的建筑——黄金台。那里正爆散着强烈金光，一张硕大无朋的封印阵法在顶巅浮现，呈五芒星状，正不断旋转，灵焰腾张。

霎时间风云四起，摧枯拉朽。黄金台四周的草木被劲风席卷着倒伏翻飞，那座意味着重华之臣无限荣光的高台，整个帝都都能看到的问贤地，笼罩在一片沙石漫天、尘土飞扬之中。随着金光渐炽，封印洞开，一只仅有巴掌大，却散发着耀眼光辉的盒子从山体的裂缝之中飞转上升，悬于高天。

梦泽喃喃道："这就是……顾帅当年以自己一片魂魄铸就的魂盒……"

她方说完这句话，就听得身后一声闷哼，紧接着是扑通跪地的声音。梦泽回头，发现顾茫已经摔倒在了地上，竟是口吐鲜血。

墨熄立刻扶住他，焦急道："你怎么了？"

"我……"顾茫似乎想说什么，可他一抬眼去看那遥远空中的魂盒，就又哇的一声呛出一口淤血，竟无力再说什么，径自昏迷在了墨熄怀里。

"顾茫！"

梦泽是药修，她道："顾帅是受了魂盒封印解除的影响，这盒子是他缺少的两魄其中的一魄，他一时承受不了它的魂力，不碍事的。"

顿了顿，她又睁大眼睛道："啊！若是能将魂盒夺下，重新炼入他体内，那他的魂魄多少就修复一些——"

话未说完，就听得君上阴冷道："你想都别想。"

慕容怜厉声道："慕容辰。我无意夺你之位，你最好也给我清醒点，别再做什么疯事！"

慕容辰冷哼一声，咬牙切齿道："你确实是不用夺位，孤若觉得今日之后自己还能稳坐在这主君位置，孤恐怕就是白活了这么些年。"

"……"

"自古阶下之君会是什么下场，孤自然十分清楚。与其看你踩着我的肩膀登顶人极，不如孤亲自将这些东西都毁了。"

慕容怜怒道："慕容辰！重华是母邦，你竟敢因自己一己之忧，不惜让虎视狼顾的燎国得到血魔兽战力？你很清楚血魔兽一旦重新降世会是什么后果！你一人落马，就要整个重华乃至九州来为你陪葬吗？！"

岂料慕容辰却阴笑道："为何不行？"

愤怒如潮似海涌将上来。哪怕在场的有些人平素里再是尸位素餐，再是浑噩度日，听到他凉薄至此的话，也忍不住热血上涌，一时间斥责之声不绝于耳。

"慕容辰！你这个人面兽心之辈！"

"你还敢说旁人自私，这世上最自私最冷血的疯子恐怕就是你！"

"刻薄寡恩！误尽忠良！"

"你当不成君王，就要引狼入室，让整个九州生灵涂炭？！"

慕容辰陡地大笑起来："哈哈哈——不就是这样吗？！整个九州，整个重华，若我不为君，不称帝，与我又有何干？！"

"你——！"

"在我身居东宫，前途未明的时候，在我被父君意废，地位动摇的时候，在我未登君位那些年，哪怕在我当上君王之后，有谁真心实意站在我身边，为我思，为我谋，与我有情，忧我所忧？！尔等向来视我为夺嫡对手，为太子，为君上，有谁把我当慕容辰看过？谁在乎我本身怎么想？！"

“就连我父亲，也是一听闻我身染疾病，便要废我太子位，他有没有想过一个被废的太子，在他宾天之后会是什么后果！”

慕容怜却忽然道：“你以为他没有想过？他曾密诏我于病榻前，告诉我，若是立我为储，我一定要好好待你。因为你的寒疾正是因他而起，他心中有愧！”

慕容辰一怔，布着猩红血丝的眼瞳狰狞地大睁着。

随即怒道：“他惺惺作态而已！他连我患寒疾的事情都告诉了你，他悔什么？愧什么？！”拂然拂袖，“孤立身于世，从来只有这王位支撑，九州天下重华众生，只与‘君上’有关，与‘慕容辰’无关！”

“若我为君，自当为重华忧谋。但今日尔等逼宫，我将为奴，我便只是慕容辰。而慕容辰不欠这世道任何人情谊！”他不无恶毒地眯起眼睛，字句都在唇齿间磨碎作齑粉，“你说的对，我为了自己痛快。宁愿鱼死网破，损人不利己，引狼入室，献利燎国——我也断不会让你们逍遥！”

“慕容辰，你简直是疯了！”

慕容辰冷笑道：“你瞧清楚了，孤这辈子死也只做君王，不为囚奴！”

他说完这句话，双手合于胸前，顿时袍袖飘飞，猎猎翻滚。

慕容辰十指结印，竖眉喝道：“飞凰，解封！！！”

只听得一声凤鸟鸣叫似从大地肺腑传来，慕容辰周身燃起熊熊烈火之光。他一跃而起，自屋顶的破陋之处跃上高空，那火焰裹卷着他，就像顾茫魔气暴走时解封妖狼之血一样，慕容辰浑身附着凤凰之光，灵流滚沸。

梦泽吃惊道：“他……他体内怎么也有魔兽之气？”

墨熄摇头：“他爆发的是仙兽之气。”

“那是什么？”

“老君上曾经想炼育仙兽，那仙兽的灵流失了控，通过老君上侵蚀到了他。使他拥有了这种力量。”

墨熄说罢，结印厉令：“吞天，拦住他！”

巨鲸灵体于高空发出啸叫，扬起尾鳍向慕容辰飞去。慕容辰却也不是省油的灯，他满腔仇恨，一心只想毁尽全局，不至狼狈为奴，他对同样盘桓在夜空中的净尘残魂喝道：“去战！”

净尘得了令，羽翼扑扇，朝着吞天杀去。

两只庞然大物在空中斗做一团，嘶吼之声几乎能将人的心肺震穿，漫天星斗已经失色了，它们厮杀时飞溅的灵流耀眼过白日，相撞处爆开的灵力更如烟花，在苍穹底下轰然炸裂，散作无数碎片。

但这一回，谁也没有再躲避，或因愤怒，或因醒悟，或因别无选择，大殿内的修士们无论灵力是否低微，平日里是否蝇营狗苟，都在此刻施展各自的法术，跃出金銮殿。他们有的襄助吞天与净尘厮斗，有的怒喝着追着慕容辰往黄金台方向追去，有的则去布置重华所有兵力，将这座城池从沉眠中唤醒。

长丰君气得到此刻仍在不住发抖，他发出一只只传音令，将真相飞散于重华街巷的角角落落。

军机署的一个从前人五人六的小公子在之前的斗战中失去了父亲，此时脸上还挂着泪，他正在安排羽林传讯："调我们手下所有可调修士，护邦自守！"

神农台的长老是君上的狗腿，他见势不妙，想要偷溜，却被一柄刺刀抵住了腰。他一回头，正对上周鹤阴冷的眼神。

那长老忙道："周兄，是……是我啊，你也知道的，我俩都是被君上逼的，我帮他害望舒君，你……你帮他炼血魔兽。"

周鹤一把扼住他的脖子，凑在他耳边低声道："净尘我根本没有全心全意地在炼化，否则你以为它作为血魔兽的魂魄，会只有这一点威力？我根本不是君上的人。"

"周兄……"

但再说什么也没有用了，周鹤已将刺刀"嗤"地一捅，没入对方肺部。

血染五指。

周鹤舔了舔嘴唇，在这血腥气里享受地眯了一会儿眼，而后猛地将刀抽出。神农台长老挣扎摇晃一番，瞪直着眼睛，扑通一声倒在了地上。而他则抬起刺刀猎鹰，伸出软舌，在刀尖舔过……

一时间战局骤开，法术的火光就像熔岩喷发，从王宫内部迅速滚流向整个重华。

墨熄于一团混乱中找到慕容怜，将昏迷的顾茫交给他："照顾好他，我去阻止慕容辰。"

慕容怜颇为嫌弃地看了顾茫一眼，啧道："我是一点儿也不想管他的死活，身为慕容家的人，把自己混成这副惨样。"

但说归说，还是把顾茫接了过来。

梦泽在旁边看了一眼在空中与数位贵胄元老交手的慕容辰，慕容辰解封之后力量强大，那么多人围攻他也只是稍绊住了他的脚步，只见得慕容辰的凤凰幻影一击，离他太近的那些修士纷纷呕血倒下，从空中坠落。梦泽见状忧虑道："恐怕追不上他了，他要去黄金台同归于尽，用性命强毁魂盒……"

墨熄也知时间紧迫，没再与他们说什么，召出率然跃上梁脊，迅速追着慕容辰赶去。

天幕中，慕容辰与数十修士相战，不少人已身负重伤，无力缠斗追击。慕容辰召出自己的神武洞箫，凄声吹响，更多追截者无法承受这股灵流，落了下风。

他冷笑一声，凰羽招展朝着黄金台飞去，眼见着就要夺得魂盒，忽然间眼前轰然落下一道艳红色的火焰屏障。紧接着一圈烈火自高台边燃起，将整个黄金台包裹在内！

慕容辰回过头来，羽翼张弛，眯起眼睛："羲和君……你也来阻孤？"

隔着飘扬的金红色星火，墨熄睨望着君上的脸庞。这个男人曾有千张面孔，或善或恶，或怒或慈，或许他这一生就是这样，活出了千面，却早已失却了自己本身的那张脸。

哪怕是此刻，慕容辰裹挟着昭彰的愤怒瞪视着他，也显得并不那么真实。

慕容辰从来都是"君上"，他并无法做回"自己"。

此人过去的种种欺骗，步步算计，此刻犹如走马灯般在墨熄脑海中一一闪过，墨熄的愤怒虽沉默，却压得极深，他甚至不想与君上再多费半句唇舌，只劈身向前，手中的率然蛇鞭犹如疾电游出，猛地抽向慕容辰心口。

慕容辰避闪不及，以凤凰羽翼相合，这才挡住了墨熄的蛇鞭。他咬牙道："梦泽当真是做了一件大好事——她竟将你的傀儡丹拔除！"

他话未说完，率然便又是一道疾光闪过，直击于慕容辰腹肋。

墨熄冰冷道："我与你没有什么可再说的。"

说罢足尖于空中阵法上一点，掠至高空，红光暴虐的蛇鞭当头劈下！

这一回慕容辰不敢再分神，他展翼闪躲，避开暴雨般的攻势，但他心里很清楚，和顾茫曾经使出的"孤狼解封"一样，修士解开体内的魔兽仙兽灵体，虽然能在短时内战力大涨，却也是孤注一掷之招。

只消一炷香的工夫，他就将无法再驱动仙兽之灵，而是会经络暴断，灵力全无——他必须在这转瞬间夺得魂盒，并用自己的灵魂与性命，将盒子强行震碎，放出逆世的血魔兽之力。

可是墨熄的实力实在太过强悍，慕容辰攻守进退间，竟觉得如此捉襟见肘。眼见着重华城内火光四起，来援的甲兵修士从王城的八方涌来，他们御剑时带出的兵刃银光汇聚一处，犹如逶迤长龙，指爪狰狞地向他游近，要将他吞没在这场哗变里。

墨熄率然化刃，森然道："到此为止了。"

言毕寒光一闪，径直举剑朝慕容辰刺去。

也就在这时，天空中忽然风云涌动，紧接着浓云深处泛起一道白光，犹如利剑出匣，在众人尚未反应过来之际，一道雷霆自高空劈落。

"轰——！"

刺目的雷电光芒朝着黄金台覆压下去，须臾熄灭了墨熄环绕在高台周围的守护结界，之前还烧红了半边天的烈火转瞬成了一片焦土，只嘶嘶冒着青烟。而墨熄竟在同时脸色一白，继而一下子半跪在了结界云端。

慕容辰怎么也没料到会忽然生出这样的逆转，但片刻之后，他便反应过来了。他眯着瞳眸，喃喃道："天劫之誓……"

混战之中，他们都忘了墨熄曾经向他立下过天劫之誓，发誓过一定会效忠重华，效忠君上。前半句墨熄未违，但后半句已在墨熄向他真正动了杀招的时候被违，所以九天降劫，不但打碎了墨熄设下的结界，誓言还反噬了墨熄，令他顿受重伤。

墨熄跪跌俯首，蓦地呛出一口血来。

“哈……”慕容辰盯着墨熄，半晌之后，抽动嘴角，森森然笑出声来，“哈哈……哈哈哈哈……”

他落到黄金台上方，赶在四面八方的援军到达之前，站在了流光溢彩的魂盒前。

君上的神情被恨意与疯狂扭曲到犹如鬼魅。

“火球儿，多亏你当年一心想护着你顾茫哥哥的残部，立下了天劫之誓。”他抬起手，悬于魂盒之上，脸庞在魂盒之光的照耀下苍白如鬼魅，“你最好记得，你本来是有能耐阻止孤的——是你当时的意气，才助孤将这个不肯驯服的国度推入地狱深处！”

墨熄挣扎着想要站起，哪怕最终遭雷劫化作残灰，也不可让慕容辰得到那个盒子。

可惜太迟了。

能在古老誓言的折磨下维持理智已经极不容易，何况墨熄竟想要逆天而扛。九天重云像是被触怒了，隐有嘶嘶雷霆又在空中盘旋，随时准备俯冲而下，将这不知好歹的凡人撕作尘灰。

就在这时，慕容辰双手一合，上下相覆。

一道耀眼的金光直冲九霄，与天空涌动的风雷相斥相撞，刹那间虎啸龙吟，山河变色，仿佛数以百万的厉鬼要从地表之下破土而出，大地震动。

墨熄呛咳着冲破天劫之誓的禁锢，迎着那几乎可以化作万道利箭将人洞穿的大光辉向慕容辰袭去。

“你……绝不可以……”

但慕容辰已飞至高空。他挟着那封印了血魔兽之力的盒子，把自己的灵魂与生命力尽数注入了盒中，顾茫用魂魄凝练的琉璃盒在他掌心里发出咯咯异响，慢慢地裂开缝隙。慕容辰仰头，发出夜枭般可怖的大笑声。

这是他生平第一次笑得如此恣意，毫无遮掩粉饰，不带任何谋划思虑。他纵声长笑，于飒飒狂风，遥遥高空中俯瞰这座困囿了他一生的都城，然后暴喝一声，将魂盒于掌中狠狠压落！

刹那间，碎片四散！

崩裂的魂盒中顷刻涌出瀚海狂流般可怖的黑魔灵力，朝着八荒四海乘奔御风，怒号着腾舞于苍穹寰宇。天空中瞬间星河不见，月影蒙尘，慕容辰这时候已经被吞纳成了近乎薄透的虚影，他眼中诅咒之光尽显，环视着这一切，声音虚渺而疯狂。

“看看吧，这就是你们做的选择！不肯乖乖俯首听命，你们让孤的日子难过了，孤便也……要尔等的太平日子……求而……不得！”

话音落，便被血魔兽灵流化作的龙卷狂风裂为碎影，唯那毛骨悚然的笑声在血魔灵流中犹如旋涡般疯狂地回转。

“血魔兽的力量解封了——！”

“不好！”

王城内一片惊呼惨叫，整座帝都的火光都在这一刻闪动着惶然。而那魂盒里奔涌的力量源源不断且越来越烈，慕容辰被吞噬的地方爆散出几能令人目昏的强劲白光。

墨熄是离阵法最近的人，他几乎能感到千钧重力朝着脊骨狠压下来，那种大灾劫面前的渺然感几乎摧毁了他。

失去意识只是一瞬间的事情。

可在那一瞬间，墨熄似乎看到了魂盒崩毁的那个位置，有一缕与这暴虐黑魔之力截然不同的金光飘了出来。

那金光化作了一个模糊的倒影，是很多年轻的顾茫，穿着战甲，束着兜鍪，眉眼里带着轻狂，他从破碎的魂盒里飞向风云变色的天空。

墨熄伸出手，喃喃着想唤他的名字，嗓中却尽是咸涩的鲜血。

两个字，哽咽地堵在喉头。

顾……茫……

然后他坠落下来，从激战的高空坠落，坠落……

最后，跌进了一片沉甸甸的黑暗里。

墨熄醒来的时候，发现自己正躺在床上，周围来来回回晃动着一些模糊不清的素青色人影。他长长的睫毛眨动着，逐渐看清了这里的景象。

这里是神农台的疗愈阁，那些晃动的人影是神农台的药修。他们穿梭在病榻间，正在给受伤的修士们治疗。墨熄缓着神，嗡鸣作响的耳中灌入潮汐般的人语，有旁边医榻上的哭声，有亲眷之间的安慰声，有药修施展法术时的咒语声。

他在这些声音里慢慢地拾回了自己，昏迷前的事情闪回至脑海之中。

金銮殿的哗变、净尘的出世、魂盒、溢散的流光……

“顾茫！”

他一下子坐起来，损伤的肌肉被扯得骤然生疼，他蓦地皱起眉头，漆黑的眉宇之下是紧闭的眼与整齐的长睫毛。

他的惊醒引来了人们的注意，有人步履匆匆地来到了他的病榻前：“墨大哥。”

墨熄以手支额，揉着疼得欲裂的侧额角，抬起眼时双目都是红的。他对上了慕容梦泽的脸。

梦泽看起来已经很多天没有仔细打理过自己了，只束着最简单的发髻，穿着一袭黑底金边的衣裳，脸颊带着些不知什么时候蹭到的硝烟焦灰。

墨熄张了张嘴，喉咙里干得厉害，他艰难地润咽了两下，才能够控制自己的声线不那么陌生得厉害：“这是……怎么了？顾茫呢？血魔兽怎样了，燎国——”

梦泽目光湿润地看了一下四周，她不用说太多，墨熄也已经能猜到重华如今的情形。神农台最大的疗愈阁已经躺满了重伤的修士，有的是法术创伤、刀剑创伤，有的则是黑魔侵袭，被锁灵链镇压在冰冷的石床上。

墨熄一眼望去见到了不少从前熟悉的同僚，远处岳辰晴正在和一个药修说着什么，其实只是过了短短的半个月，岳辰晴瞧上去就已经再也不是少年模样，眉头皱得很深，说话时没有什么笑意。他在教药修怎样驾驭他的竹武士，能在这一片混乱的伤亡中帮上忙。

“血魔兽的力量被打破了，净尘吸食了那些力量之后，依照慕容辰的遗愿转投了燎国。”梦泽的脸色非常难看，“燎国得了血魔兽之力，势头无人能阻，已经攻至了帝都城外。怜哥勉强率军挡了七日，但是明天恐怕就挡不住了，燎国的国师即将出关——他正将净尘彻底炼化。应当就是明日，血魔兽便要重生了。”

墨熄：“我已经昏迷了七日？”

梦泽点了点头，但见他神情，又忙道：“你不要急，就算事情已经到了这个地步，但也未必就是死局。当年沉棠宫主不也一样阻止了血魔兽的吞世妄举吗？怜哥已经在重整王都内的所有甲兵，准备驭帅三大军队，明日与燎大战。”

墨熄闭目道：“慕容怜就算再能耐，也没有办法同时统御三大军队，他根本没有办法压住三个军阵。”

“但你醒了，不是吗？”顿了顿，她又道，“你可以统帅赤翎营，怜哥会带他熟悉的那一支修士，至于北境军……”

她抿了一下嘴唇，眼中闪动着一些情绪难辨的光泽。

墨熄一怔，随即像得到了某种感知，心跳骤然快了起来，他盯着梦泽的眼睛：“北境军如何？”

“我，我是有一个好消息。”梦泽似是怕让他心绪愈发震颤，因此将声音放得很轻，但这又有什么用呢？她要说的事情本身就已如滴水如沸油，注定引起爆溅，“顾茫他……”

墨熄唇齿轻启，他死死盯着她，声音几乎微不可闻：“他怎么了？”

“他已经完全恢复了，经历此劫，亦已平反——三天前他就已经重新挂帅了北境军的统领，如今正在校场训练他的士兵，准备明日应战。”

墨熄：“你说什么？！”

墨熄顾不得自己的伤，一听闻这个消息，他就急着往校场赶去。

一路上，梦泽方才和他的对话不住环绕在耳边——

“慕容辰生命之力击碎魂盒后，血魔兽的力量四散，而顾茫守护盒子的那一缕魂魄也被打散。照理说魂魄散了，就会向九州四海飞荡，不知去往何处，但我们从黄金台的废墟找到你的时候，发现它环绕在你身边，像是存留着一丝意识，一直在残砖断瓦里保护着你。”

墨熄良久说不出什么话来，最后开口的时候，嗓音暗哑得甚至他自己都听不出：“……那……还有另一缕魂魄呢？那缕被他炼成魂盒钥匙的魂魄，慕容怜不是都已经毁了？”

“怜哥没有毁，他那是骗慕容辰的。你想，如果顾茫造出这个钥匙，只是为了毁灭，那顾茫为什么还要造呢？直接把魂盒做成绝不能打开的不就好了。”

墨熄：“……”

梦泽接着道：“但是当时，慕容辰已经失去了理智，情况又危急，他自然没有听出怜哥话里面的漏洞，哪怕你我也没有及时反应过来——后来怜哥告诉我，其实顾茫交给他钥匙的时候，真正嘱托他的事情，并不是毁灭钥匙，而是请他设法找到彻底销毁血魔兽力量的办法，他希望怜哥能在找到了这个法子后，用钥匙打开盒子，将血魔兽恢复的可能永绝于世。”

“顾帅做事向来谨慎，他很清楚尽管封印了血魔兽之力，但封印是封印，并不是完全的毁灭。……唉，只可惜怜哥对顾帅原本心存怀疑，没有认真去想办法，后来虽然怀疑渐渐打消，但他又没有机会再去钻研，最终还是令血魔兽力量溢散。”

慕容梦泽闭了闭眼睛，叹息道：“怜哥嘴上不说，但我看得出他心情也很不好，他在自责。”

墨熄颅内嗡嗡的，他的状态仍是差得厉害，他虽然没有直接手刃慕容辰，但他的行为已然踩了天劫之誓的底线，誓言的反噬虽不置他死，却也令他受了很重的伤，所以他才会在黄金台一战后足足昏迷了七日。

但是似乎所有与顾茫相关的事情，他哪怕再是疲惫至极，狼狈不堪，他的头脑总是清明的。就好像顾茫打散的魂魄也会萦绕在他周围守护着他，长久的羁绊已经让他们对彼此形成了一种本能。

所以墨熄只是片刻的沉默，就捕捉到了自己回忆里的碎片，明白了过来。

“是扳指。”

梦泽：“什么？”

“钥匙是慕容怜手上戴的那只扳指。”墨熄喃喃道，“所以当初周鹤要摧毁顾茫神识时，慕容怜给了顾茫那枚扳指，因为他知道扳指里有顾茫的一片魂魄，可以让顾茫支撑得久一些。所以每次顾茫养的猎狗见到慕容怜，就会像见到主人一样，尤其喜爱闻嗅他戴了扳指的那只手……”

墨熄嘴唇微微颤抖，再也说不下去了。

竟是如此。

他一直觉得自己与顾茫这一路行来太过苦楚，当他在金銮殿听到慕容怜说顾茫的一魄已被毁去时，他其实是崩溃的，他明白顾茫再也不可能恢复康健了。可是他仍去阻止慕容辰将魂盒震碎，当时除了为了保护重华之外，他私心里也是希望能设法将魂盒里的一魄保留下来，哪怕注定是不完全的，也聊胜于无。

他一直都是这样苦苦挣扎的心态。

他这三十余年经历的一切，已经让他明白，求一个完整太难了，破碎的也是好的，他愿意用自己的人生一点一点地把破碎的东西粘贴回去，这样的圆满也令他知足。

可是这一次似乎是上天怜他太不容易，所以竟破天荒地给了他一个团圆——两魄，顾茫的两魄都还在，已经回体，已经痊愈。

墨熄在通往校场的路上走着，越走越快，当他抵达训练场，看到那个站在万人中央的身影时，眼前却已是氤氲一片。

他极少因难过而落泪，此刻却因高兴而流下泪来。

北境军的领帅终究是回来了，他的顾茫哥哥，那个完整的，笑得张扬，战无不胜，一个人就能带给无数人希望的顾帅，到底是回来了。

他从来都不敢奢求的，命运终于怜悯他，施舍给了他人生中最好的一场梦。

不，不是梦。是真的。

且余污洗净，顾茫终于不再是叛徒、小人、探子。而是能站在阳光下，站在猎猎飞扬的猩红色军旗之下，站在点将台上，负手望尽校场映日甲光的统帅。

他的顾师兄，跌跌撞撞，手脚磨破，受尽痛苦、屈辱，历尽悲伤、别离，终于回到了他最该矗立的那个位置——重华的第一主将。

有小修士看见了站在校场边缘的墨熄，忍不住叫了一声："啊，是墨帅！"

"墨帅来了……"

"羲和君来了！"

动静像风吹湖面，一直抵达点将台前。顾茫正在和慕容怜说话，他觉察到了这一縠波澜，于是逆着正午的阳光与校场的大风，眯着眼睛循声望去。

然后，他看到了隔着人海与兵刃之光的墨熄。

顾茫怔了一下，展颜笑了，黑眸虽不再，但蓝眼睛清明得和他们年少跃马从戎时一模一样。

他抬起手，在北境军飞扬的军旗下，朝墨熄用力挥了挥。

"墨帅！"他喊他，带着些孩子气的调侃和兄长般的温柔，"上来啊！睡那么久，就差你啦！"

那支被墨熄整治了多年仿佛将严肃刻进骨子里的北境军忍不住哄笑出声来。墨熄忽然发现这支军队根本没有变过，他们在他手下乖顺了那么久，其实骨子里哪有严肃呢，他们的顾帅能注给他们的张扬与嬉笑，才是北境之魂。

他忍着眼眶里因为喜悦而即将满溢的眼泪，仰了仰头，心想着不能让士卒瞧了笑话。可当他从自行分作两拨的人潮中向顾茫站立的点将台走去时，他知道自己还是掉了泪，他再也严肃不了，也冰冷不了了。

他会伤心，会难过，会高兴，拥有一个血肉之躯该有的全部情绪。

这一天，冰雪消融，他所有的悲喜都再也无法遮掩，尽数展示在了他的士卒们面前——可是令他意外的是，并没有一个人笑他，那些戏谑又热络的笑容渐渐地敛去，他们专注地望着他，好像他与他们之前长久以来隔着的那一道屏障碎裂了。

忽然有人不怕死地嚷了一声："欢迎羲和君回家！"

一众寂寂，墨熄也没吭声。

然后顾茫笑了，顾茫在高台上说："欢迎墨帅回家。"

是啊，他们是有家的，不必是什么楼宇屋檐，亭台小院，是和这一群他们曾经一同守护过，也一同守护过他们的人在一起。

原来从他二人投身戎马的那一天，他们就是有家的。

如今，顾帅也好，墨帅也罢，还有那倚在旁边满脸不耐却半点不打算走的慕容怜——

他们都回家了。

战备谋划和战前动员都进行得很顺利，怎么会不顺利呢，墨熄看着身边的顾茫，这样想到。有顾茫在的地方就有火，顾帅可以让沉寂的火堆复燃。

明明将要面对的是一场危难浩劫，他们的对手是百年前连沉棠宫主都必须用性命才能封印的血魔恶兽，是那个身份不明，令人战栗的诡谲国师。

可是顾茫好像并不在乎，他在他的袍泽面前永远是这样的胜券在握。

他天生就有这样的一段风流，能让簇拥在他周围的人觉得，只要有他在，什么难关都会度过，再困难的战役，都能赢。

备战大会结束后，人群渐散，顾茫朝墨熄眨了眨眼睛，逐渐昏沉的天幕之下，他的眸子瞧上去仿佛是漆黑的。

"真不好意思，你醒的时候我没有陪在你身边。"

墨熄却道："不。你一直陪着我。"顿了顿，又补了一句，"在黄金台的时候，你记得吗，你的那一缕魂魄。"

顾茫笑了，这样的笑容墨熄太久没有见到，精神饱满而富足，红润的嘴唇下面有一颗幼尖的小虎牙。

"二位朋友。"忽然横插进来一只手，晃了两下，"请问你们是把我当死的吗？"

顾茫转头，对上慕容怜那张人憎鬼厌的脸。

慕容怜就是这样一个人，他多疑，狠戾，手段下作，自尊心又高。哪怕如今他早已知道自己许多事情是做错了，他也仍是戒不掉他那嚣张狂妄的姿态。就好像他也戒不掉他被迫吸食的浮生若梦一样。

顾茫笑了：“你干什么？”

“想跟你说个事。”慕容怜依旧是高高在上的主子姿态，只是桃花三白眼里的游移暴露了他内心的不安定。

“怎么？”

“咳，这个给你。”

递来的是一道刺绣精美的蓝金色英烈帛带。正是慕容玄当年留下的那一道。

慕容怜表情颇不自然道：“望舒府永远是我的，当家人的位置也永远是我的——但是这个，我想了想，勉强觉得，大概你戴上……会比我更合适一点点。”

顾茫低头看着，稠金色的余晖之下，并不能看清楚他的神情究竟如何，而当他最后抬起头时，慕容怜也没有来得及看到他的脸。顾茫忽然伸手拥抱住了他。

慕容怜双臂僵硬张开，手中举着烟斗，满脸的嫌弃，像个关节损坏了的木偶被人摆弄出了一个可笑的形态。

“你不要指望我亲手给你把帛带配上。”最后他生硬道。

而回应他的是顾茫哈哈的大笑：“你若是亲手给我戴上，那就人生苦短，一笑泯恩仇，你从前坑我的那些，我就不和你计较了。”

慕容怜推开他，怒道：“那是因为你自己从小奸猾，我才信不过你！这条件应当我来说，如果你继续喊我主上，我就勉为其难地开始罩着你。”

顾茫摸了摸自己的脖颈。锁奴环已经被摘取了，无论是从前望舒府的，还是后来羲和府的，都不再有。

顾茫对慕容怜咧嘴一笑，眨了一下眼睛：“怜弟。”

“……”慕容怜怫然大怒，把蓝金英烈帛往顾茫脑门上一扔，转身拂袖，骂骂咧咧地离去。

第47章

天色沉晚，顾茫和墨熄并肩走在破败的重华王宫内。

慕容辰这些年做的事情于众人之间陈吐而出，就像一件华袍被翻转，露出下面密布的虱子，丑恶得令人不可细视。一座王都也因他的疯狂而陷入了混沌与昏暗。如今的宫殿，到处是砖石碎片，断木残瓦。

两人在主步道上走着，墨熄问道："魂盒破碎之后，是谁将你的两魄融回去的？慕容怜？"

顾茫摇了摇头，说："苏玉柔。就姜拂黎他媳妇儿。"

"原来是她……"

"嗯。不过她这几天心事一直很重，大概是因为姜药师始终下落不明。"

"照理重华出了这么大的事，他再怎么云游也该赶回来了。"

"是啊，可惜没有。"顾茫叹了口气，"不然城内的魔气多少能控制得更彻底些，现在只能是苏玉柔一个人撑着，但她医术到底是不如姜拂黎的。"

墨熄思忖片刻道："梦泽曾说临安有一位隐士药修，甚至掌握着重生之术，不知是不是能——"

顾茫打断他："来不及啦。"

他言语之间淡淡的，似乎对慕容梦泽说的隐士药修一点激情也没有，而且墨熄能看得出他的寡淡并不只是因为血魔兽出世在即，而是因为他本身就对梦泽所述的传说完全不感兴趣。他甚至不怀疑就算时间来得及，顾茫也不会去询问梦泽这个隐修的行踪。

"你是觉得梦泽所说未必靠谱？"

顾茫顿了一下，随即笑道："我没有这么说。"

见墨熄还想再问些什么，他忽然抬手指着前面的金銮殿残墟："对了，你看那个。"说着就拉着墨熄跑过去。

原来是大殿里的金兽熏炉，从前慕容怜为了阿谀慕容辰，特意打制的那一种。

小金炉躺在一片废墟之中，还在不遗余力地喊着："君上洪福齐天。""君上泽被万世。"

顾茫听得长叹一口气，有些唏嘘。最后道：“慕容辰所求，到底还是太多了。”

墨熄道：“也不知燎国击败重华后，重华何人可为君。”

“怜弟肯定不行，他刚刚自己说了，说他身体不好，已经被浮生若梦整废了。所有事情完了之后，他就想去临沂封地休养。……不过这种事情也急不得，人各有命，国各有运，船到桥头自然就直了，不必忧心。”

顾茫说到这里，顿了一下，笑道：“不过你刚刚说击败燎国——你就这么笃信我们能赢？”

墨熄抬眼，目光沉静温柔：“有你，什么都能赢。”

顾茫眼神中有光泽闪烁了一下，旋即抬手敲了敲墨熄的胸膛：“哈哈，多谢你信得过我。不错，我也觉得有我一定能赢。论起对血魔兽的了解，你们谁都不如我，所以明天打起来，你们一定都要听我的，这回我才是主帅。”

墨熄看着他踌躇满志的样子，忍不住抬手轻戳了他的额头。

“……你永远是我的主帅。”

顾茫笑了，有些张扬又有些腼腆的模样。

“不过说起来。”过了一会儿，顾茫道，“我总觉得苏玉柔……她好像有些怪怪的。”

“怎么说？”

“当年剑魔李清浅作祟，说是燎国国师因为绝世美人苏玉柔成亲而疯魔，找了百余名与苏玉柔相貌相似的女人，全部祭了山。燎国国师当时还说什么……苏玉柔有什么了不起的，此等相貌的人，他想要几个就有几个。”

墨熄点头道：“确实如此，李清浅的挚友红芍姑娘，也是因此被害的。”

“嗯。”顾茫摸着下巴，“但是墨熄，你有没有想过一个问题？”

“什么？”

“你想啊，如果一个寻常女人，她的前相好打到自己国门前来了，她会是什么心态？”

墨熄沉思道：“可能会设法去向对方递信求情。”

“还有呢？”

“再不济也会坐立不安，不知该如何面对那个男子。”

“你说的一点儿也不错。”顾茫道，“可是苏夫人却完全不是这样，她好像根本不在意燎国国师此刻正在做什么，一点点都不在意，而是一直在派人打听姜药师的下落。”

“或许是因为她与燎国国师早已是过往，她如今已是姜拂黎的妻子，所以自然挂心姜拂黎的安危。”

顾茫伸出一根手指摇了摇：“不正确。”

他说着，还笑着捏了墨熄的脸颊一下：“你这人呢，就是道德底线太高，总以人伦来衡量人心。是，苏玉柔是姜拂黎的妻子这没有错，我也不认为她会背叛姜拂黎，这是人伦。但是如果真的如李清浅所认为的那样，苏玉柔曾与另一个男人有过这么深的纠葛，那么不管她是已为人妻还是为人母，再次见到这个男人，并且要与这个男人为敌时，她的内心是没有办法忽视他的。”

“……”

“但是苏玉柔不在意。”顾茫说道，“就我这些天看下来，她对国师只有两种情绪，一种是害怕，第二种是厌弃。”

顾茫摇了摇头：“这不是面对老相好的心态。”

墨熄瞧他一本正经的样子，不禁有些无奈：“你又怎知人家姑娘的情绪。”

“其实这和是男是女都没关系，就是一种人之常情。”顾茫说到这里，顿了顿，“唉，我这么和你说吧，你当初以为我叛国，洞庭水战前，你知道即将见到叛国之后的我时，你是什么心情？”

墨熄：“……”

“断不会是害怕或者只有厌弃，是不是？”

自然如此。

那种心情墨熄到现在仍然可以无比清晰地回想起来，极痛苦又极盼望，醒与梦时都是顾茫的身影，像被过去的温柔所浸润，又像被未卜的将来所遮迷。

墨熄垂了睫毛，叹了口气：“我明白你的意思了。”

“所以苏夫人不对劲。”

“嗯。”

顾茫道：“她不对劲的原因有三种可能。第一，苏夫人有一些与燎国师有关的秘密是旁人所不知的。第二，苏夫人从来没有给过燎国师任何回应，燎国师当初这么疯全是他自己无端臆想。”

“那么第三呢？”

“第三。”顾茫道，“李清浅当年，可能对燎国师的举动存在一些误会。他对这两人关系的解读，从一开始就是错的。”

墨熄一下子睁大了眼睛。

顾茫摸着下巴，接着说道：“其实我更倾向于第三种可能。因为当初我们收服李清浅的时候，他见到苏玉柔的真容，她和他说了几句不为人知的悄悄话，剑魔李清浅就崩溃消散了。我觉得比起前两种猜测，第三种可能性更大。正是因为苏玉柔摧毁了李清浅一开始生出执念的认知，所以作为剑魔，他才会觉得一切都太可笑，于是意志溃散，消减成灰。不然单凭一张脸，几句说辞，她凭什么击溃了他的理智？”

墨熄思忖着，点头道：“是。”

顾茫正打算接着说些什么，忽听得远处一声惊雷轰鸣，不由立刻转头看去——

“不好！”

只见那高天之上，忽然有大片浓云呈旋涡状回环聚起，黑云卷出的旋涡中心雷光暴闪，天穹仿佛撕裂了一道口子，苍白的光芒犹如穹庐之血洒下，照耀着远郊燎军驻扎的军营，在那足以将大深渊照亮的白光中，无数细碎的小黑点从燎军营地上浮，往穹庐的裂口处飞去。

顾茫施了纵目之术，看清那些黑点究竟是什么的时候，他的脸色一下子青得极为难看。

“那是真正的血魔兽重生仪式。”顾茫嘴唇翕动，盯着那些黑点低声道，“那些往空中浮去的都是活人祭品，是燎国捕来的蝶骨美人席！”

墨熄一惊：“什么？！”

他们都知道，所谓蝶骨美人席，便是身上流有上古魔血的一族，但由于神魔之战后，魔门向世间永闭，这一支被遗弃在人间的种族失去了魔气的供养，慢慢地灵核委顿，法力尽失，变得与寻常人类无异，甚至更弱。他们唯独保有的魔族特性便是适合于用作修炼的炉鼎。

“血魔兽是以上古魔族残卷炼出的恶兽，需要大量的魔血。”顾茫道，“我在燎国的时候，仔细读过那些关于血魔兽的残卷。相传魔族炼此恶兽，都是以魔族的灵气浇灌，而如果凡人想要真正炼出这种恶兽，就只能设法找到世间与魔族相关的东西来献祭——而最为有用的，就是蝶骨美人席。”

墨熄问：“也就是说……血魔兽其实是用这一支特殊血脉的活人喂养出来的？”

“差不多。”顾茫道，“需要十余万的美人席，才能炼出一只血魔兽。当初李清浅的村社被屠戮，不也是因为燎人在四处搜捕美人席吗？他们蓄谋已久了。”

他一边说着，幽暗的蓝瞳一边望着那一处风云色变。

“看来燎国是想在黎明到来前和我们一决胜负，挨不到明日了。”他说着，束起慕容怜给他的蓝金帛带，几缕细碎的刘海垂下来，落在他的英烈之佩上。

“走了！去领兵！”

他说着，嘴角衔起浅浅的笑，不知是不是墨熄的错觉，在那血魔兽天光的映照下，顾茫的蓝眼睛瞧上去有些湿润。

墨熄看着他的神情，心中忽升起一丝模糊的不祥。他不禁低声喃喃道：“顾茫……”

他原以为顾茫听不到这一声低唤，就算听到了，这声低唤毫无意义，顾茫或许也并不会有任何回应。

但是他想错了。

顾茫回头，蓝眼睛映着远处的火光，凝视了他片刻，英俊的脸上闪着明锐又充满了斗气的光亮：

“打完这一场，要请你顾茫哥哥喝酒，要最好的梨花白，不然不开心。”

墨熄待要将他的神情看真切，他已转了身，拉起他，不由分说地向点将台疾行而去。

尽管最初算好的决战时刻是在明天，可谁都知道明天只是一个预判，重燎之战就像一个已经点燃了火线的炮台，随时都会炸响战争的轰鸣。

因此顾茫召军急聚时，谁都没有意外，事实上早已有人在看到妖异天光的那一刻，就已经自觉地来到了校场。

他们都知道今夜无眠，第一次大战便在此夜。如若他们能在血魔兽重生之初将之扼杀，那么燎军自会退却，如若不能……

“没有不能。”

这是他们的主帅顾茫说的话。他说这句话的时候没有任何命令的意味，而是一句承诺。他并不那么高大，从前的苦难已经将他摧折得过于消瘦，但是他兜鍪猎猎的样子依旧精神。他对他们说：

“我曾站在这个位置，与我的兄弟们出生入死，大大小小的战役三十九次。这是第四十次。”

“每一次开战前，我都会给你们同一个许诺，我说——我会带你们回家。这个诺言我遵守了三十八次，最后一次是在凤鸣山，我失信了，我违背了，我没有做到。有七万人被我丢在了凤鸣山，我连替他们立一座碑，我都磨磨唧唧和君上扯了半天。”

顾茫说这番话的时候，负着手，他是中气十足的，是尽量带着些往事已矣的洒脱与坦率的。

可是墨熄站在他旁边，慕容怜站在他旁边，都看他那双眼睛里闪着泪光。

顾茫的眼睛那么亮，他说道：“三十八次履诺，一次失约。今天是第四十次。如果你们信我，随我走吧，听我号令，去与我打完那只刚出世的小奶狗，然后——我带你们回家！”

我带你们回家，和七万的亡魂一起；和万世的安宁一起。

只要你们愿意再信我一次，我顾茫，无论是死是活，都会履行我的承诺。对得起你们今日，唤我一声“顾帅”。

我带你们回家。

下面的士卒们没有说话，一张张脸仰着，沉默而肃然地看着他们的北境军之主，他们的帝国勇士，伤痕累累的主帅。

忽然甲光骤起，刀戟齐响，那雄浑的声音像是从腹地深处擂出，从千万个胸腔里震荡于天地之间——

“生死与共！”

雪浪一般涌荡着，浩浩荡荡，传遍了九州大地。

“生死与共……”

在墨熄年幼的时候，因为自幼受到的教习缘故，他曾以为一个邦国若是没有一个主君，那必然是不行的。

然而此时的重华失了慕容辰，却也前所未有地凝到了一处去，灾劫就像一把匕首，会让人感受到皮肉剥离之苦，但亦能唤醒许多从前执意沉睡的人，让人看清周遭那些从前并不知善恶的心。

兵戈森然，甲光鳞簇，他们起征了。一柄柄御剑，一匹匹灵马载着他们的主人自地面而起，这些修士如同繁星汇聚成银河，越聚越宽广，浩浩荡荡地向远郊奔去。

忽然慕容怜低低地“咦”了一声，说道：“下面那是怎么回事？”

顾茫低头看去，但见重华城门大放，在他们的御剑大军下，无数的竹武士与异兽在指挥下奔踏扬尘，紧随着主军往决战地突进——是岳辰晴。

还有重华许多不曾入伍的修士、贵胄、平民……都于此刻在城中自发地倾城而出，奔向了燎国的军营。

顾茫一怔之下，看着下面前所未见的奇观。这道河流没有泾渭之分，没有贫贱之别，交汇在一起，狂涌着向敌方奔去。

他喃喃道：“我说错了。”

慕容怜：“什么？”

“这一次，他们不需要我带他们回家。”顾茫道，眼眶微红，“因为这里，就是我们的家。”他说完，目光投向不远不近的凫水之畔，那里横绝着守护重华王都的最大一道屏障——帝都结界。在那层透明的结界后面，便是数十万的燎国魔修驻地，以及即将破世重生的血魔恶兽。

顾茫双指一合，加快了御剑的速度，向决战之河奔赴去。

夜色中，他们能越来越清晰地看到燎国的血魔重生法阵，在凫水大河的另一端吸纳着祭品的生命，同时爆发出越来越烈的光辉。法阵中央已然升起一个半透明的庞大幻影，矗若高山奇峰，那正是重生中的血魔异兽。

顾茫悬停在帝都结界的边缘，衣摆猎猎，仰视着这个巨兽的雏形。也就是在这一瞬间，他颅侧一痛，眼前再次闪现了百年前沉棠的幻影。

数百年前，也是和今日一样的生死存亡之战，也是在水边，在河畔。

沉棠剑眉低压，冷厉地逼视着花破暗：“你所谋太甚，我岂能容你。”

顾茫因为颅侧的剧痛而闭上眼睛，但这一次和之前几次都不一样，恢复了全部记忆与神识的他，很清楚自己为何能看到百年前沉棠的身影——

这一联结的根脉，始于五年前，他奉命入燎，探查燎国的黑魔机密，尤其是与血魔兽有关的秘术。他花了很长的一段时间，终于取得了血魔兽最高看守的信任，与之建立了私交。

在那阵子，他时常去探视血魔兽的残存精元。尽管那时候血魔兽还是一团残缺不全的银雾，魂魄、力量、记忆……统统不全，但顾茫还是感觉到了它至为强大且邪恶的魂力。

“嘿嘿，顾兄你且看，这些年我邦一直在设法将它重新唤醒，只要它恢复状态，整个九州都将牢牢掌控在大燎的股掌之间！”

顾茫盯着那团银雾，不动声色地笑道：“是啊。”

守备说的一点儿也没错，如若让血魔兽重回天地，势必是一场大浩劫，哪怕最后修真二十七国全部联合起来与之对抗，也一定会有成千上万的牺牲。

他那时候尚未完全探得自家君上的真正意图，但他已隐约觉得，血魔兽这般可怖的杀器无论归哪一个邦国，或者哪一个个人所有，都是极危险的。他可以暂信君上，帮君上设法攫取血魔兽的力量，但他不会那么轻易地把这种力量交给慕容辰。

甚至，他从第一次在燎国密室里见到血魔兽银雾起，他就在想，究竟有没有什么更好的方法，可以确保事情的万无一失。

哪怕有朝一日，血魔兽当真重回于世，无论它届时是被燎国复活，效忠于燎，还是被重华复刻，效忠于重华，他都有办法以最小的牺牲了结它。

这才是最周全的办法。

在燎的日日夜夜，顾茫做了许多的假设与推想。最后留给他的，却终究只有一条路——共心。

其实也没有什么复杂的，那并不是什么了不起的法术。说起来，他最初研创这个法术的目的还很稚气天真。

他曾有过美好的幻想，哪怕明知前路渺渺，他也希望自己能与自己的小师弟共度一生。就像他们从前半开玩笑时说的那样，有一个家，养两三只猫狗，院里种一棵桃树——一起解甲归田，一起变老，一起死去。

虽然知道绝无可能，但顾茫仍是忍不住悄悄地创了这个共心之术。此术一旦施展，他便能将自己的意志与墨熄共享，只要彼此愿意，他们就能看到对方人生中的种种过往，分享彼此的记忆、情感、意愿……乃至生命。

一个需要双方无限的信任与亲密，理想到近乎荒唐的法咒。

顾茫本以为是绝对用不上的，他也只是玩玩，聊以寄托一点自己美好的幻想。可是站在血魔兽灵体前时，他忽然明白过来——原来天命早已注定，共心术的归宿，其实不是为了陪伴，而是为了别离。

他最终趁着血魔兽虚弱，悄悄将这个秘法打入了它的灵体里。就在他施展共心的一瞬间，他感到一股妖邪至极的狂流涌进了他的血脉，他骨子里的黑魔法咒被血魔兽激得蠢蠢欲动，他体内涌入了大量的魔气。

那是血魔兽肮脏的生命。

用无数祭品所铸就的恶兽之魂——在他体内共生。

那一刻，他就好像变成了它，他看到它是怎样被花破暗炼出来的，百年前以峡谷为炉，以天雷为火，以数以万计的美人席为牲，终于淬炼出了这头凶恶至极的诡兽。

喝吼遏云。

他就是它，它也是他。

他以血魔兽的眼睛，看到了种种过去。他看到从前花破暗站在炼魔峰前，看到百年前那张阴郁而妖异的脸——

“重华之君流我为奴，捧他慕容氏为贵族，当真可笑至极！”

花破暗曾对着初具雏形的血魔兽喃喃私语，将他的仇恨尽数倾灌于它。

“从我懂事起，我就觉得万分好奇，为何我是服侍人的，而有的人天生富贵？那些糟老头儿告诉我这就是天命，我命该如此。”

“可我真的命该如此吗？我比那些贵胄勤勉，我比他们所有人都更有天赋，这算什么天命？难道不奇怪？”

花破暗的面目是那么扭曲。只有这样的仇恨，才能滋育出那样的恶兽。

他对尚在孕育中的血魔兽道：“净尘，你知道吗……为奴的那些年，我在重华的学宫里翻典阅籍，一点点地去挖这个邦国的根，我想知道为什么姓慕容的是贵胄，而我们这些人则是仆役……还真被我翻到了原因，但那原因简直令我感到愤怒至极！

原来重华建国之初，原有两位兄弟一同为帅将，领着他们的部族，镇压了番邦，建立了这个国家。他们将不肯顺降的番邦子民削为奴籍，褫夺他们修炼的权力，以免日后这些人举兵起义，推翻他们所建的邦国。

但杀戮却并没有结束，一山不容二虎，昔日生死与共的手足在迎来短暂的安定后，陷入了谁来承接大统的僵局之中。一场内斗，尔虞我诈，最后是兄长失了策，沦为了败将。于是他的弟弟将他的裙带统统斩除，后嗣也打为最卑贱的奴役，废去灵核，烙下奴印，永世不得翻身。而我，就是那一支子嗣的后代——很不甘，是不是？”

他嗤笑起来：“明明我身上流着的是和慕容氏相同的血，就因为当初的一人之败，一人之私，两人之争，沦落到了连自己姓甚名谁都不能知晓。”花破暗森森然道，“换成是你，你能平静吗？”

血魔兽净尘在熔炉之中爆溅出一道火光，好像是在回答他的问题。那火光将花破暗的眼睛映照得更亮了。

天地好像都要毁灭在那双痴狂的眼睛里。

“我从来就不情愿过这样的日子。所以连一开始灵核暴走我就是算计好的。我算准了沉棠那个可笑之人心肠软，他一定不忍心杀我，甚至会念在我乖巧可怜，替我向君上求情，容我破例为修。”

炼魔山的火光犹如厉鬼的舌头，从地狱蹿出，疯狂地蹈舞着，映照着当年花破暗的脸——欲望、仇恨、野心……

顾茫看到那是血魔兽对人世最初的印象，花破暗倾注给它的印象。

“净尘，我炼化你，就是要你替我夺回重华。”

“这个邦国，我亦可为君！”

它是恨意和欲念铸就的恶兽，死人的血肉成了它的血肉，花破暗的野心成为它的野心，如今它将它的恶与顾茫共情，顾茫几乎被那骇然的血腥压得坠入无间地狱。

顾茫恶心极了。但他仍坚持着与它共心。只为了……

号角响起，战鼓雷鸣。顾茫回过头去，看着重华浩浩荡荡的军队，他的兄弟袍泽，那些从前与他生死与共过的人，那些他曾答应了要带他们回家的人，那些唤他顾帅的人。

星星点点的火光在即燃的战场上飘飞着，他心潮涌动，怀揣着一个谁也不知道的秘密——他当然能赢，当然能胜。

这世上，还有谁比他更了解血魔兽呢。

哪怕花破暗自己也只是它的主人，并非与它共魂灵，同生命。

“御守修，左右翼加固帝都结界，每队疗愈为阵眼，飞马营往燎军北营打乱策应军阵，北境军随我。”

“是！”

顾茫眯起眼睛，俯瞰那刀剑映月的燎军连营。

隔着一条波澜壮阔的大河，一道接天应地的结界，重燎两边的大军在相互对峙着。燎国也早已做好了重华会随时攻来的准备，因此他们的集结丝毫不慢，顾茫看着底下那鱼鳞踊跃般的铠甲，明白只要率军穿过这道屏障，厮杀就将开始。

他深吸了口气，在当空皓月之下，厉令道：“过结界！”

“是！！”

随着这一声令下，重华修士犹如遮天蔽日的猎鸟自高空俯掠，穿过结界的瞬间，对面攻伐修士的黑魔法咒犹如漫天箭雨嗖嗖飞射，无数驯化的黑魔恶兽被他们从驯兽营里释放，长着黑翅的尸犬，喙部淬满毒液的魔隼，乱箭般朝着重华修士狂杀过去。

地面上，岳辰晴率领的竹武士之军犹如草原之上迁徙纵横的马群，涉过滚涌的护城凫水，朝着对岸的燎军阵营奔突纵横。

重华的先锋军队就像一柄尖刀，狠力掷向了燎军这面盾牌，刀盾相擦爆出重重火花，往核心里刺去。紧接着盾牌后面突出长枪，便是燎国攻伐修士的反杀对抗，一时间吼声震天，血火纷飞。

“杀啊——！”

像是无数流星落地，烟花绚烂，明明是如此残酷的大战，在丝绒般夜幕的映照之下，竟无端生出了波澜壮阔且璀璨耀眼的壮美。

死尸很快就将凫水河岸浸润成了胭脂色，顾茫用一柄刺刀击杀朝他飞扑而来的魔鸟，厉声道：“不恋阵地，随我去血魔兽炼化地！”

在血魔兽的炼化地旁边，有一个硕大无朋的祭品囚笼，里头密密麻麻关押的都是燎国这些年四处捕捉以及培饲而来的蝶骨美人席。美人席们被燎人一个接一个押送着，往中心的炼魔炉走去，像是炼剑的铁矿，云石……或者随便什么没有生命的东西，被逼迫着投入炉中，成为让血魔兽重生的力量源泉。

美人席们已经看到了血魔兽的雏形，知道那会是怎样可以改变天地的恶兽。这些体内留有一部分上古魔血的生物被源源不断地送进滚炉。

其中一个容貌清美昳丽的眼见着快轮到自己了，眼中流出大颗大颗的泪珠，由于血统的缘故，它的泪痕是金色的——这也是燎国这些年搜捕美人席最大的凭照，身有魔血，眼有金泪。

正绝望间，忽然天空中猛地劈下一道蓝光，强大的结界华彩拔地矗起，将剩下的美人席们全部笼罩在结界之后。美人席又惊又喜，仰头看去，见天空中一群重华修士御剑而至，为首的领帅银甲玄靴，眼眸蓝光莹莹，顶上兜鍪红缨猎猎。

那一抹代表着英烈之血的蓝金帛带在他额发之下端正佩着——是望舒之子，北境军之主顾茫。

而在他身边的，是黑衣金边、衣袍翻飞的羲和君墨熄，以及蓝衣金边、一脸轻狂的望舒君慕容怜。

“真够恶心的。”慕容怜咋舌道，“比我还下作，我服了服了。”

墨熄则召出率然，腾蛇入空，将困锁着这些祭品的黑魔囚笼重重盘踞，猛地震作碎片！

“逃。”他低垂黑眸，对那些惊疑交加的祭品说道。

祭品们愣了好一会儿，忽然反应过来，犹如池中的鱼群一般开始焦急地涌动，叩天拜地，大声号啕。墨熄命一支御守分队护着他们往安全的地方撤去，一时间尽听得这些祭品涕泗横流道：“多谢……多修仙君……”

那个刚刚被救的美人席连连作揖，被重华御守修催促它快走，它才含着泪，又回头望了他们一眼，而后转身离去。

然而，就在顾茫以压倒性的力量将这一支燎军镇压，释放美人席时，忽听得天空中鸣响起一声凄厉破天的乐响——

顾茫是所有人里对这个声音反应最快的，他闻声一惊，猛地抬头：“风波？！”

远处一个半虚化的人影掠近，亦是御着剑，立于高空。

那人一袭白衣，衣襟不羁放荡地微敞，手中握着一把白帛飘飞的锈铜色神武。他抬起脸来，端的是一张清俊面容，黑眸熠熠，笑容张狂。

这一回便连墨熄和慕容怜都惊呆了。

“顾茫？！”

立在御剑之上的那个半虚影竟是顾茫！！而且是年轻的、英姿飒爽的、未受任何黑魔淬炼的顾茫！

“这……这是怎么回事？”慕容怜惊道。

但墨熄却只在瞬息的愣怔后就立刻明白了过来，他双目微红，紧盯着那个故人的身影，低哑道：“九目琴……”

“什么？”

“燎国国师的九目琴。”墨熄道，“琴里藏着九只眼睛，每只眼睛都是一种强大的力量。”他说着，指尖微微发着抖，陷入了自己的掌心里。

声音因为沉重的恨，而被压至几不可闻：“这一只是用顾茫被剥离的重华之术炼成的。”

慕容怜震惊地转头去看顾茫，但顾茫却没有过多的神情，好像“剥离”两个满是血腥与痛苦，意味着囚牢里被剖皮斫骨，灵力生生拔出的痛，与他并没有什么关系似的。顾茫只是盯着那个半虚幻的，能够使用重华法术，能够召唤神武风波的“自己”。

片刻，无比冷静道：“看来国师虽在暗处操持着血魔兽的重生仪式，但此刻也坐不住了，竟派了我来对付我自己。”

“……”

“我好像还挺俊的。”

“……”慕容怜道，“一般吧，比我差那么一点儿。”

顾茫笑了一下，刚想说什么，就见得“自己”又举起了唢呐，指尖按着唢呐眼，那个架势顾茫再清楚不过，他立刻扬眉喝道：

“都开辟音结界！”

他身后的修士们纷纷依令行事，但毕竟不是所有人速度都这么快的，阵法陆陆续续只开到一半，“顾茫”便已吹响了曲音。

“啊——！”

唢呐之声虽单薄，却穿云透日，瞬间卷遍了整队军阵。那些来不及开结界阵的人发出连声惨叫，一下子从御剑上跌落，倒在了地上，有的被神武之音逼得七窍流血，有的则支撑不了片刻便昏迷过去。

顾茫暗骂一声，他自己虽然恢复了神识，但灵力终究是回不去了，他能召唤的只有魔武匕首，可是匕首单打独斗效用虽厉害，在军阵之前却完全比不上风波的声音。

场面瞬息间一片混乱，而就在此时，那些原本被压制的燎国魔修暴起反杀，战局立刻从一边压倒反了过来。

一些燎修追上了落在尾端的美人席，将那些尖叫着的蝶骨美人席又陆续抓了回来，一个一个地往灵力炉里投下去。那炉子里的熔流颜色已经极亮了，不远处重生阵地里，血魔兽的虚影也越来越鲜明。

“再抓！再抓一些！”一个高阶燎修近乎疯狂地大喊道，“就快重生了！它就快重生了！还差一点点！”

墨熄欲召吞天现世，可吞天实力太过强悍，一年可召的次数其实就那么几回，他早已用到了极限。再加上前一次与慕容辰对抗，吞天损耗过大，此时竟并不能一下顺利召出。

然而，就在这危急时刻，墨熄听得身后传来了另一声破阵之音。

他蓦地回头，顾茫亦是吃惊回首。

奏响这破阵乐的人是……慕容怜？！

同是望舒家的子嗣，慕容怜自然也有自己的乐修神武，只是他素来不喜欢，所以几乎从不召唤它。

可是这时，他腰际靠着一把龙鳞皮面的神武胡琴，对上顾茫的眼神，慕容怜瞪他道："干什么？看什么看！不许笑！"

"……"

顾茫没有笑。

他只是没有想到，原来慕容怜也有这样一把可以以一人之音震破三军的神武。慕容怜扬手一挥，满弦拉响。只听得胡琴之声嘹亮，与对面的风波唢呐一起，两道声线犹如看不见的蛟龙各自破水而出，激烈相撞，风雷滚涌！

这是乐修后嗣之间的对决，谁也不曾轻率，慕容怜一双桃花眼眯着，盯着对面那个自己熟悉的"顾茫"，白皙的手扬拉着丝弦。那声音越来越尖利，越来越狠绝，这两股力量绞杀一处，所有人都被那丝竹金石之声震得耳膜嗡鸣，灵流翻涌。

这两个人的乐声犹如蛟龙动波，时而慕容怜的胡琴占了上风，时而又是那个顾茫幻影的风波力压一头。

这样的拼杀虽不似兵刃相见一般血腥，但其中凶险却是丝毫不输。

慕容怜回腕扬弦，琴声骤峭，而顾茫幻影在略微逊色之后，忽然眯起眼睛，嘴唇微微离了唢呐，真正的顾茫看出端倪，立即出声提醒，喊道："当心！！"

慕容怜骤然警惕，拉满弓弦，就在他的琴声达到一个临点时，"顾茫"一下阖目抬指，仰头吹响了最尖锐的一声！

"铮！"

陡然间一道音波爆弹，慕容怜低头，呛出一口血来。

顾茫惊道："慕容怜，你怎么样？！"

慕容怜舔着唇齿间的鲜红，阴沉地抬头，喃喃道："没事……死不了。"

他森然看着对面的"顾茫"，而那个"顾茫"幻影也并非拥有着十成的力量，激烈相斥之下，被波弹得虚影俱散，化作模糊不清的雾气，最后竟慢慢地消失不见了。

人群一寂，当顾茫的幻影彻底消散之后，重华军内爆发出一阵欢呼。

“散了！散了！”

“我天啊，望舒君还会这个？他怎么从来不用？”

顾茫过去，确认了慕容怜当真无事，便松了口气：“你怎么从来不露一手？”

慕容怜哼了一声，不耐烦地挥散了神武胡琴，黑着脸道：“有什么好说的，我最讨厌的就是乐修，弹弹唱唱，婆婆妈妈，一点意思都没有。”但见那些小修们欢腾，又重新投入与燎的厮杀中去抢占炼魔炉，他眉眼之间多少还是露出一些得意之色。

然而，就在这时——远处忽听得一声能将人五脏六腑都震碎的轰鸣！

那声音与响动犹如泰山崩塌，黄河水灌，仿佛大地便要在此刻毁灭。

所有人都惊住了，有些小修脸上还带着胜利在望的笑意，僵凝地抬起头来，熔岩的火红色映亮了他们的脸，将希望洗去，以恐惧上妆。

“血……血……”小修士们磕巴道，“是血魔兽……血魔兽！！！”

随着炼魔炉的颜色到达了炫目的金黄，滚滚熔浆从地面下拱出来，拱破了土地山石，仿佛盘古从混沌里破出，带着一种既庄严又可怖的力量，源源不断地拱出了地面，而后旋风卷地般呼啸咆哮着涌上去，将原本立足于天地间的那个血魔兽虚影在瞬息间填满！

顾茫的颅内骤然裂痛！

“啊……”

——他就是它，它亦是他。

他本想阻止它的重现的，但这一刻，顾茫能够无比清晰地感受到一股可以移山填海毁天灭地的狂流魔力涌遍了它的肌骨百骸。

它在烈焰的壳里，即将……浴火，重生！！！

“躲开！！！开水结界！！！”

“墨熄，吞天——”

顾茫的厉声喝喊让那些全身紧绷的修士们清醒过来，他们也已意识到了大劫将至，纷纷撑开水系结界相阻。与此同时，地动山摇，数以万计的碎片与火浪像厉鬼嘶吼涌向黄天大地，喷薄着爆溅着！纷纷重砸到了他们打开的防御结界上。

一人之力又怎能敌得过以千百万怨灵铸就的血魔兽？随着魔兽重生，烈火不熄反涨，大有荡尽天地之气，修士们渐渐地撑不住，有的灵力低微的，撑开的水结界已经被烈火压过，瞬间将他们吞没裹卷，卷到了血魔重生的灵力旋涡里。

墨熄咬牙，灌注了周身全部的力量，再一次怒喝道：“吞天！召来！！！”

血与火之中，巨鲸终于腾跃出世，蓝色的光辉瞬间普照了整片火海，将重华的修士和那些无处可逃的美人席护在其中。人们隔着吞天巨鲸的蓝光，脸上带着焦灼的伤痕，含着恐惧、不甘、绝望……

看着火焰之中，血魔兽炼育出银白色的皮毛，显现出足有一座宫殿那么大的尖爪，幽蓝色的眼瞳。

“呜嗷！！”

地裂天崩中，那传闻中的恶魔之兽跃火而出，它高得几可遮天，令人站在地面扬起脖颈也难以瞧清它的全貌。它引颈而啸，而在它的头顶上，燎国国师抱琴而立，衣摆飘扬，正冷冷地俯瞰着即将尽数臣服于他的人间。

而在它的颅顶上，一个白衣金边的男子飘然而落，足尖点着，稳稳而立。正是在幕后操纵着一场魔兽重生的燎国国师！

“净尘，去吧。”

随着国师的一声令下，血魔兽净尘长啸着腾空，裹挟着未熄的烈火，朝着重华的帝都结界飞去——

“它来了！”

“结阵！快结阵！”

驻守在重华凫水河岸边的御守修士们大叫着，他们击射出无数法咒光芒，涌聚在帝都结界上，而与此同时净尘已如山岳入海的力道猛地向结界一撞。只听得“轰”的一声，第一次撞击后，帝都结界就已然裂开了一道狭长的豁口。

上古恶兽的力量终究还是太强了。

哪怕御守修士们倾尽全力再行修补，恐怕也支撑不了三次撞击。

慕容怜与墨熄有心回去策应，然而这时国师却自净尘顶门上御风而落。他手中琴声动，九目琴的七只眼睛纷纷睁开。除了方才被击溃的顾茫，还有在琴梢的最后一只眼睛外，其余琴目里俱腾跃出原主的幻影。

那些被国师炼于琴内的，除了早已见识过的玄武重甲、梨春国轻功大宗师之外，还有其余妖物异兽、修士邪祟。而此时这七道虚光代表着七种在某方面至为卓绝的力量，阻挡在了他们意欲策援的路上。

慕容怜阴沉道：“你究竟是个什么东西！蝇营狗苟的，打架要靠别人，出门还戴面具——太丑了见不得人？！”

国师不以为意，他袍袖飘飞，站在七道幻影之后，淡笑道：“面具吗？我只是戴习惯了而已，并没有什么见不得人的。而且我也不会一直戴着，等重华城破，我入都城之际，自然会摘下来。”

他顿了一下，笑容愈甜：“望舒君只要祈愿你能活到那时候就好。”说着手一挥，那七道光芒利剑一般向墨熄与慕容怜袭去。

那边厢，虽然顾茫已经赶到了帝都结界旁，但血魔兽已经獠牙狰狞地撞击了结界第三次，在众人一片惊呼大叫声中，结界炸碎作无数光点，冰雹般落向地面。而血魔兽抖擞皮毛，一跃撞破最后一点岌岌可危的禁制，吞风咽云般腾空而起，倏然飞向王都。

凫水河边的修士们没有想到破界竟是如此迅速，一时呆立当场，谁也不知如何是好。

率领着竹武士甲兵与异兽族群的岳辰晴是他们中第一个反应过来的，他忙道："还愣着做什么！等着它把整个王城毁掉吗！快去拦住它！"

众修们激灵回神，正欲追击，却见得顾茫御剑回来，大声喊道："都别追了！"

"顾帅……"

"这一会儿是追不上它的。"

"可它已经往王城方向飞去了！它摧毁帝都结界都只是瞬间，何况一座城池——"

顾茫却道："它不会立刻这么做。"

"什么意思？"

顾茫道："血魔兽刚刚重生，力量看起来虽强，但那是与凡人相比。它自己此时尚且体弱，而帝都前些日子因为慕容辰之变，到处都是魔气蔓散。这些魔气对于我们而言是催命符，但是对血魔兽而言却是不可多得的甘露。在把城内魔气吸啜完之前，它是不会毁城的。"

果不其然，只是说话这当口，血魔兽已然飞至了重华王都上空。但就像顾茫说的那样，它并没有立刻展开攻击，而是在空中盘桓几圈，最后轰然落到了重华城郊的一座山边，张开血盆大口，开始源源不断地将魔气吸入自己体内。

众人看着悚然可怖，顾茫却冷笑一声："倒也好，让你替我们中了魔毒的百姓解忧。"

说完回头对兵卒们道："它在吸炼魔气的时候，守备最是虚弱——看准了，此兽胸口下方七尺，是它的死穴。"

又对岳辰晴道："岳辰晴，你过来。"

岳辰晴不明所以地去了。

顾茫整理了一下他微乱的袍甲，抬起湛蓝的眼睛，说道："我请你，立刻率一半守军，奔赴战魂山。"

岳辰晴微怔，不解道："去战魂山做什么？"

顾茫略有停顿，而后道："燎国兵策有载，战魂山历代重华先君石像乃是一个结界局，七尊像下面镇守着重华建国之帅的武器。"

岳辰晴惊道："什么？！竟有此事，为何重华国自己反而不知……"

"因为那个建国之帅不是别人，他正是因夺权败北而被下放为奴的初代国主的兄弟——花破暗的先祖。"顾茫一边遥看着血魔兽吞噬魔气，一边道，"当年此人失势之后，初代君王将他的行迹功勋一一抹去，而他所拥有的那把半是神武半是魔武的特殊武器，也被封印在了战魂山巅，以石像镇守。"

"但由于封印结界需要每过百年加固一次，而这个秘密又不能公之于众，所以初君就立了一个规矩——每一位君王卸任，无论是否贤德，都要以镇灵石立一座雕像，矗在战魂山峰上。”

岳辰晴喃喃道：“一位君王就算寿终正寝，前后也不过百年，这样一来，确实是以立像为由，加固了结界……”

“是。不过即使如此，因为武器威力强悍好斗，数百年煞气不散，虽然一直加固，但到了夜间阴气重时，战魂山也依然能听到战鼓厮杀、行军之声。那就是那把武器发出来的鸣啸。”

岳辰晴问：“那是什么武器？”

“传闻中是一把长弓，由千年前一位剑师，以神魔之力并铸。”

顾茫说着，又对岳辰晴道：“你记好我下面的话。根据燎国秘闻推测，你只要带着一半的守军，将山顶的所有石像打破，以百人掌心血祭，神魔弓便会破封而出。届时你便合众人之力，凝铸成一支灵力箭，在血魔兽把城内魔气全部吸入之时，将它击杀。”

“那你呢？”

“我会在血魔兽身后率另一半守军施法，将它定身牵制。因为只有在那个时候，血魔兽承接了太多魔气，一时不能消化，才会最为虚弱。一旦错过，它便会变得愈发强悍，所向披靡。”

顾茫盯着岳辰晴，说道：“记住，胸口正下方七尺的位置是它的死穴。你只有一次机会。”

血魔兽吸纳全城魔气，大约需要小半个时辰。这期间它周遭笼罩着魔气屏障，没有任何人可以接近它。

岳辰晴领了一半守军先往战魂山去了，顾茫则领着剩下一半的修士，镇守在浪涛滚滚的凫水河边。

这个时候，天已快亮，硝烟弥漫的战场上方，长空泛起了鱼肚白。顾茫回头看向远处正在和国师交战的慕容怜与墨熄，似乎是想去与他们说些什么，又似乎只是就这样眷恋地看了他们一眼。

该说的都已说了，冤仇已解，误会已消。唯独余生不可得。但人生又岂有这么多的圆满？

顾茫最终没有再留恋什么，而或许是因为他早已在自己的谋划中预演了许多遍这样的别离。

别人只以为他去牵制血魔兽，只有他自己清楚他是去做什么。

他召来金翅飘雪马，束正了英烈佩，兜鍪鲜红，帛带蓝金，他纵马飞起，领着他的袍泽们，向血魔兽身后奔袭去。

战魂山方向隐约传出动静，仔细看，可见草木间重华军士不断接近山巅埋骨地的队列身影。

岳辰晴正在按他所说的去完成委派，而那也是顾茫自己生命的倒计时……

云霞初透，天光乍破，当第一缕金辉撕裂黑暗，自夜幕深处流出时，血魔兽吸饱了重华城最后一缕魔气。

而与此同时，战魂山巅传来轰隆巨响，七座高耸巍峨的先君像轰然坍圮，山林木石之间爆发出流光溢彩的金红色，神魔之弓破土而出！

顾茫知道，那是岳辰晴完成了他的嘱托，成功将神魔弓召出来的动静。

是最后的对决了。

他觉察到了决战的腥甜，血魔兽自然也闻嗅到了危险，它嘶吼着，咀咽着入喉的魔息，吞吐着浓重的魔气，原地顿足一番，最后腾空而起，龇牙咧嘴威风棣棣地朝着战魂山飞去。

战魂山巅，万士之箭凝光待发，在岳辰晴的指挥下直指血魔兽的要害处。

可血魔兽飞得实在太快了，胸口下七尺根本无法瞄准。岳辰晴微微色变，眼看它越飞越近，不由得喉结滚动吞咽，拿不定主意是否要立刻放箭。

就在这时，顾茫拔刀，映日高照，厉声下令道："结咒！"

他在此时驭着金翅飘雪马，腾在滚滚东流的皋水大河之上，对身后的百万雄师厉声喝令，那声音被扩音术传递着，穿过战火硝烟，传遍了荒然原野。

"缚身！"

"是！！"

随着他的令下，修士们发出振聋发聩的回应。紧接着，他们每个人的掌心中都迸射出一道道金色的灵流锁链，那些纤细的锁链汇聚成了气势如虹光焰逼人的天罗地网，从血魔兽的身后飞去，紧紧缚在了它遒劲粗壮的四肢脖颈上。

血魔兽被激怒了，发出了更浑沉的喝吼，它龇牙咧嘴，怒不可遏地挣扎着，一动之下便是千万根金锁断裂。

"再缚！！"

又是无数的金光漫射，再一次朝着血魔兽扑去。

顾茫驻战马于云端，旭日开始东升，自黑暗的大深渊里破出，天上的霞光开始比地上的鲜血更鲜红，顾茫英俊的侧脸被初阳笼罩着，打上一层辉煌的光影。

他在修士们第二次以法咒束缚之际，抬手结印，闭上了眼睛——合眼一瞬，他蓦地以血魔兽净尘之眼，看到了战魂山上严阵以备的岳辰晴，看到破败的王都，看到啼哭的孩童、无助的老人、不曾后退的修士。

在燎国的五年间，他不得不去伤害的这些人，此时他又去以血魔兽的双目张看。

他看到那些曾经令他寤寐难安的绝望，令他愧疚不能平的恨意，但这一次，他终于不用再伤及他们了。

他终于能保护他们。护着这世上的生、善、幼、新——他已伤痕累累，满身血污了，他愿意成为泥，只要他们能在他的血液上开出漂亮的花儿来。

"来吧。"顾茫在心里默默道。

他仿佛看到自己的魂魄面前立起了另一个魂魄，属于血魔兽净尘的那个魂魄。看起来是那么狰狞又高大，俯仰通天。

可是他并不觉得有丝毫畏惧与不可战胜。他走向它。

"来吧，你就是我，我也是你。"

他在这一片闭目所见的神识幻境里向血魔兽张开臂膀，就像记忆里，沉棠曾经做过的那样。

"都结束了。"

血魔兽因顾茫的思想干扰感到痛苦，它被牢牢绑缚，咆哮着却一时挣脱不能。

战魂山上，岳辰晴看到了这唯一的一次机会。

他自然不知道血魔兽的死亡会让顾茫受到怎样的伤害，他立刻抬手，依照顾茫之前对他下的命令，说道："放箭！"

嗖的一声，惊羽飞袭。

万灵箭射中血魔兽要害的时候，正值旭日彻底破云之际，炫目的金辉从黑魆魆的山岳之后普照大地，人间一片辉煌。

清晨总该是恬静且纯洁的，甚至连恶兽痛苦的嘶吼，也在晨曦中被冲淡，不似长夜里那般可怖。

战魂山巅上的人看着，凫水河畔的人看着，重华城内的百姓看着。

仿佛被黏稠的胶漆所裹挟，巨兽动作迟缓，它仰起头，胸口下七尺之处，箭镞深没，鲜血顺着皮毛洇染。

它仰起头，陡然撕心裂肺地大吼起来，四爪一下子挣脱了岸边所有修士的束缚金链。

"不好！"

"没有用啊！它要狂暴啦！"

顾茫却没有吭声，他坐在马背上，悬于凫水河端，他睁开眼睛，在越来越灿烂的光辉里看着那只可撼天地的魔兽。

它愤怒地嗥叫着，站起来——

顾茫安静地看着它，他能感觉到剧痛，就像是当年他奉命入燎时被挖去灵力注入黑魔之力时那样，濒死的痛。

可这一次，或许是因为他知道他的痛苦来源于这只魔兽，所以他并不觉得难过，反而感到快慰、安心、平静……只是仍有不舍与歉疚。

他从很早以前，就选了一条荆棘路，没有想过要回头。这也是他之前从不敢轻易向墨熄许诺任何未来的原因之一，他一直以来都觉得这对墨熄而言太不公平，没有谁应该和一个随时做好了牺牲准备的人在一起。

在顾茫的心里，世上的繁花和他的小师弟一样重要。

只是到头来，兜兜转转，终究还是……不能两全。

顾茫侧过脸，去看远处与国师交战的慕容怜与墨熄，他仔细回想自己最后一次和墨熄对话说的是什么，但却想不太起来了。

他好像存心有想以一个最温柔的句子收场，可是看到墨熄的脸，就忍不住再多说一句，又说一句，说的还都是一些无关痛痒的琐碎事情。

其实谁又会真的喜欢当个英雄，当个密探呢？谁都希望能有一处安居，三五好友，一个爱人，一起为书卷里的风花雪月而笑，为明日又将落雨不能晒衣裳了而忧，操心的都是东市的菜价又涨了，新买的米面不如头先好吃。

但当时运找上门来时，总要有人走的。

谁都不想离开，但总要有人去做些什么——因为他尝过了求不得的苦，明白爱别离的痛，才温柔地不愿让他人再去体会。

只是从前动了凡心，有了牵挂，棋差一步，终究负了毕生所愿。

“墨熄。”顾茫默默地，对遥远处的墨熄轻声地念着。

他柔软的唇舌似乎想再说些什么，但是他不知当再说什么，他与墨熄相识这么多年，历经这么多事，说过这么多话，许多事情他们心里都已明白。于是顾茫最后只是又默默念了几遍墨熄的名字，直到听见身边的修士欣喜若狂地大喊着：“快看！”

“快看啊！！血魔兽它……它不行了！”

顾茫转过头，他笑起来。

我带你们回家，我渡你们上岸，不是因为这片土地有多好，而是因为我一直深信好的总会取代坏的，崭新的总会取代陈旧的，就好像黑夜总归会过去，黎明早晚会到来。这世上总归有太多种子与希望。

我希望它们都能开出花儿来。哪怕只是一朵小小的……微不足道的。

血魔兽挣扎着，最后轰然倒下——它的生命在流逝，在化作点点的光辉，朝着清晨如洗的天幕飞去。

人群死寂，而后欢呼先是从战魂山——那些年轻人更多的地方爆发出来。顾茫听着很想大笑，他知道年轻的生命总是饱含着更多的张力与希望的。能够比像他这样老朽的内心更早发现胜利，发现快乐。

他也年轻过，从前和陆展星，和墨熄，和他的兄弟们策马在离离草原上。

那时候的清风，像是能涤尽一辈子的尘埃，拂于面庞。

后来，他把他的兄弟们都丢在了凤鸣山，他亲眼看着陆展星人头落地，他亲手把匕首没入墨熄的心腔里。他从杀了第一个无辜之人开始，就已经衰老了，重华的顾帅已经老了，已经死了。

他其实一直以来，都挣扎得非常累。他早已破碎成灰，是信念让他将自己勉强粘合起来的。

这一次，这个已死之人，终于完成了他在第三十九次战役中未竟的承诺——

“我带你们回家。”

顾茫在山呼海唤般爆发而出的欢嚷声中，轻轻喃喃出这几个字。他像年轻时那样笑了起来，他看着血魔兽倒下化作尘埃与光点，他看着满山满郊满城的人在热烈地大叫、欢闹。他从那些人群里，看到了陆展星，看到了年少时的墨熄，看到了年少时的自己，看到了凤鸣山死去的所有人，那些没有人记得，而他从不敢遗忘的不起眼的名字。

十万山河十万血。

今日我终……带君归。

我也终于……可以回到你们中间了。

顾茫闭上眼睛，从金翅飘雪马的马背上坠下去，蓝金色的帛带在他发间飘飞着，他慢慢放松下来，在那未止歇的欢呼声中颓然落入滚滚凫水大河里。

真好。好像一生未败，解甲凯旋。

所有的苦难，都淡去了……

扑通一声，汹涌的河流瞬间将之吞没，他沉下去，耳边是隆隆的水声，他在水里张开透蓝的双眸，最后看一眼那逐渐远去的天光。

就像少年时他们在塞外看过的星星，布满繁星的夜空下，陆展星大笑着，兄弟们喝着酒，朔风里弥漫着梨花白的醇香。而墨熄安静地坐在篝火边听着他说江山如画，看着他年少轻狂。

那便是他一生中最好的日子。

“顾茫！！”

在所有人都在为血魔兽的覆灭而狂喜的时候，在没有人注意到顾茫的状况的时候，陡地有一个声音爆发着喊他。

凫水惊涛，修士们先是心惊转向墨熄，而后才蓦地发现，在他们最快乐的时候，金翅飘雪马上已经没有了顾茫的身影。

人们这才惊道：“顾帅！！”

“怎么回事！”

“顾帅怎么了！”

“快去救他！快下去救他！！”

一片混乱中，国师趁此时机猛地抚琴击伤了心念大乱的墨熄，正欲再杀，却被慕容怜格挡下。慕容怜心知此刻再与国师缠斗绝非上策，正欲与墨熄同去凫水大河里将顾茫救上岸，却听得国师森然冷笑——

“你们？你们能救得回他？”

慕容怜脸色发白：“你什么意思！”

墨熄却是一言不发，他浑身都在颤抖，他不管不顾，再也听不见任何声音，只眼眶通红地赴那顾茫消失的洪流而去，慕容怜拦之不住，而那国师竟也没有阻止，由着他直奔凫水河畔。

慕容怜扭头对国师道："你到底什么意思！！"

"呵，顾茫用的是当初和沉棠相似的术法，将血魔兽击溃又封印。"国师低声道，面罩后面的眼瞳泛着幽暗不定的光，"沉棠杀了血魔兽，自己也就死了。顾茫今日也一样。"

慕容怜大怒："你放屁！"

国师嗤笑："你若不信，便随着羲和君一同去寻人吧——顺便说一句。"

他忽地抱琴后撤，立在一块陡石之上，冷淡道："沉棠当年之举，令我攻城失败。事过百年，我自然不会令此事重演。所以我在重淬血魔兽净尘时，熔炼了一个新的法术……"

慕容怜一怔之下，猛地反应过来："你说什么？"

仅有的血色也在他脸上褪去。

"你当年攻城？！"

国师淡笑道："嗯。"

慕容怜面色如纸："所以，你……你是……"

国师颇无所谓地摘下假面，露出一张英俊深邃，但透着一股子邪气的脸。慕容怜如遭雷殛，蓦地后退数步。

"你——你竟是——！"

国师抬起头，咧嘴笑了，露出白齿森森。

"既然已经到了这一步，我也懒得再瞒什么了——燎国前主花破暗，不错。"他笑道，"就是在下。"

慕容怜喉咙发干，一时间什么话也说不出来。而这时忽听得远处凫水岸传来修士们的惊呼："怎么回事！"

"这是什么？！"

他蓦地回头看去，见到血魔兽净尘消失的地方，忽然出现了一片泡沫翻涌的血池，那血池像是有生命似的，竟还以缓慢的速度不断向外延伸扩张着……

花破暗也漫不经心地看了那血池一眼，歪头笑道："怎么样，我吸取了当年沉棠殉国之事的教训，重新加入了新的法术——血魔兽一旦被击杀，其鲜血便会化作一个不住扩张的血池，除非我下令，否则它就会源源不断地扩下去，将山川城郭，死人活人，全部都吞进池子里……如若你们不投降，我不介意重华成为一片血海。"

他舔了舔嘴唇，声音轻下来，幽森道："反正，时过百年，万事皆变。我在重华也并没有什么值得留恋的东西。"

他说着，随意将面罩掷落在地。

"留你一条命，回去和重华的人说。"花破暗道，"血池吞没重华城只需十日。给你们十天时间，降，或者死。你们自己选清楚。”

说罢衣袖一拂，轻功掠地，飘飘荡荡如纸鸢一般，没身在了燎国驻军的烽火狼烟深处。

第48章

正如花破暗所说的，血魔兽死后化作的血池在一点点地扩大，吞噬了河岸边的草木，浸透了护城河的河水，慢慢地，城郭的边沿也开始坍圮，砖瓦掉入血水之中，也消融成了鲜红黏稠的浆液。

这种侵蚀不再似两军对峙时那样杀声震天，胜负在须臾决出。

它更像是草垛中游曳的毒蛇，一寸一寸地吐着芯子，准备吞噬掉眼前庞硕的猎物尸体……

这段时日里，重华与燎没有交战。两边隔着那滚滚熔流的血色之河，重华一片死寂，而燎国已渐狂欢。

是夜，墨熄独自登上城楼，在鸱吻峥嵘的角楼朱栏边望着城外——楼宇之下便是血池之水，隔着辽阔的红河水面，能看到燎国的连营灯火通明，修士们围炉而坐，全然是胜利在望的模样。

跟随着他的羲和府管家李微垂首、静候于角楼之下。

有小修忧心忡忡地问道："李管家，羲和君还好吗……"

李微一时默默，饶是金莲之舌，竟也说不出什么话来。

墨熄还好吗？他不清楚，谁都没有这个问题的答案。

顾茫牺牲之后，重华士卒们一度以为墨熄会失去理智，以为他会一蹶不振，以为他会自暴自弃，以为他会伤心欲绝。

但他没有。

众修在血魔兽化作的血池边反复施法，想尽了法子也无法捕捞到顾茫——哪怕是顾茫的尸体。

最后反倒是墨熄对他们说，别找了，回去歇息吧。仗还没打完。

他和顾茫都是一将功成万骨枯的命，他们见过太多人在战火中生离死别，昨天还一起饮酒的兄弟，或许第二日就成了了无生气的残躯。

他们甚至来不及悲伤，来不及吞咽这个事实，来不及消化一个人的生死。一切都是匆匆忙忙的，责任会逼着将领去清醒。

因为，仗还没有打完。

兵卒若是悲伤失去控制，付出的或许是自己的性命。而主帅若是悲伤失去控制，会连带着多少人一齐送命。

墨熄知道自己没有这个权利。他所能做的，只是在瞭望血池与燎军时，兀自凭栏，在他在意之人牺牲的血池边多站上那么一会儿。

只是那么一会儿。

小修士忍不住又低声问："羲和君不会难过吗？"

这一次李微倒是能很快作答了，他说："他又不是顽石之心，如何不会难过？"

说罢李微在心中暗叹一口气，向星空下墨熄孑然孤寂的身影望去。

在顾茫刚刚沉于血池的那一日晚，是墨熄亲自下令让修士们回城休整，不用再做无意义的捕救。

多少有些人在心惊于墨熄的冷血与冷静。

唯有李微清楚，那天晚上墨熄回去，在羲和府那间顾茫住过的屋子里，褪去了所有的身份与责任之后，到底是什么样子。

李微原本是去收拾这间再也不会有主人的房间的，但他还没推门，就看到墨熄坐在小桌前的背影，桌上是顾茫曾经写过的书信，留过的片言。墨熄就在那一豆枯灯里一页一页地看着，顾茫平日里记下的都是值得高兴的事情，字句间极少埋怨什么不好。

墨熄就浸在那顾茫编织的美好过往里，饭兜趴在他脚边呜呜地叫唤着，似乎在追问着他顾茫的去向，似乎在问他，为什么今夜顾茫没有回来……

几许后，墨熄垂下头，那屋子里终于传来低低的哽咽，压抑着，像他此刻也压抑着自己肩膀的颤抖。可是怎么压得住呢，他已经苦撑了那么久，他整个人都已只剩下悲伤，苦痛，还有责任……除此以外他什么都没有了。

这些年，他历经了虚假的背叛，真正的错失，离别的痛楚，每一次他都告诉自己，再熬一熬，再熬一熬，或许一切就能过去。

甚至几天前，他看到站在校场猎猎军旗下神采飞扬的顾茫，他以为，一切苦难终于到了尽头，以为此战之后就能熬来他的长相守。

可是留给他的，最终只有这一方空寂的小屋。

屋子的主人已经离去了，就好像客居于此，甚至没有留下太多的痕迹。

原来他经受了这么多苦难，最终熬来的，不是长相守，而是久别离。

墨熄将那一沓柔软的书页捧起来，贴在胸口，靠近心脏搏动的位置。好像写字的人还残有温度在纸页上。

他再也忍不住，嘶哑地，软弱地，低低地唤一声："顾茫……"

顾茫。此一声后，再也说不出更多的句子。

他不是帝国的砥柱，不是墨帅。这一刻他只是一个与所慕之人永诀的无助之人，是被顾师兄留在血海里的小师弟。

所有的同袍都离去了，那七万的亡魂，那些曾经与他们一样年轻从军的兄弟，如今顾茫也走了。

最后只剩了他。在黎明破晓之前，只有他一个人了。他的顾茫哥哥，都再也不会回眸看他，冲他张扬地笑，或者茫然地恼。

一声沙哑的呜咽像是濒死的兽，痛苦地哀号着，撕碎了最后的自制。墨熄低着头颅，哽咽着，哀恸着……最后他像失去了一生牵绊的困兽，像末路孑然的雄狮，困顿着，绝望着，最后终于在这寂夜里，泣不成声。

人生这么长，山河这么广，可只剩这一刻，只有这一片天地，是属于他自己的。

李微看着他的背影，叹了口气，轻轻地，替他掩实了门……

墨熄从来不是无情的。

李微知道，在整个重华，或许都不会有一个人，能够真正地明白对墨熄而言，顾茫究竟是什么。不是光，不是火，不是希望，不是兄弟……顾茫之于墨熄，或许比这些拢在一起都多得多。

所以墨熄下令让他们别再浪费力气搜救了，那并不是一种放弃。而是因为墨熄比谁都清楚——顾茫做的决定是什么，顾茫想要什么，以及他还会不会回来。

李微离开了这一深小院，他很敬仰他的主上，其实在君上还未将他赠予墨熄的那一年起，他就觉得羲和君就是重华的脊梁。

如今脊梁在旁人看不见的地方弯折了，他很痛，很难再支持下去。可是整个邦国的人都只能看到墨熄的强悍，却忘了他也只是血肉之躯。他刚刚失去了他最重要的人，但允许墨熄喘一口气，允许他作为一个活生生的人去凭吊去思念去拥抱另一个人的气息的地方，竟只有这一方小小的孤室。

那就是他与他顾茫哥哥的家了。

李微不忍心打扰，也不忍心再看——这是墨熄与顾茫的道别，与羲和君，与顾帅，与尊与卑，与生与死，与其他的任何人，都没有关系。

他是羲和府的管家，最后也会替主上把这一重秘密守好。

第四日，重华都城已被血池吞没小半。那一小半的城民不得不退缩到城池靠后的位置，看着自己从前的家成了一片血海。

所幸岳辰晴善行机甲术，慕容楚衣留下的书录当中，又有一卷是讲解如何尽快地建造避难屋舍的。他照着图纸而行，倒也暂且缓解了这些人的容身难题。

那是慕容楚衣的法术。

岳辰晴想，如果四舅还活着，一定会做得比他周全得多。但是他的小舅舅已经不在了。

只有他，能把慕容楚衣的温柔，在这动荡的乱世里延续下去。

“四舅，我或许做得不够好，但是……”他仰头望着星空，已经磨到起泡的手指微微颤抖着，却依旧没有放下他在调试的竹武士。

“但是，我会按你的心意去完成你要做的事情。”

“我是岳辰晴，是你的外甥，岳家的家主，是你的继承人。”

繁星一闪一闪地，照耀着这一片烽火狼烟的大地，也映在了岳辰晴隐约溦着泪光的眼睛里。

岳辰晴小声地哽咽道：“你在天上……都看到了吗……”

你曾经一直在默默地保护我。现在换我了，舅舅。我来保护我们的家。

如岳辰晴一样，如今的重华，每个人都在为了保卫他们的家邦而战。

从前这个邦国确实是一盘散沙，但因为有顾茫，有慕容楚衣这样的人先献祭了鲜血，也因为大家心里都很清楚，此战若败他们再无退路，所以这盘沙终于凝在了一起，变得坚实，变得坚强。

血池在不断蔓延，但是绝望之中的韧劲却不消反涨。

他们在寻找转胜的出路。

到了第五日。

当所有贵胄以及高阶统领们在王宫军机署钻研如何才能遏制住血池的扩张时，忽有守备来报——

“羲和君！望舒君！梦泽公主！”守备依次向殿内三位目前最是权重可靠之人行了礼，而后道，“姜药师回来了！正在殿外等候！”

姜拂黎进殿的时候，所有人都怔住了。

其中以他的妻子苏玉柔为最甚。苏玉柔虽以白纱垂面，教人瞧不清红颜，可是她看到姜拂黎的模样时，捧着的杯盏竟失手滑落，蓦地摔到了地上，砸了个粉碎。

“拂黎，你——”

姜拂黎一身青银色相间的衣袍，那衣裳选料做工都堪称极上乘，但依旧掩盖不了他的风尘仆仆，最令人吃惊的是他的眼睛。

他那只原本就已经夜盲的左眼，不知是受了怎样的损害，已经完全看不见了。雪白的纱布斜缠过去，渗着鲜红的血迹。

他闻声，用尚且清明的杏仁右眼静静地望了苏玉柔一眼。两人目光相触间，就似交换了一个旁人所不知晓的秘密，苏玉柔一下子就颓然软倒了。

墨熄听到她用几不可察的声音，轻轻地唤了一声“宫主”。

姜拂黎衣冠狼狈却神情磊落，脸虽然还是奸商姜药师的脸，但气质却和从前迥然不同，眉目间的情态甚至都不像同一个人。他此刻看来温柔、沉静、坚定，而不似往日的姜药师——往日的姜药师时常给人以另外一种感觉，就好像，除了钱帛，他从来不知道自己要什么，在乎什么。

以前的姜药师是个无情无心的傀儡。

但今日归来的他，似是傀儡终于召回了失却的魂灵。

姜拂黎用剩下的那一只漂亮的眼睛在屋内扫了一圈，目光依次在慕容怜、慕容梦泽身上停留了片刻，最后落到了墨熄身上。

他沉默片刻，低声道："羲和君，我有要事，烦请你移步一叙。"

姜拂黎说这句话的时候很客气，但是却莫名地有一种压迫力。屋内众人都感觉到了姜拂黎性格上的骤变，因此朝墨熄那边望去时，忍不住添了几分忧心。

慕容怜狠啜了一口浮生若梦，忽然抬手一把拉住了准备与姜拂黎离开的墨熄："先等等。"然后他那一双桃花三白眼眯缝着，盯着姜拂黎："你是真的姜药师，还是又是个赝品？"

"你七岁的时候曾因不服身高不及顾茫，在鞋履中垫了厚厚一沓绢纸，结果不慎因此跌倒，摔破了头，缝了——"

"停停停！"慕容怜面露尴尬却犹自强撑，"行了！我知道你是真的了还不行吗？"

说罢讪讪地松开了墨熄，翻了个白眼低声暗骂。

墨熄与姜拂黎去了偏殿的暖阁。

侍从屏退，阁内无人。姜拂黎一挥手，暖阁四周顿时降下星星点点的防护结界。可墨熄却在看到那结界的瞬间顿住了脚步。

"一百年前就已经失传了的圣灵结界……"墨熄盯着姜拂黎清瘦的侧脸，那男人的神情坚毅，但却很是憔悴。

苏玉柔方才喃喃的那一声"宫主"回荡在他耳边。

墨熄心里陡然炸开一个可称是匪夷所思的猜想，他禁不住问："你到底是谁？"

姜拂黎没有吭声，在桌前坐下了。

屋内很静，圣灵结界的光华一直在流淌着。墨熄能听到自己的心跳声，半晌后，他低声试问道："沉宫主？"

姜拂黎抬起眼来。那只完好的琉璃色杏仁眼显得很安宁，他说："我不是。"

"……"

"沉棠数百年前就已经死了，我只是姜拂黎而已。"他顿了一下，转而道，"另外，顾帅的事情，我也已经听说了。"

顾茫的名字就像锥针，刺到墨熄其实早已经破碎不堪的心脏里。墨熄蓦地垂下长睫毛，遮在眼前轻颤着。

姜拂黎道："他还很年轻，没有受过应受的敬重，得到该得的安宁。他和沉棠其实不一样……他们俩都是以身殉魔兽，但是，顾帅本身在这世上仍有渴望与牵绊。"

他说到牵绊的时候，深深地看了墨熄一眼。

而后又道："沉棠则不是。"

"……"

"沉棠在殉身魔兽的那一刻，他已经心灰意冷，别无所念。沉棠求死而顾茫求生。"姜拂黎摇了摇头，说道，"对不起。事情本不该如此的。"

墨熄微皱起了眉："可你……你若不是沉棠，又怎么会知道沉棠当时心中所想？"

姜拂黎果然沉默了。

过了好一会儿，他叹息道："此事若要讲来，实在是很复杂的。"

"愿闻其详。"

姜拂黎顿了顿，似乎在斟酌着如何开口，最后他说："我之前替顾茫疗伤时，共情了他的一部分记忆。看到你们在蝙蝠岛，遇到过一个叫雾燕的姑娘。"

"那是一个渴慕沉棠的女妖……"

"不错。"姜拂黎道，"可我看到你们的记忆后，总觉得我好像在哪里见到过她。"

姜拂黎斟了两盏浓酽的茶，一盏推给了桌子另一边的墨熄，一盏自己慢慢地喝着。墨熄这时候才发现他白纱布遮蒙的那个位置是凹陷下去的，并没有眼珠的弧度——姜拂黎竟已彻底失去了他的左眼。

但他浑不以为意，仿佛他根本不在乎自己的康健，自己的躯体。

他淡淡道："我来重华那么多年了，许多人问我是哪国人，往事如何，我皆不答。你们只道我薄凉，不愿多言，其实不是。"他稍事停顿，略微苦笑着摇头，"我是真的不知道自己是谁。"

"我拥有的记忆差不多是从我与玉柔四下流亡时开始的。她说我是生了病，忘了前尘过往，我便浑浑噩噩，尽信于她。关于我的身世、我的来处、我的亲眷……什么都是玉柔告诉我的，我自己也莫名生疑，心中本能地排斥，却从来没有想要深究的意思。

"但这几年……我开始做梦。梦里总能看到一些重复的人和事，只是支离破碎，没有半点脉络，玉柔也从来缄默不语，我问她什么，她都说不知道，而我也没有细查……直到不久前，我替顾茫诊疗，看到了他在蝙蝠岛的记忆。他所见的雾燕，和我梦里见过的一个姑娘生得一模一样。"

姜拂黎闭了闭眼睛，说道："我当时就想，如果我去见一见雾燕，或许就能知道自己从前究竟是个怎么样的人了。"

墨熄想起姜拂黎给顾茫治病之后，明显流露出的神游天外。

这时才知道，原来竟是因为这个缘由。

墨熄问："所以你这一阵子云游，其实是去了蝙蝠岛？"

“只是其中一站而已，我还去了其他地方……你记得雾燕与沉棠初遇的那个四季如春的岛屿吗？”

墨熄点了点头。

“我也寻到了那里。那其实是由玄武所驮的一块屿陆，那只玄武与沉棠的先祖曾有盟约，它守护着上古炎帝神木的一段遗枝。”

墨熄蓦地睁大了眼睛：“炎帝神木……就是人世间的第一株树……万木之王？”

“是的。”姜拂黎道，“炎帝神木，万木之王，一树之上集尽万千人间花。而其中有一段海棠木因故遗落于俗世，机缘巧合之下，于千年之前，被沉棠先祖所得。沉棠族人很清楚，神木为不世之器，威力非同小可，若是教人知道这个秘密，定有无数人趋之若鹜，将之占为己有。沉家素来厌战，他们便将这一段海棠神木封存于玄武岛上，对外绝口不提。只是神木有灵，为了让它心宁清正，不受浊邪之气侵扰，一家之主每年都会去岛上小住一月，为其抚琴陶冶。”

他说到这里，墨熄有些明白过来——当年雾燕见岛上仙气浓郁，终年飞花，四季如春，便误以为是沉棠在这里的缘故，其实她完全悟错了，那仙气并非因沉棠而生，而是因为沉棠镇守的那一株上古神木断枝。

“……”墨熄忍不住问，“沉棠已逝百年，他的家族亦在当年与花破暗的恶战中几近覆灭，这百年间应当再无人去过那个仙岛了，所以你去的时候，看到了些什么？神木还在吗？”

姜拂黎道：“还在。我寻到那座玄武岛时，瞧见岛上已是草木隆盛，繁花遍布。数百年的时光，海棠断木将那里变成了神木之灵极为充沛的地方。只是我观那海棠树已隐有智灵开化，我与它重弹一曲百年前沉棠所弹的乐曲，它便似心喜雅乐，引得岛上百花盛开，我觉得或许再过数百年，玄武封印也封不住它，它或许会重新自愿落入瀚海，自去凡尘一观。”

姜拂黎说完，笑了一下。

“虽然好奇它今后的命运，不过数百年一过，这截神木的去留，也不是我区区凡人能左右的事情了。”

墨熄默默听到此处，忽然问道：“姜药师，你为何那么清楚沉棠世家的事情？”

“……”

“你当真不是沉宫主吗？”

姜拂黎放下杯盏，轻叹一声：“我的记忆是雾燕设法让我恢复的，我恢复了之后，到底也替她解开了她的心结——是，我确实不是沉棠，但这数百年间，一直有一个人希望我能够彻彻底底地变成沉棠。”

墨熄一怔：“谁？”

姜拂黎抬起眼来，薄唇间落下了三个字：“花破暗。”

见墨熄的脸色，姜拂黎似是苦笑：“很荒谬？我自己也这么觉得。我拥有沉棠的所有记忆乃至情感，可我却知道我不是他。”

“那你是……”

“我是沉棠的表亲，至于自己的名字……”姜拂黎淡淡道，“这人世数百年，花破暗称我为沉棠，玉柔称我为姜拂黎，我浑浑噩噩那么多年，早已不记得自己真正的名字了。我只知道，我是花破暗因为不舍得沉棠死去，而硬生生造就的另一个他，我的身体盛放着沉棠的记忆、残魂、法术，以及过往。”

他的声音低缓却柔和，没有什么激动的情绪，但却教人听来感到分外悲伤。

姜拂黎道：“我只是一个傀儡而已。比慕容楚衣做的竹武士，江夜雪捏的泥人，好不到哪里去。”

墨熄虽极惊愕，但亦是心中不忍，低声道：“姜药师……”却也不知该作何安慰。

姜拂黎道：“你不必宽慰我，你自己已经足够伤心了。别人看不出来，但我都明白。我今日赶回来，也并不是为了找个人，告诉他我自己的前尘过往。我是来献破敌之道的——花破暗既然把我当作沉棠，这百年后的第二战，我便也一样不会缺席。”

墨熄心中一颤：“你有破解血池扩散的办法？”

“确实有一个办法，以往从未有人做过，我并无胜算，只能一试。”姜拂黎道，“不过我在玄武岛上曾行卜算，仙卦上说，只要羲和君你做了这件事，一切就能改变，甚至包括生死。”

听到最后半句，墨熄一怔之下，反应过来：“包括生死……”

“不错。”

墨熄眼中似火焰擦亮，骤有明光。

这是……什么意思？

尽管觉得荒谬，但他依旧血液奔流，手指在紧捏的掌心里微微发颤：“请教药师。”

姜拂黎起身，倚在窗边看了一眼外面，此时血魔兽血池已经散至内城，正在缓慢地继续吞噬着这一座王都。

他回过身来，从乾坤囊里取出一枚黑曜石般的晶石，放在了桌上。

“沉棠家族，一共有两样隐世珍奇。一样是我先前所说的神木断枝。另一样，就是这一枚晶石。这是沉棠家族最隐秘也最重要的珍宝，也是重华这一大劫的唯一破解之道。”

姜拂黎顿了顿，说道：“时间尚有，在让你使用它之前，我想与你讲述清楚我所知道的那一段过往。与花破暗有关的一段过往。”

“此番纠葛，要从花破暗知晓自己的身世开始说起。”

第49章

随着姜拂黎碎玉般的声音，数百年前的往事被缓缓揭开了面纱。

数百年前，花破暗在学宫为奴。

但是，此人性格强硬，不服管束，别的奴隶生而认命，他却在看过那些鲜衣怒马锦帽貂裘的贵公子后，在心里暗暗疑问，为什么享受着华服美器的人不是他？凭什么他一出生就注定了贫穷，而有的人一出生就衣食无忧？

没有人给这个地位卑微的孩子一个答复。

慢慢地，他长大了，骨子里那种野性越来越克制不住。他开始偷着修炼法术，原本只是抱着试一试的心态，但随后他惊异地发现，那些贵胄王孙们花了九牛二虎之力也练不好的招式，他却轻而易举就能掌握。

他看着自己的聪慧与众人的平庸，心里的疑惑与不甘日渐深重。原以为血统能定天赋，所以他才为奴，那些公子小姐才为贵胄，却原来不是的。

那是因为什么？

凭什么他有这般能耐，却要俯首为奴？

这个小奴隶愈发痴迷于探寻其中的秘密。为此，他旁敲侧击，偷阅典籍……无所不用其极。功夫不负有心人，到了最后，这个奴隶终于发现了自己天赋异禀的真正原因——他的先祖。

他知晓了重华建国时的旧事，知道了自己的祖辈曾离国君之位仅有一步之遥，却因为被兄弟算计，所以落得个满盘皆输的境地。在那之后，全族连累，功绩抹杀，划归为奴。

所谓成王败寇，便是这个意思，是吗？

他不禁想，如果先祖没有那么妇人之仁，先一步下手剿杀手足，那么今日享受着无上荣光的人岂不就是自己，可以肆意践踏仆奴的人岂不也是自己？

再思索下去，花破暗便陡然悟到，他原本并不是奴隶，他只是与王权错肩而过了而已。

他本也可为尊的。

知道了这些真相之后的小奴隶，窥瞧着那些王孙公子时，心里就再也没有疑惑，有的只是憎恨、鄙薄以及嘲笑。他用那双鹰一般的眼睛看着这群废物，看那些资质平庸的蠢货怎么努力也无法企及他所能轻易达到的高度。

那种被褫夺了荣华的厌憎感在他心里犹如野草疯长。

他想改天换命。

但是，花破暗是个聪明人。他明白匹夫之勇只能换来人头落地，所以他即使知道了自己的身世，也仍旧装可怜，装糊涂。他像个在草丛深处游弋的蛇，暗中窥探着外面的风吹草动，他希望自己能得到一个名正言顺的、可以在君上面前露脸的机会，为此他需要一步一步构建自己登上人极的台阶。

而他选中的第一级台阶，就是当时学宫里最纯善心慈的大宗师——沉棠沉宫主。

花破暗心机深重，他深知沉棠人品，知道沉棠是个心地柔软性情温柔的滥好人。

所以，他时不时在沉棠面前混个脸熟，留下乖顺懂事的印象，待到时机成熟，便策划了自己灵核暴走一事，果然骗得了沉棠的垂怜。

当沉棠温和地对他说出："傻孩子，我已与君上禀奏，破例收你为弟子，你好生歇养，待恢复了便随我出入学宫。"这句话的时候，花破暗知道自己的第一步险棋是赌对了。

沉棠这个愚蠢的善人，果然没有令他失望。之后他便肆无忌惮地利用沉棠的同情，在沉棠身边扮得可爱又驯顺，逐渐成为沉棠最亲的弟子。

因为老师的信任与支持，他日趋强大，于野心的棋盘上落下一枚又一枚正确的棋子。离他想得到的东西也越来越近。

但其实，他也不是没有过内疚。

看到沉棠毫无保留地把法术教给他的时候，见到沉棠心无城府对他露出笑容的时候，收到沉棠赠予他的寒衣的时候……

他不是没有怀疑过，自己所做所谋，是不是错了。

有一次，他高烧昏迷，醒来时看到沉棠在桌边疲惫地支颐浅寐，手边还有一盏已经烹好的药汤，他看着沉棠那张清癯温雅的美好侧脸，心忽然疼得那么厉害。

其实这些年，他把所有的事情都看在眼里，看着沉棠不在意别人的指责，耐心地教他，指引他，他瞧着沉棠与他人辩论，说奴隶之子秉性纯善，又有什么不可教化的。

他吃过沉棠送给他的糖葫芦，喝过沉棠为他熬的粳米粥，涂过沉棠赠予他的伤药……沉棠贵为学宫之主，却从没有因为他的出身而薄待过他分毫。

他还给他起了名字，叫他花破暗，哪怕在长夜中，也能花开破暗。

所以唤出"师尊"二字时，从一开始的虚情假意，到最后，都是真心的。

只是，他那时候亟欲攀登权力的高峰，只是对他而言，憎恨和野心始终占据着上风。这些真心最终并没有改变什么，甚至他也很清楚，沉棠世家是彻头彻尾君上的人，当年推翻自己先祖的家族里，沉家是其中最重要的一支。

他能对沉棠有真心。但他绝不能对沉棠心软。

因果业报？咎由自取？他不知道。

总之花破暗最终也没有改变自己前进的方向，他战胜了自己内心的纠结，继续窥探沉棠的秘法，暗中研习那些为人所不齿的黑魔禁术，然后将沉棠教给他的光明之术一一篡改，化作黑暗邪法。

最终，举兵谋反。意欲推翻重华王朝。

那一年，他率着数十万随扈，领着血魔兽净尘兵压母邦时，内心的狂傲与意气风发可想而知。一路上他设想着破城之后，举国跪拜，向他这个从前无人看得上的奴隶俯首称臣，哀哀乞求一条活路。痛快。

到时候是容他们生，还是由他们死？花破暗懒得去预设这么多，这些人在他眼里就像秋后的衰草，并不是他会提前操心的东西。

令他在心里反复狎昵地构想着，思忖着，不知该如何安置的，只有一个人，那就是他踩过的第一级台阶——修真学宫的宫主沉棠。

贬黜他为庶人？不不不，不够意思。由他继续在宫里教书？太过乏味。挑断他的手筋脚筋，关入牢狱之中？可为什么呢？沉棠到底是对他极好的，从未有仇，何必关他入牢笼。

但只要一想到把沉棠关起来，花破暗便感到一阵兴奋，令他舔着嘴唇，眸光发亮。他彼时并不知道这种冲动意味着什么，他心里只是隐约知道，自己征服重华的巨大快感里，有很大一部分，是因为他可以摆布沉宫主。

他的瞳孔微微收缩着，喜悦就写在他年轻张狂的脸上。

是最后的收盘了。今日之后，何人再敢螳臂当车？

可这盘棋，他预设了千万种结局，唯独没有预想过沉棠的选择。

花破暗无论如何也没有想到，他这最后一局还未开场，沉棠便就在他眼前，用那双曾经替他擦过汗的手，终结了他最得意的血魔之兽的性命。

那个人，用那双曾经笑着看着他的眼，冰冷地遥望他。用那曾经温柔为他解释术法的嗓音，狠戾至极地告诉他。

“一切都结束了。花破暗，你的野心只能到此为止。”

你的野心、你的图谋、你的一切……包括你的妄想。都只能到此为止。

你是我纵出的恶魔，我没有看清你卑劣的嘴脸，以至于血流漂杵，国将不复。那么我此刻便以罪人之身，阻你不得再践踏重华一步。

我不觉得死有什么可怕的。我只觉得，这些年，你在我身边，笑着喊我师尊，那恭谦温良的模样——才是人世间最可怖的噩梦。

那一天，人们只瞧见沉棠以身殉魔，却没有听到沉棠在消散前，最后问花破暗的那一番话。

他说："花破暗，你拜我为师这么久，我扪心自问，未曾有一天薄待于你。"

"……"

"我那么多年的尊重与真心，没想到……换来的……是你这样的回报……"

花破暗在法术相碰的激烈涡流里，看着沉棠一点一点破碎的身影。

"花破暗……"沉棠盯着他，沙哑道，"你谋划了这么长时间，利用了我这么长时间……这些年里，我问你——你可曾有一瞬，想过回头，感到后悔？"

好像有什么堵在花破暗的喉咙口，他看着沉棠那双眼睛，那双总是对他充满了鼓励，充满了期盼，从来没有过半点歧视与猜忌的眼睛……那种苦涩就一直堵着，直到沉棠最后散成了灰，那个沉棠想听的答案，他仍是不曾说出来。

沉棠故去了。

花破暗是个权谋家、野心家，他自认为感情对他而言绝非最重要的，可是他仍是在沉棠死后，变得异常的疯魔而且变态。

幸好沉棠以身殉魔时，最终并没有直接说出"我后悔当初在君上面前替你这个恶鬼求了情"，可能是来不及说，可能是他想等花破暗的那个回答，但不管怎么样——万幸。

不然花破暗或许会更疯。他已经够疯了。

沉棠身死，血魔兽封印，燎国兵败。这是世人所知的那一战的结局。

可无人知晓的是，在花破暗撤兵回燎之后，在大燎的深宫中，他一直被梦魇所缠身。几乎每一个夜晚，他都会梦到大决战那一天，沉棠看着他，在归于尘埃前，问他——

"这么多年，你可曾有一瞬，想过回头，感到后悔？"

他在梦里想要说话，可是他不知道自己该说什么，到了最后他总是看见沉棠仰头长笑，眼尾有血泪落下。

花破暗，花破暗……我为何会赠你这样一个美好的名字？你怎配！

你不曾后悔是吗？我后悔了。我人生中最后悔的事情，就是收了你这样一个恶鬼为徒。

噩梦的最深处，每每都是花破暗看到沉棠神情冰冷到几乎无法辨认的脸，恶毒地吐出两个字来——

猛地惊醒，床周围落着黄绸缎飘飞。

花破暗大口大口地喘着气，在夜里，静不下自己怦怦直跳的心脏。

汗湿重衫。

燎国的人都说，国主花破暗疯了。兵败重华之后，就越来越疯。

是，他是疯了。但不是因为人们以为的战败。他是因着噩梦连连，因着满腔不甘与憎恨，以及还有他并不愿意承认的痛苦。

他寻来九州大陆所有他能寻的招魂之道，试图召寻沉棠的亡魂碎片。他迫切而且疯狂地想逼问沉棠为什么。

为什么非要做到这个地步？这天下谁做国君不一样！凭什么不能是他？他进城之后纵然杀遍所有人，也一定会留下沉棠一条性命——

为什么最后死的反而是沉棠？他唯一愿意留下的人，居然殉身魔兽，去救那些他恨不得像斩除野草一样斩除的废物？

凭什么！！

他一遍又一遍地施法拼凑那些沉棠破碎的残魂，每一次失败，心中的怨戾就更甚一分。他就会想，沉棠果然是重华君上的走狗，毁他的霸业，还要毁他的心。如此折磨他，这就是他给他的报复，对不对？

他不会作罢的。他花破暗要做的事，谁也拦不住他。

终于有一天，他搜捕到了一个沉棠的表亲。血缘的纽带让一直失败的回魂之术最终奏效，花破暗将沉棠的魂魄尽数注入到了那副鲜活的身躯里，犹如强行夺舍一般，召回了沉宫主。

大燎殿内，黄金帐里，面对那个失而复得，死而复生的人，花破暗有诸般念头急涌上心，可最终他做的，却是一件他自己都没有意料到的事情。

他竟将一切搁之于后，万般咒怨与恶毒，停泊喉间，最后他微微颤抖，俯身拥了上去。

沉棠——贵族学宫的大宫主，君子慧，誓死效忠于重华的忠臣……

呵……还不是成了他重制而生的活死人！！重华为他们的英雄做了什么？连沉棠死后的魂魄安宁他们都护不了！何其无用！

他花破暗才是这九州最不可违逆的霸主！

沉棠以活死人的姿态重回了他的身边。这一瞬间，花破暗忽然不想再去追问沉棠为什么非要以身殉魔，为什么非要救国赴死。

这些都不重要了，都已经过去。他此刻心中感到无比的安定，似乎沉棠活着这件事是他心底一直所渴望的，只是他到今天才发觉罢了。

他是满足的。可满足的人，到底也只有他一个而已。

被他硬生生从地府里捞回来的沉棠活得非常痛苦，他终日都面对着自己造成的业，他被困囿于牢笼之中，被困囿在一副并不属于他的身体里，一个本该落入黄泉的魂，却被迫留于人间，饱受活着的折磨。

更可怕的是，他根本不知道这样的岁月究竟何时才是一个尽头，花破暗救活他之后，似乎对征伐暂时没了那么大兴趣，转而迫切地钻研起了长生之术。似乎想一百年两百年地把这样的日子延续下去。

花破暗再也没有给过他“死”这个机会。

还有更荒唐的，因为经过他先前的死亡，所以花破暗内心的疯狂与阴暗更甚。这个魔头似乎是觉得沉棠就是太惦念着无关之人的生死，当时才会有那殉魔之举。为了让沉棠不再将别人放在心里，他钻研出了各种各样诡谲的术法，来一一剜除沉棠与外界的瓜葛。

忘却亲眷的药水，斩断思念的蛊咒，凡此种种，无所不用其极。

花破暗甚至探究出了一种诡道，能够断绝凡人生生世世的缘分——无论是姻缘、亲缘，还是友缘。

只有断绝了沉棠所有的缘分，令这个人命主孤煞，他才能够安心，才能够确信，沉棠不会再为了旁人做出什么捐身殒命的事情来。

但或许是因为良知未泯，又或许是被沉棠那种不肯屈服的固执所撼动，当时燎宫中负责照看沉棠的圣女大祭司动了怜爱之心。

这位圣女，就是苏玉柔。

苏玉柔因为自己的能力与地位，是少数能接近沉棠的人之一。

这么些年，她看沉棠挣扎着与这些邪术对抗，承受逆天之苦，终日生不如死。在感其心志坚定的同时，愈发觉得不忍。

终于有一天，她下定决心，趁着花破暗因西北战事而远征，将沉棠从宫中救了出来，两人历经险阻，最终逃出了燎国的国境。

其实她这般襄助于他，并非全无私心，苏玉柔当时已爱慕上了沉棠，有意与他拜堂成亲。可是沉棠的姻缘线已被花破暗斩断，无论苏玉柔如何真心实意地努力待他，最后都只是枉然错付。更严重的是，沉棠因为之前被花破暗百般折磨，邪术加身，记忆越来越混乱，痛苦也越来越深重。

见他这样残喘于世，苏玉柔万分悲伤，最终做了一个决定——

她出宫时，盗了燎宫中最珍贵的宝物之一，那就是花破暗当年从沉棠家族搜出来的传世神器“逆转石”。

相传这逆转石有改变过去的能力，但沉棠家族的人从来都只是看护它，不曾使用它。花破暗几次欲从沉棠口中套得唤醒逆转石的方法，也都不了了之。可无论怎么样，这石头之中都蕴含着巨大的力量，能够逆天改命。

于是，她以它做阵眼，结阵施术，封印了沉棠所有的记忆与魔咒，给予了他新生。从此世间再无沉宫主，病榻上苏醒的，是姜拂黎。

用逆转石施法的代价实在太大了，苏玉柔受了反噬，一张倾国倾城的面容被蚕食了一半，半张犹绝美，半张已如魔，从此只能靠白纱遮面。而那枚逆转石，被她秘密地嵌在了姜拂黎的左眼里，因其属性所致，夜晚它会吸纳天地之灵，陷入暂歇，这也正是姜拂黎夜间时左眼无法清晰视物的缘由。

这之后，苏玉柔与姜拂黎结伴同行，本以为日子就可以这样平平安安地过下去，可渐渐地，苏玉柔发现，花破暗在沉棠身上留下的印记当真是极为可怖的。譬如说，被逆转石压制的姜拂黎几乎什么都不记得了，但却会忽然问她：“我是不是曾经有个很乖巧的小徒弟？”

他甚至在一日春风和煦，桃花初开的午后，坐在窗边，默默复写了一册书谱。

她好奇，问道：“你在写什么？”

姜拂黎淡淡的，没有什么情感——那是被逆转石压制之后他一直以来的状态，这状态时常令她觉得他像个行尸走肉，可是也只有这样，他才能活得轻松一些，不至于寤寐难安，痛苦难当。

姜拂黎说：“我也不知道，脑子里忽然想起来这些东西，就随手写了，好像是不错的剑招。”

她凑过去一看，却是哑然——《断水剑谱》。

在燎宫之中，国君花破暗无事最喜爱练的一套剑。所谓“五年一剑春秋变，十载一剑逆沧桑，此剑凌绝可断水，平生难断向君心。”断水剑，是沉棠收花破暗入门之后，传授他的第一套剑法。听说是沉棠专门依着花破暗的身法优劣所撰写的。

从前花破暗说着这段往事时，眉目间总是带着些狂狷的得意，但又夹杂着些许悲伤。

对于花破暗而言，他后来领教过无数凌厉的剑术，断水剑绝不是最强的招式。

对于沉棠而言，他一生创生过许多绝妙的术法，断水剑更不是什么了不得的创造。

可如今，姜拂黎把什么都忘尽了，却还能在小窗前心平气和地写下这一套剑谱。苏玉柔看在眼里，竟也不知是何许滋味。

姜拂黎抬头：“怎么了？你知道这剑谱的来由？”

她仓皇垂了眼睫：“没什么。我……我也不知道……”

两人就这样隐姓埋名遁藏林中，许多年。

花破暗从前在燎宫中钻研长生不老禁术，给姜拂黎与苏玉柔都服过那种禁药。苏玉柔因为了让姜拂黎休养生息，又怕遭来花破暗的追捕，所以躲在深山结界中，渐渐地，就不知人世几何。

待她觉得时候差不多了，出山询问时，竟得知时光已过数百年。

她心中惊愕，知道花破暗当年的长生秘法原来竟是成功了的。再打听各国状况，得知了这数百年间许多小国的覆灭与新立，得知重华已换几代国君，问到燎国时，却得知国主花破暗当年因为求长生术太迫切，大行巫蛊之术，结仇太多，最终弄巧成拙，被刺杀重伤之后遭到反噬而死。如今的燎国也换了好几个国主了，只不过他们的国主是个傀儡，真正的主宰者其实是隐匿于幕后的燎国国师。

她听完之后，不由大松一口气，知道自己与姜拂黎终于能够重新回到俗世里而不用忧心被花破暗追踪。

但她心里仍隐隐有些发怵，总觉得那个神秘的国师，似乎隐约透着某种熟悉与不祥。

她的不安在几年后得到了证实。

她和姜拂黎避世数百年，归隐山林以医术为主修，重新出山之后，他二人走南闯北，一边熟悉现今世道，一边从战火中救了不少无辜百姓。

有一回，他们路过梨春国的一个小村落，正遇到燎国修士大肆屠戮。姜拂黎于刀下救了一双孤儿，年纪稍大的那个抱着弟弟，不住向戴着面罩的姜拂黎叩首，请求姜拂黎将他带走。

姜拂黎是感情被封印的人，照理而言并不会有什么松动，可那天他盯着跪在他面前哀哀乞求的少年郎，却做了一件让苏玉柔意想不到的事情——

他把自己复写的那一本《断水剑谱》，赠给了这个少年。

"我留着这本剑谱没什么用途，太弱了。不过如果你好好参悟，或许能凭着这本剑谱悟出些属于自己的剑道，自保足够。"

回去之后，苏玉柔问他为什么要这样做。姜拂黎漫不经心地碾着药末，说了句："不知道，就觉得他跪在我面前求我的样子，好像在哪里见过。"

苏玉柔心里一惊。

是的，是有一个人，也曾这样跪过你。

那是在数百年前，重华学宫里，一个狼子野心的奴仆少年哀哀跪在你面前，恳求你救他一命，留他一条生路。

这些话苏玉柔没有说出口，但她仰头看着灰蒙蒙的天空。

雨季，浓云后隐有闪电舞爪张牙。

她知道，风暴又要来临了。

燎国对他们的追杀是忽然发起的。在姜拂黎给了少年断水剑的几年之后，突然有燎国的刺客发起了奇袭。他们仓皇躲避，逃开了几次捕杀，在最危险的一次追杀之后，苏玉柔失去了最后一丝侥幸心理——他们不能再在这些小国随意行动了，他们必须依附到一个足够强大的国家里去。

她带姜拂黎回了重华。

百年后的重华，早已人世沧桑，无人觉察姜拂黎的身份，姜拂黎自己也浑然不觉。他们看似就这样安定下来，只是苏玉柔一直对燎国忽然针对他们的追杀耿耿于怀，总觉得背后一直有花破暗那双鹰一样的眼睛在看着自己——但怎么可能呢？花破暗明明已经死了。而且就算他没有死，为什么忽然之间盯上了隐姓埋名的姜拂黎？

直觉让她更加谨慎，为了进一步的试探，也为了让他们在重华能够更正常地定居下来。几个月后，她与姜拂黎大肆操办了婚礼。

其实也只不过是走个过场而已，姜拂黎灭情绝欲，尘缘皆断，任谁也不可能与他结亲。

但是消息是传出去了，婚宴的当日，她特意偶然露出了那半张未毁的容颜，端的是人面桃花，泪痣妩媚，令所见之人大为惊赞。

而后，她便静静等着燎国的动静。

最令她胆寒的结果还是在一段时间后传来了。

燎国国师忽然开始四下搜寻与她相貌相似的女子，邀入宫中做圣女，而那之后，他却又将这些姑娘们尽数扮作新嫁娘，残忍杀害。

当初姜拂黎赠予剑谱的那个少年也不幸卷入其中，最后化作了剑魔，找来了重华闹事。

一切都是过于疯狂的。

在旁人看来，好像是燎国的国师喜爱这个绝代风华的圣女，因为她的背叛而倍感怨憎，所以娶尽天下与她相似的姑娘，又将到手的这些女人们统统杀害，以彰显自己的不屑。就连剑魔李清浅都是这么认为的。

认为她红颜祸水，一定生得绝色之姿，所以才会惹得国师这般疯魔。

只有苏玉柔自己知道，不是的。

她终于清楚——花破暗其实根本没有死，恐怕是当年他被暗杀，受伤重了，为了避免寻仇，不得不对外称亡。恐怕这些年花破暗一直都暗藏在燎宫之中，以"国师"之类的身份，在幕后主掌了燎国的权力数百年。

而姜拂黎身份的暴露，正是因为他传授给了李清浅《断水剑谱》，李清浅花了数载时光，终于能舞出了一招二式，于是被一直在探寻沉棠下落的花破暗所注意到，这才顺藤摸瓜将目标锁定在了姜拂黎的身上。

所以那一天，剑魔暴走，苏玉柔娉婷走向他，只用面纱后面的一张脸，再添几句话，便将他的执念土崩瓦解——因为她知道他误会了什么。

李清浅一直以为红芍是因为像国师所慕之人，才被杀害的。其实又怎么会呢？国师如此愤怒，恐是觉得过了数百年，沉棠的诅咒解脱了，终于可以与人结亲结缘，而她苏玉柔伴君百年，又是貌美女子，终于得了沉棠的爱意，与之成为眷侣。

国师此举，根本不是在满天下搜罗恋人的倒影。他是在自以为是地告诫沉棠——你看，你娶的女人也不过如此，我想要多少就有多少。你不是喜欢这样的女人吗？我便再将她们都收入麾下之后，再弃之如敝屣。

你喜欢的人，以及与你喜欢之人相似的那些，全都不得好死。

我斩不断你的尘缘，这便是我给你送去的诅咒。

苏玉柔给李清浅看的脸——哪儿有什么绝世容颜，只有一半仍在，一半似厉鬼妖魔。她又告诉他，李清浅，当年在梨春国救你的人，才是燎国国师真正在意已久的男人。你误会了，从来就不是我。

国师之所以这么疯，是因为那个曾经授给你《断水剑谱》的人——姜拂黎。

·

这一段往事讲完了。

暖阁里一片死寂。墨熄面色苍白地望着对面坐着的那个男人——因为借助神木之力，重新将记忆恢复，封印解除的那个男人，一时竟不知说什么才好。

他甚至可以很清楚地明白姜拂黎此刻的困窘。

姜药师到底算什么呢？一个活人？一个傀儡？他好像就是数百年前的沉棠，却又不完全是。

他以姜拂黎之命在世那么久，却始终孑然一身，无情无欲，百年辰光弹指一挥，活得什么滋味也没有，也不明白自己存世的意义究竟是什么。

直到此刻。

姜拂黎纤长的手指抚在那一枚逆转石上，淡淡道："玉柔用这枚石头，封印了我的七情六欲，所有记忆。如今我自己取出了它，将这枚沉棠世家代代守护的灵石赠予你。按照神木占卜的卦象，我知道只有你开启了它，这一切才有可能结束。"

"……"

"羲和君，我能与花破暗决战，他是沉棠的弟子，他也理应由我去诛杀。但是血魔兽的血池扩散，是我阻止不了的。唯独逆转石才能做到。"

他捻起那一枚黑色的晶石，它的沉黑衬得他的手指愈发白皙。

"这一枚灵石，九州大陆只此一颗，自鸿蒙上古流传下来，到今时今日。它曾是伏羲创生三大禁术的力量晶石之一，只要开启它，就能开启一次时空的裂缝，让佩戴者回到过去。"

墨熄陡然色变："那不就是三大禁术中的时空生死门？！"

"不一样。"姜拂黎道，"逆转石来自天界，是被伏羲带下凡尘的灵石。它远早于时空生死门的创生。它没有时空生死门那么强的威力，最多只能让你回到十年前，再多则无法做到。除此之外，据典籍所载，时空生死门一旦开启，施术者便注定了不得善终，尘世也有可能面临诅咒而覆灭，但逆转石不一样。"

"如何不同？"

"它没有诅咒。关于它的记载，大多都因去古太远而模糊不清了，沉棠世家的旧闻录上曾说它能'倒映魂灵，可鉴君心'，又说它'无伤红尘，命已注定'。但这十六个字究竟是什么意思，谁也不敢确定。沉棠世家的人只知道，它并不可以随意使用，而是必须卜算问天，得到天命卦象，才能将它交到那个人手里，否则它造成的后果，甚至比真正的时空生死门还可怕。"

暖阁的灯烛无声地流淌着，有蹈火的飞蛾扑向那一盏孤灯，发出毕剥的爆鸣。

墨熄沉默地看着那一枚晶石，而姜拂黎把那枚石头递到了他的面前。

"天命卦象上说，应当把它交给你，由你开启它，回到顾茫被当作议和礼遣送回重华的那一天——回到凫水河畔，慕容怜去寻他之前。"

心跳猛地快起来，血流骤然上涌。

如今墨熄已经知道，顾茫回城之前尚未完全失忆，是君上派了慕容怜，前去拿走了顾茫铸造的血魔兽力量魂盒，然后被慕容怜奉命毁去了全部的意识。

也就是说，如果他回到那一天，回到慕容怜寻来之前，他就能够——？！

他蓦地抬头，对上姜拂黎的眼睛。

姜拂黎点头道："只要你在那个时候，彻底毁掉血魔兽的力量之源，血魔兽就绝不能在此时重生。若是顺利，许多人的命运都可能从那一刻改变——你或许能保住顾茫的意识，能立即替他平反，慕容楚衣或许不用死，花破暗也无法顺利唤醒他忠实的仆人……"

姜拂黎顿了一下，道："我无法保证这种改变一定都是好的，逆转石能持续的时间不多，只有一个时辰左右，等你回来之后，眼前的局面应当都会改变。过去种种只有持有逆转石的你记得，其他人……看到的将会是另一个结局。"

"你可能会见到一个性情完全不同的岳辰晴，可能慕容辰幡然醒悟了没有被逼宫，他还是这个邦国的王，你可能发现我也是完全不一样的状态，你在过去做出的这一次改变，或许会造成和如今截然不同的重华。"

"但是，羲和君。"姜拂黎往外看了一眼那血水蔓延的大地与狼烟遮日的苍穹。

"恐怕没什么结局会比现在更差了。"他说，"既然神木占卜说应当如此，那么我们便赌一次。"

"你用逆转石回到过去，我也会在同时，去燎国的阵营里找到花破暗，不让他在这期间能够有精力来设法阻止你。"

他说完，取出一只质地上乘的锦囊，将逆转石收入其中，系于墨熄腰侧。

"这个石头只有一块。我们只有一次机会，没有任何的前车之鉴。等你准备好了，告诉我。"他用那只仅有的眼睛注视着墨熄，而后者万念交集，转头望着窗外滚滚的血色。

他的重华，他们的年少青春，亲眷家园——都有从头来过的可能。

"但你也有可能会死。谁也不知道。"最后，姜拂黎这样对他说。

墨熄望了顾茫牺牲的血池一眼，重新将目光落在了姜拂黎身上。

"我准备好了。"

窗外的细碎铜铃泠泠拂响。

这是重华黎明前的一场大赌局。只有最后这一条路走对了，他们才能迎来破晓。

到这一刻，生死又算得了什么？

墨熄他本就是形单影只，再无留恋的人了。

他望着姜拂黎仅剩下的一只眼睛，数百年前，就是类似于这样的眼睛，曾经温柔地注视过花破暗，开启了一个时代的梦魇。

也曾是这样的眼睛，冰冷地注视着花破暗，它的主人用自己的性命让这场噩梦暂时终结。

而到了现在，是彻底了却的时候了。

姜拂黎问："你当真准备好了吗？"

"是。"

"你遇到的事情，可能会非常残忍。"

“……”

姜拂黎最后再问一句：“可以吗？”

墨熄眼前仿佛落下一道光，那束光芒里，顾茫披着鲜红的披风，像火焰裹着战甲。顾茫回过头来，冲他笑着。

那双漆黑的眼眸，是他这些年在梦里都不敢奢望梦到的模样。

“可以。”

墨熄道。

“姜药师，请施法吧。”

最坏不过是他会死去——他进入逆转石之前，曾是这样想的。

四年前的凫水河畔，夜。

墨熄站在荒凉的河岸边，低低地喘息着。姜拂黎的法术才刚散去，他眼前仍是晕眩不堪，手中紧紧握着姜拂黎给他的逆转石，掌心里俱是湿汗。

他闭了闭眼睛，迎着微凉的风抬起脸。

这里是整条凫水河域最靠近王都的地方，从此处可以看到重华的城郭，威严而又整齐地蛰伏在遥远的夜色里，影影绰绰闪烁着它恢宏的貌影。

此时此刻，四年后的战火还没有降临，墨熄知道，这个时候，君上应当正在嘱咐慕容怜秘密前往凫水，彻底毁去顾茫的记忆。

慕容楚衣也还活着，或许正在炼器房里摆弄着他的图纸。

而自己……当时自己正在北境，心中怨恨着顾茫的背叛，甚至不愿意回来亲自再看他一眼。

心中一阵钝痛，但他没有太多自怨自艾的时间，最多一个时辰，他必须在这一个时辰之内销魂血魔兽的力量魂盒，才有可能改变他们的未来。

在附近找到负责押送顾茫回城的禁军，这并不困难。

他对重华士兵的行军与驻扎方式都了若指掌，看似固若金汤的守备，对于他而言却如无人之境。所以没过一会儿，他就寻到了羁押顾茫的中央营帐。

墨熄施了法术，阻隔帐篷与外界，然后走到结界前，隔着那牢笼一般的光束看向顾茫。只一眼，眼眶便已红透。

四年前的顾师兄，像受伤的狼犬，浑身都是血污，蜷在牢狱结界里。他穿着囚犯的衣裳，鬓发散乱，躺在脏兮兮的毛毡垫子上，闭着眼睛正睡着。

也许是并未深寐，又或许是冥冥中自有感知，墨熄进帐的动静那么轻，谁都没有注意，可却把顾茫给惊醒了。

顾茫蓦地睁眼，一下子警觉地起身，月色从毡房敞开的顶上洒落，他坐在那一束纯净的月光里，于看清来人的脸时，愕然地睁大了眼睛。

“墨熄？”

不过轻声低唤的两个字，却如巨石坠入心底。

竟让墨熄痛得喘不过气。

“怎么会是你……”

墨熄挥开结界光束，穿过那法术铸就的牢笼，走进那一束月光里。他低眸垂眼，看着跪坐在毡毯上的那个俘虏。

他多想替四年前未归的自己，对顾茫说一句，对不起，是我错过了你。

他甚至想就这样带着他走，放他离去，这样顾茫接下来就不必再受两年落梅别苑的侮辱，污名缠身的苦楚。

他想跪下来，拥抱住月光里的顾师兄，想对他说，够了，你已经做得太多了，是我不好，我当初怨你恨你，没有从北境回来。我是你最后一个能信任的人，但我……但我那时候什么都没有做，什么都错失了。

可是他不能说。只有一个时辰，一次机会。逆天改命的机会。

墨熄闭了闭眼睛，把满腔的苦涩都咽入腹中。他知道自己应该怎么做，才能立刻地、顺利地得到那只魂盒——他必须代替慕容怜，去做慕容怜今晚该做的事情，才能得到装载着血魔兽力量的盒子。

于是他压抑着声线里的颤抖，竭力把心绪起伏藏到眼睛的最深处。他强自镇定地对顾茫道：“是君上……派我来的。”

顾茫蓝眸子里的光影闪烁，微微一黯。心好像被淬浸着盐的刀劈开来，端的是血肉模糊。

墨熄接着说话，声音沙哑。他说着本该由慕容怜讲述的字句：“顾茫，你是叛国的逆贼。”

顾茫睁着透蓝的眼睛，仰头看着这个曾经最亲密的人，一句话也不吭。

“君上告知于我，你曾修书于他，说你用魂魄之力将血魔兽的力量封印，制成了魂盒，希望献于君前，饶你不死……现在我来取这件东西了。”

他每艰难地说出一个字，都像在绞碎自己的魂灵。

说完这句话后，墨熄一时间再也无法道出更多的语句，他沉默地垂着眼帘，并不能去看顾茫此刻的神情。

嗓音嘶哑得几不成调。

“把魂盒交给我，我回去复命。”

牢帐子里静得可怕，甚至能听到外面呼呼的大风声，士兵们来回走动的脚步声。

良久之后，顾茫并没有交出魂盒。而是道：“墨师弟……我……我没有想到来的人会是你。”

“……”

“我以为你会不愿意再见我，以为你会在北境不回来，没想到你……”

顾茫没有再说下去，但这些话就像针尖一样，锥刺着墨熄的心脏，让他不得不用尽全部的心力，才不至于在此刻崩溃。

顾茫叹了口气道：“……算了。君上说什么，此刻我都不想再辩了。他说得对，我确实是一个叛臣贼子。”

“……”

“只是墨师弟。”他忽然轻轻地笑了，“若是师哥请你看在过往十余年的情分上，再请你帮我最后一个忙。你会愿意吗？”

墨熄分明已知晓他需要自己做的是什么了，却仍不得不忍着剧烈的心痛，在沉默片刻后，问道：“你有何事要我相帮？”

“我不能与你说太多。”顾茫轻声道，“有的秘密，留在我一个人心里最周全，如果有第二个人知道得太清楚，就会连累第二个人受莫大的威胁……墨熄，只是简在帝心，哪怕我从前做过许多对不住你的事情，我也仍旧想提醒你一句——你要给自己留一条后路，君上没有你看上去的那样可信。”

停顿片刻后，他见墨熄没有反驳。于是低下头，默默念咒，施法。

最终，那只后来被慕容辰封印深藏到黄金台的盒子浮现在了顾茫掌心。

“这个，就是君上要你来取的魂盒了。”

墨熄知道，按照慕容怜曾经所说的，接下来顾茫便会拜托他，说这个魂盒可以交给君上，但是还有一把用来开启盒子的钥匙，让他一定要收好，见机销毁。

墨熄等待着顾茫开口。只要顾茫说了，他答应了，他就可以结束这场噩梦，到外面去找个地方把盒子彻底毁灭，那么一切就会有一个全新的结局。

他等着。

顾茫也果然开口了。只是说的却是——

“我请你就在今夜，此时此刻，抽走我的一片魂灵，铸成禁锢这只魂盒的钥匙。”

墨熄猛地抬眼，不可置信地看着他：“什么？！”

顾茫盯着他的脸，重复道：“我要请你，亲手抽走我的一片魂灵，铸成禁锢这只魂盒的钥匙。”

墨熄骤然往后退了一步。

怎……怎么回事？怎么会这样？顾茫……顾茫他在说些什么？！

皎洁的月光下，顾茫忽然淡淡地笑了。

他从地上站起来，苍白的脚踝戴着镣铐，脖颈上、手腕上，俱是枷锁。他垂着他乌墨一般的长发，一双湖海似的眼睛安静地望着他。

“墨熄。”他轻轻地叹了口气，“我想，我已经知道你是从哪里来的了。”

"……"

"你刚刚进来时，我以为你是从北境归来的。可我不敢确信……直到你方才面露惊讶。我便知道……你恐怕不是北境赶来的墨熄，你是从将来回来的墨帅吧。"

似是骇浪惊涛起，墨熄睁大了眼睛——

"你……怎么可能……"

锁链叮叮当当，清癯而白皙的囚犯来到墨熄面前，仰起头，端详着墨熄的脸："你知道吗？你看着我的时候，眼睛里没有恨，有的全是难过。"

"……"

"所以你是在我自己选择了牺牲之后，用了别的办法回来的小师弟，对不对？"

心的至痛至柔软处被猛地撞击，墨熄一下子别过头去，只是头能转开，眼泪却再也止不住，怔怔地流了下来。

"你怎么会……"更多的话说不出口，都成哽咽。

"傻瓜，不要哭了，是我不好。我早知道会有这么一天的。"顾茫抬起戴着手铐的指掌，轻轻捧起了墨熄的脸庞，"墨熄，到头来是我负你。人世一场，我想把你装载进我的生命里，但是我其实早已知道自己什么时候会选择死，知道自己什么时候会魂灵破碎……我无法看着你和我一起……"

墨熄蓦地回过头来，目光如炬，却含着湿润的泪。

"你为何会知道？！你明明……你明明……"

你明明只是个过去的人啊！！

我回来，分明是为了改变这个结局。

"因为我与血魔兽共情合魂的时候。"顾茫指了指自己的蓝眼睛，"大病七日，昏迷不醒。这个魔兽有预知自己死亡的能力，我跟它融合后，其实已经看到了自己未来的牺牲。我也做过预知梦，梦里就是今日情形——你从将来回到这里，拿着逆转石，以为能改变一切。"

"但我知道，其实什么也改变不了。"

"不可能！"

顾茫摇了摇头道："墨熄，逆转石没有能够改换命运的能力。古籍上说它'无伤红尘，命已注定'，说的便是如此。"

"……"

"没有什么过去是可以被轻易改变的，三大禁术之所以是禁术，正是因为一旦真正发生了变动，造成的后果极可能是整个尘世的颠覆。而逆转石不用付出代价，就可以改变那么多人的生死——你觉得这合乎情理吗？"

这一席话却如寒冰入肺腑，墨熄连指尖都是颤抖的。

“怎么可能……”

“我在没有见到你之前，也曾觉得，或许是预知梦错了。”顾茫道，“但如今看来，它一点也没有错。”

墨熄陡然抬头，眼中光影摇曳，如魑魅魍魉走马而过，似是悲伤至极又似几近疯魔。

“那为何姜拂黎还要把石头给我？！他已经找回了沉棠的记忆难道对这个石头的作用他不清楚？！”

“墨熄，姜药师把逆转石给你，他很清楚结果是什么。但如果他老老实实地告诉你，说你拿着这个石头，回到过去，是要亲手完成自己的使命，把我的魂魄裂出来，铸成钥匙——你会愿意吗？”

“……”

是，他不可能这么做，他无法答应的。

顾茫笑了，笑容里很有些悲凉：“逆转石，真正的名字，叫作天命石。天地创世，命轨注定，从此有了天道轮回。只是创世之举过于宏大，神明也有出错的时候，于是他们就在世上遗落下了逆转石，这些石头可以带人回到过去，让使用者做一些自以为可以改变未来的举动，其实根本就是一场骗局。”

“那些回到过去的人，只是依照原定的天命，回去修补了他们当时本应该做，却没有做过的事情。所以其实，你也一样——墨熄，你自未来回到今日，看似是为了改变过去，但其实在天道既定的命数里，你必然会完成姜拂黎交给你的重任，用我的灵魂铸就钥匙，这就是这块石头需要修补的天命。”

血冷如霜。

墨熄嘴唇微微颤抖，他想说，你一定是哪里弄错了，绝不会是这样。是你对逆转石的认知有误，而不是姜拂黎骗他。

可是他看着顾茫的眼睛，他内心深处知道，顾茫说的都是真的。

是啊……如果一块石头真的可以改变世道，扭转乾坤，为什么还需要占卜，还需要听从卦象，把石头交给命定之人，回到命定的时刻？

它根本不能改变命运，它只是依照冥冥之意，在一个时间的循环带上，修补过去的错漏罢了。

墨熄想说什么，可是他真的被太多情绪所折磨，隐忍到了此刻，终于再也无法支撑，他几乎是崩溃的悲恸，他问：“所以你回城之后，两魄失却，理智丧失……我一直以为戕害你的人是燎国人，挖去你魂灵的也是燎国人……却原来……却原来……”

泪水潸然而落，他犹如弃犬，形容凄惨，双目通红地望着顾茫。几近痴狂地仰头笑了起来：“却原来是我自己吗？！”

顾茫闭上了眼睛。

“这就是我的天命？”

“今夜，慕容怜将要过来寻你，他在我们那个时期曾经说过他看到你满身是血，奄奄一息，他说他以为是审讯的人对你折磨太过——其实根本不是！是因为我要亲自动手，是因为他来的时候我刚刚剜了你的魂魄！完成了这块石头给我们的天命！对吗？！”

“墨熄……”

“你们到底把我当什么？！天地到底把我当什么？！你能窥见未来，你做过预知梦，那你梦见过你殉魔离世之后，我是什么感受吗！我不能哭，不能乱了阵脚，不能伤心，我甚至连为你收尸我都做不到！”墨熄哽咽着，他握着顾茫的手，抵在自己胸前，“顾茫！我也是个活人啊，你预知过我是什么滋味吗……”

墨熄说完之后，蓦地低下了头，已是泪如雨下。

顾茫认识他那么多年，他的小师弟，从来就没有哭得那么伤心过，好像所有的痛楚，都尽付了。

顾茫心中五味杂陈，却也不知如何渡过命运的鸿沟，将这一切苦楚都勾销抹去。

他们终究是改变不了这一切的。

如果可以，他也希望不是墨熄，他甚至希望他自己可以完成钥匙的炼制——可是他灵核俱损，他做不到了。

他只能走过去，抱住四年后，从战场归来，已经失去了他的顾茫哥哥的墨熄。

他抱着他，感受着那个男人身上的疲惫、绝望，血腥与无助。帝国的墨帅，其实在他眼里一直都是那个学宫里善良的、为了给穷苦的奴隶兄妹一顿饭钱而被杖笞的少年，孤独地坐在松柏之下。

他原本是想保护他一辈子，可原来到了最后，他顾茫是护尽了天下人，唯独负了他。

“师兄……”半晌之后，他听到墨熄情绪不再那么激烈，但却比之前沉闷了更多更多，好像一丛烈火烧到极致，蓦地就寂灭了。

墨熄几乎是有些空洞地：“我回来……不是为了完成天命，伤害你的……”

“我知道。”

“我已经在未来失去你了。”

“……”

墨熄蓦地哽咽了，高大的身子弯下来，低垂下来，犹如从前剥离了所有的依靠时，那个无助的少年，他几乎是不成声地：“我不想再在过去，再失去你一次啊……”

“我知道的，墨熄，对不起……”

“为什么会是我……”

顾茫听着他困兽般呜咽的声音，眼泪也落下来，他紧紧拥抱着他的墨师弟，泪水无声地洇湿了墨熄的衣裳。

为什么命运会选择了墨熄？

其实他们两个心里，都再清楚不过。

因为顾茫最信任的人是墨熄，因为唯一能听进顾茫的话，完成这最后的残忍的人是墨熄。因为如果没有钥匙，在把魂盒交给君上的不久之后，君上就能得到血魔兽的力量，根本拖不了三五年，九州就会大乱。

因为这世上，最懂顾茫，与顾茫最相似的人，就是墨熄。

顾茫曾说，有些事情总得有人要去做，有的牺牲总有人要去完成。当命运找上你的时候，你不想做个懦夫，就注定只能面对。

我们都有自己的路要走。而现在，这就是他们要走的路了。

最后一程。

怨怼也好，不甘也罢，痛楚也罢，都敌不过斫刻在骨子里的清醒——从一开始，他们投身行伍，从戎为帅，就再不能摆脱他们的责任。

顾帅是顾帅，不是叛徒。

墨帅亦不是懦夫。

为主帅者，哪有什么叱咤风云，耀武扬威，只有摆在他们面前的那些重量，哪怕自己痛到粉身碎骨，也会背起来的。

这才是将。

“照逆转石所安排的做吧，墨熄。”最后顾茫轻声说，“我知道你来的地方，已经是一片血海了。但我相信那不是终局。如果尘世覆灭在此，命运之石又何必带你回到这里，来完成这场过去的修补？”

他顿了顿，宽慰他，像从前他们一起奔赴战场时那样，明知前途不可测，却还是安慰着他，激励着他。

有顾帅在的地方，就有火，就有光。就会让人觉得，这不是最后。

“还有转机的。”

墨熄几乎是目光涣散地，低声喃喃道：“可是那个转机里，还有你吗？”

顾茫沉默了。

他喑哑地：“你预知过吗？”

顾茫松开拥着墨熄的手，他站在墨熄面前，无不认真，无不肃然地：“有一场梦，我做过很多次。但就像我在今天见到你之前不能确定那个梦是预知梦，我此刻也无法确定我反复做的这个梦，是预知，还是因为我……我太想你。”

顾茫说到这里，深吸了口气，竭力地，似乎要把自己这一生所有的温暖与光明都交付给墨熄，敷遮在他伤痕累累的心脏上。

他蓝眼眸中闪烁着湿润又温柔的光，他说：“我梦见过仗打完了，下了一场雨，我在雨里寻到了你。”

或许因着微渺的希望。又或许只是渴求些许的宽慰。

墨熄梦呓一般，望着那透蓝的眼睛问：“后来呢？”

“后来，我跟你说，回家吧。”

“……”墨熄嘴唇嗫嚅，眼眶更是湿润，他默默地垂了眼帘，轻轻地眨了眨。

“再后来，雨停了，我们就回家了。”

这一场最好的梦，他和他一样，都不敢信是预知的。

顾茫明明都已在未来牺牲了。

可即便这样，心里终究是又有了些微末的勇气，——他是那么爱他，只要有一点点希望的星火，他就甘愿为之燎原。

墨熄几乎是渴望地，同时又是悲伤，又是祈求地问：“那最后呢？”

“最后，你与我一直在一起。”

顾茫清瘦的脸上流露着和煦的笑：“只要不到终点，什么都是有希望的。在我牺牲之后，你不也一样怎么也想不到，我还能这样和你说话吗？”

“……”

“墨熄，无论结果怎样，你是从来都不服输的，我也一样。我知道你心中同样是悲悯众生，家国为重。我们从来都是一路人。所以，按着逆转石的指示做吧。是生是死，我永远陪着你，以你为傲。”

分裂魂魂，制成钥匙。就像一场噩梦，犹在炼狱浮沉。

墨熄甚至不知道这一切是如何一步一步进行下去的。

他像是已经死了。

他仿佛看到自己的魂灵浮至了帐篷之顶，飘飘摆摆地俯瞰着帐篷里的两个人。他看到自己所做的这一切，看着顾茫的鲜血在夺魂的时候从胸膛的创伤里源源不断地流出来，而被剖魂的那个青年，却一直在对他说，没关系，没关系。

多年前顾师兄在篝火前笑嘻嘻地跟他说，希望九州升平，人人得而公允，他愿为之赴汤蹈火，粉身碎骨。

如今想来，就和诅咒一般。

钥匙最终凝成了，是蓝宝石扳指的模样，被墨熄握着，颤抖地交托到顾茫的掌心里。然后他用他会的所有疗愈术法愈合着顾茫的伤疤，擦拭着斑驳的血迹。眼泪却如断了线的珠子，一滴一滴地滚落下来，最终和鲜血混浸在一起。

顾茫不住咳嗽着，如此剖魂之痛，他理应昏死过去了，可是他一直竭力地大睁着那双清澈的眼睛，一眨也不眨地望着墨熄的脸。

他知道自己失去了两魄，最后的记忆与理智很快也将随之土崩瓦解，而痛对他而言，是他早已习惯的滋味，是在他背负着密探的使命赴燎的那一刻，就一直在体会的东西。

他能忍耐着，再多清醒地看他的墨师弟一会儿——他知道自己这一生，说无私，那是对自己。可他对墨熄，却一直都是自私的。他把他所有的热血、生命，乃至魂灵都献给了他所渴慕的清平世道，留给墨熄的始终都是伤别离。

或许只有这一刻，四年前行将失去记忆的他，和四年后行将离开这里的墨熄，他们才拥有了一生都求而不得的真挚与安宁。

墨熄还在竭力愈合着他胸口剖开的疤，顾茫握住他的手，苍白的脸上流露出一丝笑痕，他说："不用再费力啦……放心吧，我不会有事的。"

"你知道吗墨熄，我是轻易死不了的……你以为燎君没有尝试着杀过我吗？你以为君上没有尝试着暗杀过我？"

"他们不杀我，不是因为像他们说的那样，说我异变太甚，不知道死了之后会导致什么后果。他们早就尝试过，只是……都……咳咳……都失败了。他们心里很清楚，我与血魔兽融合，只有它死了，我才会随之死去，所以……"他顿了顿，费力地喘息着，"师弟，你不用再替我疗伤了……"

"陪我说一会儿话吧…我只想再和你说会儿话…好……好不好？"

墨熄哽咽道："好。"

顾茫笑起来，他笑起来的时候总有一种朝气和野性，哪怕在这个时候也一样。

墨熄沙哑地："想聊什么？"

"其实也没什么……"

顾茫仰望着帐篷的顶，那里透出一片小小的星空。

"就是……就是很想跟你说对不起。墨熄，我……是不是……是不是太自私了？我对你没有说过太多的真话，而你……"

"而你，一直都是掏心掏肺地对我……"

墨熄摇头道："我知道你的迫不得已。"

我知道身为一个密探，在真假之间浮沉，你有多不容易。

顾茫侧过头来，墨熄看到他的眼尾有清亮的泪痕淌过："师弟……"

他伸出手，想去触碰墨熄的脸，但是他没有太多的力气。于是墨熄握住了他的手，带到了自己的脸颊边。

顾茫痴痴地望了他一会儿，眼眶一直是红着的。他们彼此很久都没说话，但什么都已明白。

顾茫蓦地闭上眼，泪水潸然滚落。

“我对你，终究是太残忍了……”

墨熄哽咽道：“你是迫不得已，而我……我心甘情愿。”

“我知道你有自己的梦，我知道你在想什么……”墨熄轻声道，“你已经尽力做得很好了……是我们……争不过天……”

顾茫没有吭声。他又呆呆地看了一会儿那一处小小的星空。片刻，他问：

“但我一直在争的……与天争……”

“我知道……”

“我们没有争过的，他们争过了吗？”

墨熄怔了一下：“什么？”

“凤鸣山枉死的那些兄弟……争过了吗？”顾茫睁着湿润的眼睛，忐忑地看着他，“他们最后都……都得到了平反吗……”

声音更轻：“展星他，他……也得到了平反吗……”

墨熄明白过来他的意思了，可这并不会令他好受，他紧紧攥着他的手，不住地点头。

“是，你带他们回家了……他们没有叫错你顾帅，陆展星……也从来没有……”墨熄缓了一下，极度的悲痛让他喉头哽结，竟一时说不出更多的话，“从来没有……拜错你这个兄弟……”

“你知道我们结拜啦……”

墨熄垂着沾着泪的睫毛，低低应了。

“对不起，我一直没有好好对待他。”

顾茫忽然笑了，他的笑容很真切，他看上去除了憔悴和脸上毫无血色，其他和往日里竟无太多的不同。

“没关系，展星其实很喜欢你……他不讨厌你，我知道的。”顿了顿，“那慕容怜……慕容怜呢？他有没有再糟践自己？”

“没有……”

顾茫好像又松了口气。

最后他那双澄澈的眼睛专注地望向墨熄，带着些小心翼翼，几乎是不安地打探着：“墨熄，这几年，我失去记忆的时候……是不是让你很痛苦？”

“……”

“我又欺负你了，让你难受了，对吗？”

那双眼睛里的色泽快要破碎成一湖一海的悲伤了，墨熄看着那张脸上的明快凋零，看着顾茫眸子里的星星将熄灭——他又怎么情愿呢？

他说："没有。"

"真的……吗？"

"是啊。"他哽咽着笑起来，他想重新把对方眼眸里的繁星点燃，他说，"是真的，你就算失去了两魄，没了记忆，你对我……你对我依旧是好的……从来，从来都没有令我难受过……都是真的。"

"在我心里，你一直都是个很好很好的人！"

墨熄道："一直都是。"

或许是看出了顾茫神态里的犹豫，墨熄想宽慰他，于是道："你多少都记得我的……我给你留过了念想，留在你身边，所以你没有把我彻底忘记。"

他说着，为了证明什么似的，想要从身上寻摸出什么信物交与顾茫。

可是他是自战场下来的，身上除了一块必须带走的逆转石，别无长物。正无措间，忽然指尖碰到了什么柔软的东西，他借着月光一看，顿时怔住了。

他摸到的，是用来装逆转石的锦囊。

他当时急于回到过去，拿了姜拂黎的锦囊也不曾细看，此时瞧来，但见那锦囊金丝绣千里云霞，银线绣万里河山，底下缀着红石玛瑙。

这竟是……这竟是……

遥远的记忆在这一刻被叩响，在落梅别苑重逢时，这就是顾茫固执地守护着的那个锦囊！

他第一次见到这个织物时，是那么愤怒，因为当时顾茫攥着它，直兀兀地对他说："有个人对我好。"

这个锦囊，是他给我的。

愕怔之下，墨熄的血一下就冷了，他陡地明白过来命运的安排，更是悲伤迭涌，心如夜寂。

他的喉头苦涩不已，竭力隐忍着，才没有让自己再一次落下泪来——原来……原来他一直妒恨着的那个赠送给顾茫香囊的人，竟是他自己。

顾茫失去神识记忆后也没有忘的人……也是他自己！一直都是他，只有他……

"你怎么了？"

"没……没什么。"墨熄压着自己隆盛的悲楚，小心地，用颤抖的手指解下腰间的香囊，放到了顾茫的掌心里。

顾茫端详着它，笑了："这就是信物？我后来就是靠着它，什么都不记得了，也还记得你？"

"是。"

"那我……也给你留一件信物吧。"

顾茫说完，在自己身上摸索着，可一个囚奴的身上又会有什么？他最后摸索到的，也不过就是两枚小小的白贝币而已。

顾茫催动微薄的灵力，在其中一枚贝币上小小地写了自己的名字，递到了墨熄手里："给你，无论回去之后会面对什么，我都陪着你。"

然后，他又欲在另一枚贝币上，写下墨熄的名字，想要自己收好。

可是他很快又想到了，他即将面对慕容怜，面对慕容辰，面对重华最严酷的拷问，他并不能随身带着一块写有墨熄名字的贝币，所以他写至一半，只完成了一个"火"，未着"息"字，便停下了手。

他把这枚白贝币谨慎地收入了锦囊之中，说："这就够了。"

他笑起来："我会记得你。"

至此，墨熄所有关于锦囊的疑问终于倾解。而悲伤的巨浪，也终于覆灭天地般压下——

墨熄想起顾茫离世前，自己曾经又一次打开了顾茫珍藏着的这个锦囊，当时他就看到了锦囊里的贝壳。

贝壳上斑斑驳驳，写了一个火字。

那时候他忍不住问："这到底是谁送给你的？"

顾茫说，不知道。只是记得，那是一个对他而言很重要的人。

"墨熄……"顾茫看着他的神情，抬起手，轻轻拍了拍他的肩膀。

他知道自己清明的时间已经所剩无多了，他也知道墨熄返回未来的时间也越来越近，他能感受到自己意识的逐渐混沌，也能看到墨熄的身体在微微地发着光芒，一点一点地开始变得透明。

这是他们之间的又一次告别，他试着像从前一样去宽慰他，去激励那即将返回沙场的英雄——其实他们两个都一样，本心都只想有一个家，并没有什么想要声名远扬建功立业的心。

之所以选择了去做英雄，不是因为觉得刺激，觉得荣耀，觉得有什么了不起。

而是他们尝过了太多的苦涩与别离，不愿让别人也体会这样的痛苦，仅此而已。

"墨熄，回去吧。"

顾茫轻声对他说，又垂下手，扣住墨熄逐渐淡去的手指，尽了最后的力气握了握。

没有人回答他，就在他以为墨熄也许已经受到了逆转石的影响，开始回归未来，并不能再听到自己的话时，却忽然发现他的肩膀在微微地颤抖。

顾茫怔忪而喑哑地："师弟……"

墨熄没有说话，仿佛有什么极重要的生命火光在他的身体里熄灭了。

他的身影在一瞬间变得那样黯淡茫然，仿佛与许多年前初入军营里那个孤独的少年重合，那个时候，墨家失势，前途未卜，墨熄一个人坐在士卒们的热闹之外。

而当时，除了顾茫，谁都不愿沾染他家族的余污。谁都没有给过那个失势的小公子，哪怕一个笑脸。

顾茫有那么一瞬间很想再一次拥住墨熄，告诉他，没关系的，他还在，不会离开。但是他很快知道，他再也没有说这句话的权力了。墨熄在未来，已经失去了他的顾茫哥哥。

再也没有谁，可以与他比肩战天下，携手复同归。

"对不起……"

墨熄闭了闭眼睛，而后摇头，他不是一个善于言辞的人，嘴笨、老实，时常说不出什么教人满意的话来。他只是那么笨拙地理解着他，明白着他，尊重着他，包容着他。

最后他沉默地捧起顾茫给自己的小小贝壳，在衣襟里，最贴近心脏的地方，收好。

做完这些之后他想起身，想像过去每一次离别时那样挺拔与从容。可最后他却没有做到，他走着走着，像是被拆碎了肋骨，捏碎了心脏，摘去了肺腑……他因过度的心痛而佝偻下去，把自己慢慢地埋下去，终于，在这个什么也无法改变的过去里，在这一败涂地的残局中，他终是泣不成声。

他与顾茫的感情，持续近二十年，却因为贵胄与奴隶的尊卑，因为密探与将军的矛盾，因为身份，因为道德，因为这样那样的原因，始终都是不被尊重的，始终都是流于暗处，无有承诺的。顾茫到最后甚至自己选择了牺牲，没有回到他的身边——但是墨熄知道，顾茫确实是在意了他近半生。

身为帝国的探子，顾帅为了守这些秘密，已经熬尽了几乎所有的热血与生命，而唯一剩下的那一些余温，那些残破的时光，那些真心，他都给了墨熄。

顾茫对他的情谊，其实并不逊于世上任何一个人对最珍视之人的纯粹、深厚、无私。

可他在意的人，在意他的人，因为密探的身份，甚至到了最后，都不敢，也不能，去写下一个，哪怕悄悄地写下一个完整的名字留在身边。

那只穿越了时空的锦囊里，仅仅只装着一枚写着"火"字的贝币。那便是他们之间唯一的信物了。除此之外，什么都不再有。

他们彼此想再说些什么，可是此时，墨熄忽然感到眼前一阵眩黑，逆转石的法力到了极致，在他手中发出滚烫的热度。

他忍不住最后一次唤他道："顾茫……！"

顾茫安静地望着他，湛蓝的眼睛里有泪，但却是笑着的。

在失去意识的最后一刻，墨熄听到的是帐外急促的脚步声，以及戒守弟子的声音："望舒君！"

"恭迎望舒君！"

他知道，自己将要离去了，而慕容怜将在此刻进来，命格的轮转依旧按照既定的轨迹残酷地运转着，他也即将回到四年后的血海战场。

逆转石是一场天神对凡人的骗局，过去的什么都没有改变。

离去的最后一刻，他看到的是顾茫抬手，将写着他一半名字的贝壳贴在衣襟口，那个鲜血未干的，最靠近心脏的位置。

顾茫望着他，没有开口，但那双眼睛已然把无限的话语言明。

墨熄，小师弟。

去吧，无论记忆是否清晰，岁月是否久长，在我心里，我都会留着对你的情义。对不起，我不能一直陪伴着你，不能对你毫无保留地倾诉，甚至还要在未来的时光里，隐瞒你，欺骗你，然后独自一人走向死亡。

我很后悔这一生连累了你，辜负了你。但是，我从来……从来都没有后悔过遇见你。

回去吧，墨熄。

但愿在未来，我们会等到那一场重逢，那一场……我曾经梦见过的雨。

第51章

墨熄从眩晕中醒来时，发觉自己身处一片黑暗之中。

他睁着眼睛，胸口的钝痛像是有一把尖锥狠刺于心腔，眼前还是最后那一刻顾茫的面容，沾着鲜血和泪，却笑着望着他。

他合上眸，滚热的泪顺着脸颊潸然而落。但是，他的事情还没做完。顾茫为了拓这一条路，已经把血肉骨头都献祭了，如今顾茫已逝，他便要替他的师兄去完成这未竟的心愿。

哪怕他已经痛如凌迟。他吞咽下无限苦涩，慢慢地，从地上坐起来。

是，还没结束，还不是最后。

顾茫不在了，但重华还有他，九州还有他，只要他还活着，顾茫便没有彻底地离去。他会接过顾茫的余烬，直到他也葬身在这条路上为止。

他用泛红的双眼缓然环顾四周。这里天地无极，这里像是盘古未开天辟地时的混沌。他躺的地方像是水面，可人又不会下沉，像是冰面，可始终有波纹潋滟。

他低头，在湖水中看见了自己的倒影，但很奇怪，他倒影周遭漂浮着数点紫黑色的碎光，那些黑光从他心口处不断地飘散，却又很快消失。除此之外，还有一团巨大的、模模糊糊的银白色光影。

他看不清那究竟是个什么东西，只知道它极其庞硕，瞧上去轮廓有点像他的神武吞天。

“那确实就是你的武器，神武吞天。”

忽然，有个威严庄肃的声音在他身后响起。墨熄蓦地回头，瞧见这片黑暗的尽头处站着一个白衣飘飞的男子。那男子身形俊秀挺拔，气质凛然不可侵犯，周遭飘笼着淡雅仙雾，将他的面容打磨得模糊不清，只隐约能看出他五官深邃，肤若冷玉，当是个极英武的男人。

墨熄一怔，不知他为何能够看透自己的心思。

他不由得问：“你是谁？”

男子不答。

墨熄便起身，向他走去，却发现无论自己走几步，那个男人永远都和他保持着此刻的距离，似乎怎么也无法靠近。

墨熄心情正是晦暗，也无心纠缠于此，于是又停下了脚步，问道："这是在哪里？"

这一次男子倒是回答了，他说："你在这块逆转石里。此石之内的乾坤，与六界均无关系，是另一方天地。"

墨熄闭了闭眼睛，他压下额角突突的抽疼，咬牙道："你是主管这块石头的神仙？"

"算是吧，你不必过问我的身份，我不过是真神的一缕灵力，驻守在这逆转石中。我的真身是谁，这对你而言，没有任何的意义。"

此间真有神明。

可墨熄遭此变故，对神明已无敬畏，因此他面对逆转石之神，只是冷声道："我与你没什么可说的，放我回去。"

那神明摇头道："你仍不能出去。"

墨熄厉声道："你还要如何？！"

他这般冲撞，这神之灵力却并不介意，只似乎是有些哀然地看着他，又好像并没有太多情绪。半晌后，开口道："墨熄，你不必如此恨我，你的天命非我所控，我也仅是被真神遗留于石内的灵力而已。你既完成了逆转石的天命，我也便有了交代，你于我，实则是有恩的。"

"有恩……"两个字停于齿间，最后碾成冷笑，墨熄红着眼眶，眸含血丝，沙哑道，"好。你报恩吧，将这一切都停止。顾茫也好，陆展星也好，还有那些并没有什么人记得的无名士卒……这几百年死的人已经太多了。"

他望着那个渺然的神明幻影："你若是神，你应当早已看见。"

"……是。"

"那为何不结束！！你作壁上观与魔有何异！！"

神明之灵闭了闭眼睛，初时似乎并不愿答，但沉默一会儿，他还是说："墨熄，天神不可救人，只可引灯而人自救。而我此时唤你来这逆转石天地内，便是要告诉你，这一切就快结束了。唯剩最后一步。"

"花破暗在世间已经活了数百年，他与魔融淬，根本不再是个活人。我回到过去原是为了销毁血魔兽的力量，但最后却告诉我逆转石根本没有这样的作用——你告诉我，我们还当如何自救？"

他步步逼问，神明也一字一句都听着。

最后，这片神之灵力叹了口气，说道："我知你心中有怨有恨，其余不作多劝，但是……"

他顿了顿，对墨熄道："花破暗并非战无不胜，他的能力与血魔兽相绑，而我召你来此，正是要告诉你破解他魔兽之力的法门。"

墨熄沉默，咬着牙忍下无尽之怒："……好，你说。"

“那法门在于……”神明说，“你需要知道你自己的过去发生过什么。”

墨熄愕然：“我自己的过去？”

神明宽袖轻拂，指着那无风却起縠纹的湖面，说道：“是的。逆转石能照出一个人的魂灵。你的身体就像一个容器，承载着你这一生遭受过的所有波折，得到过的所有爱恨——在这里，就在你的脚下，什么都能反照出来。”

墨熄再次低头看去。倒影，意味着他自己。

鲸鱼幻影，代表着他最厉害的武器。可那些胸口溢散又顷刻消失的黑气又是什么？

“那是之前慕容辰在你身体里种过的魔蛊。”

他如此一说，墨熄想起来了，这应当就是梦泽设法拔除的操控蛊。在逼宫金銮殿那一日，慕容梦泽曾经说过的，她在施救洞庭水战中被顾茫重伤的墨熄时，发现了这个蛊咒，背着慕容辰偷偷地将它拔了出来。

为此她的灵核俱损，后来再也不能施展任何稍强大些的法术。

他的所思所想，像是一字不差地都投射到了神明的眼中。

神明道：“你错了。魔蛊从来就不是慕容梦泽拔除的。”

墨熄猛地抬起头来：“什么？”

神明之灵重复道：“魔蛊从来就不是慕容梦泽拔除的。”

“……”

“真正替你拔蛊的人，他剖了你的胸腔，解了你的魔咒。但他当时身在敌营，一来，不能让慕容辰发现他做了这样的事情；二来，他也无法在燎国之人的眼皮底下与你单独待太久，所以他只能出此下策，与慕容梦泽商量好，请她保守秘密。”

墨熄只觉得浑身血流都涌向了头脑，他脑袋里嗡的一声，手指皆在发颤，嗫嚅道：“你说……什么？”

“洞庭水战，顾茫对你当胸刺下那一刀，并非无缘无故。”

“什么？！”

“他在燎密探的过程中，觉察到了慕容辰曾经对你下过黑手，所以才特意在那一次交战之中，引你到了战舰之上，将你刺至重伤昏迷。你醒来之后，看到的是赶来援助的慕容梦泽带你回了军营，以她灵核崩裂为代价替你疗好了伤口。但事实的真相是……”神明顿了一下，说道，“你昏迷之后，是顾茫带你在战舰暗室，替你拔去了蛊毒，是他刻意让慕容梦泽杀进重围——把你，交到了她的手里。”

墨熄脸色苍白如雪，血液更是凝冻成冰。

“顾茫很清楚慕容梦泽是个什么样的人，她从来就不简单，有野心，有权谋，虽也是个冷血无情的帝王种，但她至少没有她的兄长那么疯。顾茫也知道，你对慕容梦泽而言是一个极大的助力，她恨不能找尽一切办法拉拢你，所以白赠给她的这份恩情，哪怕带着危险，她也一定会收下。”

墨熄觉得自己的喉咙都像是被冰封了，良久之后他听到一个极沙哑的声音在说话，那声音是如此陌生，以至于一时片刻，他都没有发现说话的人就是他自己。

他问：“所以……所谓的救命之恩……从来就……从来就不是梦泽……是顾茫让她替代的？”

“他不得不这么做。”神明道，“他希望得到你的恨，希望你得到慕容梦泽的保护，也希望你日后不必被慕容辰控制，除此之外他别无办法。”

“所以梦泽……她的灵核也从来都……”

“对。她从来都没有受过伤，她是药修，又是神农台主事，她给自己伪造出一个羸弱的假象再容易不过。这世间凡人，知道她秘密的只有两个人，一个是她自己，一个就是顾茫。”神明淡淡道，“这也是她眼见着顾茫记忆要恢复了，就派周鹤在审讯时暗用邪法，想要阻止顾茫重拾回忆的原因。”

墨熄更是震愕：“周鹤也受了她的指使？！”

“是，周鹤是梦泽党羽，亦是她的好友。你说的不错，一直试图阻挠顾茫恢复的人，就是慕容梦泽。”

“……”

“她知道你的感激对她而言是一枚重要的棋子，而她又不确定顾茫想起往事之后，会不会因为时过境迁把真相与你和盘托出，所以她急于刺激顾茫，令他暴走，再一次丧失理智。只要他傻了，她救你性命的秘密世上就再没第二个人知道。”

墨熄喃喃道：“不可能……她……她明明有那么多机会可以下手……可她却一直在耐心照看着顾茫，还给我指路，令我去临安寻找大修……”

“指路？”神明之灵冷笑一声，“你赤子之心倒也天真。你不知道，岳家事变其实是救了顾茫一次。因为原本照慕容梦泽的计划，顾茫的头脑将会在你们寻找到‘大修’之后，彻底毁灭。”

对上墨熄愕然的眼神，神明平静道：“墨熄，你觉得她会在自己照料顾茫的时候，让顾茫出事吗？”

“慕容梦泽前后下过几次手，第一次，是暗杀慕容怜，第二次，是顾茫在疗房休养时，告诉他关于天劫之誓的真相。在第二次计划里，她引发了顾茫崩溃暴走，几乎就要成功了，可你的出现偏偏阻止了顾茫的进一步沦陷。她若是这时候再急于求成，让顾茫在她手里发病，你会不会有可能怀疑到她的身上去？”

“……”

“所以……”墨熄心口窒闷，此时倒也不是愤怒了，而是无尽的冰冷与疲惫，他喃喃道，“如果我们去临安深郊，也是找不到真正的大修的……”

“是。只会有一个她自己伪装成的修士，等着你们自投罗网。”

墨熄闻言，愣怔片刻，不由仰头怆然苦笑。

梦泽……梦泽……她……她竟也有自己的一盘棋？

原来帝王权术，贵胄纷争，尔虞我诈，半生回首而望，竟什么人都有自己的谋划，什么都是假的。

一个王座，一手权势，就真的有那么重要？值得把一辈子的心力，所有人的真心都算计进去。他忽然觉得，这一切是那么可笑。

他周围的脸，这些年来，他真正看清的又有几个？这般机关算尽的人生，真的值得吗……

“墨熄，你不能这么想。对你而言不值得的东西，对慕容辰，对慕容梦泽，却是值得的。”神明说道，“你是个太过淳直的人，顾茫则是一个太过理想的人，你们这样的人容易为圣，却不容易为君。”

墨熄阖了眼眸，倦怠地喃喃道：“慕容梦泽想要为君……”

“不。她想要的东西，远比当个重华主君多得多，只是天不与她命，她便自己来夺。自古为君王者鲜有纯澈干净之人，她确实手段阴狠，但——”他顿了顿，“对于一个君主而言，最重要的是治国是否有能有道，其他则并不那么紧要。这番话说来残酷，亦会感到不平，不过人有千面，各有所长，对错且不论，我可以说的是，此人若驭一国，会比慕容辰、慕容怜，比顾茫，比你都合适得多。”

“……”

神明再一次停缓了片刻，而后道：“好了，现在你知道这一切了……”他衣袂轻拂，隔着缥缈的冷雾望着他，“墨熄，回去之后，你想去找她寻仇吗？”

换作三年前，五年前，墨熄心里什么都是黑白分明，爱憎清晰的。好像觉得人世间所有的事情都能得到个是非对错的公正结局。

而如今，他却知道，这天地间其实有很多的不尽人意，善恶不明。

只是同时，他的顾师兄也指引着他，告诉他，无论他人如何，命运是否不公，人最需要对得起的是自己的内心。

哪怕严寒霜雪，万籁俱寂，也一样有寒梅斗雪，松柏迎风。

名利、苦难、永夜乃至死亡都不改其心，这才是成就了自己的道。

神明等了片刻，见墨熄不答，也没有去再行追问，而是重新指向湖面——

“你若没想好，也不必答复于我，复仇与否，你回去重华，见了她之后，你自己亦会有一番定夺。我且与你说第二件关键之事。”

“什么？”

“你瞧这湖水里的吞天，你的倒影里投映出吞天的影子，你是否感到蹊跷？”

墨熄道：“吞天是我的神武，自然是能照映出来……”

“那率然为何没有出现呢？”

墨熄闻言一怔，抬起眼帘。

神明之灵淡淡道：“你有没有想过，为什么吞天会有这样移山填海的能力，甚至比寻常神武都更显暴戾得多？”

“……”

见墨熄不答，神明道：“其实吞天，并非一件寻常神武。”

墨熄愕然睁大眼睛。

“你已经知晓，当年你们重华的先君想要依照沉棠留下的禁术，炼出可以和血魔兽对抗的仙兽——人人都以为他失败了，老君上自己也这么认为。但真相并非如此。”

神明衣袂轻轻拂摆，沉声道：“当年参与仙兽炼化的那些人，慕容怜的父亲，周鹤的父亲……他们有的人始终和老君上一条心，有的人却看出老君上在黑魔术法面前，其实自制之力也在渐渐被蚕食，其中有一个，就是你的父亲。”

墨熄骤惊！

“当年，圣仙兽其实早已顺利炼出，但它有灵，只在自己认同的人面前显露出力量，所以其他人以为他们失败了，那并不是真的，只是他们没有通过仙兽的窥测，不知道它已经成功孕育成珠。而你的父亲墨清池……他是唯一得到仙兽认同之人。那个仙兽只在他面前显形，认他为主。并且曾悲伤地向它的主人诚实预言，他将在不久后的一场战役之中牺牲，他的家族也将大乱——而唯一能保护他儿子不受欺凌的，只有最强大的法力——那便是它自己。”

墨熄不由得往后退了一步：“什么……”

“我知道你会很惊讶。但真相便是如此。墨熄，你父亲在得知自己将不久于世后，把仙兽灵珠封印在了你的身体里，让它将你认作主人，护你平安长大。否则你为什么生来便有如此天赋和强悍的实力？你的能力远在天纵奇才之上，根本就是异常的。”

墨熄微微颤抖，回想过往种种，以及自己一直压制着的伏尸百万的杀招能力，指尖越来越冷。

“你以为吞天是你开化之后召出的神武，不是的。”神明道，“那是墨清池留给你的仙兽之魂。你的强悍灵力，也正是源自它。”

神明盯着墨熄的眼睛，一字一顿道：

墨熄脸上再无血色。

他怔忪地大睁着双眸，看着逆转石之神，而神明说完这句话，周围的仙雾愈加缥缈朦胧，将他的身形浸泡得更加模糊，声音也变得空旷邈远，像遥隔着山河湖海。

“墨熄……逆转石选中你，自然不是偶然。接下来，我会解开你体内吞天的封印，你将彻底拥有圣仙兽的力量，能与血魔兽力量匹敌。

“而你，你也将有两个选择——出去之后，你可以选择去找慕容梦泽复仇，你有仙兽灵体傍身，杀了她，拥城为君，然后以吞天结界护住重华城，血魔兽的血水会吞并整个九州，但不会殃及重华城。你便可以偏安一隅。

“你也可以选择在唤醒吞天后，潜入血海深处。在那里，你会感应到血魔兽的心脏。只要将你的灵力与之抵消，你便能毁灭它，血池就会化为寻常湖水，花破暗也会失去力量来源，变成一个可以战胜的普通人。九州得保，但是……”

神明顿了片刻，声如洪钟道：

“你将会与血魔兽同归于尽，从此永脱轮回之外，不得转世投胎。”

墨熄听着，原是如此残忍的事，可他竟不觉得有多沉重。

他是刚刚裂了顾茫魂魄的人，又经历了如此跌宕起伏，此时对他而言，似乎没有什么比过去的一切更痛。

神明周围的仙雾缥缈，教人瞧不清他的神色。半晌后，他似乎是轻叹了一声，而后对墨熄道：“这两条路……无人强求于你，我说过，神明不会救赎人，只引灯，而人自救。同样的，神明也不会强让你做出抉择。走哪一条路，你自己选吧……”

他说完之后，便在寒雾里消失不见了。紧接着一股强大的斥力将墨熄猛地一推，这空间里的黑暗骤然碎作无数晶莹纷乱的残片，在墨熄眼前纷纷扬扬飘零而落。

他看到自己过去的三十余年时光闪烁在这些碎片里，看到孩提时立在月桂树下的墨清池，父亲束着护甲的手向他伸出来，微笑着对他说：“小火球，你怎么来这里了？”

他看到他第一次见到江夜雪，温驯谦和的孩子安静地立在阙台边，正与他母亲说着话，受到母亲的指点后，江夜雪回过头来，对他说：“你好，我叫岳夜雪，你就是墨府的小公子吗？”

他看到慕容怜在学宫内对顾茫百般欺负，当时却不知晓原来慕容怜心底深处，除了对顾茫的嫉恨，也仍存着些微的血缘挂念。

他看到慕容楚衣孤高清冷地自游廊下走过，以为这人真如传闻中那般毫无人情，后来才知慕容楚衣的心里其实藏着江河湖海般的温柔缱绻。

然后，他看到他与顾茫决裂那一日，在洞庭水战的甲板上，顾茫一袭黑衣，执着刺刀猎鹰，于焦烟星火里向他走来。

顾茫当时额前配着从死尸身上夺来的重华英烈巾，他曾以为是顾茫对烈士的羞辱，却不知那是顾茫对重华的不舍。

那时候顾茫薄唇启合，森森冷冷地对他说：“当将当士，生而为人，那都不能太念旧情。”

可后来他知道，顾茫在燎国的每一时每一刻，都没有忘却过七万碑，三万人，一个国，九州城。

他曾怨恨顾茫的冷血无情，不肯回头。

其实顾茫从来没有背叛过他们走到另一条路上去，他只是自己兀然独行，往前去给后来人披荆斩棘，开出一条血路。

他以为是顾茫剖了他的心而梦泽救了他的命，却原来……

墨熄缓缓地闭上了眼睛，苦涩与悲伤在他胸腔里野火般烧灼着，烧到心坎，湿红眼眶。整个逆转石的世界都坍圮了，无数故人的音容笑貌、尔虞我诈像灭世的洪流向他压迫而来，他被这巨大的力量推出这片天地外。

逆转石之神的话犹在耳边："是复仇拥城，还是投身血海。这两条路，你自己选吧……"

透过阖着的单薄的眼皮，墨熄能感觉到有天光在逐渐地亮起，他没有睁眼，却已听到了城郭内妇孺啼哭的声音，士兵们互相鼓劲的声音，兵戈之声，潮水之声……

他明白自己是回来了，又回到了四年后的战场。

他甚至听到有人在远处遥遥喊着："调左营的兵去给姜药师增援！"

"花破暗简直是疯了！！"

他知道姜拂黎已经去和花破暗交战了，姜拂黎虽执意认为自己不是沉棠，却承载着沉棠所有的记忆和如昨的心念，再一次走到了和燎国对抗的战火之前。

顾茫说，每个人都有每个人要完成的事情。

那些事情或许看上去很艰难，很残忍，很没有意义，很得不偿失，或许看上去有别人可以顶替，不用自己冲锋陷阵，可以偷得浮生，偏安一隅。

有很多人会想，算了吧，我这一生犹如蜉蝣，只愿自己潇洒开心，无人愿意去逞这个英雄。

可是总会要有人站出来，去放下那些私怨和仇恨，去想，算了吧，我这一生犹如蜉蝣，但只要能做一些使得这人间、这邦国、这街头巷陌更清平的事情，那也是好的。

顾茫、慕容楚衣、姜拂黎、墨清池……他们都选择了这一条或许被讥笑作愚蠢的狭路。而此刻，墨熄知道，他们都在这条路的尽头等待着他的归来。

他睁开眼睛。

眼前那弥留的幻象消失了，他睫毛轻颤，发现自己又回到了之前所在的暖阁，而姜拂黎确实已经不在这里了。

窗外，又一黎明已至，云霞壮烈如血。他举目望去，看见远处重华的士卒再一次不肯认命地与燎国的铁军厮杀在重云之间，御剑的狂澜似流星雨落地，扑卷向对岸的燎军营地。而顾茫殒身的血魔之河已逼至王宫暖阁之下。

他走出阁去，迎着灿烂夺目的霞辉，站在初升的朝阳之中。

修长的手指抚上雕栏，他凭风而立，看着这破碎混沌的河山，他忽然明白了所谓的天命——

那命运并不是注定的，只是命运注定会给予人无数的试炼，仇恨、迷茫、误解……能泅渡至最初所期盼的彼岸的人，其实寥寥无几。

他垂眸望着那滚滚血浆奔流而过，最终抛下了用尽的逆转石，低声道："师兄，我会选与你一样的路。"

"你等我，我随你来了。"

墨熄说完这句话，遥远战场上的修士们忽然听得一声震耳欲聋的啸叫，而后天崩地裂一般，王城角楼处忽然跃出一只遮云蔽日的巨鲸，那巨鲸咆哮着，怒号着，灵体比从前人们见过的每一次都更具化，更庞硕。

与姜拂黎战至正烈的花破暗蓦地抬头："这是……"

被墨熄彻底释放出来的吞天再也不是神武形态，它逐渐于壮丽云霞中聚成真身，绚丽无极，俯仰吐息间，端的是整城落雨，金光漫照，虹桥贯日。

"圣仙兽？！"

花破暗骤然色变："重华什么时候炼成了这种灵兽！！"

姜拂黎身负重伤，却依旧咬牙一剑递去，对他道："恐怕早炼成了，花破暗，是你一直太看轻了人心。"

"……人心？"花破暗森然冷笑，脸上笼着一层近乎疯魔的阴影，"我一生当过奴隶、君主、国师……我遍换身份，尝尽百味，看尽了人世不公！人心是什么？不过是畜生心脏上刷一层金粉，卑劣不堪！"

他眯起眼睛："人心从来与兽无异，胜者为王败者寇，就因为我先祖的一念之失，后嗣做了数百年的奴隶。所以我花破暗笃信断杀与鲜血！我从未看轻人心，而是你——沉宫主，是你将人心看得太重了！你未免太瞧得起这群人！"

他一掌拂过姜拂黎的胸腔，原要击中心脏，却指掌一转，转而狠打在了姜拂黎的肩头。

苏玉柔于战场上见姜拂黎支持不住，不禁悲呼："拂黎！"

花破暗面目凶冷至极，眼中闪着血腥的汪洋，目光睥睨而落："闭嘴，你这个贱人！是你私下勾得他背叛于我，此账我尚未与你清算！"

苏玉柔哀然道："国主，求您放过他吧……当年是我带他逃走的，是我抹了他的记忆，他什么都不记得……却还记得曾授予您的断水剑谱……五年一剑春秋变，十载一剑逆沧桑，此剑凌绝可断水，平生难断向君心……不是他背叛您，是我啊……"

花破暗神色微动，似有迟疑。

苏玉柔救姜拂黎心切，见花破暗有所犹豫，接着道："他……他心底里总是记得您的，求您莫要再伤他……求求您……"

姜拂黎厉声道："你不必求他！"

"……"

姜拂黎在这时承受不住内伤，蓦地呛咳出一口血来，他后掠数丈，以剑拄地，抬头喘息道："花破暗。你听好了。我确实是……仍能记起断续往事，但那是因为我自己厌极了你，憎极了你！记得你，只是因为……我恨你……已恨到了骨子里去。"

花破暗微微眯起眼睛，沉默地盯着他。

若是细看花破暗此时的眼神，那疯狂与残暴里其实是闪动着一丝惶然的。

姜拂黎喘了口气，接着道："这一生，无论是姜拂黎还是沉棠宫主，对你，最后都只剩了一句话。"

那种惶然骤然一闪，花破暗勃然大怒道："住口！"

他隐约地知道姜拂黎会说什么，那一句话，是百年前沉棠魂散时没有说出口的，而他在这数百年的时光沉浮里，时常会于梦魇深处听见。

他心中的危城已风雨飘摇了数百载，到今日，似乎那一道雷霆终将摧城而落。

姜拂黎在飒飒风中望着他，眼神既有属于姜拂黎自己的冷漠，亦有属于沉棠的悲哀。

花破暗陡地寒毛倒竖，他几乎是厉声喝道："住口！你给我住口！！"

姜拂黎唇齿相碰，那一句停驻了百年的永诀之言，终于在这一日，在故往旧事的重演中，被道出了口。

"花破暗，我恶心透了你。"

花破暗蓦地抿住嘴唇，神情扭曲古怪，像是想纵声大笑，又像是被触到了某处百年未愈的疮疤，面色陡地惨白下去。

他眼瞳收缩着，异样地盯着他。

苏玉柔见状，忍不住急道："拂黎，不要再说了！"

姜拂黎却不听苏玉柔的话，他接着道："那一年，是沉棠赎你出奴籍，收你为弟子，送给了你花破暗这个名字。此时此刻，这个名字，我要替他收回来了。"

"从这一刻起，你可以是燎国的国师、国主、不死的魔头，你可以是你想做想自封的一切。但是……你再也不能是花破暗。"

"沉棠门下，没有你这样的弟子。"

花破暗目光若血，眼中蛛丝猩红，咬牙切齿地低吼："师尊……！"

姜拂黎木然道："我受之不起。"

花破暗手指捏得咯咯作响："沉棠！你当真要逼我到这个地步？！"

姜拂黎道："我不是沉棠，我只是你从地府拖回来的一个活死人。你也不是花破暗，你只是当年他在学宫，误信的一条……"他顿了顿，白齿细微颤抖着，却字句清晰地道出这两个字——恶狗。

他这句话说完之后，花破暗蓦地一顿，仿佛被无形的鞣鞭狠抽了一下。那张素来只有恶毒能生长的脸庞上，竟闪过一丝痛的神色。

半晌后，他骤然仰头长笑，笑甚痴疯，连声狠厉道："好——好好！"

三声好罢，陡地狂怒，正欲再击，墨熄那边角楼上空搅动风云的巨鲸，忽然俯仰升入九霄，继而在众人的惊呼之中，爆发出璀璨耀目的阜盛华光，鲸啸吞天，浩尾触日，紧接着它猛地扑向了那洪流滔滔的血魔池之中！

"圣仙兽！真的是圣仙兽！"

"墨帅能召唤圣仙兽！！"

花破暗此时已近狂暴，一招一式凌厉至极，取向姜拂黎。听众人这般呼喊，他不以为意，森然道："能召唤圣仙兽那又怎样？召来了也只不过能保重华王城偏安一隅，这后生也不至于会——"

不至于会为了这个已经没有了他恋人的国家牺牲；不至于会为了这个存在着尔虞我诈明争暗斗的九州赴死；不至于，会为了这个曾指责他的爱人是叛贼逆子的国度，捐身殒命，同归于尽。

可这番话还未说出，那边墨熄已引爆了圣仙兽的耀目穹光，朝着茫茫血海投去！

"轰"的一声，势如卷席，天地震动！

北境军的士卒们不由得痛呼出声："羲和君！！！"

"墨帅！！"

花破暗一时大震，不敢相信自己的眼睛。

疯了？！

这人是疯了吗？！凭什么历经了那么多苦难，失去了所有亲眷所爱，受到了如此多的命运苛待，却还会走这一条成全旁人的路？！

能得到什么？为了什么？！这个人……难道没有恨，没有私心吗？！为什么竟会做出如此抉择？！

愣怔之间，姜拂黎已看准时机，一剑斩来！花破暗惊愕之间闪避慢了一拍，被刷地划破了肩膀，血花飞溅！花破暗闷哼一声，向后疾退，低头一看，只见得一道深狠狰狞的血痕纵于肩头，可见血肉下的白骨。

姜拂黎执剑，在这决战的腥风中，望向花破暗这个百年未死的恶魔。

他沙哑地，淌血的嘴唇启合着，低声道："想不明白，是不是？你永远也不会明白的。但是……"

他顿了顿，抬手一寸寸擦亮剑芒，罡风扬起，将与花破暗最后一决。姜拂黎一字一句道："百年前，你是怎么在重华城外败北的，今天也仍旧一样。世上并不止沉棠会阻止你的野心，愿意以血肉之躯保护邦国黎民的人，也从来……都不止沉棠一个！！"

海沸山崩，挥斥八极——他猛地向花破暗袭去！

而与此同时，角楼那边铺天盖地的血水溅起，墨熄在吞天的护体之下，扎入了红河血海深处。

“姜药师!!”

“墨帅!”

战场一片惊呼。

然而墨熄却不再听得到了,他已投身进了血海之中。而说来奇妙,明明是人生中最后的时刻了,他却觉得一切忽然都变得那么安宁与祥和。

福至心灵般地,他在血海里,满目的猩红中,很快就看到了底部沉降的那一颗血魔兽心脏。

他知道,只要自己毁去这颗心脏,一切就都结束了。

血海会变成清澈的湖泊,花破暗会失去力量,堕为可以被斩杀的凡人。

只是他自己——逆转石守护神明的话仿佛就在耳边:“九州得保,不过你会与血魔兽同归于尽,从此永脱轮回之外,不得转世投胎。”

墨熄淡笑,没有再犹豫。他伸出手,触及那一颗跃动的血魔兽之心。

顾茫融入魔兽,而他为仙灵。

但他们终究还是殊途同归了。

墨熄缓然落在血池之底,他低声对那心脏说:“这是我最终选择的路,顾茫。等我陪你。”

双掌覆上,光辉涌动。

吞天的灵力与净尘的灵力在这一刻碰撞着,却并不是预想中那般厮杀凶狠的。或许正因为两位与灵兽联结的宿主曾是如此的缠绵,尽管血海深处波涛汹涌,怒海腾风,但墨熄却感觉不到任何的疼痛。

他只觉得眼前越来越模糊,身体也越来越轻,像是迟来的解脱。

在他周围,血水逐渐淡作了清澈的河水,随着血魔兽之心的覆灭,澄澈的河水像是纸上墨渍一般扩涌。

慢慢地,血海不再是血海。吞噬九州的猩红,成了滋润沃土的流水。

他蓦地呛出淤血,灵力流散,河水倒灌,渐渐地呼吸不过来。他仰起头,知道这就是命运的最后了。逆转石给了他两条路,一生一死,他选择了后者。

顾茫与血魔兽融魂,尚能燃尽一生光明。

他既是与圣仙兽融合的人,又……又怎能输给他的顾茫哥哥呢……

他有些释然地笑了起来,这时候,天光透过水面洒下,仿佛无数金色的雨丝飘落在墨熄周围,那光芒越来越灿烂,好像天地之间落了一场瓢泼金辉的雨。

甘霖轻落,细雨迷蒙,一切竟都在此刻变得那样安宁。

而在这温柔的雨幕深处,墨熄忽然看到一个人影慢慢地出现。

墨熄怔住了。

那个人,翩翩而来,蓝金色英烈巾飘飞,走近了,能瞧见英俊年轻的容颜,灿烂耀目的微笑,一双眼睛黑黑的，身上无伤，从湖河的最深处，向他灿笑着走来。

顾茫……原以为自己不会再痛再难受，再有所留恋的墨熄，在这一刻蓦地哽咽了。

是顾茫……

可这顾茫又好像并不是从湖底走来的，而是像十多年前他们第一次在战场重逢时，顾师兄从篝火边向他走近，向孤独的他伸出了手。

墨熄红着眼眶，喑哑道："师兄……"

是你吗？

是你的幻影，你的魂灵，还是我将死时的错觉？

没有人回答他。这个顾茫只是像多年前一样，像他们都还年少时做的那样，一路走到他面前，把手摊开，递给他，向沉没在水底的恋人温柔道：

"墨熄，我们回家了。"

战火终结了，都结束了。

我们回家吧。

第52章

墨熄，我们回家了。

这一声尘埃落定的低唤，让墨熄陷入沉眠，又自沉眠苏醒。

不知过了多久，他听到淅淅沥沥的雨声，雨幕深处，有缥缈朦胧的声音在低吟浅唱着歌谣。因为雨水声繁，他无法分辨出那烟雾般的声嗓具体唱着的是怎样的内容，只觉得那曲调疏旷哀婉，奇诡特殊，似是从遥远的天地鸿蒙时传来。

“来归……何时来归……”

唯一能辨清的只有这几段模糊的唱吟。

他睫毛轻轻颤抖，缓然睁开眼。

周围是无尽的冷雾，天穹往下落着细密的雨丝，落在他脸庞上，却并不觉得潮湿，这些雨水好像在一触到他皮肤的瞬间就消弭作了无形。

天地间一切都是摇摇晃晃的，他缓了会儿神，这就是死后的世界了吗?

紧接着，他发现自己躺在一艘破旧的小舟上，船舷边坐着一个人，那人托腮望着远处的芦苇荡，墨熄在看清他的脸时一下子坐起来，只觉得血流逆涌——

“顾茫?！”

顾茫闻声回头，展颜笑了。

“你醒啦。”

墨熄一时只觉得受到了重重一击，胸口的痛化作眼眶的热，无尽的情绪涌在喉咙口，却一句话也说不出。

他坐在这一叶扁舟上，想看清周围的一切，但目光又片刻不愿离开顾茫的脸。许是感受到了他的心意起伏，顾茫从前面的船舷处站起来，走到他身边复又坐下，而后握住了他的手。

墨熄心下大颤，垂了睫毛，而顾茫伸手抱住了他，说道：“没事啦，都结束了。”

都结束了，你受了太多的苦，承担了太多始料未及的磨难。

如今这一切，都结束了。

墨熄亦将他紧紧拥在怀中，河面上烟雨朦胧，什么也看不真切，只有眼前人是真的，可以触及，可以相伴。

墨熄哽咽道：“你还活着……”

顾茫放开他，轻拍他的肩膀，苦笑道：“还活着，但等这船到了尽头，也就该走了。”

“这是……”

“这是通往鬼界的魂河。”顾茫道，“我们俩都已经……”

他没有再说下去，但墨熄已然明白了他的言下之意。

他们两人，一个殉了魔池，一个选择了与血魔兽的不死心脏同归于尽，最终都赴了黄泉，在这静水深流的魂河复相见。

墨熄慢慢地从最初的恍神与激动里沉静下来，他望着顾茫的蓝眼睛，心里逐渐弥漫上一层浓重的悲伤。

是了，他们都已经死去了。

只是顾茫尚有转世，而他自己……他垂眸，遮住那一闪而过的秘密。

而他自己，终究会和逆转石之神所说的那样，最终魂飞魄散，永脱轮回之外。只是这个秘密他并不希望顾茫知晓，他与顾茫的生命都已只剩下最后一程，能再相见已是天见垂怜，他不希望这最后的时光是悲伤的。

更何况，一直以来，都是顾茫隐藏着自己的秘密，以换得他的安平。

这一次……墨熄想，该轮到自己哄着他了。

他渴望顾茫能够了无牵挂地轮回，能有无忧无虑的一生。

“对不起，连累到你也来了这个地方。”顾茫注视着墨熄，神情显得很难受，“我到底还是……没有保护好你。”

墨熄淡淡笑了，他嗓音低沉，带着些沙哑，他说：“我自愿的。”

河水在他们船下细细地拍打出碎浪。

“顾茫，我应当谢谢你，如果当初不是你，或许墨家落寞之后，我就会变成和慕容辰、花破暗一般不择手段，满怀着野心和仇恨的人。谢谢你，是你救了我。”

顾茫笑着去摸他的脸：“你永远不会的，不是我救了你，是我很早以前就看到你的善良，你的心，所以我无所谓你家世如何，才会愿意去理睬你，去陪伴你。”顿了一下，他蓝眼睛里的光泽有些湿润了，他的声音低柔下来。

“去珍视你。”

他们谁都没有再说话，魂河之上的细雨落下来，在他们身上笼了一层薄而朦胧的熹光。在这艘驶向亡魂归处的轻舟上，这两个思慕了对方半生却不得陪伴的人，终究能撇去一切，将衷肠相诉了。

“墨熄，我一直都很舍不得你。”

“我也是。”

“一直都想和你在一起。”

多年前的对话复在黄泉路上重现，墨熄笑了，笑着笑着，嗓音里就有了苦涩的湿润。

“我也是。”

“只有你。”

“嗯。”

“以后生生世世，若是还能有你，那就好了。”

这一次墨熄没有说话，他知道，自己是没有转世了，但他看着顾茫清澈湛然的眼眸，他心底涌起极度痛苦的时候，又是极度的温柔。

半晌后，他略带鼻音，浅笑着凝望着顾茫的眼睛，说：“……会的。”

对不起，一生几乎没有对你说过谎言。

最后一次，却要骗你。

顾茫，我想你好好的。

“我们会再见的。”

船继续向前驶着，雾气很大，闪烁着迷蒙的光泽。骤然间，他们听到雾气深处有人喧闹的声音，墨熄怔了一下。

顾茫却道：“别担心，刚才我也听到过，那不是什么不好的东西，你仔细看看雾气深处……”

墨熄转头望去，只见迷雾里影影绰绰闪动着其他舟楫，定睛细看，浩浩荡荡竟遍布了那宽阔无垠的魂河河面。每一艘船上都坐着一个身披重华旧战甲的士卒，那衣饰还是多年前顾茫身为主将时他们所穿的。

渐渐地，他发现那些脸庞是那么熟悉，染着血污，有的还很年轻，甚至是稚嫩，他们望着自己来时的方向，目光里闪着庄严的神色。

再然后，墨熄听到雾里传出了隆隆金鼓之声，听到低沉肃穆的重华军歌在魂河河面回荡，几万人的声音汇于江海，将那芦苇深处的缥缈送魂声盖住。

“昔有儿郎抱剑去，碧血沉沙骨难还，此骸去岁仍玉貌，此躯昨夜曾笑谈。君遗丹心我相照，君余浩气我将传，英魂重返故里日，人间无处不青山。”

听清那熟悉歌谣的瞬间，墨熄的眼泪再也忍不住，可落到风里，却又与黄泉路上的雨水一样消散无踪。

“这艘船泊了好久。”顾茫轻声道，“下了黄泉雨，起了隔世雾，雾里就出现我们从前最放不下的人们多年前驶经这里时的幻影。”

“……”

“我看到了当年在凤鸣山牺牲的那些兄弟，看到了陆展星，展星他走的时候很不安静，坐在甲板上，不停地朝河水里探头探脑。”顾茫沙哑轻笑，“我也看到了林姨……我娘……她一直托着腮，回头看着行远的魂河水，我知道她一直在挂念我……”

他说着说着，眼泪无声地落了下来。他胡乱地擦去了。

他强笑道：“我也看到表哥啦，表哥……表哥……”他想说些关于慕容楚衣的什么，可是他说不下去了。

一生过得太苦，亲也走，友也散。最后在黄泉路上才能与他们的幻影重聚。

“墨熄，我又看到他们了，想不到最后还能再瞧见他们，我……”墨熄听到顾茫嗓音里的微颤，他回过头，顾茫垂着眼，眼眶却红了，“我很高兴。”

那些寒雾中的袍泽兄弟，那些战死于凤鸣山的英魂幻影唱着帝国的英烈魂歌，将这凄寒壮阔的河面笼上一层庄肃。

墨熄仰头望着猩红色的天空，低声道：“没事了，最后的路，我来陪你。”

雨势渐将停歇，叆叇云层里有些微的金色阳光透下来，驱散黄泉魂河的冷。墨熄喃喃道：“我陪着你啊，顾茫。我们还有下辈子，还有将来……”

他闭上眼睛，喉头哽咽。

原来心里揣着一个这样沉重的秘密，去哄着另一个人，陪伴着另一个人，希望另一个人能够无所知觉的幸福，便是这样的滋味。

他才体会了短短那么些时候就觉得肺腑如刀绞。

顾茫却承受了近十年。三千多个日日夜夜。

他只觉得心疼不已，低下头，轻轻触碰着顾茫的额心。他们再没有多说别的，或许什么也不用再说，只要能陪伴着对方就已经足够了。

所愿所求，从来就都不多。

两人如是相伴，行舟路上，却又忽见得一人身影，负手立在一艘船头。墨熄愣怔之下，心如鼓擂，不由得脱口而出：“父亲——”

黄泉雾水反照出的竟是墨清池的幻影。

墨熄终于看到了许多年前，墨清池离开人间时的模样。墨清池与他记忆中一般英挺，一般慈祥，他和顾茫的母亲一样，也一直回头望着来时的路，但他的神情更为宁静平和，虽然仍带着些缕忧虑，记挂着自己在人间的孩子，那个小小的火球儿。

但是，他知道，他留下的仙兽灵体会保佑着他的小墨熄。

“只盼你能走一条问心无愧的路……”

墨清池长叹一声，喃喃自语道。

“父亲……父亲……”

墨熄缓过神来，哽咽着唤着他，七岁的火球儿当年再也没有等到爹爹回家，而如今，他终于又看到了他。

不知是巧合还是什么别的缘由，墨清池的幻影最后竟往墨熄他们行舟的地方望去，隔着交错的时光，淡淡地笑了一下。

“爹爹不能陪你了，小火球，但爹爹会一直保护着你……”

墨熄愣怔地望着他。

或许那一年，墨清池行船至此，也遇上了黄泉冷雾，知道若有雾气起，亡人能看到之前死去的牵挂之人的幻影，所以他才……他才……

舟楫往前去，忽然穿过一道黄泉瀑布，一切骤然安宁。

“爹爹！！”

墨熄哽咽着，轰鸣的瀑布水声中，墨清池的虚影消失了。

一帘瀑布后，天地变幻，冷雾消散，什么都没有了——顾茫安慰着他，忽然余光瞥见不远处，顾茫的身子一下子僵住了。

墨熄感受到他的异样，从悲伤中回过头来。

顾茫喃喃道：“黄泉路到了……”

他们看到舟楫不远的前方，有一衰草丛生的渡口，一条黄土小路从渡口向前延伸，路上亡人遍布，再往前，鬼界之城森然矗立在低矮的天幕之下。

小舟轻轻撞上口岸，他们一生的旅途，到了终点。

都结束了。

回首一生，便如那身后的黄泉水流，冥河东去，逝者如斯，再无重来。

“……走吧。”顾茫起身，握紧了墨熄的手，上岸前回头朝墨熄展颜一笑，“我们还有下辈子。”

墨熄：“……是，我们还有下辈子。”

他紧紧握住顾茫的手，摩挲着那熟悉的掌心，将最后的秘密咽入喉中。

他们踱上岸去。

和别的渡口不同，他们小舟停泊的渡口岸边，坐着一个戴着蓑笠的男人。他们上了岸，那男人起身。

他们原以为这只是一个于黄泉路上走累了的人，坐在这里小憩，因此并没有怎么留意。可当他们正准备离开时，那男人却忽然叫住了他们。

“二位留步。”

顾茫回过头：“嗯？”

男人叹道：“墨熄，顾茫，我等了你们好久。”

“你怎么……”墨熄一怔之下，想问他怎么知道自己的名字，但随即又觉得此处玄冥，自不可用人世目光相待，于是转而问道，“阁下……何人？”

那人没有立刻回话，顿了片刻，他在墨熄与顾茫迟疑的眼神中摊开掌心，于是他们同时看到，在他的手掌之中，竟赫然躺着那一枚黑魆魆的逆转之石。

然而，和先前不一样的，这块石头此刻正散发着莹白温润的光芒，仿佛真正有逆转一切的神力付诸其上。

墨熄这时在抬眼细看他，从蓑笠之下看那人露出来的小半脸庞，半晌后陡然一凛。

“是你？！”

“……”

“你是逆转石里那个——”

什么也不管还让人做选择的天神灵体！！

那大神灵体淡笑起来，他的衣袂在黄泉微风里轻轻飘摆，他说：“是。我知道你们最后会归来这里，所以我一直在这里等着你们……这一枚逆转石，是我最后要交给你们的东西。”

顾茫眯起眼睛，他倒是很聪明：“哦，原来你就是那诓人的破石头神仙？”

“……算是吧。”

“那你忽悠完了还来干什么，赶紧的闪开闪开。”顾茫鬼神不敬，对他并无任何好脾气，“我俩赶投胎呢。”

“等等。”墨熄却拉住了顾茫。

他注视着他，心脏怦怦直跳。

这时候他忽然觉察出自己与顾茫有些异于其他魂魄的地方了——顾茫也好，自己也好，相较于此刻那些走在黄泉路上的鬼魅而言，其实竟是……竟是不同的。

那些魂魄已经是游离之状了，可他和顾茫却仍是有血有肉的，这难道是因为……

他眼睛倏然有了希望的光芒，热血上涌，而此时那神明灵体也抬起脸来，墨熄发现自己对上了一双宁和而温沉的眼眸，正微笑着注视着他。

“这世间，是有逆转石的，它确实可以逆转生，逆转死，逆转死亡与伤痛。”那神明嗓音低哑，温声说道。

地府的猩红色彼岸花摇曳生姿，在黄泉路的两岸，烧若燎原。

他把散发着莹白光辉的逆转石郑重其事地交到了墨熄手里。

“但是能点亮它的，并不是我，而是经受住它考验的人。而你，最终做出了令它甘愿臣服于你的抉择。”

风起了，草木萧瑟，黄泉流云聚散。

那神明对怔于当场的墨熄道：“逆转石的逆转效用只有一次，墨熄，它属于你了。”

顾茫蓦地转头看向墨熄，两人目光相触，在急剧的震骇之后，有灿烂的熹光破云而出，流曳在他们眼底，而那戴着蓑笠的男人的一句话，将最后一重阴霾挥散。

"向它许愿吧。"

魂河岸停泊的小舟轻轻摇晃着，像是在催促着墨熄开口。

"墨熄，让它带你们回家……"

一个月后……

重华城 王都

慕容梦泽负手立在雕绘着百爪游龙的汉白玉石场上，看着眼前麻衣芒鞋的工匠们敲敲打打，正忙碌地修葺着损毁破败的王宫。

大战已经过去了许久，这些日子的修复监工，都是她在主理。

慕容梦泽令匠人与修士们都去帮助城内百姓重建家业，直到重华的居民大都已经有容身之处了，她才下令，让工匠们开始恢复王室用度的修建。

慕容辰曾经摆放在金銮殿的暖炉已经碎了个彻底，但挂耳耳缘的小金兽仍在奄奄一息地喃喃着："君上洪福齐天……君上泽被万世……"

匠工将暖炉的碎片扫到扁担里，挑着它们，打算倒去马车上，连同旧朝的残砖碎瓦一同弃之荒野。

"泽被万世……"

小金兽哼哼唧唧着，躺在一堆断木头破砖头之间，不住地重复着昨日的谗言媚语。它到底是个死物，不知自己将命运如何。

只是磕碰的时候终究是掉了金漆，露出下面黑黪黪的玄铁料来，一副颓然之态。

慕容梦泽侧眸看了那拉运的马车一眼，未置一词，只在工匠诚惶诚恐地与她招呼时，甚是温柔宽厚地展颜一笑。

"辛苦你们跑这一趟了。"

匠人们纷纷瑟然，又是惶恐又是惊喜，与她连声诺诺。

慕容梦泽玄衣金带，独自又在原处看了一会儿施工的殿堂——度从简，式从新，这是她给予他们的要求，当然，她知道重华百姓都对她的举措感激良多，大战之后，哪里都要兴土木，她不扬王权，自然更讨得赞誉褒奖。

她心里清楚，与燎一战，论军功，姜拂黎最盛。因为是他最终击退了花破暗。

慕容梦泽没有直接看到这两人的最终决斗，但听闻有目睹全局的小修士说，花破暗失却了血魔兽的威力后，尚有九目琴可与姜拂黎一战。当时，花破暗换尽了其中八目，都被姜拂黎一一击破，最后一目却迟迟不开。

有人以为那一目必然藏着什么惊世邪法，不到迫不得已不会祭出。可是直到花破暗最终败于姜拂黎剑下，九目琴的最后一只眼，仍然是闭着的。

谁也不知道那最后的眼睛里藏着的是什么，花破暗没有让它显于任何人面前，它就像一粒深埋在他心里的种子，永远发不了芽。

“花破暗死了吗？”她这些日子也时常听到有人在街头巷陌问这样一句话。

而人们的回答，却也是众说纷纭的。

“应当是死了。”

“是啊，我亲眼看到他败于姜药师剑下，元灵散尽，成了灰。”

“可是我总觉得说不好……他已经完全像一个魔了不是吗……”

“就算没死，也翻不出什么天来了。”

慕容梦泽想，姜拂黎应当是知道这个问题的答案的，只是并没有任何人能够从他口中得到回答。

姜拂黎在战后，便携着苏玉柔离开了重华。他说自己从来不知道自己到底是谁，也觉得自己从前做的每一件事情除了图财，都没有太多的意义，如今他终于是做了一件不只与钱帛有关的事情。

只是姜拂黎做的，而不是沉棠，不是傀儡。

或许是这一次的际遇，让他终于想带着属于沉棠的记忆，去四海五湖再行走看看，而这一回，苏玉柔不会再禁锢他的内心与他的回忆，或许他终究能从之后漫长的跋涉中得到一个具体的答案，知道他作为姜拂黎，这一生所求究竟会是什么。

而除了姜拂黎之外，另有一在战后民心大涨之人，那便是望舒君慕容怜。

不过慕容梦泽知道，慕容怜因吸食浮生若梦太久，早已病入膏肓，不得久寿。慕容怜此人又是做事全凭自己痛快，他得了世人之认可，便算了却心愿，对帝王事他早已说不出的厌倦。昨日她去望舒府看他，见他在泡桐花下对月独酌，院落里有他变出的幻术蝴蝶，石案上有他搁着的神武胡琴。

慕容怜终于与自己和解，他所挚爱的幻术，他曾排斥的器乐，最终都能被他召来自己身边。

“怜哥，你真的不再考虑留在王都吗？”

慕容怜依旧抽着他的水烟，眼波淡淡地：“不留了，左右不过尺寸大的都城，本王嫌此间逼仄，住着气闷。”

“那你打算……”

“我打算北上，回我母族封地那边玩玩。”

慕容梦泽斟酌片刻，笑道：“那怜哥要是什么时候玩腻了，随时记得回来。这望舒府，我便替你一直打理着。”

慕容怜若有所思地看着她，那水波潋滟的桃花眼似乎把她的心思都看透了。可是梦泽却笑容不坠，仍是坦荡荡地回望着他。

"倒是不用打理了。"慕容怜说，"临沂朴素之地，久未兴盛，哥哥我前半生斗鸡走狗玩得开心了，之后的日子想在那里做点事。"

"怜哥属意何事？"

"我看开个学宫不错，沉棠当年干的事情挺有意思的，我王爷当腻了，想当宫主，被人喊喊望舒真人什么的，想想都觉得开心。"

慕容梦泽微笑着，语气很是婉转："但怜哥你是知道的，重华学宫唯帝都一处，若要再在别处开，恐怕并不利管辖。"

慕容怜也没立刻回驳她，他吸着水烟，过了一会儿，慢慢地呼出来，吐在了慕容梦泽脸上："那就算了，我还是励精图治，看看自己能不能把烟戒了，活得长命百岁，好生打理打理重华吧。"

"……"慕容梦泽笑道，"怜哥这又说的是哪里话？你定然是要戒浮生若梦的，也定然会是长命百岁。"

慕容怜也冲她笑道："难了点。"

小院中暂时无人说话，幻术凝成的蝴蝶翩然飞至，栖落在慕容梦泽肩头。梦泽看了它一眼，温声道："既然怜哥有如此心愿，那便去吧。辰哥过世后，算来你便是代君主，你若想破例在临沂开设学宫……"她笑起来，"其实我也是拦不住的。"

"我设的那个学宫，打算不论血统出身，人人皆可入之。这样才足够刺激。"慕容怜淡淡的，"你觉得如何？"

出乎意料的，慕容梦泽对这个提议倒是一点抵触的意思也没有。

她说："都听怜哥的。"

离别时，慕容怜未起身送她，只是她即将消失在花廊转角时，他忽然磕落了烟锅里的残灰，心平气和地说了句："梦泽，什么时候该恢复真身，就恢复吧。"

慕容梦泽骤然站住。

"你恢复身份，我也就是第二顺位了，离王座最近的人从来都不是我。"慕容怜说道，"是你。"

"……"

慕容梦泽没有回头，也没有应答。

她面上神情变了无数，她有些想问，你是什么时候知道我的秘密的，又有些想问，你既然知道，又何不早说——但诸般念头拢在心里，敌不过慕容怜此刻的从容放弃。

是，对她而言，慕容怜弃牌才是最重要的。别的一切她都可以不过问。所以最后她只是轻轻说定便说了句："多谢，临沂学宫若需襄助，随时可来帝都寻我。"

说完便转身离去。

去掉姜拂黎、慕容怜，重华威望高于她者，再无旁人。

倒是几乎所有的士卒都不死心，他们觉得他们的墨帅这么了不得，怎么可能就这样战死了。岳辰晴领着北境军的修士在大河中几番打捞，未见墨熄与顾茫尸身。

尸身不见，极有可能是灰飞烟灭了，可他们却怎么也不愿意往那一层去想，而是更愿意相信北境军的墨帅与顾帅是并没有牺牲，心里总揣着一线希望。

三日前，终有一人于河水中捞到了一样物件，竟是用率然鞭化作的一张玉简。

简上未着只言片语，但已让北境军翻沸。

他们更认为墨熄一定还活着，否则率然怎可能光华流淌？

彼时慕容梦泽在宫中批阅宗卷，伴于她身边的依然是侍女月娘，只是月娘看她时眼神已然有了些犹豫和怖惧。

旁人不知道，她却很清楚，慕容梦泽不久前邀好友周鹤前去酒肆小酌。周鹤从前虽为君上的人，但却暗慕梦泽已久，如今墨熄已死，他便觉得自己终于有了机会——夜邀公主对饮，这说是一场约，不如说是一次试探。

月娘当时没有想到慕容梦泽会欣然应允。

但她更没有想到自己会无意中看见，梦泽会在宴饮之间，面无表情且毫不犹豫地往周鹤杯中悄悄投了一枚暗红色的药丸。

那是催命的毒药，蛰伏两月，服用者必然暴亡。

月娘自目睹梦泽此举后便终日心乱如麻，她怎么也想不到周鹤与梦泽如此交好，为梦泽做了那么多事情，哪怕梦泽并不喜欢他，又何至于要偷偷鸩杀他？这还是她所认识的公主吗？

"月娘。"

忐忑间忽听得梦泽唤她，月娘如梦初醒，啊了一声，惶惶然道："主上。"

梦泽若有所思地看着她，直将她瞧得两腿微微颤抖，梦泽才笑道："你最近怎么总是神思不属的，是有什么心事吗？"

"没……没有……"

"没有就好，若是有哪里不舒服，你千万要早点告诉我，莫要叫我担心。"

"是……"

"另外，我有件事劳烦你去做。"梦泽解下令牌，递给她，"你拿着这块令牌去找岳辰晴，就对他说，我请借羲和君留下的玉简一观。"

月娘应了，她便笑着目送她出去。

只是在月娘身影消失于天光中时，她的眼神慢慢地黯下来，叹息地喃喃道："月儿，想不到最后，我竟连你也不能再留……”

宫室内就只剩下她一个人。

梦泽抬手，从乾坤囊里取出一捆极精致的载史玉简。这玉简是江夜雪生前为慕容辰打造的，他是顶级的炼器大师，手法高明，哪怕是最了不起的术士也无法一眼分辨出这玉简是伪造的。梦泽伸出未施任何丹蔻，修得匀整的指甲，摩挲着玉简侧面的金扣。

她了解这捆赝品卷轴里藏着的是怎样黑暗的密谋。

慕容辰在里面诬造了许多与墨熄有关的丑闻，皆以真实的卷轴拼凑而成，难辨真假。她已经准备好了——她知道，墨熄是用了逆转石回到了过去，他极有可能知道了她从前干的那些权谋脏事。

不，不是可能，他定然是都知道了。

所以，他才会死也要用率然神武留下一张玉简，那上面恐怕是在向世人洋洋洒洒地揭露她慕容梦泽也不是什么纯澈之人。

他定是痛恨她利用他的感恩，痛恨她算计自己，所以哪怕死了也要告知于众人……

甚至……慕容梦泽陡地有了个更可怕的猜想。她忍不住齿冷，身子细微地战栗起来——若是墨熄没有死呢？

这个想法让她背心湿透，冷汗涔涔。她甚至觉得宫殿的阴影中有那男人的身影在徘徊，随时要从黑暗中走到光明里，俯瞰着她，对她说：“梦泽，我另有账要与你清算。”

她猛地打了个寒战，蓦然起身碰翻了面前的案几。

“不……不……”

她疾步走到殿外，把那一室森寒抛诸脑后，倒也真是奇怪，她算计慕容辰，算计慕容怜，算计周鹤的时候，都不会有这样的恐惧感，但唯有墨熄与顾茫这一局。

她那颗刚冷的心里，是存着自我厌恶的，而自我厌恶终滋生出她的畏惧。

她知道她的所有棋子里，只有这两枚，是真真正正、毋庸置疑的国之战将……她终是沾了这样干净的血。

这是她的污点，她自己低头扪心就能看得见。一生也洗不掉。

“主……主上。”

忽然有人轻唤她的名字。

梦泽猛地抬头，看到月娘去而复返，正站在阶下惶惶然望着她，她极度苍白的脸对上月娘惶恐难遮的面容，反倒把月娘更吓了一跳。

月娘颤抖地拾级上了最后几级台阶，将手中锦盒呈上：“这是您要的玉……玉简……”

梦泽调整了情绪，将自己的恐惧愤怒与心虚都尽数压下：“哦……这么快就拿回来了？”

“是……”

“给我吧，你就在殿外候着。”

接过墨熄留下的玉简，梦泽闭了闭眼睛，孤身返回宫室里。

偌大的宫殿中清清冷冷，只她一个人，她把自己关在里面，而后迫不及待，却又极不情愿地去面对那一无字的卷牍。

她几乎有一种鲜明的预感。这张玉简，一定就是他留给自己的。

果不其然，当她亲手打开玉简时，她看到原本空无一字的卷牍上果然开始浮现淡淡的金色文字——正是墨熄隽挺的字迹。

她恨得发抖，果然如此……果然如此！她知道墨熄一定会睚眦必报，他不会放过她，他——

可下一刻，她却蓦地僵住了。

玉简上的字渐趋清晰，她看到那上面用她熟悉的那俊秀字体，只写了两句话——

君之余污，余生来洗。望君莫为慕容辰。

慕容梦泽如遭重击，耳中嗡鸣。他……他说什么？

他是说，她的阴谋他俱以知晓，但历经诸事，他也早已明白了坐在那个位置的人，鲜少是没有任何污脏的。这条路由鲜血染就，手足厮杀，有的人虽愧对身边至交亲友，但坐上了这个王座后，依然可大兴天下，仁以治国。是这样吗？

她曾位列戒定慧三君子，名不副实，墨熄却不与她言仇恨，她的君子之道对她身边的人而言是假的，但对重华而言，却未必不是真的。

“望君莫为慕容辰。”梦泽看着最后这几个字，愣怔良久，最后慢慢地低下了眉目。

莫为慕容辰……

片刻后，她抬手将案牍上那一卷伪造的载史卷轴重新拾起，细看几遍，终于指尖凝力，默默地，将之震为了齑粉残灰……

梦泽脱力般地倒靠在王座上，仰头而望，背后的汗慢慢地冷下来。那一场她以为的你死我活的厮杀还未开始便已结束，她大睁着眼睛，眼瞳中倒映着龙盘虎踞的雕梁图腾，手指捏着宝座的扶手，细细摩挲着。

望君莫为慕容辰，她慢慢合上眼眸，嘴角研出似是自嘲的一缕苦笑。

墨熄……你当真是……

她没有再想下去，她孤身坐在这由她自己监看着落成的崭新大殿里。

此时此刻，尚是百废待兴，清冷空寂，但她知道，一个新的朝局即将在此掀开重帷。

她心跳怦怦，已擂响了潜藏在她内心多年的战鼓，胸腔起无限波澜。

她知道，她一直等待着的紫薇星光，在她沾尽了血污之后，终于照在了她的命途之上。

第53章

春暖花开时节，杨柳低垂，草长莺飞。

距离与慕容梦泽辞别，离开帝都，已经过去两个月了。

慕容怜在临沂的河畔散步，他折了根柳枝，慢慢悠悠地晃荡而过。

学宫正在修建，大约明年的年底可以竣工。这些日子他甚是闲暇，优哉游哉，也没什么事儿好做。

不过他心里倒是有很多秘密需要消化，旁的不说，且说那慕容梦泽其人。

如今她为重华的代君主，但碍于女子身份，一直有保守迂腐的老贵胄在讽刺她不配为君。但慕容怜知道，很快地，等梦泽的民意声望再高一些，她便会道出一个隐瞒了三十年的秘密，届时重华定然掀起轩然大波。

但他赌最后的赢家仍然会是慕容梦泽。这个女人……不，这个人的手腕实在太硬，寻常人谁又是她的敌手?

看看她代政的这两个月吧，只不过是个代君，便已是极为励精图治，借以朝内各族战后疲弱，连续颁布新政，削弱、分化各族的权力。

她追封顾茫、墨熄为至高英烈，并打算完成顾茫的心愿，废止奴籍一说，学宫广纳贤士，以考试及灵根天赋收纳弟子，不论出身。

此外，她旨在苛政削除，裙带摒弃，轻徭薄赋，海纳民谏。比起这些功绩，她的污点对寻常人而言又算得了什么呢?

慕容梦泽……慕容梦泽……慕容怜心中念了几遍她的名字，不禁嗤笑。

慕容梦泽，王室的第九位公子。其母因畏惧皇后将之诛杀，勾连当时的神农台长老，以隐药伪饰了他的真实身份。

慕容辰防了慕容怜一辈子，到头来还是防错了人，所谓“同室操戈，兄弟阋墙”，指的根本就不是慕容怜，而是他一直以为是自己妹妹的梦泽公主。

慕容怜思及此处，更是忍不住冷笑，能以女子身份蛰伏近三十年，瞒天过海的慕容梦泽，终究是太狠了。谁又能从这样一个狠角色里夺走他所想要的东西？

所幸自己知道这个秘密也不算太久，也就是在昏迷时慕容梦泽照顾他的那段日子，他才有所觉察。

慕容怜相信，以梦泽的手腕，假以时日，人们必将鲜少再去谈论他以女儿之身隐忍伪饰那么多年的事情，至于当年那些只有少数人知道的丑闻，终究会被岁月的车轮轰然碾碎，散作尘埃几许。

如今在王都，望舒府仍保留，羲和府由管家李微决定，做了义馆，留无家可归的穷苦之人在谋得生活前暂居。李微说如果羲和君还活着，应当会愿意看到他这样去做。岳辰晴留在都城，但他将慕容楚衣生前所绘的机甲图纸都交给了姜拂黎，希望姜拂黎能封存到寻常人无法轻易接触到的地方。

"兵刃在善人手里是守护之器，在恶人手中则为杀伐之器。我想四舅一定不希望他的图谱落到心术不正的人手中，所以烦请姜药师将之择地封印。"

姜拂黎最后把慕容楚衣的图纸，尽数封在了沉棠仙岛的海棠神木之下，那海棠神木已隐有灵识，气正清和，听说已有了分辨正邪的能力。由它默默守护着前人的遗愿，是再稳妥不过的。

数十年后，数百年后，又也许数千年之后，或许终会有另外一个与慕容楚衣一般上善若水的炼器大宗师出于红尘，将这一份生生不息的慈悲传承下去。

而这些人的理想远大，慕容怜是全然不及的。

他只是个身上有无数缺陷的寻常人，不是英雄，也没有去想那么多有的没的，他如今就想将自己的学宫建好，入门弟子，择人授之以六德六艺，教导以六行，也不知道往后是能教出个沉棠来，还是能教出个花破暗。有许多事情他都还不能确定，不过他能确定的是，他已拟好了学宫的第一条教义——凡收之者，必以其材诲之。

那种明明喜欢幻术却不得不修行琴艺的事情，他作为学宫宫主，是绝不允许再发生了。

能自己做主真好。慕容怜心满意足地长叹了口气，掸了掸烟灰，咳嗽两声，晃晃悠悠地回家去。

路过热闹街市，见一卖炊饼的老翁，饼子做得焦黄酥脆，倒像是北境出了名的烤物模样。慕容怜看了两眼，停下脚步。

"喂，老头儿，来张炊饼。"

"好嘞！"

慕容怜顿了顿，却又想到什么似的，犹豫一会儿道："还是来两张吧。"

老翁自然是更高兴，铲出了两张金黄酥脆的烧饼递给他。

慕容怜却没走，站在原地又想了想，最后老大不情愿地："算了，三张吧。"

老翁：“……”

拎着三张热气腾腾新出炉的烧饼，慕容怜继续状似漫不经心地打道回府。心中还道，自己买这饼只是顺手，可不是有意惦记着谁。

他才没把谁当家人看呢。

可话是这么说，慕容怜虽无比嫌弃，但他宅邸中如今确实秘密地住了两个人。那俩人是他来临沂的第三天登门拜访的，当时可把他吓得不轻。

若让帝都故人知道这两人还在人世，那么……哼……慕容怜心中冷笑。

也不知会是何种光景。

一路晃着，这就到家了。他推门入府，院里有一个人正搬着小凳，在廊庑之下悬挂彩灯。

那人一身蓝白布衣，束着长发，笑嘻嘻的，皮肤是健康的小麦色，五官瞧来英俊又甜美。

听到动静，他垂下长睫毛，透过晃动的花灯光影看着慕容怜。那一双黑眼睛明亮璀璨，像是最辉煌的夜。

慕容怜与他对视片刻，终是忍无可忍地咬牙道：“顾茫，你能不能有点寄人篱下的自觉！你如今是躲在我府上！谁允许你随意动我府上的摆置的！！”

那个院中忙着挂花灯的人，不是别人，竟正是人人皆以为已经故去的顾帅顾茫。

顾茫还未回答，明堂又行来一人，容姿清俊，身材高大挺拔，皮肤白透如冰，也是一派寻常人家的布衣打扮。不是生死未卜的墨熄又是何人？

墨熄手里捧着一只新做好的花灯，给顾茫递去。

顾茫笑吟吟地探过身子，站在椅子上接过了：“谢啦，墨师弟。”

“不谢。”

“……”

慕容怜更气了：“你们真把这儿当自己家？！”

“是啊，怜弟。”

“顾茫你找死——”

“你可是很快就要当宫主的人，我们俩跑来给你效力，给你的弟子们当授业长老，虽说到时候是隐姓埋名吧，不过实力也在啊，都没有问你抬价钱，一家人嘛。”顾茫挂好了灯笼，飞快地从椅子上跳下来，躲避着慕容怜的攻击，“一家人，有话好说，有话好好说！”

“谁与你是一家人！谁与你好好说！”

顾茫大笑着，绕着围廊跑得飞快。

墨熄立在原处看着他们俩，端的是无语苦笑。

所谓劫后余生，大抵如此。

他选择在血池底与血魔兽同归于尽，已是做好了万劫不复的准备，逆转石里的神明与他说过，只要选择了牺牲，就注定会魂飞魄散，永不入轮回。

所以，他从来没有预料过，黄泉路上走一遭，竟还能死而复生。

逆转石之神并非别人以为的什么都不能改变。

神既为神，哪怕只是天神的一片残影，挽救几个凡人的性命也并非什么难事，更何况他们俩体内还流淌着仙兽与魔兽强悍的灵流。

只是欲让逆转石施救，受验之人必须自救。

唯有救赎了自己的本心，经受住了逆转石考验的人才能被它保护着泅渡上岸。逆转伤，逆转痛，逆转曾经支离破碎的心脏，逆转了湛蓝的眼眸，逆转死亡。

这是天神对逆转石选中的命定之人的愧疚与偿还。

魂河尽头，黄泉路上，墨熄接过了天神残影递给他的那颗真正点亮了光华的逆转石。他许下心愿，请它完成了它存世最后的使命，逆转石恢复了顾茫未受黑魔淬炼时的康健状态，也恢复了墨熄与顾茫的生命，将他们送到了他们想去的地方。

“要去哪里？”

面对逆转石天地里缥缈的雾气与隆隆的回声，劫后重逢的墨熄与顾茫互相看了看。

最后顾茫咧嘴笑了：“你去哪儿我去哪儿，这一次，顾茫哥哥再不诓你。”

都结束了。

我再也不是密探，不是叛徒，亦不再是将帅。

我终于只是顾茫，是你的顾师兄，你的顾茫哥哥。

我终于只需守护着你，终于只消长伴着你。

而他们想去的地方，那自然不会是帝都。

帝都霸业千秋，满城尽是权谋，如今燎国军退，重华迎来了一段长久的太平。墨熄将率然玉简投入帝都河中，告诉了梦泽他无意复仇，但他会一直看着——看着重华在这个新君的手里，到底会变成何种模样。

至少目前瞧来，慕容梦泽没有辜负这一次际遇。慕容梦泽并不是个赤诚之子，纯善良人。但她和慕容辰的目的，从来就是不一样的。

慕容辰想做一统九州的无上霸主。

而慕容梦泽渴望的，则一直是别人称他作一声“贤君”“明君”。

他会为了这个目的不择手段，也会为了这个目的殚精竭虑，付出一生。

而这也就够了。

最后他们选了临沂。不是什么富庶之地，但听说慕容怜要来此兴建学宫，开宗立业，广收天下士。顾茫听来倒是觉得欢喜。

慕容怜到底是他在世上除了墨熄之外，剩下的纽带最深之人，是他的血亲。

顾茫很高兴慕容怜最后选了这样一条路。

如今墨熄立在院中，看着顾茫和慕容怜你追我打，院子里的泡桐花流泻如淡紫色的瀑布，满庭芬芳。

此时此刻，仇恨已淡，功业已远，其实慕容梦泽给他们的封号，他也好，顾茫也好，他们都并不在乎，最初的心愿已经实现了。

到底是一段清平世道将开始，到底是圆了最初之诺，有了一个家。

明天，他还将与顾茫一同进入慕容怜所开设的临沂学宫瞧瞧走走，之后便会以新的身份与面容示于那些年轻稚嫩的后辈面前，去教他们何为正道，何为仁心，术法为何而用，兵刃为何而执。

大波澜之后，一切都在慢慢地好起来。

或许多少年之后，王朝会分崩离析，神州会再一次陷入动荡与危机。但就像百年前有花破暗以身殉魔，如今有他与顾茫投池镇道，墨熄知道，只要有黑暗的地方，就会有光明，人们的善意与坚强是永远不死的种子，哪怕是在最逼仄的天地间也总会苏醒萌芽。

多少乱世盛世，英雄豪杰，最初皆起于微末，最终又都止于草莽之间。当岁月的洪流滚滚涌过，风云变幻，从前的爱恨情仇、热血骨头或都将化作两语三言，一纸青书。

人太渺小了，并没有多少努力与牺牲能够被持续地铭记，但至少，阳光会重新普照尘世，驱散漫长的黑夜。

俗世清宁，这或许就是后世对所有无名英烈最好的报答了。

小院中，顾茫被慕容怜追得急了，笑着嚷道："墨熄！来帮忙，来帮忙！怜弟太不像话了！"

慕容怜怒道："谁是你弟弟！本王比你早出生！！"

"但我比你早有的啊！"

"顾茫你给我站住！你今天就给我滚出我的宅院！！"

"墨熄来来来——帮我一起揍他！"

墨熄低头笑了一下，浓黑的睫毛像两扇柔软的小扇子，他走过去："好啊。我来了。"

粉墙边的泡桐花轻轻摇曳，这属于人间的美好又兀自娇艳地盛开了。

如今燎国已兵溃，残部已归顺，昔日从重华裂出的疆土收归，划为番邦。而后黑魔封印，那些沾着罪恶与鲜血的魔武从此不可轻易炼制，黑魔之法亦不可轻易学授。

墨熄知道这不会是永远，但至少将迎来一段不辜负这个时代英雄牺牲的安宁。

小院里，慕容怜从帝都带来的黑狗饭兜听到热闹响动，兴奋地吠叫着冲出来，绕着三个人蹦跳摇尾。在临沂这座尚未迎来大兴盛的城池中，家家户户炊烟升起，暮色斜阳里，四野一片安宁。

慕容怜恼道："火球你走开！我们哥俩打架，你插手不算好汉！"

顾茫跳起来勒住慕容怜的脖子，笑道："那也好说，我让墨熄帮我，你让饭兜帮你？"

饭兜闻言更是兴奋，爪子搭上慕容怜的膝盖，吐着舌头眼巴巴望着他。

笑闹声飘出院落外，他们终于有家，有家人，有了自己的归宿。能够守候这来之不易的太平人间，看春来花开，冬来雪落。

未来几多年，都将如今日。

江南漠北无战事，渔舟驼铃载月归。

——正文完——

《学宫后记》

【后记其一·记学宫初建】

重华第一座广纳修真弟子的学宫，落成于临沂，名为望舒宫。

学宫布置得很有望舒君慕容怜的风格，终日里飞花灵蝶，曲廊回合，到处都可以见到懒洋洋的帷幔轻轻飘摆着，从高处往下俯瞰，这座铺陈了半座青山的学宫犹如置于烟云之中，又像是从烟枪里飘出的一场幻梦。

学宫宫主慕容怜，性情阴阳怪气，脾气喜怒无常，学宫筑建的时候，他没事就喜欢往宫内跑，指点指点这个，比画比画那个。

“雅乐台给我建小一点！这么大干什么？相信我没有那么多人喜欢乐修的，对对对，听我的，把雅乐台缩小，把幻术台扩大。”

工头惶然：“望舒君，幻术台旁边是一座小山，不能再扩啦。”

“怕什么？炸。”

“小山旁边还有一座小山。”

“再炸！”

“小山旁边的小山旁边还有一片小村庄。”

“接着——哦不，这个不能炸了。”慕容怜叼着烟枪，不耐烦地把图纸扯过来装腔作势地看了一遍，最后说，“行吧，那就这样吧，幻术台暂时就这么大，可以了。”

工头：“……”

您把图纸拿倒了也能看懂？

墨熄对慕容怜此举很是鄙夷。

他第一次进入学宫时，本以为自己将立刻能看到广纳学子开坛授课的光明未来，能够立刻体会到面对那些求知的目光时的责任与欣慰。

谁知是跟着慕容怜站在山头看工匠们施了一天的工，还顺带着听慕容怜提一堆匪夷所思的要求。

“宫主殿要建得别具一格，一点都不能和帝都学宫重复，连块砖瓦的式样都不能重复。”

“花园要别致，要大，要弯弯曲曲，方便学宫弟子们谈情说爱，对对对，年轻人就该干这个，记得多种一点泡桐花，漂亮。”

“记得预留悬挂幔帐的地方，我要你们造出连接九个殿堂的风雨连廊。原因？没原因，我不喜欢晒大太阳。”

顾茫在一边听得显然也甚是无语。

“你算过钱吗？够不够？”

“怕什么。”慕容怜道，“不够问梦泽要，他巴不得我多铺张浪费些，好衬得他贤明简朴。你信我的，当君王我不会，但在君王下面当个让他们放心的王爷，我是再擅长不过的。”

说罢又抽了一口浮生若梦，可还没抽第二口呢，烟杆就被顾茫夺走了。

顾茫反手把烟枪背到身后，笑看着他：“说好的一天十口，今天的量已经到了，不能再抽了。”

慕容怜：“……”

“墨熄，果饯拿来。”

墨熄看了一脸痛苦纠结的慕容怜一眼，从乾坤囊里取了一包果脯蜜饯，那是姜拂黎寄来的，多少有些压制浮生若梦瘾头的功效，他把果饯递到顾茫手里。顾茫笑了笑，二话不说掰着慕容怜的脑袋就把果饯塞了进去。

慕容怜“呸”了一声怒道：“这也太难吃了！”

“益寿延年，益寿延年。”顾茫笑嘻嘻地对他说，“宫主，您老人家可要多保重啊。”

慕容怜怒道：“滚！”

学宫就这样一天天地建起来了，像建起了一个他们三人从前的梦。

对于慕容怜而言，这一座学宫终于实现了他孩提时希望凡事能自己做主决断的梦想，在这里每个人的喜好都能被尊重，选一条自己想走的路。

对于墨熄而言，从此他与顾茫便有了一个名正言顺的新身份，有了他们共同的家，有了那些年戎马倥偬时，他们曾一起奢想过的未来。

而对于顾茫而言，望舒学宫或许意味着更多。

在很久之前，还很年轻的他和墨熄走在黄昏的长堤上，他折下一根狗尾巴草，拂过野郊的花田。那时候他沉默着接受过少年墨熄对他的示好，怀着一丝卑微的奢望，妄想着或许在未来的某一天，地位如此悬殊的他们也终能够拥有同一个家。

在很久之前，他曾经和陆展星哈哈笑着坐在篝火边痛饮一壶马奶酒，跟陆展星天南海北地聊，胸中燃着一腔热火，希望这一腔热火可以燎原，可以烧去尘世间的荒草荆棘。

在很久之前，他还是望舒府的一个小小的奴隶时，他就揣着一个滚烫的梦，希望有朝一日可以人人不论出身，得之公允。他曾希望每一滴英烈的血都能被敬重，每一颗花的种子都能萌芽。

如今，他们终于有这一方沃土了。

【后记其二·记星空夜酌】

墨熄与顾茫隐姓埋名的第二年，望舒学宫终于竣工。

这天，顾茫正于夜空下小酌，忽听得衣袍猎猎响动，那个熟悉的低沉声音在他身后道：

“夜深了，你怎么在这里坐着？”

顾茫回头，果见墨熄轻功纵跃，飘如纸鸢，踩在墨黑的屋瓦上。

这里是望舒学宫最高的一处建物，叫作望月塔，顾茫没事就喜欢在这里闲坐着。这两年间，他们看着修真学宫拔地而起，犹如美人上妆一般，慢慢地有了细致的眉目，精巧的细节，慢慢地成了图纸上的样子，心也越来越宁静。

临沂离帝都很远，虽然远方时不时会传来关于王族纷争的事情，但待到递入他们耳中时，已然淡得像洒在窗前的月，吹入耳郭的风。

那些腥风血雨的气息仍能嗅到，却与他们没有太大的关系了。

帝都的事，就像隔着帘子的一场梦。高天夜月照着九州大地，梦的彼端是王权富贵，梦的这一头是柴米人家。

顾茫坐在瓦上，身边搁着一壶烫好的梨花白，见墨熄来了，笑着给他也斟一盏，说道：“后天学宫就要正式开立了，我在想啊，到那个时候，这里不知会是何种热闹的景象。嘿嘿，真有些期待。”

墨熄走到他身边，将带来的寒衣披在他肩头，然后在一旁坐下。

他和顾茫一起俯瞰下面那恢宏壮阔的望舒学宫，顾茫托腮道：“其实我坐在这里，无论往下看几次都还是觉得好笑，怜弟真是铺张浪费得够可以，恐怕梦泽都要恨死他了，听说梦泽为了亲为表率，削减王宫用度，连好一些的香薰都不再用，怜弟却——”

“却恨不得连学宫的地砖都是金的。”

顾茫大笑起来：“倒是没有这么夸张，不过……”他顿了顿，两排柔软的长睫毛轻颤着，在皎然月色下温柔地注视着墨熄，“你总算也学会开玩笑啦。”

墨熄被他看得有些不好意思，很快地把脸转开去，看着塔下的复道行空，楼台水榭。

顾茫瞧着他，心下直叹，怎么无论过去多少年，历经多少事，他的墨师弟总是这般闷得可爱，仿佛心里煮着一汪清甜的蜜，却藏着掖着不让人知晓，不愿人多看。

无论过了多久，他总能从墨熄身上看到当初重华学宫里那个俊秀少年的侧影，一个人坐在树下，小口小口斯斯文文地咬着白米粽子。训练后，热汗在他颈后细密地渗着，微风吹着他的碎刘海，他回过头，一双眼眸纯澈得像清晨的曦光。

顾茫越看越是喜爱，伸了个懒腰，说道："墨熄。"

"嗯？"

"我想数星星。"

这样的对话在这两年里显然也不是第一次发生了，墨熄抬手揉了一下他的脑袋，说道："躺下吧。"

顾茫就躺在屋瓦顶上，仰望着漫天星斗，银河灿烂。顾茫伸出手，感受着夜风像丝带一般从他指缝间流过，数那辉煌灿烂的夜星："一、二、三……"

曾有传言，英雄故去之后，天上便会多一颗星。

他在数属于他的那七万颗，到如今，他依然记得他们的名字。

墨熄便静静地陪伴着他，听着他温沉的声音，点过那些并不只是数字的数字，天涯何处或已有英魂转世，曾经与他们并辔而行的那些兄弟，陆展星那些人……或许终有一天会回到他们身边。

或许会成为望舒学宫某一年新收的弟子，从昏暗的过去，回到今日的好时光里。

到了半夜，宵寒清冷，顾茫带上来的梨花白也喝得差不多了，顾茫数得昏昏沉沉，逐渐地熟睡过去。

墨熄低头凝望着他的睡颜，时至如今，顾茫终于不再在睡着时眉头紧锁，也不再有任何恐惧，只是仍嘟哝着，显然梦里还记挂着继续把星星数下去。

"以后再接着数吧。"墨熄温和地对他说道，"明天还要准备学宫开立的一些器物，我带你回去。"

顾茫模模糊糊地应了，却又含混道："表哥……展星……"

墨熄的眼眸微动，随即被无尽的温柔覆过去，他替顾茫收拾好梨花白的酒坛，仰头看了一看天上闪动的星星，说道："他们会看着你的，也一定会回到你的身边。"

很快就会有千余弟子入学宫，年年往复，或许他们之中，就有转世的故人、袍泽、不舍的兄弟呢？

这一次，无论是怎样的出身，是否尊贵，是否贫寒，都能得到公允的相待，耐心的教导。

这是你们从前的血泪换来的。

你们会回来吗？

你们会看到吗……

夜更深了，顾茫睡熟，墨熄不忍心将他扰醒，于是起身，小心翼翼为他披上一件薄衫……

【后记其三·记开宗立业】

学宫正式开馆前一天，望舒宅邸里，慕容怜、墨熄、顾茫三人聚在一起，严肃地谈论一件事——名号。

慕容怜不用说了，自然是望舒宫主，关键是墨熄和顾茫。

这两位不便以自己从前的身份示于人前，所幸易容术法对于墨熄和顾茫而言都不是什么难事，但如何称呼却是值得商榷的。

讨论来讨论去，慕容怜单方面拍板决定，在成为学宫长老后，墨熄将被称为曜灵东君，顾茫则将被称为清光长老。

顾茫对如今的人生十分之满意，对这个雅称也十分之满意。

唯一不满意的大概只有墨熄了。

"他为什么要叫清光？"墨熄眯着眼睛双手抱臂，低眸看着慕容怜，"清光为望舒别称，你什么意思？"

慕容怜冷笑道："不然叫什么？找个羲和的别称？赤乌长老？"

顾茫连连摇头："这也太难听了，我还是投清光一票。"

墨熄倏然睁大了眼睛，对顾茫的背叛难以置信："顾茫你！"

慕容怜很是满意，伸手去揽顾茫的肩膀："呵，他可是我弟弟，不跟着我取名，难道跟着你？"

顾茫倒是很中肯："这倒也不是，我只是单纯地觉得清光比赤乌好听。"

气得墨熄回去遍阅典籍，想找出一个雅致一些的羲和别称，但无论他怎么翻，总归是望舒更胜一筹，最后只得作罢。

第二日上午卯时，天蒙蒙亮，正是清气浩荡，云霞明灿。

望舒学宫在恢宏庄严的钟声中徐徐打开了雕绘着日月星辰的沉重大门，慕容怜站在漆红描金的迎楼之上，穿着宝蓝色的飘逸衣冠，俯瞰着依次进入学宫的年轻弟子们。在他身边，墨熄与顾茫并肩而立，清爽的晨风吹拂着他们的面庞，他们像从前帝宫教授他们法术的长老一般，迎接着那些崭新的生命、灿烂的星火。

“好小的个子啊。”顾茫弯起眼睛，笑了起来，迎楼下的孩子最小的不过七八岁，有许多一看就是穷苦出身，穿着打着补丁的麻布衣裳，趺趺撞撞忐忐忑忑地走进来，初入丛林的小兽一般好奇而期待地张看着这里的一切。

他们像是自五湖四海涌入的小鲤，汇于这一片来之不易的金池之中。

没有森严的等级与规矩，孩子们又多，年岁又不大，走着走着，多少有些可爱又可笑的事情——一个人踩了另一个人的鞋子，另一个人因为太紧张而没有发现居然光着一只脚继续板着小脸一本正经地往前走。

有年幼的小弟子走着走着，左顾右眄一阵子，脸色越来越惶然，忽然哇的一声哭起来，所有人都去看他：“哇！哥哥！哥哥你在哪里？找不到你了！”

“宋兄，你弟弟被你忘后面了……”

一团忍笑声中，兄长红着脸窘迫地返回去找站在原地扯着嗓子大哭的小弟。

墨熄看到人群中还有一个孩子追着另一个孩子，急吼吼地：“南宫！南宫！等等我！”跑得太急，冷不防摔了一个跟头。

墨熄：“……”

顾茫扑哧一声笑起来，转头看着兄长们，那两位脸上倒没有他这么轻松，显然是有些怀疑这样鱼龙混杂来者不拒的开坛授业是否真的能够顺利。顾茫瞧他们二人僵硬的表情，不由笑得更畅了，哈哈捧腹着。

“道阻且长，道阻且长。”

慕容怜拂袖咬牙道：“以后戒律由你来管，这都是一群什么傻子。”

“我管我管！”顾茫倒是无所谓，很积极地笑着举手。

墨熄却看了他一眼，一语道破天机：“算了吧，你管，一年后这些弟子就更难收拾了。”

顾茫：“……”

絮语之间，旭日冉冉东升，照着望舒学宫金瓦连绵，万般皆灿。他们三人看着迎楼下越来越多的弟子在引教修士的带领下往学宫浮绘着阴阳图腾的大校场走去，准备在那里等待着自己人生新的开始。

角楼的钟声响过十八遍，每一声分别代表着六行、六艺、六德。

待到最后一声末，慕容怜哼了一声，炫技一般宝蓝衣裳招展，轻功一掠，自迎楼于众小弟子的惊呼声中跃过屋脊楼台，轻盈地落在校场大殿前，惹来一片艳羡惊叹。

墨熄：“……”

顾茫无奈摇头，笑道：“还是那个慕容怜，没变。”

墨熄对他说道：“我们也走吧。”

“好。”

两人相视，一步一步于耀目的晨曦之中走下了迎楼长阶，向他们的未来行去。

顾茫衣襟前配着的那一枚逆转石挂坠，石头已经褪去了光泽，完成了它的使命，也再无逆转任何东西的效用。

但那是他们经历生死的信物，见证着碧落黄泉、生死不离和终于属于他们的幸福。

晨光一照，黑色的晶石散发着莹润的辉芒，亮晶晶的，闪耀在他的衣上。

漆黑明灿，就像顾茫终于恢复原貌的黑眼睛。它曾经经历过最深的暗，而现在——

它透着的，是世上最亮的光。

——番外《学宫后记》完——

《少年幻梦》

（一）

番外背景：

当年顾茫在学宫多受苦楚，曾因为为一村镇辟邪驱瘴而触犯了戒律，被慕容怜苛责。可如果少年时慕容怜未曾对顾茫多加折辱，如果墨熄晚几年入学宫，第一次试炼是由顾茫陪伴的，那么那一次的除魔之路会是何种光景？

一次全然不同的开始，一个尚且宽容的慕容怜，一个未曾被排挤到泥尘里的顾茫，一场关于学宫时代的少年幻梦……

番外正文：

重华，春末。

这个时节，墨府内槐花已经开至荼靡，白嫩的花瓣和鹅黄色的嫩蕊慎重地戴了满树，散发着甜腻的芬芳。

少年墨熄立在窗边，当时他还没有后来那么高大的身材，但已经非常颀长英俊，他生着一双凛冽丹凤眼，瞳色幽暗，嘴唇色淡且薄，鼻梁极挺。相较于同龄的贵公子而言，他眉宇间已经没有太多残存的青稚了。听到笃笃叩门的声音，墨熄偏过脸，说了声："进来。"

"少主，明天您就要去修真学宫修行了，夫人给您备了许多换洗衣裳，还有学宫要用的书籍、星图、绘符用的纸……"

"放在桌上。"

"是。"家仆依照他的吩咐做了，又道，"另外夫人还问您晚上是否有空，她想带您去栖霞阁，和世荣君吃个家宴。"

墨熄道："我还有许多东西要整理，不必带上我。"

“这……”

“你要是没事，就出去吧。”

家仆讪讪地退下了。

墨熄一挥手，桌上他母亲给他整理的行囊刹那间被烈火裹挟，那熊熊烈火愤怒地燃烧着，映着少年清丽冰冷的脸。不消片刻，桌上就只剩了一堆灰烬……

那家仆嘴里的世荣君，是墨熄的伯父，也是他爹的弟弟，叫作墨闲庭。

墨家血脉单薄，墨熄的父亲并没有亲兄弟，墨闲庭是墨熄的祖父母捡回来的养子，地位和兄长不可同日而语。在墨熄七岁那年，他的父亲战死沙场，墨闲庭便经常来宗家府上帮忙，替义兄的遗孀做些事情。

墨熄原本对这个伯父心存感激，可是有一天，他读书读到很晚，从书房回来的时候，他瞧见母亲的房门微敞着，从里面透出熹微的烛光来。他走过去，想与阿娘打声招呼，可是手才碰上房门，就听到里头传来一阵异样的动静。

那时候墨熄并不明白这意味着什么，不然他绝不会选择往里面看哪怕一眼。

可是他看到了。

收缩的瞳仁里映出了两个熟悉的人影，那是他的母亲，青丝散了一肩，还有他亡父的义弟，那个被墨熄称作伯父的男人。

墨熄一时间脑中蜂鸣，耳中嗡嗡作响，这个男人……竟然敢这样欺负他的阿娘，竟敢做出这样无道的事情！

一阵强烈的恶心在墨熄胸中翻涌，他愤怒地要冲进去杀了这个禽兽不如的男人，又想立刻转身离去，可他骨血冰凉，手脚都像被钉在原处，什么也做不了。或许是因为他的目光太恨生，屋内的墨闲庭竟像是感知到了什么，蓦地抬起头来！

少年和男人的视线猝然相撞！

墨闲庭竟丝毫不觉得羞耻，也没有半点害怕，反倒是愈发张狂起来。

他盯着墨熄的眼睛，咧开嘴幽森森地笑了。像隔着生死，疯狂地挑衅着自己九泉之下的义兄。

墨熄不知道自己最后是怎样离开的。可他是个很早慧的孩子。所以回去之后，他没有哭，没有闹，哪怕被恶心到大病一场，连续数月卧病不起，他也没有对此多讲过一句话。

然而心事譬如洪流，只堵着是会堵出毛病来的。墨熄身体的病痛渐渐痊愈，心里的扭曲却变本加厉，他原本就清冷的性格愈趋极端，变得寡言、偏执、暴戾，有很严重的洁癖，他不信任任何人，也不去结交任何朋友，与周遭环境格格不入。有一回，一个世家公子在年宴上与他逗趣，给他看一本图册，墨熄二话不说掌心聚火，直接就把那本书烧了个干净。

“你干什么？！”那唇红齿白的小公子一下子就跳将起来，怒道，“本少的书你也敢烧？！”

墨熄冷冷抬眼："我为什么不敢？！"

"你……你知道我是谁吗？！你简直放肆！"

"我不管你是谁，只要你再拿这种东西给我。"墨熄道，"我烧的就是你的手。"

他不是假正经，他是真的打心底里地厌恶烟花柳地。这恐怕已成了他一生都无法治好的痼疾。

家境如此，墨熄其实早就想离开这个暗流汹涌的府邸，去修真学宫修炼去了。但他那位伯父偏生不让他好过，在君上那边编尽诸多借口不让墨熄离府——

"熄儿是个孝顺孩子，说要替他父亲守丧三年。"

"熄儿身子骨弱，去了修真学宫怕也撑不了太久，还望君上再允准他将养一年。"

诸如此类云云，反正是能拖就拖。

墨熄彼时还是个非常青稚的少年，而墨闲庭曾经是他父亲的左膀右臂，又是朝廷敕封的世荣君，他知道自己哪怕与君上状告，君上也不会听信一个孩童的话，反而可能被墨闲庭借题发挥作茧自缚。

于是在除夕大宴上，老君上关切地问起他："熄儿，你伯父说你三天两头总病着，不常出府，也暂且去不了学宫，你可有着人好生调养？若是家里请来的医修不管用，你就自己来神农台挑人吧。你是清池唯一的儿子，要是落个病根什么的，孤百年之后，也无颜去面忠良啊。"

墨闲庭在旁边盯着，见状不妙，生怕墨熄忽然发难，忙笑吟吟地想要来抢过话头。

却不料墨熄垂睫道："多谢君上挂心，已经好多了。"

说罢，看了墨闲庭一眼，唇齿轻扣："有伯父悉心照料着，我怎会不好。"

墨闲庭一怔，已经酝酿好的谎言措辞衔在嘴边，居然就这样没了用武之地，一时也不知道墨熄是怎么想的。但见那双眼睛平和、镇定、熔金般缓慢而酷烈淌着光，竟端的背后发凉，惊出一层白毛汗来。

嘴上却还强作亲昵慈爱地道："呵呵，都是自家人，熄儿说的这是哪里话……"

回去之后，墨闲庭左想右想，觉得自己居然会被一个少年给骇到，实在有些丢人，于是对墨熄便愈发憎恶。

有一次墨夫人不在，墨闲庭闲逛时瞧见了在花园里的墨熄，披着一件绣着腾蛇云纹的寒衣，正在廊庑下读书。

孩子虽小，眉目之间却与处处压他好几头的那个男人极为相似，都是又清冷、又肃穆的模样。墨闲庭心中陡生一股恶气，他朝墨熄走过去，身影倒投在了墨熄的书卷上："在做什么？"

墨熄手指一顿，却没抬头，仍旧看着书卷。

墨闲庭业火愈盛，颇为讥嘲地说道："哦，是在自学？自学能学出什么名堂，你能勉强结出灵核就该千恩万谢上天有眼了。还妄想着精进，哈哈哈，你比你那个死了的爹，你比墨清池还要不知天高地厚！”

他说到墨清池的时候，神情便有些扭曲，像是这个名字烫了他的舌头一样，恨不能猛地啐出来。

“如今你娘是我的，墨家也是我的，我虽杀不了你，但却能恶心死你。你也看到了，只要我阻挠着，你就别想展翅高飞——你若是识相，就跪下来磕头求我，叫我三声干爹，我或许还能大发慈悲，来年向君上请准，放你到修真学宫去。”

话音未落，忽见墨熄掌心中火光骤现，一道猩红的灵鞭应召而来，倏尔游出，墨闲庭猝不及防，被这鞭子劈头抽了一脸，刹那血流如注！

“你！你——！”墨闲庭愕然之下，又惊又怒，“小兔崽子，你竟打我？！我可是你长辈！！”

“墨闲庭。”

墨熄逆着阳光，慢慢抬起脸来。

褐瞳暗流涌动，冰肌雪骨浸满了森冷：“你别忘了自己到底是谁。”

掌心中的灵鞭“啪”地焰火爆裂，倏尔化作四人多高的腾蛇！

墨闲庭盯着那条咝咝吐着芯子，卧在墨熄脚边的腾蛇，盯着那双血雾弥漫的蛇眼，失声道：“化蛇鞭？！你竟已召得出……召得出化蛇鞭？！”

“化蛇虽非神武，却世代认墨氏嫡子为主。它不听命于我……”墨熄一边说着，一边合上书卷，修长的手指缓慢抚摸过腾蛇的额头，蓦地抬起眼来，陡然狠戾，“难道还听命于你吗？！”

“不可能……这不可能！”墨闲庭嗫嚅着，脸色唰地苍白，“你……你小小年纪，怎会有如此灵力？！”

墨熄不答话，他瞳色暗流，将手重新搁回书卷上，腾蛇顺着少年被黑色龙皮靴包裹的腿缓缓上游，最终栖落在墨熄身畔，红芯如血，隐有攻击之意。墨熄略微抬手，止住了它跃跃欲袭的动作，对面无血色的那个男人道：“这世上并非人人如你所想，盼的都如你所盼。”

“墨闲庭，虽然你比我多活了几十年，但墨家的很多东西，却是你一辈子也无法明白的。”

墨闲庭吞了吞口水，勉强压下心中骇然，目中凶光闪烁近乎偏执：“我有什么不明白的？你老子死了，你就算是正统又怎样？！你就算禀赋卓绝，能召得出化蛇又怎样？”

怖惧与羞恼交织之下，男人的脖子都涨红了，颈脉突突地跳动着：“是啊，你是墨少主——呵呵，可是墨少主，你能杀我吗？你能去和君上告状吗？你再是厉害，也不过是个茅庐未出死了爹的小崽子！你能怎样？！”

他忽然仰头哈哈笑了起来，唾沫飞溅道：“你还不是一样不能给我撕破脸，得看着你亲娘在我身下和狗似的匍匐着，得困在这墨府一步也不得出！哈哈，哈哈哈！”

他的笑声是那么狰狞，神情是那么凶狠，以至于令人觉得他的凶狠不是为了吓到面前的少年，而是为了给自己过于卑微的魂灵壮胆。

墨熄没有说话，如果是他刚刚发觉母亲和义伯父丑事的时候，这番话确实会摧毁他的理智。可是都过去这么久了，他的心早已被撕烂过，血流满腔，又结了硬茧。所以他毫无表情，依旧好整以暇地靠坐在游廊长椅上，双腿架叠，手肘向后搁在护栏边沿，看着墨闲庭的眼神既冷静，又严酷，甚至还有些怜悯。

那双眼睛和他逝去的父亲一模一样。

等墨闲庭自个儿一人笑完了，墨熄才冷冷道："是。我是不能杀你，就像你恨死了我，却也不能杀我一样。你也确实可以拖着我，让我迟迟不能迈入修真学宫的大门。可是墨闲庭——"

他忽然倾身向前，肩上的化蛇嘶嘶作响。

男人不由向后退了一步。

墨熄危险地眯起眼睛："你以为，我真的会在乎吗？"

"……"

"你以为，我离了学宫就不能修炼了？你以为，你对我母亲做出那些下作之事，我便会想不开自尽了？还是你以为你拘得了我一时就能毁了我一辈子。"

他每说一句，墨闲庭的脸色就灰败一分，到最后，竟然嘴唇颤抖着说不出任何话来。

墨熄直起身子，阳光倾泻洒下，他一半俊美的脸庞沉在阴影里，一半沐在外面。他淡薄的嘴唇一开一合，落下两个冰冷至极的字。

"做梦。"

墨熄这样说，也真是这样做的。

墨闲庭对他心有忌惮，更兼怀恨，虽不能明着拿他怎么样，暗处的坏水却没少使，拖了他一年又一年，可是墨熄却真的沉如止水，从未有过半点服软。到了最后，还是君上觉得墨家公子不能再耽搁学业，于是亲自下了旨，要求墨熄入学宫修行。

（二）

"少主，咱们到地方了，下车吧。"

墨熄拂开竹帘，从车辇里出来。

此时正是闷热时节，阳光一照，修真学宫显得格外气势磅礴，飞梁遥跨，鸱吻吞脊，极为宏伟。

“学宫庄肃，无佩玉不可出入。老奴只能将少主送到这里了。”墨府管家站在结界大门旁，“少主可还有话，需要老奴代禀世荣君或者墨夫人？”

“没有什么。”

老管家叹了口气，欲言又止地：“少主……”

“张叔，你不必再讲。”墨熄拿起自己简单的一点行囊，“回吧。”

说罢自己大步穿过结界，头也不回地进到了修真学宫的地界里。

学宫分校场、修行域、歇宿域、狩猎草场、后山、后湖六大区域。墨熄从大门进，首先来到的就是校场。

时值正午，弟子们大多都在歇宿域的饭堂吃饭。但不吃饭的闲人也是有的，灼热炎阳下，两个少年修士正乒乒乓乓掐得升天。这二位爷打就打吧，两边还都是嘴欠的主，闲不住就要骂人，骂得还特别幼稚。

一个是贵公子打扮，嚷道：“你勾引我兰妹！你不要脸！”

另一个身材修长，很野性的一张脸，大概是嫌弃天太热，也可能是为了耍帅，这家伙没有穿上衣，肩膀处刺着蝠纹图腾。他一脸不耐，皱着高挺的鼻子嫌弃道：“什么绿妹蓝妹，老子又不需要开染坊！”

“你还敢狡辩？！”

“你可拉倒吧。”

一言不合，打得愈发激烈，这俩人一个使的是鞭杖，另一个则是轻剑，两人的战力看上去相差不远，但是鞭杖的武器品相却比轻剑高出太多。拆了几招后，高大青年的轻剑发出“喀”的一声脆响，再也无法承受，瞬间化作点点灵流，消散在了风中。

贵公子怔了一下，骂了声：“你服不服？！”恶狠狠地一杖抽在那个青年脸上，“以后还敢不敢和本少相中的女人勾搭拉扯？！”

那青年捂着腹肋不住淌血的伤口，冷笑道：“我服什么？我什么时候和别人勾搭拉扯过了？是你相好的自己要往我这里看，怎么，难道我还要挖了她的眼睛不让她看我？”

“你还敢嘴硬！你今天若不跪下来叫本少三声爷爷，信不信少爷我划烂你的这张脸！”

青年狠狠一抹嘴角的血，字字狠戾倔气，咬牙道：“你划啊！”

“你真当我不敢吗？！”贵公子狂怒道，“就你这条贱命，小爷我今天宰了你都不需得去偿！”说罢唰地提了鞭杖径直朝那青年的脑颅挥舞游刺——竟真是夺命杀招！

修真学宫不禁切磋，决不允许私斗，但禁令是禁令，说到底重华国森严的阶级贵贱并不会真的改变。就像这个公子说的，如果一个出身高贵的修士真的要对寒苦出身的同门做些什么，那也是不需付出太大代价的。

然而就在这时，一道幽蓝色的寒光突然临空而降！霎时校场草木飞滚，那道寒戾蓝光犹如磐龙出海朝鞭杖扑杀直去，罡风与啸叫猛席之下，那鞭杖竟锐气大失，只在半空中僵持了须臾，就“锵啷”跌在了地面！

“谁？谁多管闲事？！”

贵公子破口大骂道。

四周静悄悄的，没有人回应。

就在贵公子的目光投向远处的墨熄，开始怀疑墨熄时，忽然他身后的苹果树上“呼”地倒挂下来了一个人，一边咔嚓咬着苹果，一边笑嘻嘻地挂在树上看着他们。

那个树懒般的年轻修士用发扣束着马尾，穿着宝蓝色镶银边的劲装轻铠，银光流淌，一双长腿包裹在暗皮战靴里，配着乾坤匣的银腰带随着他一下一下地晃荡而熠熠生辉。

贵公子吓得往后退了一步，继而满脸涨红：“你……你刚才一直躲树上？！”

“不啊，你们吵架之前我就在树上了。”

“你大中午的不去饭堂吃饭，在树上干什么！”

年轻修士扬了扬手中的苹果，笑道：“我这不是正吃着嘛，这棵树灌过仙浆，不但一年四季都有果实，而且结出来的果子还特别甜，你要不要？你要我这里还有。”说着他真的还从乾坤匣里摸出一只红艳欲滴的苹果，在怀里擦了擦，就这么倒挂着想递给贵公子。

贵公子怒道：“我才不吃这种玩意儿！你到底是谁！为什么要多管闲事！你找死？！”

少年叹了口气，腿闲闲一松，从树上翻身落下。

“我吗？我叫顾茫。”他站直身子，这时候可以看出他是个体态修匀的美人，有一双眼尾秀长的漂亮眼睛，瞧上去稠丽却又野性，嘴唇也生得好看，颇有些风情万种的柔软。这种面相的人应当是很爱笑的，笑起来也很讨人喜欢。他因为刚刚一直倒挂着，直到这会儿才立起来，所以脸颊显得红扑扑的，嘴唇的颜色也很鲜艳。

他侧过脸，瞥了一眼身后受伤的那个修士，而后转头对那个气急败坏的贵公子笑道：

“不过我不是来找死的，我来找我哥们。”

旁边那个强健的青年，也就是顾茫的哥们，他闻言翻了个白眼：“……你明明是在偷果子。”

顾茫脸皮很厚，被同伴拆穿了也不心虚，眨了眨眼，企图拉贵公子入伙：“这位兄台你真的不吃吗？清热降火的，可甜了。”

那贵公子依旧没有接果子，他在听到顾茫的名字之后，神情就略微变了，眼神警惕起来。看来他是知道顾茫这号人物的，只不过碍于面子，他还是怪笑两声：“呵呵呵，我道是谁？原来是学宫翘楚，慕容家出来的顾茫顾师兄啊。久仰久仰。”

顾茫倒也客气，朝他绽开一个笑：“好说。兄台，学宫内明禁私斗，果子你可以不吃，架你看可不可以也别打了？你看我哥们他都被你打得流血了。”

“他自己技不如人，卑微出身，打不过少爷我，流血也是活该！”

强健青年怒道："你胡扯！"

顾茫抬手拦他，依旧是那种敷衍的笑："说得对，说得对，既然你那么厉害，就请你高抬贵手啦，我代师弟赔个不是。对不起。"说着略一致礼，而后将少年提溜起来，转身大步流星道，"如果兄台你没别的事，那咱们就不打扰你饭后散心啦，再会。"

"站住！"

"……"

贵公子磨着后槽牙道："顾大师兄，这样就算完了？你这道歉也太没诚意了点儿吧。"

顾茫仿佛很有兴趣地回头，眼睛眨了几下，问："哦？那你想怎么样。"

"你让他跪下来，冲你家慕容公子的面子，爷爷不必喊了，磕三个响头就是了！"

强健青年怒道："呸！你做梦！我陆展星打死也不会跪你！"

贵公子不理他，反倒对顾茫冷笑两声道："顾师兄，你也瞧见了，你这兄弟不知尊卑贵贱，明明是低等出身，却还把自己捧得高贵得要命。他这种血统，别说让他下跪了，就是让他舔我的鞋底，我想也不过分吧？"

顾茫直视着对方满怀恶意的眼瞳，依旧卷着笑意："话糙理不糙，不过兄台别忘了，这里是修真学宫，学宫有学宫的规矩。"

"这里是重华。"贵公子一副小人面孔，油腻腻地说，"顾师兄也别忘了，重华有重华的礼制。"

顾茫沉寂一会儿，忽然道："你说得很有道理。"居然一把将那个叫作陆展星的强健青年拉过来，那青年明明比顾茫还高了半个头，却被顾茫按着，手略用力，猝不及防间就被按下去了半个脑袋。

"来，展星，快给这位公子鞠躬。"顾茫笑眯眯地对陆展星道，陆展星一脸震怒，但居然啥也没说。

墨熄在不远处瞧着，起先觉得奇怪，后来却发现顾茫掌心之中隐有法咒流淌，原来是在按陆展星那颗倔脑瓜的时候还施加了噤声咒，不由无语。

顾茫抬起头来，对贵公子说："兄台，他也道歉了，各退一步，跪就免了罢。再怎么说也是学宫弟子不是。"

贵公子平日骄纵恣意惯了，今日丢了面子，自是不愿轻纵陆展星，于是嘿嘿笑了两声："顾师兄，你也是明白道理的人，老子说要跪，那就一定得跪，已经看你家公子的脸给他台阶了，怎么着，还要我退让？你们当我孙某人是这么好打发的吗？"

陆展星梗着脖子，挣开顾茫，怒道："你也太恶心了！"

"干什么！我们说话轮得到你插嘴？！"贵公子抢着机会扬手就向他扇去一个巴掌，可手还没落下，就被蓦地制住了。

顾茫握着他的手腕，嗓音极富磁性，却又有些天生的柔软，他此刻依旧带着笑的，尽管那笑容已有些敷衍：“孙公子，你一定要他下跪吗？”

“是啊！我孙氏贵胄出身，让他跪一个还不成了？”

“好。”顾茫点了点头，松去了握着他的手，低落睫帘。

就在旁人以为他打算无奈作罢的时候，顾茫忽然抬手将陆展星一推，推出尺许外，继而摊过掌心，手中忽然再次闪起灼灼流光，劲风陡起，一把幽蓝色涌淌着星火的长弯刀唰地应召而出！

“……你想干什么？！”

此刻顾茫的脸上哪怕连那种敷衍了事的笑意都终于一扫而空了。他战靴包裹的长腿往前走了两步，逼近那位公子哥儿。

“很难看出来吗？”顾茫单手松开护腕上的禁锢皮扣，放开暗器匣，抬眼道，“打狗还要看主人，我替我家慕容公子揍你。”

鞭杖砍胸浑不怕的陆展星这会儿倒是有些担心了：“顾茫，你别闹，你会被责骂的。”

顾茫看了他一眼，翻了个白眼：“嗷哟。你闯祸的时候怎么不替你哥们想想。”

说罢倏地横刀而立，再转向那贵公子时又变成一副痞里吧唧的神采：“来，兄台，让你顾茫哥哥好生教教你——多吃苹果，清热消火，放下屠刀，立地成佛。”

陆展星：“……”

风卷草絮。

眼见着一场大战一触即发。

然而就在这时，空中一个禁咒符砰然炸响，学宫守持长老威严的嗓音自符咒中落下：

“顾茫、陆展星、孙霖，你们三个没规没矩，在校场做些什么？！还不给老夫住手？！”

顾茫一怔，收住即将出匣的灵力，仰头看着那个传声咒，忽然笑骂道：“哎，这老头儿，早不发现晚不发现，偏偏这个时候发现。”

长老的声音还在怒气冲冲地：“还不立刻停止私斗，去各自学殿里思过反省！”

那姓孙的贵公子原本就打不过顾茫，他先前这样挑衅也是料定顾茫不敢得罪王亲贵族，谁料顾茫根本不吃这套，仗着他家主子慕容怜撑腰，居然还是要和他动手。正慌着不知该怎么办，此时捡了个台阶下，自是再好不过，忙指着顾茫道：“今日让你逃过一劫，下次可就没那么好运了！别再犯到少爷我手里！”说罢步履匆匆逃也似的跑了。

陆展星再次无语。

顾茫看着孙公子的背影迅速消失在校场边缘，抬手一拍陆展星的头。这回他是真的笑了，他笑起来果然极为灿然好看，眉眼神采飞扬，像是昙花舒展。不过说的话却有些欠揍了：“哎，听说是你惹了孙公子的情姑娘，所以他才来找你麻烦？”

“根本不是这么回事。”陆展星双手抱臂哼道，“是那个女的自己要来招惹我，我这么多姑娘喜欢，何必去找个有主的。”

顾茫搂过他的头，笑着磨着后槽牙：“可真能耐，不过你给我听好了，下次遇到这种蛮不讲理的亲贵，你给我绕着走，要是再和他们扛上，保不准你的脑袋就要和身体永诀。”

“你还说我呢！你刚刚自己不也受不了他，要和他打架！”

顾茫真心实意地叹了口气：“我不要紧。我这么好看，谁能忍心打我呢。”

“你简直不要脸……”

没术法可看，墨熄也就走了，路过时听到这句话，不由扫了他们一眼，心底里也是认同的。

嗯，确实不要脸。不要脸的顾师兄听到脚步声，下意识地回头，正好和墨熄的目光碰上——他二人原本都只是随意一瞥，并非有心，可瞧见对方的脸，却不由自主地多停留了须臾。

顾茫想得比较简单：咦？好奇怪，我怎么从没见过这个师弟？

墨熄想得更简单：看什么看？

陆展星也瞧着墨熄眼生，他这人比较直，心里怎么想的，嘴上也就打算怎么问了，于是朝墨熄打招呼道：“这位师弟，你……”

然而话还没问出口，就忽然被顾茫捂住了嘴，顾茫笑着和墨熄点了点头，而后拽着陆展星就往回走：“走走走，回去抄书了。”

陆展星唔唔道：“我问他是谁，他刚才一直在旁边看着。”

“傻孩子，他比孙公子还不好惹。”顾茫的声音压低了，随着脚步越来越远，不过墨熄还是能隐隐听见几句，“你没看到他的纹章吗？他是墨家的人，伸一根手指就能碾死你……”

陆展星居然还回头重新看了墨熄一眼，眯着眼睛，不过果然没有再说什么。

顾茫把他的脑袋掰回去，叨叨道：“人家是贵族老爷，非礼勿看。别惹事，别惹事。”

“你胡说，你刚才自己还看他那么久！”

“我？我没关系，我都说了我比较英俊，别人轻易不忍心打我……”

他们的声音在草场上逐渐轻弱，最后和背影一样，邈远不见。而墨熄原地站了一会儿，也面无表情地往不同的方向走远了。

作为初入学宫的修士，墨熄是不能立刻开始修行的。他要着手去办的事情有很多，拜神、入籍、听受宫训，等等，要记足足两百捆玉简，新弟子需在将玉简上的内容熟记，通过训规长老的测验之后，才能正式入门。是以墨熄在短短几天里见了数不清的人，背了数不清的内容，很快就把自己和顾师兄的这一次短暂擦肩给淡忘了，甚至连“顾茫”这个名字，也早就抛到了脑后。

这不怨他，谁会去记一个偶尔听到的陌生人的名字呢？可若是再给墨熄一次机会，他是一定会硬记住这两个字，还有当时那双初春花叶般柔软的眼睛的。

这样他就不至于第一次和顾茫交手，就闹出那么大的乌龙了。

“墨公子不愧是英烈之子，果然天资聪颖。”

训规长老一边翻着墨熄的答卷，一边发出满意的啧啧声。

“字写得俊秀，题答得出彩，短短七日就记住了学宫两万八千七十四条学史，实在令老夫佩服，佩服。”

老道士说着，捻一把花白美髯，掌心聚起灵流，在墨熄的卷题上落了个“特甲”印记，笑道：“你通过了，今晚回去好生歇息，明日寅时前往潜灵长老殿内，他会与你细说武器事宜。”

作为名门之后，墨熄自然知道所谓的“武器事宜”究竟是指什么。一个修士，无论是药修、御守修，还是攻伐修，一柄得心应手的兵刃都极为重要。一般武器铺里买的刀剑棍鞭，铁打的、青铜铸的那种，都是给没有慧根的老百姓玩的，修士绝不使用。修士们用的都是灵体凝成的兵刃，比如墨家祖传的“化蛇鞭”，再比如孙公子用的鞭杖、陆展星用的双剑、顾茫用的薄长弯刀。

而新弟子欲与更好的神武结契，得先完成一次试炼，虽然都是实战，但不会很难，并且为了以防万一，还是会有个师兄或者师姐作陪。

这个陪同者是通过抓阄选定的，负责此事的潜灵长老房内有一只彩漆盒，长老随手一抓，从里面抽出张玉牌，玉牌上头就会浮现某个学宫弟子的名字，这一次也不例外。

此时此刻，司刃宫。

主管兵刃的潜灵长老看了一眼签筹上的字，思忖片刻，把它递给旁边的小童。

“你，过去一趟燕别殿。”他说道，“把这个人给我找来。”

（三）

晚上，月露浓深。燕别殿前的一个试炼坪，四个修士正打得花火四溅，准确地说应该是三个人在打一个。偏偏那个被打得翩若惊鸿，修韧的身形犹如江上扁舟，足尖一点便飘出数十丈，他并不出手，只是双指合竖于胸前，结着一道幽蓝屏障，将三位同门的攻击统统挡在屏障外。

那人不是别人，正是闲着无聊，和师兄弟们打打闹闹的顾茫。而和他切磋的人当中，其中有一个就是之前和孙公子起了争执的陆展星。

顾茫笑吟吟道：“说好的只要十招就能把我的结界破掉。如今你们一人都已经打了一百下了，还要哥哥我接着陪你们玩吗？”

陆展星道：“你再接我这招试试！”说罢手里轰地笼起一团足有车轮大的火球，朝着对方猛砸下去！

只听“轰”的一声！

烈焰焚腾，火舌刹那将幽蓝的结界吞没，紧接着气浪滚滚，焦黑的浓雾四下翻起。

其余二人皆是目瞪口呆，止住了攻击，扭头对陆展星道：“哇，咱们只是切磋切磋，你下手也太狠了？伤着了顾师兄怎么办？”

陆展星一点儿也不慌，竖着眉道：“茫儿他哪有这么容易受伤，你们也太看不起他了。”

话音方落，就听得火焰里有人笑起来：“多谢你看得起我，不过这已经是第一百零一下了，兄弟，还要不要继续？”

三人一惊，就见一道灿然蓝光自火海中斩风破浪而出，那一层看似单薄的防御结界丝毫未破，顾茫御风而立，蓝缘白底的弟子服在月色下飘飞，熄落的星火犹如点点烟花，在他身后细碎散落。

顾茫笑道：“要打奉陪，不打愿赌服输。”

那两个年纪较小的立刻就收起了佩刃，心服口服道：“不打了！按约好的，顾师兄这个月的衣裳咱们全包来洗！”

“展星你呢，你还打吗？”

陆展星僵立一会儿，也挥手消了武器，偏过那张帅脸哼道：“你根本就是个无赖，你这结界术我们都不会，你跟我比个别的！”

“成啊。”顾茫稳稳落到地上，一挥袖，结界和烈火尽数消散作尘烟，掀起眼帘，“比什么？”

“比轻功。”

顾茫看了他的腿一眼，之前被孙公子打的，还有些一瘸一拐的，不由抬眉道：“……你确定？”

“……算了！还是比剑术！”

旁边的师弟小声提醒道：“陆师兄，上个月你刚被他用剑术打趴过，你怎么又忘啦。”

“……咳，等一下！我觉得我们还是比拳脚比较好！”

顾茫笑道：“好说。”

于是两个高阶修士就和贩夫走卒似的居然光靠拳脚就比试起来。陆展星生得高大魁梧，打起架来拳拳刚猛，舞得虎虎生风，可就算这样，他的每一招也都只能擦着对方的衣服飘过，三五来回之后，陆展星有些气恼了：“你老躲做什么！遛我？！”

顾茫不答，只忽然问：“孙公子打你的伤都好得差不多了没？”

陆展星一愣：“早差不多了……你问这干什么？”

顾茫笑着叹了口气，声线慵懒而柔软：“好哥哥，我怕你疼啊。”

说着忽地凌厉风起，只是眨眼间，长腿已高抬扫过，闪电般狠狠劈至陆展星腰腹软肋处，这一鞭腿端的是又快又狠，陆展星“啊”的一声扑通栽倒在地，还没来得及自己爬起，就又被对方单手提了起来。

顾茫一边替他拍着身上的尘土，一边笑道："你看，我没骗人吧，你疼不疼？"

明明是这家伙抬脚踹的，居然还一脸真诚，陆展星憋得脸都红了，最后气呼呼地摆手好强道，"疼个屁！就像挠痒痒！"

"哦。"顾茫笑着点了点头，"英雄，那我们再打一次吧。"

陆展星一口老血差点没呛出来，忙朝他拱了拱手："算了算了，我那啥，腰疼。不打了，今天算你赢。"

顾茫很高兴："那我赢了，你要给我买糖。要牛乳味的，要两袋。"

"之前不还是一袋的吗？你是流氓啊，嘴皮子一碰你就坐地起价！"

流氓顾茫颇有些责怪地看了他一眼，解释道："我忠厚老实，哪有坐地起价，分明是你自己哭着喊着缠着我打，打了还连输两场，输了还想赖账……"

越说越不给陆展星面子，陆展星哪里还听得下去，忙挥手打断："行行行！买！我给你买！我给你买总行了吧？吃死你算了！怎么不见你长蛀牙！"

几个人正说得热闹，潜灵长老的侍茶小童来了，朝着那位正无比执着地向师弟要糖吃的无赖喊了一声："顾茫师兄！"

顾茫闻声回头，见是侍茶小童，"嗯"了一声笑道："是潜灵长老座下的仙童。"

"顾师兄好记性。"小童乖巧地说，"潜灵长老有事要见师兄，还请师兄借一步说话。"

陆展星这会儿不痛也不气了，在旁边睁圆了眼睛喃喃道："潜灵长老能有什么事……？啊，是了，肯定是抽到你陪新弟子去试炼啦。"他说着，摇了摇头，"你是出了名的懒，之前跟我一起去伏魔，全程啥也没干，甚至还在我收妖的时候坐在旁边吃西瓜。也不知道是哪个新弟子居然抽到了你作陪，简直倒霉。"

"话不能这么说，跟你一起伏魔的那次，我除了吃瓜，明明还助威了。"

"你替女狐妖助威的事情就别说了吧。"

顾茫摸摸下巴，觉得陆展星的指责无可反驳，于是转而赞同："好，你说的对，我是懒得要命，而且这些安排给新师弟的委派又烦琐得要死。"他忽然转头对小童道，"仙童，你看我这态度不端不正，到时候还不知道是师弟师妹照顾我，还是我照顾别人。不如就让这位师兄去吧，他最勤快了。"

说罢毫不羞愧地指着陆展星。

陆展星："……"

小童道："顾师兄又在说笑了。长老抽到你，那自然就只能是你啦。"

"是吗？"顾茫眨眨眼睛，叹道，"唉，冤孽啊。"

小童劝慰道："师兄别这样想，能照顾新入门的弟子，也算是师门之间的缘分。"

顾茫又叹："唉，孽缘啊。"

陆展星在幸灾乐祸地瞧着，这时双手抱臂道：“茫儿，你不要灰心，听说这几天入学宫的有好几位窈窕淑女，我祝你好运。”

“你别胡说，我可是个正经人。”说完之后，顾茫立刻扭头问仙童，“在下要护送的是楚楚可怜的师妹吗？”

小童摇了摇头：“是师弟。”

顾茫：“……”

小童似乎在憋着笑，但他毕竟年纪小，憋了一会儿，有些憋不住了，忍不住开口道：“顾师兄，你别急，我话还没说完呢。”他笑着露出两排奶牙，“虽然没有师妹给你护送，但是……由于你们要接的委任特殊，此番行程中，还是会有一个姑娘的。”

小童顿了顿，忽然扑哧乐出来：“师兄想知道是谁吗？”

顾茫抬眼瞪着他，心底忽然涌现了一种不太好的预感。

翌日，晨光乍破，修真学宫的高天处飞过数只仙鹤，在清晨的凉风里翱翔着。

墨熄一向守时，已经按照约定在潜灵长老门前候着了。过了没多久，潜灵长老推扉而出，一身雪青色道袍，黑发绾束，臂挽拂尘，看到他，点了点头：“墨公子虽是将门公子，英烈之后，出身尊贵，却很守规矩，不曾迟到。”

墨熄垂眸道：“应当的。问潜灵长老安。”

潜灵长老笑了笑：“墨公子亦安。”

墨熄等了一会儿，不见潜灵长老再有下文，于是道：“请教长老何时试炼？”

“不急。”潜灵长老道，“再等一个人。”

墨熄知道还有一个同门师兄或者师姐要从旁陪护，心里虽觉没有必要，但想到这是学宫规矩，也就没说什么，于是耐心等起来。这一等不要紧，居然等了近一个时辰——水滴漏都快滴到卯时了，潜灵长老的茶都已经喝了第五壶了，墨熄一声不吭但是脸都黑如锅底了，山阶上才有个人影犹如一阵风似的闪近。

“来了来了来了！我来了！！！我没有迟到吧？”

墨熄：“……”

潜灵长老瞥了一眼滴漏：“没有，还是寅时。”

“那太好了。”那阵风停了下来，晨曦下，粲然地立在那里，是一个裹着白底金边斗篷的家伙，戴着宽大的帽兜，瞧不见脸，只听得到一个模糊的声音，“我可真是太守时了。”

墨熄瞪大眼睛，心道这世上怎么会有如此厚颜无耻之人？

潜灵长老面不改色道：“你是很守时，寅时的最后一刻来了。”

披斗篷的人好奇地问：“那师弟呢？他什么时候来的？”

“他也很守时，寅时的第一刻就来了。”

“啧啧，好勤快的师弟，真是长江后浪推前浪，一代更比一代浪。”

墨熄：“……”

潜灵长老把茶盏一搁，从榕树前的石桌起身，摊手道：“我给你二位相介一番。”说着，手往斗篷人那边靠了靠，“这位是学宫的高阶弟子，也是你的师……咳，师姐，叫作顾茫。”

对方笑着拉下斗篷帽兜，露出一张微显麦色的漂亮脸庞来。眼睛又黑又亮，眼尾很长，鼻梁高挺，嘴唇天然带着笑意。

“你好啊。”顾茫道，“后浪小师弟。”

墨熄原本觉得“顾茫”这名字有些耳熟，好像在哪里听过，但又想不起来，正暗自思忖，忽听得“后浪小师弟”这种奇葩称呼，不由眉心一抽，抬眼不太友好地盯着对方。

这位颇为面熟的同门却是浑不在意，反而冲着他眨了一下眼睛，笑意像涟漪一样顺着纤长的眼尾漾开。

“你可以叫我顾茫，也可以叫我前浪。反正在这茫茫浮世，姓名就像性别一样都是那变幻莫测的东西……”

潜灵长老忽然咳嗽两声，压低声音提醒道：“顾茫。”

“当我没说。”

潜灵长老瞪了她一眼——或者应该说，瞪了他一眼。

没错，由于试炼特殊，新弟子和陪护者之间必须有一个乔装成姑娘，能够暂且改变形貌的换形丸潜灵长老倒是有很多，但他决计是不会给墨公子吃的，自然只能让顾茫委屈一下。不过昨晚上顾茫刚知道这消息的时候差点直接落跑，一番道理说了之后，今儿顾茫才总算配合。

虽然“道理”是顾茫单方面表示改换形貌可以，精神损失却不能忽视，事成之后他要潜灵长老给他买十大袋的牛乳软糖。

“要城北翠雉斋的那种，十袋每袋三百颗，一共三千颗。我会一颗颗数的，少一颗都不行。”

潜灵长老又介绍道：“这位是墨熄墨公子，弗陵君之后。我昨天已经与你说过了。”

顾茫笑道：“我记得我记得。”

既然彼此都认识了，也就不需要再多废话，潜灵长老切入正题道：“此番试炼的内容，我简单与你二位说说吧。”

（四）

据潜灵长老所言，距离帝都三日车程的地方有一座小镇，叫作莲生镇。重华大小村镇上万座，这莲生镇一不处于交通要道，二无特色产物，三缺大官英杰，因此本是一个再平凡不过的镇子，可就在三四年前，莲生镇的声名忽然在妇人之中流传开来，每年有不少妇道人家慕名前往。

"这是为何？"

潜灵长老有意让两位弟子熟悉一番，于是道："顾茫，你来跟墨公子说道说道。"

"好。"顾茫转头笑着问墨熄，"墨师弟，你觉得姑娘家最在意的是什么？"

墨熄道："不清楚。"

顾茫循循善诱："你想想，你接触过的那些姑娘，或者你的青梅竹马，她们通常都会在意哪些事情？"

墨熄没有青梅竹马，不过他还是试着想了想，然后说："脸。"

"是了，你说的没错，姑娘家总是希望自己能漂漂亮亮的。那除了自己能够好看之外，姑娘们还喜欢什么呢？"

"不知道。"

"很简单啊，喜欢如意的郎君，可爱的孩子。"顾茫笑道，"虽说也有许多人不是这么想的，但民风使然，重华大多数姑娘都不能免俗。"

"按潜灵长老方才所言，莲生镇原本籍籍无名，却忽然在三四年前于妇人中流传开来，一个地方若忽然能够吸引某种人群，十有八九是可以满足那些人的某种欲望——不是少女，而是已经成了家的妇人，那么会是什么欲望呢？"顾茫说着，也不打算让墨熄回答，自己便接下去，"那多半就是求子啦。"

说完回头朝潜灵长老道："长老，我说对了吗？"

潜灵长老又斟满一杯茶，自顾自喝了，慢悠悠道："你这书背得不错，差不多把我昨晚跟你说的内容一字不差地背出来了。"

顾茫装机灵被拆穿，居然一点不好意思都没有，照样镇定自若地对墨熄道："你看，长老夸我说得不错。"

"……"

潜灵长老无奈叹道："别闹啦，剩下的我来说吧。"他目光依次扫过顾茫和墨熄的脸庞，说道，"事情确如顾茫所言，莲生镇出名正是因为求子有方。传说大约在四年前，镇内的土地庙忽然显灵，托梦给镇中红娘，说是但凡心诚前往叩拜的夫妇，都能很快抱得子嗣。一传十，十传百，没多久那些亟求香火的人家就都知道了。就连帝都百姓也不能免俗。"

"眼下是这座庙宇出事了？"

“不错。”潜灵长老说，“一个月前，帝都大商户，白家的大小姐和姑爷前往求子，却突然销声匿迹，音讯全无。所以我派给你的入门试炼，便是前往莲生镇，探查他们夫妇的下落。明白了？”

墨熄道：“明白。”

“那就尽快去吧。”潜灵长老说，“莲生镇的灵流，学宫已大致占测过，不曾有危暴之物，以你二人之力足够对付。尽管放心。”

说着，看了顾茫一眼：“顾茫，照顾好你师弟。”

顾茫转头就对墨熄道：“师弟，你一定要照顾好我。我又懒又馋，还特别没用。”

这明显只是一句玩笑话，岂料墨熄这人全无幽默感，居然当真了。他点了下头，便把那张英俊硬冷的脸转开了。看他微恹的神情，看来是把顾茫的话当了真，并且他还不是很明白长老为什么要给自己安排一个又懒又馋还特别没用的师姐。

“呃……”顾茫一个玩笑简直是对着冷冰冰的墙开，不由有些尴尬，伸手挠了挠头。

潜灵长老给墨熄手上配了一道护腕，说道：“这个是灵犀护手，能感知你在路途中的种种判断，你千万不可擅自摘下。等你回来之后把它交还给我，我自会去金成池用秘术替你祈来最适合你的神武佩刃。”

待墨熄应了，潜灵长老又叮嘱了几句，最后道：“你们这次过去，我还另有一个要求。”

他说这句话的时候，是紧盯着墨熄的脸的，显然是不太放心墨熄的反应。而顾茫则是一副早就知道的模样，无所事事地左顾右盼中。

墨熄道：“请长老吩咐。”

“为了查清那座土地庙的蹊跷，我希望你们不要打草惊蛇。所以此番前往，你二人在引出土地庙背后的灵魅之前，不得妄动法术，需得乔作前往求子的一对寻常新婚夫妇。”

此言出口，墨熄目光闪动，垂眸抿了抿嘴唇，没有马上接话。

潜灵长老对他高傲自矜的性情早有耳闻，见他沉默，心道这小子虽然少年稳重，但终究太过偏执，正苦于不知如何相劝，就听顾茫笑道：“算了吧，我倒是没什么，任务为重。就是委屈墨师弟了。”

墨熄目光冷了下来，睨向他。

顾茫愣了一下，黑亮的眼睛望着他，无辜地眨了两下。

“……”墨熄冷冷道，“不劳师姐替我操心。”过了一会儿，眸子转过来，端的是锋芒流淌的寒光，“我应便是了。”

当即从潜灵长老那边接过委派函，辞别一礼，转身步出殿外，压根儿没看到顾茫已经在他身后笑得打跌。

两人于是启程出发，前往莲生镇一探。

由于那种没有灵力的百姓地位通常很卑微，雇不起车马，也穿不起好衣，所以两人只做寻常打扮，步行往南。

一路上林荫摇曳，阳光灿烂，顾茫从小包袱里翻出两颗糖来，一颗自己剥了吃，另一颗递给墨熄：“师弟，你吃吗？这个很好吃的。”

“谢了，我不用。”

他言辞虽有涵养，但语气却很冷淡，显然是不愿与这位师姐多作纠缠。可谁料到顾茫非但不生气，还笑道：“这才对，有糖就应该都让给你媳妇儿。”

墨熄忍了一会儿，没忍住，漠然道：“你一个姑娘家，如此轻浮随意，难道竟不觉得羞耻？”

顾茫原本并不愿意男扮女装，可没想到这位墨公子居然如此好逗，反倒越扮越觉得好玩，于是煞有介事道：“咦？我为什么要羞耻，咱俩走在路上，堂堂正正，光光明明，我做什么要害羞？”

墨熄蓦地停下脚步，面有愠怒，似是想说什么，但最后还是按捺住了，阴沉着脸往前走去。他既不看风景，也不停下来歇息，更不想和顾茫说话，如此全神贯注，到了晌午，两人已翻过了五座小山头，来到一片瓜田之前。

顾茫百无聊赖地甩着沿途折来的柳枝，远远跟在墨熄后面，这时候忍不住喊了声：“墨师弟，师弟师弟，我说，你能不能停一会儿啊？”

他一路上尝试着与墨熄讲笑话，聊人生，俱得不到回应，原以为这次墨熄也定不会理他，谁知墨熄却停下了脚步，侧眸转身：“怎么？”

“我走不动了。”

“……”

顾茫全无脸皮笑嘻嘻地：“要不你考虑一下背我呀？”

墨熄狠狠瞪着他，却是连话都不想和他说。

“好凶好凶。”顾茫笑道，“那就不背了，咱们一起歇息，乘乘凉吧。”

“要休息你自己休息。我往前面再看看。”

“您可真行，您不累吗？”

墨熄摇了摇头，一语不发地消失在了林荫小径的深处。顾茫看着他孤高的背影，叹了口气，只得自己一个人靠树坐了下来，然后颇为遗憾地抬手摸了摸脸，自言自语道：“唉，前番展星误服过换形散，我跟他开玩笑，说他变成姑娘之后生得一言难尽，令人看了只想精忠报国，不想成家立业。现在看来，我换形之后的模样恐怕比他还丑。”

不由面露忧愁：“这可怎么办？我还和展星打了赌，说这几天一定把墨师弟哄得心服口服，赌了三盒邀月楼的点心呢，唉，这下看来是没得吃了。”

接着又想：“这个墨师弟体力也实在太好，都走了这么久了，没有用半点灵力，居然脚程一点儿也没缓，这些纯血贵族的天赋确实可怕。”

如此没头没脑地胡思乱想了一会儿，散漫的视野中出现了一个年轻人的身影。原来是墨熄复又回来了，手中提着一只竹篮。

他顶着酷暑灼阳，从隆盛的阳光下走到树荫里，把篮子往顾茫面前一搁。

“这是什么？”顾茫好奇地探过去，揭开竹篾扁身盖，往里一瞥，只见其中放着一碗白菜草菇炖豆腐，一碗萝卜汤，两碗白饭，两副竹箸，菜色虽然粗陋，却是往外蹿着热气，显然是刚煮出来不久的，不禁笑着“哇”了一声道，“神仙大爷，你是从哪里变出来的这么一篮子饭菜？”

“买的。前面有人家。”

顾茫倍感吃惊，心道，原来他刚刚是去买饭了？这人虽然傲慢又乏趣，却也不是全然的冷酷无情。当即捧起碗筷，笑着说：“多谢了。”

墨熄没理他，垂眸布了饭菜，然后就席地端坐，自顾自地开始吃了起来。顾茫也拿了一只碗，边吃边打量着对面的小师弟。这位墨师弟始终不理他，一直低着长睫毛，筷子在往口中递着豆腐。

顾茫有心想再与他说说话，可是之前调侃他，已经调侃得对方生了气，所以又不知怎么开口，只得先咳嗽几声。

“咳——”

“……”

“咳咳。”

“……”

“咳咳咳。”

墨熄终于抬起眼了，顾茫正开心，准备端出热络的笑容与这位美人师弟谈个天，就见美人师弟蹙着剑眉，冷冷问：“你嗓子不舒服？”

顾茫一噎：“我——”

“吃药吗？”

眼见墨熄搁下碗筷，真的打算从乾坤囊里拿药，顾茫心中万马奔腾，感叹道这位少侠你不是有药，你是有病啊！忙阻止道：“不用了，我就是不小心呛着了而已，吃饭，哈哈哈，师弟吃饭。”

墨熄倒也不勉强，瞥了他一眼，已经搭在乾坤囊上的修细长指收了回来，低头去舀汤。

“给我的？”顾茫瞧着他递来的汤碗，有些受宠若惊地接过了，愈发诧异，“……谢谢啊。”

墨熄是养尊处优惯了的人，平日里总有人少主长，少主短，公子长，公子短的，道谢道歉更是一天能听个百把回，对于顾茫的这声谢谢，他自然也没有任何反应。

不过细处见人心，虽说人人都知道纯血贵胄大多残忍跋扈，墨家更是威名赫赫的军阀世家，照理墨公子肯定会十分骄纵，因此当时在校场上，顾茫看到墨熄的第一眼就提醒陆展星“这是墨家的人，你我都惹不起，快走吧”。可是这一番接触下来，顾茫却觉得其人未必如此。于是接下来的两天，顾茫耐心看着墨熄的一举一动，果然发现墨家的这个少主确实和他们想象中的不太一样。

墨熄话很少，眉眼之间除了清冷之外，便只偶尔笼过一层薄悒。

这一路上顾茫与他说话，他都是偏着脸不理不睬的，傲得很，只偶然睫毛像风过薄烟，倏尔一动。但若顾茫真有什么需要，他却都很靠得住。如此一来，顾茫对这个公子多少总生出了些好感。

第三天晚上，他们离莲生镇已经很近了，走在偏郊的小路上，萤火虫在田间地头翩跹起舞，顾茫看着那流萤点点，忽然道："墨师弟，此番试炼结束后，你就正式拜师学艺了。学宫内共有七位大长老，主掌七大圣殿，你有没有想过自己会拜在哪个门下？"

"瑶天殿。"

"这么确信？"

"家父是瑶天殿出身。"

顾茫微怔之下，唇角轧开一抹笑："是了，我差点忘了，你们纯血贵胄，总是父子一脉相承的。"

墨熄没说话，顾茫以为他不会再说什么了，却听他问："师姐师承哪位圣殿长老？"

这还是这么多天，墨熄问的第一个与他有关的问题，顾茫惊讶之下，笑道："哦，我是燕别殿的。"

燕别殿是学宫七大圣殿里最妖异古怪的一座，最眼高于顶的勋贵，最诡谲恐怖的毒师，最心狠手辣的杀手……诸如此类，几乎全部是这座圣殿出身的修士。

顾茫这么懒惰松散，言语又如此不着调，果然是燕别殿的没错了。但出于礼数，墨熄仍道了句："那很好。"

岂料顾茫却笑道："师弟嘴上虽然说很好，心里却指不定在想'原来是燕别魔窟，唉，想不到这第一次委派，就要和七大圣殿中最邪气的燕别魔窟的弟子携手，当真是坏极了。我恨不能早些完成任务，赶紧与这混蛋分道扬镳。'"

墨熄虽然确实想早点与顾茫分别，但也并非无法容忍，听顾茫这样说，便道："燕别殿就是燕别殿，哪里来的燕别魔窟。"

顾茫一见他英俊的脸庞上流露出严肃之意，不怒自威，居然和学宫内那位制法最苛刻的式微长老酷似，不由笑出声来："哈哈哈哈，你这人……你这人啊……"

"都说瑶天殿全是些高处不胜寒的鳏寡孤独，我以前是没接触过，可遇君之后，就知此言诚不欺我。"

"……"

两人一路走着说着，不知不觉已经到了莲生镇外。顾茫言笑晏晏间，忽地瞧见一块三人高的大石立在镇子口，上头朱砂描金写着：

"夜来琼露沾嫩蕊，一梦春来可采莲。"

"啊，看样子我们是到地方了。"顾茫把那诗来回看了两遍，不免嘴角一抽，低声嘟哝，"不过这镇子好不正经，怎么题了这种诗在迎客石上。”

墨熄也看了两遍题石诗，想看出这诗哪里有问题，只觉得是在描述荷塘夜色，想来大概是顾茫又在捉弄他，不由瞥了顾茫一眼，颇不耐烦地径自进了村去。

顾茫有些委屈地摸了摸鼻子，瞧着对方的背影欲哭无泪：“墨师弟，我没骗你，你仔细品品……”

（五）

他们进村时正值黄夜，原想找个客栈先歇下脚，可是这村子七弯八绕，作八卦之形，一时也没瞧见客栈的绿绸招子。偏且不巧，夏日容易变天，两人住处还未寻着，远远夜空就闪了一道闪电，紧接着响起滚滚闷雷。

顾茫抬手，接了几滴豆大的水珠在掌心里，无奈道：“这么不巧，下雨了。”

“你把斗篷的帽兜戴上，在屋檐下等我，我去看看这附近可有客栈。”

顾茫翻起披衣，说道：“我与你一起去找，免得你找到了，还要跑回来寻我。”

两人于是加快脚步在巷陌中穿行，可是黑云翻墨，骤雨顷刻间纷沓而至，夏季雨湍急，他们很快就被困在一排子瓦檐底下出不去了。这本来是个防雨结界就能解决的事儿，可长老吩咐，不能妄用法术，如今到了莲生镇地界，就更加需要谨慎小心。

墨熄自己淋雨倒不碍事，不过他见顾茫的衣衫也都湿透了，心道姑娘家淋雨容易生病，这位师姐瞧上去懒洋洋的，也不像体力很好很耐抗的模样，要是站在这里等雨停，恐怕第二日就得染了风寒。正暗自思忖着，忽瞥见前头不远处有一户人家，门虽掩着，但缝隙里却露出点微弱的烛光来，于是对顾茫说道：

“你随我来。雨太大，客栈先不找了，我去向前面那户人家问一问方便。”

顾茫想想也是，于是跟他一道冲出雨幕，朝那户人家跑去。一到大门外，还未来得及说话，门就猛地开了，里头传来一个女子的惊呼，紧接着犬声狂吠，一只大黑狗瘸着腿，“汪”地大叫夺门而出，屋里的女人则喊道：“回来！你……你给我回来！”

顾茫手脚灵快，立刻跑出几步，去擒那只黑狗。

墨熄则走到门前，屋里头竖着一面四折屏风，后面传来呼哧气喘的声音，还混杂着咒骂。

“杀千刀，臭东西……”过了一会儿，一个女人扶着墙，从屏风后面转出，她蓦地抬起头，瞧见月下墨熄的面容，叨叨的三字经停了一下，紧接着吐出了个三字结尾来，“你是谁？”

墨熄还没说话，她又凶狠道：“快让开！”

说着就一瘸一拐地打算追出去。这倒是稀奇，狗瘸人也瘸。还没追几步，暴雨里顾茫就从小巷尽头跑了回来，怀里正抱着那只狺狺狂吠的狗子，他从狗子后头探出脸来，颊上还沾了个湿漉漉的狗爪印，笑道：

"姑娘，你家的狗真可爱，喏，还给你。"

墨熄有点匪夷所思地看着他，深觉此人慧根直可通天——他究竟是怎么在一只满嘴流涎、口水乱喷、舌头一吐三尺长的狗身上看出"可爱"两个字来的？

女人犹豫片刻，伸手抱过了狂吠的狗，说道："多谢"，而后站在门楣下打量了两人数眼，忽然很唐突地问了句，"哎，你们……你们莫不是来求子的？"

墨熄："不是。"

顾茫："是。"

女人眨眨眼，挑起了眉峰："我多嘴问一句，二位什么关系？"

墨熄："她是我姐姐。"

顾茫："他是我相公。"

两人各执一词，几乎同时说出，女人慢慢眯起星眸，用一种玩味的眼神在他二人之间扫动，半晌忽地嗤笑出声来，乜着眼道："懂了，难怪不想让人知道。你们可真够胆大的，私奔出来的吧？"

墨熄："……"

顾茫："……"

那女人无遮无拦，一边摸着怀里的狗，一边继续来回打量这对小野鸳鸯，在她这赤裸裸的盯视下，顾茫都有些扛不住了，回过头瞪了墨熄一眼——

墨熄你大爷的！你怎么不按长老的戏本来？！

墨熄原本只是觉得没必要和个萍水相逢的女人说那么多，所以才道顾茫是他姐姐，谁料到竟会闹出这样的乌龙，一时颇为无语。不过这件事说到底还是他做得不对，于是他转开了脸，沉默半晌，淡淡地说：

"只是远房表姐。"

女人啧啧啧了好几声，摇头道："想必家里反对得紧吧？唉，可怜，可怜，二位打算私奔到哪里去？"

顾茫笑着挽过墨熄的胳膊，竟真厚颜无耻地做出娇羞模样，说道："我和外子年前新婚，却一直没有喜讯。听人说这里的土地庙求子极灵，是以诚心来拜，想要得个麟儿，至于私奔到哪儿，这天涯海角，能与外子相伴便足够了，哪儿都是如画风景，美满温巢。好夫君，你说是不是？"

他存心报复墨熄，说得极为肉麻，果然把墨熄气得浑身都绷紧了，却又抿着薄唇不好发作，只得微不可察地点了一下头，然后立刻把脸扭转开，手指在袖下喀喀作响。

顾茫正憋着笑，却忽听得那女人说了句："那……你们拜神求子，钱带够了没？"

"啥？"

"咱们这村子的土地庙可不是想拜就能拜的，门道多了去了，进门就要剥一层皮，若是身上没点盘缠，那可连土槛都迈不过去。"女人又扫了他二人并不考究的服饰几眼，"不如算了吧。"

"哦……"顾茫反应过来，笑道，"不劳姑娘费心，我们一路到此，沿途接了些农活，省吃俭用攒了一些礼神钱帛，应当是够的。"

那女人听他这样说，非但没有面露和缓之色，犹豫一会儿，反而柳眉竖起，严肃道："可我见二位非富非贵，那个地方……还是别去了。"

墨熄回头，目光犹如冷电："为何？"

他出言不像是前来求子的新郎，反而太像是军阀在审讯，女人生疑，皱着眉头看着他，没有马上答话。

顾茫见情况不妙，暗中拉了拉墨熄，笑着说："姐姐不要见怪，外子疼我怜我，他太想我们之间能有个孩子了，所以……"

女人却摇头道："土地庙求子传闻都是胡扯，专骗那些有钱的傻子，其实一点用都没有。"

"可是来这里求子的人很多啊。"顾茫道，"如果不灵，又怎会有那么多人口口相传？"

"……这件事，说来话长，总之去了非但讨不着好，反而还有坏处。"

顾茫奇道："怎么还有坏处？"

"别问那么多，姑娘愿意，便听我这一句，我决计不会害你们。"

顾茫略加思索，笑道："好姐姐，那你看这样行不行？我们初来乍到，一时寻不着客栈，雨又这么大，我们还没有带伞，浑身上下都淋湿了，如果姐姐方便的话，可否借贵处歇个脚，再与我们细细说道说道这件事？"

说着取了钱两，双手捧给了女人。

对方却犹豫片刻，不曾答话。

顾茫见她面有难色，只得道："若是姐姐实在不方便，那就算了。"

女人咬了咬嘴唇，瞧着顾茫的脸："若我不说清楚，你们便非要去那土地庙不可吗？"

"来都来了，走了那么多路，不明不白就不去，心里总放不开。"

"唉……"那女人跺了跺脚，可惜脚瘸着，一跺更疼，她抽了口气，骂咧几句，抬眼道，"好吧，我看二位都是好人，与你们细说就是了。不过你们等会儿，我屋里乱得很，见不得人，我去收拾一下再请二位进来。"

女人说罢，抱着还在哼哼唧唧的狗子进去了，顺带用脚勾着带上了门。她一走，顾茫心知墨熄定要发难，立刻先发制人，回头对墨熄道："瞧见没？这才是水平。哪里像你，把长老的吩咐都当耳旁风。"

墨熄虽然知道他是在耍无赖，但也不好反驳什么，只冷眼瞧着他。

顾茫继续道："真是服了你们这些瑶天殿的少爷，一个个都是正人君子，连逢场作戏都不会。"他摇摇头，"我就和唱独角戏似的，可演累死了。"

墨熄之前一语不发，这时却忽然淡漠地说了句："师姐难道演得不开心吗？"

"开心倒是开心，不过一人开心不如两个人开——"

话未说完，门吱呀一声开了，女人侧身给他们让出位置："进来吧，瞧你们俩浑身上下淋得狼狈模样，来，炭盆子给你们生了，烤烤火去。"

两人随她转过屏风，进了屋，只见这屋里到处挂着织好的绫罗绸缎，那些色彩缤纷的布料子成匹地挂在梁上，堆在墙边，人走进去了，带起阵阵绸缎织就的烟波，银丝错落的仙鹤在翩翔飞舞，嫣红姹紫的繁花在吐露芳华，还有那些素色薄纱，挂在晾架上，重重叠叠垂落着，像一场难以苏醒的梦。轩窗旁摆着一张刺绣台，一张织布机杼。再无其他。

顾茫环顾四周，有些惊讶地说道："……姐姐是一位绣娘？"

"是啊。"女人拉了拉几块纱帘，说道，"糊口生意，承接各类服饰罗帐床褥屏风刺绣，二位也想订些什么吗？嫁衣也做。"

顾茫笑道："我和外子只喝一杯合卺酒就算成婚了，到底是有违父母之命私奔出来的，哪里还敢求什么嫁衣不嫁衣。"

"这哪儿成啊。"女人说道，"婚娶是一生大事，等你们安顿下来，还是补一场吧，就算不宴宾客，凤冠霞帔喜帕红罗总是要的，一辈子也就一次。妹妹要是愿意，回头还来我这里，别的我不敢说，龙凤呈祥我是绣得最好的。我六岁就开始帮着爹妈打下手，绣过的吉服没有一千也有八百，可好看得紧。"

她说完，回头瞧见顾茫他们还站在墙边，招手笑道："过来啊，这么拘谨做什么。"

墨熄道："还未向令尊令堂问安。"

"他们？他们都已经过世了。"

顾茫的眼睛微微张大，忙道："真是抱歉。"

"没什么。"女人说，"对了，还没介绍我自己，我叫苏巧，你们呢？"

两人各自报了名字，闲聊中顾茫忽觉鼻子痒痒，转过头打了个大喷嚏。

苏巧乜了他一眼："新娘子体娇，怕是要着风寒，还是赶紧把身上的湿衣衫都换了吧，你随我去屋里？"

顾茫就算吃了换形散，演得有模有样，但毕竟是个糙老爷们，自然不好进少女闺房，更别说唐突别人、穿人家的衣裳了，忙道："不用了，不用了，我烤着火，一会儿就好。"

说完就去火塘边很乖巧地坐着。

苏巧也不勉强，手脚利落地取了铜壶茶盏，说道："那我去后院打点水，给泡些姜茶，你们坐着先聊。不过别乱动我的布料。"她强调道，"我这些缎子绸子都有买家，料子娇贵得紧，坏了可麻烦了。”

等两人表示他们连根丝线都不会动，苏巧才一瘸一拐地走了。

她走之后，墨熄忽然道：“你不难受吗？”

顾茫愣了一下：“什么？”

“你衣服都湿了。”

“哦，这个啊……”顾茫舔了舔嘴唇，黑眼睛在火光的映衬下愈发温亮，“我与你同甘共苦啊。夫妻本是同林鸟，一起变成落汤鸡嘛。”

“……”

顾茫朝他眨眨眼：“好夫君，你心不心疼我？”

墨熄抬起幽黑深眸，英俊的面庞笼着一层薄愠，转头怒道，“不要脸。”

顾茫心中暗道，非也非也，我哪里不要脸，我要是不要脸，早就借着这换形的机会去人家姑娘闺房里占便宜了，哪里还会和你这个冰块脸坐在这里烤火。唉，墨师弟你真是大大地冤枉好人了，其实你顾师兄非但很知道羞耻，而且是个端正君子，你这小没眼光的不但不捧我，居然还踩我，啧啧啧，世事难为啊。

不过想归想，话可不能真的说出口。顾茫于是岔开话题，指着灯火朦胧处的一幕绣布，笑道：“好了，不吵了，你看——这苏姑娘也当真是厉害，绣的山水飞禽栩栩如生也就罢了，就连嫦娥奔月这种人物故事也做得那么漂亮。瞧那罗纱上的剪影，是不是真像一个身材窈窕的姑娘？”

墨熄瞥了一眼，一副横贯了屋梁的明黄色罗纱，纱面上果然绣有一个真人大小的女子的侧影，虽然只绣影子，但针法别致，连睫毛都卷翘生动。

“虽然这个嫦娥，没旁边的仙鹤绣得那般细致，不过却很有意思。”顾茫托腮笑道，“就不知道这样大的一件绣品能拿来做什么。”

两人正端详着苏巧的杰作，忽听得吱呀门响，苏巧端着注满了水的茶壶回来了，她带着夜露寒气，在火盆边蜷脚坐下，将铜壶往火炭上一放，发出嘶嘶的响。苏巧道：“久等久等，来吧，两位不是要问我土地庙为何去不得？那我们边烤火边说。”

顾茫笑道：“烦劳苏姑娘指点啦。”

“算不上什么指点，但就怕我跟你们说了，你们也不愿意相信。”

顾茫和墨熄对视一眼，顾茫道：“这是为什么？”

“那座土地庙蹊跷得很，镇子外的人只知它求子极灵，但是还有其他一些关窍，却是镇上的人不愿意多说的，其中之一，就是这座庙它看脸。”

“看脸？”

“对。”苏巧道，“看脸。它并不像传言中那么神，五十岁的老夫妻拜一拜都能得到孩子，它挑剔得很。需得妻子长得貌美动人，拜了才有用。如果妻子长得难看，哪怕在庙里把头磕穿，那也是难得身孕的。”苏巧说着，摆了摆手，“不过镇长为了赚钱，这种话自然是说不得的啦。”

顾茫失笑：“竟有这种事？只看妻子吗？丈夫是美是丑有影响没有？”

“没有。只要妻子好看，哪怕丈夫是蛤蟆都没关系。”

顾茫叹了口气，点头道：“那这座庙宇对姑娘是真的很苛刻了。”说罢摸了摸自己的脸，沉痛道，“像我这样的肯定过不了。”

苏巧笑起来：“妹妹这样的要是过不了，还有谁能过得了？你要是长得丑，我也不会拦着你们，随你们去拜好啦，反正又不灵。”

顾茫立刻高兴了：“谢谢你这么好看，反而还来愿意夸我。”

苏巧一听这话，也十分舒畅，遂开始和顾茫互捧：“咱俩各有各的好看。”

“你鼻子好看。”

“你眼睛漂亮。”

“你皮肤白嫩。”

“你腰细臀翘。”

墨熄：“……”

一脸头疼地听他们俩吹捧了好一阵，墨熄都有些沉不住气了，苏巧才又切回正题：“总之这土地庙呢就是看脸许愿，所以很多人拜了也是白拜。这是其一。”她顿了顿，眉宇渐渐颦蹙起来，刚才和顾茫笑闹的神气消失了，神情重新变得严肃，“但是最重要的，是其二。这也是莲生镇的许多人，绝对不会告诉外乡人的一点。”

墨熄道：“愿闻其详。”

苏巧没有马上说话，她从案几的铜盆里抓了一把瓜子，磕了两三枚之后，啐掉粘在嘴唇上的瓜子皮，抬眼道：“其实……那求子庙根本不是善庙……它是一座邪庙。”

（六）

听她这么一说，顾茫和墨熄的神色均是微变——庙宇有灵，那必然是其中藏着某种灵体，若是灵体纯善，便会为人排忧解难而不苛求回报，而若是灵体邪恶，那事情可就麻烦了，那些邪灵完成了愿望，就会向祈愿者索要回报，而那些回报，往往会比祈愿者得到的沉重得多。

果不其然，苏巧接下来便说：“但凡在这座土地庙拜过的夫妻，只要那貌美的妻子成功受孕，长则一年，短则数月，她们的丈夫就必然会离奇死亡。无一例外。”

“这样……”顾茫喃喃着，陷入了深思，“用丈夫的性命换来的孩子吗……”

一时寂静，只能听到火炭噼啪的声音。

忽地汽声呜呜，白雾翻沸，原是茶水开了，响动打破了气氛的僵凝。苏巧提起铜壶，往盏中满上，说道："来，先喝些热茶吧。"

两人谢过了，顾茫一边喝茶一边思忖，忽然问道："苏姑娘，这件事情……镇上的人是否都知道？"

"有些知道，有些不知道。"苏巧道，"反正知道的很多也当不知道。咱们这个镇子穷，指着香客们的善银过日子，土地庙进一趟就要花去许多钱饷，清贫出身的都被门口收钱的赶回来了，一般也就那些地主扒皮去得起。"

"没人提醒那些阔少阔太吗？"

"提醒他们干吗？"苏巧挑起眉峰，"看二位的衣冠，也都是寻常庶民，我们这些人平日里受那群贵胄的欺凌还少吗？更何况是他们自己要来拜的，又没人掐着他们的脖子逼他们进门，命中有这一劫，怪谁。"

顾茫想到墨熄正是重华国最尊贵的血统出身，担心他听了会生气，不由看了他一眼，可墨熄并没有什么愠色，他垂睫沉思，嘴唇微抿着，不知在想什么，神情有些端凝。

"再说了，咱们这个莲生镇终年多瘴疠，镇子里又都是些毫无灵力天赋的人，没法儿抵御瘴气，还容易闹疫病，生病的时候问那些老爷太太们讨些钱两，那可比登天还难，不趁这个时候刮他们一层油，难道还等病得要死的时候，求他们怜悯？"

"……"顾茫叹了口气，没说什么。

苏巧看了看窗外的月色，起身伸了个懒腰，揉着胳膊说道："好啦，时候也不早了，二位知道其中危险便好，在莲生镇逛逛风景可以，那邪里邪气的土地庙可千万别去啦。"

顾茫道："自是听苏姑娘的话。"

苏巧便去给他们收拾客房，墨熄见她走路一瘸一拐的，问道："姑娘的腿伤严重吗？"

"哦。不碍事。"苏巧摆了摆手，"我那黑狗脑子不好使，它扯我布匹，我骂了它几句，狗儿子居然咬我。"

墨熄没再说什么，只递给了苏巧一瓶跌打伤药。

苏巧接了药罐，打开来闻了闻："这药贵吗？"

"不贵。"

苏巧挖了一点拢在手心里，把瓶子还给了墨熄："这年头苛捐杂税重得谁过日子都不容易，不贵也不敢收，这么大一罐我也涂不完，你们俩自己留着吧，以后没准还用得到。"

她说完，一瘸一拐地爬上楼睡觉去了。屋内富贵人家向她定做的丝绸绫罗是如此华贵，金丝银线，溢彩流光，而她自己却衣着贫陋，渺小得像这满屋罗绮中的一点蛀斑。

是夜，墨熄与顾茫二人合了房门，互相看了一眼。屋里只有一张床，顾茫立时弯起柔软的眉眼舒展开一个颇为挑衅的蔫坏笑容，往唯一的这张床上一坐，墨熄则把目光转了开去。

“师弟你不歇息吗？”

墨熄摇了摇头，并不瞧他，而是站在离床最远的地方，说道：“我再出去走走。”

顾茫心知墨熄心情不太好，于是坐在床沿盘腿托腮逗他道：“万一苏姑娘等会儿也出去走走，你撞见了她，该怎么说？”

“……”

“还是你觉得苏姑娘比我好看，说是想出去走走，其实是想再瞧瞧她？”

墨熄严厉道：“你不要胡言乱语。”

顾茫笑了：“那就劳烦师弟乖乖睡觉吧。”

墨熄沉默片刻，似乎在思考有什么办法可以避免和这个家伙共处一室，但是他显然没有想到什么良策，所以他只得脸色铁青地走到床前，居高临下，眼神冰冷，俯视着床上的顾“师姐”。

顾茫仰着头，无辜状眨眨眼。

墨熄：“……”

几许沉默，他忽地抬起手，顾茫以为他真打算除却外袍上床来睡觉了，却见墨熄修长的手指尖在半空中一转，“咔嗒”两声干脆利落地解去了床边钩扣，双手一边一个拉住帷帐。

“哗”地一扯，月白色床幔瞬间关得严丝合缝。

墨熄冷冰冰的声音从还在簌簌飘摆的帐外传进来：“躺下。”

“哦……”顾茫还有些没缓过神，愣了一会儿才试探着伸手去拉帘子，想探出个脑袋来看看不听话的后果会是如何。

结果手才刚触上帘子，就被墨熄隔着帘布给制住了。

“干什么？”

这小师弟虽然年轻，甚至可以说是稚嫩，但力气却已经大得有些骇人。顾茫的手指差点没给他折了，而墨熄对此却毫无自觉。

顾茫颤巍巍地：“没干什么，我就看你一眼，咱们有话好说，你先放手好不好？”

墨熄剑眉怒竖道：“你还不睡？还要闹？”

“大哥，我只是想逗你玩玩，谁要招惹你啊，你老人家能不能松手，别再掰啦，再掰我叫啦。”

这一下算是踩偏了，墨公子最恨被人要挟，一听反而来了火气，手上的力道更狠了。顾茫也毫不示弱，言出必行，当即没脸没皮地扯着嗓子喊道：“相公……疼……啊！你疼死我了……啊，啊啊……”

这喊声柔软曲折，令人遐想连篇。这还了得，墨熄像被烫着似的，蓦地松开了顾茫的手。

他一下挥开帷帐，逆着烛光的，是一张又怒又尬的俊脸，还没等顾茫说出第二句话，墨熄已猛然将他推抵在床上，捂住他的嘴，压低声音咬牙切齿道：“你到底想怎么样！”

顾茫诚恳道："逗你玩。"

墨公子因含怒过盛，胸膛起伏着，盯着身下的那个混球，每个字都像是后槽牙咯吱咯吱磨出来的："你老实给我睡觉，我就当什么都没发生。你要是再招惹我，我让你吃不了兜着走！"

过了好一会儿，墨熄等他乖了，一双澄澈的黑眼睛老实巴交地望着自己似乎是在保证"大哥我错了,我再也不敢了"，这才松开捂着顾茫的手，顾茫脸颊上都被他掐出了红印，喘了好几口气，而后转动湿润的眼珠，颇为无言地瞧着撑在自己上方的那位公子爷，叹气道："师弟……你以后教训我，能不能换个地方？"

"……"墨熄倏地起身，那双目光游离在茫茫夜色里的眼睛闪着明暗不定的幽泽。看他那模样，如果不是情况不准许，顾茫丝毫不怀疑这位公子爷会把自己按在墙上捶爆。

半晌，墨熄忽地抬手重新把罗帷狠狠拉上。帘幕簌簌，帐外传来他低沉的嗓音，生硬道："抱歉。"

不是吧，这么认真的吗？顾茫在帐子里盘腿坐起来，有些失笑。

又过了一会儿，墨熄在外头说："但我……最恨便是人不自重，请师姐见谅，休再如此胡闹。"

顾茫哼哼唧唧地："不敢了，我不可想再被人指教。"

"……"

"还顺带捏伤了我的手指。"

"……你也可以捏伤我的手指。"

这倒是很公平，可是正常人不都应该说"疼不疼，我有药"或者"对不起，我看看"，再不济也该是"真的吗？还好吗？"——"你也可以捏伤我的手指"这是什么暴戾的思考方式？

顾茫忙道："算了算了，不用不用。我睡了，你也休息吧。"

一觉安稳，直到拂晓时分，顾茫才从梦寐中醒来，他轻轻撩开一角罗帐，发觉墨熄竟未安卧，而是在桌边坐着。

其时晨曦已露，初阳照在墨熄清丽的脸庞上，少年人的五官已是那样棱角冷硬分明，可睫毛却像花蕊般柔嫩纤长，墨熄的头颅一沉一沉地往下倾着，显是竭力想让自己保持清醒，却终究支持不住睡了过去。

顾茫眨了眨眼睛，若有所思地看着这个贵族出身的小师弟。

温暖的阳光一点点洒进来，倾照到屋内。

他们屋内的那盏油灯已经尽职地燃了一夜，此时终于烧至尾梢，陡然爆出几簇绚烂的火花，无声熄灭了。

用过早饭后，他们与苏巧辞别。临走时，苏姑娘又再三叮嘱他们千万别往土地庙去，并赠了他们一把纸伞："这几天的日头毒，傍晚又总爱下暴雨，你们带着这个，或许用得着。"又冲墨熄笑了笑，“就当我还墨公子那罐疗伤药的人情。”

两人谢过了，走在青石小巷中，顾茫撑开那把纸伞，端详着伞面，先是怔了一下，而后由衷赞叹道：“画得真好看，苏姑娘的手也太巧了。”

墨熄看了一眼，但见伞面上彩墨熠熠生辉，细心绘着青岱河川，楼台阡陌，确是一幅歌舞升平的锦绣江山图。想不到一个身处贫瘠偏村的绣娘心中竟有如此壮阔河山，不禁也很是意外。

“这么好看的伞，就算是下雨了我也舍不得撑。我头先还以为她只拿一把普通的给我们，这个哪里敢收？”顾茫递给墨熄，“放进乾坤囊保存起来吧，等土地庙的事情了解了，我们再去还给她。”

墨熄点了点头，将罗伞收好，两人并肩往城郊的土地庙行去。

到了庙外，他们看见了苏姑娘所说的“收拜神礼的”，原来是堵在庙院入口的四个镇民，三大一小，他们一个收参神礼金，一个在卖高香，一个在卖桃木姻缘符，至于最后那个小娃子，居然是杵在那边讨饭的。这四个人都铆足了气力，正大声吆喝着——

收门槛钱的那个嚷嚷：“千金难求天伦乐，入门解囊结善缘。”

卖香的那个大喊：“凡心难寄九重天，一缕清香拜佛前。”

卖姻缘符的则唱道：“两情难得深如许，金风玉露生华莲。”

小要饭的就比较淳朴了，他涎着脸，拄着破竹杖，敲着碗脆生生道：“各位干爹干妈，给点赏吧！”

顾茫和墨熄往大门口走，这四个人就和闻到了花蜜的蜂似的更来劲了，其中以小要饭的最为卖力，抻着脖子讨好道：“老爷夫人，公子小姐，干爹干妈，我祝你们白头偕老，儿孙满堂。”说着巴结地高举破碗，无限渴望道：

“做做好事，赏点小钱，土地爷爷看在眼里头，二位一定早生贵子！”

墨熄莫名其妙就成了老爷夫人公子小姐干爹干妈，还要被祝愿和顾茫生孩子，脸色自然不和善。

倒是顾茫颇有兴趣地摸了摸下巴，笑道：“妙啊，我要哪天走投无路，干脆也来这里讨饭吃，我看风雨无阻干个两年，也就可以发家致富了。”

小要饭的立刻警觉地瞪他：“这个位置我占了，你不能和我抢。”

顾茫哈哈大笑，戳了戳他的额头：“刚才不是还叫我老爷夫人干爹干妈吗？一下子这么凶。”

“有奶就是娘，给钱才是爹。”

顾茫闻言，从乾坤囊里掏呀掏呀，掏了半天，掏出一块蓝贝币：“好好好，快叫爹。”说着又回手指了指墨熄，笑道，“叫他妈。”

墨熄冷冷看着他：“……”

眼神不善的不止墨熄一个，那小乞丐居然也翻了个白眼哼道：“这么点钱，打发要饭的呢？最起码三个银贝币，不然不给进庙！”

“哎，你这个断——”顾茫还没来得及说完，旁边墨熄就眼也不眨地放了三枚金贝币在乞儿的碗里，并且回头瞥了顾茫一眼，命那乞儿道：

“叫吧。该怎么叫你清楚。”

小要饭果然很有乞丐操守，立刻转怒为喜，尽职尽责地朝墨熄鞠了一躬，开口甜甜道：“干爹！”又朝顾茫道：“干妈！”

顾茫：“……”

墨熄虽然对小乞丐的这种称呼也不喜欢，但至少扳回一局，于是便不再跟顾茫啰唆，他给了定价高昂的参神礼金，买了六炷贵到离谱的高香，一块价格吓人的桃木姻缘符，便领着顾茫进了那土地庙院里。

顾茫跟在后面叹道：“我不就和你开个玩笑？你这人心眼小的，居然还要报复回来，你看你，一天到晚都在生气。”

墨熄道：“我没生气。”

顾茫微抬了一下眉峰，并不拆穿，他聪明得很，这几天一来二去的，已经总结出逗弄墨熄的经验来了。寻这正经人开心是可以，不过不能寻过头，点到为止见好就收才是关键，这道理就和煽风点火似的，轻轻呼一口气吹一点小风，就能燎出让人满意的火焰，要是不小心用力扇大发了，那怕是会把自己整张脸都熏成狸花猫。

两人在庙院内走了一圈，倒是没有觉察到太过鲜明的邪气，神龛上供奉着的土地爷神像憨态可掬，更是淳朴得不能再淳朴，没有半点妖异之处。

顾茫摇了摇头，低声道：“这时候日头正高，阳气极重，怕是真的不太好查。”

墨熄道：“既然苏姑娘说拜了之后会出蹊跷，那就先按例拜了再说。若是拜完之后仍无感应，那就晚上再来这里细看。”

“你真的要拜吗？”顾茫笑道，“你如果真的要拜，那恐怕得非常认真，你若敷衍了事，谁知道邪灵会不会看出咱俩之间的问题？”

墨熄拂袖道：“这个我清楚。”顿了顿，又回头盯着顾茫暗流温缓的黑眼睛，“不过你也要做到。”

顾茫一怔：“做到什么？”

“认真。”

“哦。”顾茫笑了，长长的眼尾犹如夜色中的流星，灿然曳开，“这个当然。我顾茫出的委任，还从没哪个因为不认真而失败过的。”

墨熄瞥了这人一眼，又很快把目光转开了，没说话，只是脸色仍有些沉。看来他很怀疑顾茫说的话到底靠不靠谱。

他们走到长明灯前，将香火凑过去点燃，顾茫拿在手里吹了一口气，将火舌晃灭，只留那星辰般的红点在默默地燃烧着，落下些许柔软香灰。六根香，轻烟袅袅升起盘绕，松柏的清香散落庭中。

“你一半我一半。”顾茫把香分了，说道，“走，进殿拜去吧。”

两人一齐进了土地神殿，在功德箱前头的蒲团上跪下来。

香过眉，过头，举至额心，而后一齐堪堪拜落，他们原想许愿说话，却又不知如何开口，于是俱是沉默，便由那烟霭飘着，香烬落着，最后似是虔诚磕下，额头贴地，却毫无所求。

因为在这一刻，他们谁都还不知道自己会有什么心愿，是可以与身边人有关的。

（七）

祈完了福祉，仍是不见任何异象，两人于是起身，走到殿外去。

“现在只剩这个桃木符了。”顾茫拎起手中缀着金黄流苏的桃符，左顾右盼道，“这个该怎么用？”

“卖符的说庙后有棵树，挂在树上即可。”

他们拿着符，出了庙门走了个百来米，拐一个弯，见得一株古桃树，翠盖参天，树身粗遒浑壮，七八个成年男子才能抱得过来，老树的大半躯干覆压在已经荒废的老墙垣上，俨然是独木成林，盘根错节。零星有几对打扮精致的青年男女们在它周围参拜，而后把手中写满了心意的桃木符挂在它较低的那些枝丫上。风一吹，流苏缠绵飘摆，成百上千的木符发出脆硬的碰撞声响，合着庙宇中悠远的烛火香气，一派虔诚庄严。

顾茫盯着那棵树许久，隐约感到一股藏匿着的邪气，他侧眸去看墨熄，果见墨熄也剑眉低压，正神情端肃地审视着古木之身。

“你也感觉到了？”顾茫低声问他。

“嗯。”

“难怪在庙里没什么古怪，原来是庙后面的树有蹊跷。”

墨熄修长的手指拂过粗糙的树疖，闭目凝神良久，缓缓睁开眼睛，摇了摇头。

“不是树妖。”

顾茫也伸出手判了判：“还真是，这股灵流不像是妖，倒像是……”

“是鬼。”

顾茫抬起眼睫端详着墨熄的俊脸，半晌笑道：“成啊，你一个新入门的小师弟，却不比学宫里的其他人差太多。”

墨熄没理这人，说道：“鬼魅白日不会显形，先悬符便好，晚上再看它动向。”说着从乾坤囊中取出笔墨，可是真当悬腕于桃符之上时，墨熄却又顿住了。

——他不知该写什么好。

这也不能苛责墨公子，墨府公子书房里只有术法谱录与文修经典这两种，别说那些春意绵绵的坊间话本了，就连与情爱相关的诗词他都没怎么读过。

顾茫倒是很善解人意，毛遂自荐道：“我来写吧？我不会乱来的。”

墨熄看了他一眼，看样子是在信任与不信任之间盘桓，然后他把狼毫与木符都递给了顾茫。事关伏魔，顾茫这次果然没有胡闹，他咬着笔杆很认真地思索了一会儿，目光像蝴蝶羽翼一般闪闪烁烁地流过那成千上万只已经悬在古木上的桃符。

前人的心愿在斑驳的阳光下轻盈摇曳，木牌与木牌碰撞的声音像是眷侣间情难自禁的喁喁私语，那些牌子上的字迹或新或旧，或拙朴或俊秀，一树尽是世间深情。

那些旧牌子上，有人兀自题下：“鸾镜与花枝，此情谁得知”；有人提笔轻蘸：“得成比目何辞死”……

但这些都太隆盛了，顾茫心知与墨熄玩闹可以，如若真的写下这般庄重的山盟海誓，却是不合适的。

于是顾茫想了想，最后只提笔写了四个字：

愿常伴君。

不算敷衍，不至于让邪灵觉得古怪，但瞧来也并不怎么深切，比起那些“白首如新，倾盖如故”的言语要含蓄太多。

顾茫笑着抬头问墨熄：“这个怎么样？”

“嗯。”

“你别这么敷衍啊，我写得好不好？”

墨熄说，“我挂起来吧。”

“别动，稍等。”顾茫阻止他，“还要加一点东西。”

说罢有模有样地在桃木符的最边缘写下两个小字：“顾茫”。

“该你啦。”顾茫把笔和木符递给墨熄。

“该我什么？”

顾茫睁大眼睛：“写名字啊，不然还能干什么。难道你还想加一句‘若教眼底无离恨，不信人间有白头’，或者加一句‘生当复来归，死当长相思’？”

这些诗句只叫墨熄听得直皱眉头，说道：“我什么都不加。”他收了笔墨，起身将桃木符找地方挂上。顾茫不干了，撵在他身后有些气恼地嚷道：

“兄弟，不带你这样的，怎么就成了我一个人？那我很亏好不好？不行你必须给我写一个，你不写我来写……墨熄！你给我站住！”

最后顾茫无奈地坐在几乎已和岩石一样的古木树根上，翻着白眼：“行行行，你挂你挂，我大人不记小人过，师兄肚里能撑船……”

说完才知失言，忙别过脸噤声不语。

所幸墨熄正腰背挺直站在繁盛的树枝下，专心致志地往成堆的桃符间挂上他们俩的那块，并没有注意顾茫刚刚说了“师兄”二字，等他挂好了，确认绑得很严实，不会松动落下来，才转头问顾茫：“你说什么？”

顾茫咕哝道：“没啥。”

“许愿而已，何须署名，无论是神灵鬼怪都看得见许愿的人是谁。这些香客不是修士，不知道这一节，所以才在木牌上写自己的名字。”墨熄朝他走过来，垂眼看着他，“你学他们做什么？”

顾茫理直气壮道：“我觉得他们这样做比较庄重。我这是在认真忽悠老鬼，我有错吗？”

“……没有。”

“那不就好了。”顾茫起身，伸了个懒腰，踢了踢脚下的泥石子，“行啦，收工，找个客栈休息休息，晚上再看怎么样。”

这天晚上，他们投宿长生客栈，这小镇不算太富庶，大多数镇民终年不出远门，没见过世面，自个儿生活也不讲究，虽说这三四年因为土地庙求子赚了些外乡客的钱帛，但根上也不能改变什么。所以哪怕墨大公子要了客栈里最好的上房，其条件依旧不能令他和颜悦色。

“昨天在苏姑娘家，怎么没见你这么挑？”

“那是借宿。”

“之前睡在树下的时候，也不见你讲究啊。”

“为了赶路。”

顾茫看着墨熄一脸冷漠地审视着桌椅床褥，黑眼睛眨了眨，里头流曳着有些好笑又有些无奈的色泽：“哎，我觉得这客栈床挺大的，睡三个人都没问题，茶具也很干净。没你说的这么寒碜。”

他说着，伸手摸了摸桌上汝瓷瓶里的凤仙，展颜笑道：“你看，屋里还有花呢。”

墨熄瞥了他一眼，见他真的是知足快乐的神情，停顿片刻，却终究没说什么。

转眼夜深了，两人整顿行装，重返城郊土地庙。

莲生镇是仙术未普及之地，镇子里连一个修士也没有，自然也缺夜间照明之术，到了晚上，荒郊野外夜枭怪鸣，坟头田间磷火森森，全然不见人踪。

他们轻身潜行，很快就来到了土庙后面，古桃树在夜幕里像是地狱里爬出的厉鬼，枝丫峥嵘，躯干歪扭，就连白日里听来悠远的木牌碰撞声，也在夜风中平添上几分凄冷诡谲的意味。

顾茫和墨熄隐在黑暗里，他们出来时手背上擦了一点炼制过的坟头土，能够将身上的阳气压到最低，顾茫仔细感知了一会儿附近的灵流，说道：“确实越来越强，照这个样子，子时那个鬼应该就会显出真身来。”

停顿片刻，顾茫又难得严肃地对墨熄道：“对了，我知道你们纯血贵胄都会有家传的各种好武器，但是你手上戴着的那个试炼环会限制你使用任何高级的武器，所以千万小心，如果出了事记得喊我。”

墨熄看了他一眼，道：“多谢。”

“不用谢。”顾茫严肃不过两句话，片刻又成了涎皮赖脸的痞笑，“你喊了我，我就可以赶紧逃。”

“……”

夜露渐浓，一轮明月从薄云后头探出来，子时了。

古桃树下仍是死一般的阒静，随着时间一点一滴地过去，仍未见任何异状。就在两人开始对自己的判断心生怀疑时，却忽听得不远处的土丘上传来窸窣响动——

顾茫压低身子，一团黑影缓慢聚拢，从地上拱起来，慢慢地聚拢成了一个模糊的人形。那人形拖着黏稠的步子，一摇一摆地朝古桃树走去，口中咯咯作响，似在念着什么古老的咒怨。

随着他的念词，古树上悬挂着的桃木牌们开始有节奏地飘摆起来，一左一右，步调整齐，继而符牌上流出幽红色的流光，争先恐后地朝那个“人”身上聚去。这个晚上明明没有什么大风，可此时却忽然万叶千声，窸窸窣窣地溢散在旷野之间。

“它这是在吸收树灵？”顾茫喃喃自问，随即又摇了摇头，“不对，不可能，千年古树之灵哪里是寻常鬼怪能够吸纳的……那这声音是……”

墨熄忽然道：“这不是树叶的声音。你再仔细听。”

顾茫敛息凝神，片刻之后恍然：“是情念！”

原来那些声音低碎混乱，乍一听像是草木瑟然之声，但仔细分辨，其实是无数破碎的人声交杂在一起，说话的人有男有女，语调或是缱绻或是虔诚。

有的说得很羞涩：

“愿生生世世，永永远远为夫妻。”

“长相厮守，白头不离。”

有的则很好笑：

“张大壮爱惜孙莲莲一辈子，如有违誓，一命呜呼。”

“如我江小毛辜负陆婉书，那就让我下辈子去杀猪。”

有的则是顾茫白日里看到过的那种缠绵情诗，什么“山无棱天地合，乃敢与君绝”，什么“在天愿作比翼鸟，在地愿为连理枝”云云。

无数男女寄托在桃符上的情爱之意都在此刻被唤醒，洪流一般涌向那个站在树下的诡谲人影，只见那影子越涨越大，模样也越来越清晰，随着一阵卷地狂风起，它忽然仰天呼喝一声，身体迸发出刺目的红光。

等那光芒逐渐消失了，土丘上站着的已然是一个五短身材、佝偻猥琐的男子——不，这不应该称为男子，而是一具男尸。这具男尸浑身赤裸，鲜血淋漓，他咂嘴打了个饱嗝，慢慢扭过头来。

顾茫当时第一反应就是怕墨师弟害怕，想伸手捂住对方的嘴，可是手还没抬，自己却反而被人从后面捂住了。

“唔……”

“别叫。”墨熄戒备而冷静地盯着那具男尸，在顾茫耳鬓边低语，“他会发现我们。”

顾茫一面有些哭笑不得，一面又惊讶于这个贵族小少爷初出茅庐居然如此镇定可靠，有点厉害。

不过这些念头只是一闪而过，他的注意力很快就转投到了那具男尸身上，那男尸实在是太恶心了，鼻梁凹陷，目光猥琐，脸上全是脓疮。

这邪尸身残志坚地晃荡了一会儿，左嗅嗅，右闻闻，忽然裂开血肉模糊的嘴唇，嘻嘻一笑，声音就和被踩扁了的猪膀胱一样：“好香啊，好多脂粉的香气啊，今个儿白天里好像来了不少俏生生的小美人儿，哎嘿嘿嘿嘿。”

忽然吹了口气，野郊簌簌刮起一阵腥风，紧接着古桃树下便幻化出了一个个模糊的身影，或坐或立，顾茫眼尖，一下子就认出了那些人影。他喃喃道：“是白天出现过的香客？……他把他们的影子都变出来做什么？”

答案很快就有了，只见男尸在香客的幻影中穿梭，他一会儿看看这位姑娘的残影，嫌弃道：“你太胖了。”

又很快去看另一个姑娘，又道：“可你又太瘦了。”

他飞快游走着，一连看了十来个女子都不如意，他呼哧气喘，声音里的愤怒愈发明显，这下子他的声音不像是被踩扁的猪膀胱了，而像是被戳爆的猪膀胱，还是灌满了尿的那种，气急败坏地嗞道：“长得这么丑，还好意思涂脂抹粉？”

“这张麻子脸简直和石榴皮外翻一样！让我看看你许的什么愿……咿，‘孙郎永远爱我’，要我是孙郎，眼瞎了才爱你。”

“丑八怪丑八怪，看得我好生扫兴！哇，这个大娘少说也有四十五了，比我死的时候年岁还大，一把岁数了还求什么缘，求什么子！”

顾茫：“……”

墨熄："……"

两人目光相对，顾茫道："说句实话，我想揍他。"

墨熄摇了摇头："再等等。"

那男尸继续游荡，再往后，瞧见了几个模样秀丽的，语气这才软下来，不过他软下来的声调也不好听，依然像是猪膀胱，这回是饱涨充盈的膀胱，猴急着想要宣泄洪流似的。

"这个小蛮腰挺带劲的，可以有。"

"这个也不错，纯真。而且眼角还有颗泪痣，真有韵味儿，嘿嘿嘿。"

他每看中一个人，就往那个人的残影上拍一下，残影便缓缓消融到了他的身体里，似乎是做成了某种特殊的标记。除此之外，他还不忘对这些姑娘的心愿评头论足一番。

"哦，你想与夫君白头携手，儿孙绕膝。"这邪尸念完一个女人写在桃符上的愿望，嘻嘻一笑，"儿孙绕膝是做不到啦，只要是被老子附过身，不出仨月一年的，你丈夫也就该嗝屁了，但你小脸长得俏生生，给你留个孩子总是可以有的，哈哈哈。"

说着往那女人的幻象上龇着牙亲了口，猥琐道："美人儿，还不谢谢你的好相公？"

听他这么说，墨熄和顾茫脸色遽然一变。附身……？

刹那间醍醐灌顶，这样一来，苏巧跟他们说的传闻就全然联系上了——

顾茫喃喃道："所谓的求子，其实是这邪尸附着在了对方丈夫的体内，借机来占那些姑娘的便宜。这个鬼属淫，在它的灵流影响之下男女结合时确实容易受孕，可代价却十分巨大，一般男人查不出病根的话，就会因被厉鬼附身而元阳大损，不出一年就气竭衰亡。"

他抬眼去看墨熄："所以土地庙求子才会和妻子的相貌有关，和男子无关。所以那些男人都会离奇惨死。所以苏姑娘说，这里不是善庙，而是邪庙。"

"全说得通了……"

听完顾茫的三个"所以"，墨熄并没有很快接话，他在片刻沉吟后说道："不，不是全说得通。重华大商户走失的那对夫妻是失踪，原本只应该是丈夫过世，但他们那一对，却是妻子和丈夫一起消失。"他皱起眉头，目光远远地投落在那邪尸身上，"为何只有这一对特殊？"

顾茫挠挠头："唉，你说的这个倒是，咱们再看看吧。"

他们就接着看下去，那邪尸花了一炷香的辰光，算是把今日来拜的姑娘们都瞧完了，该做标记的也都标记了，于是这死鬼挥了挥手，将其余那些没有被标识的残影挥散去，继而掐着手指，口中念念有词。

桀桀笑完之后，又是一番喃喃自语："今儿这一波，该从谁的牌子翻起？"他说着，又呼地吹了口气，许多人影从他面前的草地一掠而过，最后定在了某个氤氲朦胧的身影上。

"好啦，就是你啦！"他朝那人影一拍，红光像是花火爆溅，影像从模糊到清晰，一个腰背挺拔、气场强盛的侧影出现在了夜色里。

竟赫然是白日里顾茫的模样!

顾茫:“……”

墨熄:“……”

那邪尸绕着顾茫的虚像残影走了一圈,忽然咕哝道:“咦?这妞儿辣是辣,但老子怎么觉得她有哪里怪怪的,不太对劲儿?”

顾茫暗道不妙,人服了换形散之后,就会依照原有的模样进行改变,在短时内体态与容貌达到需要的异性模样。在所有易容手段中,换形散是最高明的,正常人根本辨不出来。但这个色胚显然不是正常人,他竟能隐约觉察出顾茫的不对劲。

不过不幸中的万幸,因为换形散是禁药,统一归重华帝宫管制,若非必要,不会轻易发配给修士,所以这种情况很难遇见,这邪尸也一时没有想到这点。

他嘀嘀咕咕道:“大概是太辣的缘故?瞧这腰这腿,肌肉紧绷,好像很能打嘛。”邪尸说着,又绕着虚影走了一圈,不怀好意地笑道,“看起来够味儿,够刺激了。”

一直以来都是顾茫跟别人耍流氓,这回居然有人敢把流氓耍在他身上,真是岂有此理。

顾茫咬牙道:“别拦我!我要把他揍到生死簿上查无此人!”

墨熄道:“再等一会儿。”

邪尸瞅完了顾茫,又去瞅陪在顾茫身边的墨熄的幻影:“她这相好的倒年轻,长得还挺俊的。”忽然想到了什么,眉开眼笑,只是那笑容挤在那血淋淋的面孔上未免太过狰狞。

“我附在这个男人身上可不能浪费了,这张脸走出去,当个采花贼,嘿嘿嘿,妙啊,妙啊!”

墨熄:“……”

顾茫扬起眉:“还等吗?”

墨熄没有答话,低垂眼眸调整好自己的护腕,还没等顾茫反应,倏地一道银色流光流出——只见暗器匣扣动,一把袖箭直射那淫鬼脑心!紧接着墨公子身形如暗电迅移,眨眼间已掠至那尸鬼身前,抬腿就是一记狠踢,嵌着铁皮的皮靴猛地蹬破尸鬼皮肉,竟在瞬间将那家伙当胸踹倒!

(八)

这一套动作简直一气呵成,令顾茫先是瞠目结舌,而后心有余悸地摸了摸自己的胸膛。

哇,不是人啊,攻击一点征兆都没有,甚至连眼皮都不眨一下,直接上手就打,这还不是最关键的,最关键的是……

难道这就打完了吗?也太碾压了吧!!

不过俩人都非天真可爱的善茬，即使那尸鬼倒地不起了，他们也没放松警惕，依旧紧盯着那具化成形的尸身看，觉得事情应当不会这么简单。果不其然，片刻之后，那尸首忽地僵直跃起，张开血盆大口猛地朝墨熄扑去！

这一下子可真够猛的，老淫鬼那俩肉感十足的大嘴唇差点就印墨公子的身上了，得亏墨公子出手狠戾，不但闪避得快，并且抬腿又是一脚，这回是直接踹了人家的脸。

尸鬼惨叫一声："啊！！天杀的！你打我可以，为什么要打我英俊的脸！"

"……"

"你打坏了我的脸，就是打碎了无数鬼丫头鬼娘子的梦！打碎了鬼界的招牌！"

"……"

"你一定是嫉妒我英姿飒爽，一表人才！"

顾茫在旁边听着，不由失笑，笑弯了腰："哈哈哈，这鬼倒是有趣。墨师弟，它说你嫉妒它的美貌呢。"

墨熄越听越不像话，且见对方怒喝着向自己逼近，更是无法忍受，又是一脚踹过去，厉声道："鬼扯什么？！"

"你……你你——你又踢我的脸！整个鬼界都会记住你的！你这个坏男人，你好狠毒的心！"

"……"

这回顾茫是真的笑得打跌了。

可就在这时，忽然阴风骤起，邪鬼在瞬间化作一团黑烟，在空中一个猛子朝顾茫飞去！

"我天！"顾茫一下子睁大眼睛——这鬼不笨啊，还会声东击西？！

正欲回身避闪，斜刺里却飞来一张道符。

墨熄喝道："开！"

那道符霎时电光四溅，嘶嘶流光中一道雷咒防护阵在顾茫身边轰然降下，将他团团包裹，四面守护。

顾茫吃了一惊，新人试炼时没有属于自己的武器，所有兵刃和符纸都在临行前长老给他们的乾坤囊中，里面的东西就那么几样：几把凡铁刀剑、暗器匣、十一张符纸，其中九张是攻击的，只有两张是雷霆防御的。

墨熄竟把这么珍贵的符咒给他用了……

顾茫站在雷霆结界内，有些茫然地瞧着外面和邪鬼重新交上手的墨熄，困惑道："你在我身上浪费符纸干什么？我可是你前辈哎。"

墨熄掣出铁剑，正和邪鬼打得招招生风，闻言回头厉声道："不是你说你什么都不会，要我关照你吗？！"

"……"

大哥！！顾茫震惊了。这明显是一句玩笑啊！！有人会把这么拙劣的玩笑当真的吗?！

到了这份上，顾茫连话都说不出来了。他看着墨熄舞剑乘风的身影，又是好气，又是好笑，有些着急，有些自责，又有些心软。

他站在结界里看着外面的墨熄，长睫毛下的黑眼睛凝视着战局。他暂时不打算出手，墨公子的剑术狠辣果决，毫不拖泥带水。眼见着铁剑越舞越快，在墨熄手中几乎成了模糊炫影，那老鬼根本就不是这位公子爷的对头。

可是顾茫仔细观察了一会儿，却总觉得有哪里不对劲。

“唰！”就在这时，墨熄一剑劈落，将那聚化成形的男尸拦腰挥断！霎时间无数黑血喷溅——顾茫定睛一看，蓦地一凛！

他知道方才自己觉得哪里奇怪了——墨熄每刺中一剑，流出的“血”散落在地，都没有留下任何痕迹，落地的一瞬间就消失了。

此鬼狡诈，那根本就不是血，而是……

脑中“嗡”的一声，顾茫骤然反应过来，厉声喝道：“师弟，来我这里！”

墨熄擎着雪亮的铁剑，在月色下侧过清俊面容，黑褐眼珠转动，看了顾茫一眼，却并没有理解顾茫的意思，也不明白为什么顾茫会忽出此言。在他眼里，他是真把顾茫当作打架要靠后辈罩着的没用师姐了，所以他并没有太过重视顾茫的反应。

顾茫的脸色已经完全变了：“快进结界！”

墨熄还未作答，身后忽然泛起一股浓重的血腥味，他蓦地回头，一具腐尸竟从身后破土而出，沙泥簌簌地朝他扑杀过来。他立时掣剑格挡，却被腐尸一口咬中了胳膊。

墨熄闷哼一声，就势一张引爆符贴在腐尸额前，继而猛地抽出自己被咬伤的胳膊，后掠数丈外。

只听得“轰”的一声！

腐尸被炸作了尘灰。墨熄低下眼帘喘了口气，脸色铁青地看着自己受伤的胳膊，忽然回头对顾茫狠戾道：“别过来！”

“你在胡说什么！你——”

“别动！”墨熄见顾茫不听，猛地朝雷霆结界一指！瞬时间雷霆结界上浮现了一道腾蛇咒印，竟是纯血贵族才能施加和破解的定身咒！

“……”

施完这个咒，墨熄缓着呼吸，胸膛一起一伏，他原本绾得端正的黑发微有些乱了，几缕墨色垂在他清冷俊美的脸颊边。墨熄喉结滚动，咬牙低低道：“……你待在结界里面会比较安全。”

他也知道是哪里不对劲了。

那团不会流血，只会冒黑烟的东西根本就不是本体，所谓狡兔三窟，那家伙在发现自己不是墨熄对手之后，已趁着被墨熄刺中，将自己的灵体化散，并且佯作飞溅的血落在地上，实则是悄无声息地潜入了泥土中，等着墨熄不备重新化形，给予一记冷箭。

墨熄咬了下嘴唇，看着自己受伤的伤处有一团黑紫之气沿着胳膊迅速爬涌上来，脸色越来越难看，呼吸也逐渐变得浑浊沉重。

这个鬼太奸猾了，他能感觉到，恐怕自己刚刚用引爆符炸成齑粉的也不是它本尊，它似乎有一种能力，能瞬间潜附入侵到别的东西里，比如泥土，比如——

墨熄闭上眼睛，额头已有细汗沁出——比如他自己。

"哈哈哈！对，你想的没错！"忽然一个刺耳的声音划破了夜色，那声音属于邪鬼，可此时竟是从墨熄身上传来的。

墨熄蓦地睁眼，目光愤怒至极，盯在自己胳膊的伤口上。那伤口不知何时已幻化作一张鲜血淋漓的嘴，正撕裂皮肤，一开一合着。

"我就是在你身体里，是修士又怎样，还不是照样被老子附身了，哈哈哈哈！"

墨熄怒道："你给我滚出来！"

"我打不过你，自然是躲在你身体里最安全，我又不傻，为什么要出来？出来给你当稻草靶子打吗？"

见它如此嚣张，墨熄眸中怒焰更炽，他从乾坤囊中抽出一把匕首，一咬牙，竟径直要向自己胳膊上的那块血肉剜去！

顾茫在结界中看得惊心触目，却苦于被墨家的纯血禁锢咒捆缚着，动也动不了，墨熄是真的狠，把他的所有行动都封住了。这种禁咒最早是为了方便贵族统治庶民而创生的，在半个时辰内根本不能自主，除非施咒人，或者更高等级的贵族动手，不然就只能等时间过去才能恢复行动自由。

眼见着刀子就要扎到自己臂腕里，那张血嘴反倒笑得愈发扭曲。

"哈哈，哈哈哈，你扎呀！你以为把这块伤口剜掉就能摆脱我了？这位大少爷，你好天真啊。"

"我的邪气早就散满了你的四肢百骸，哪怕你有灵力护体，也决计撑不了太久。你就会像那些被我附身过的男人一样，失去意识，失去理智，只能任我摆布，哈哈哈哈！"

"……"墨熄咬着发青的嘴唇，这个邪鬼说的没错，他已经感觉到浑身开始燥热，眼前也一阵阵地发晕。

但墨熄的高傲至此，他伯父墨闲庭曾百般折损于他，却都得不到他半寸示弱，他又怎么会与这淫鬼服输。

墨熄苍白着脸，嗓音沙哑，一字一顿道："你……休想。"

"我休想什么？嘿嘿嘿，你这大少爷，有骨气，也有灵气，但都敌不过老子的邪气。等你神志全失，就只能由着我操纵你的身体为所欲为——我哈哈，温柔乡埋葬英雄志，到时候恐怕你还得谢我呢！”

墨熄这时候的呼吸已经很急促了，眼神也开始逐渐混乱，但他还是发狠隐忍，靠坐在古桃树边，仰头喘息道：“你什么也做不了。”

“嘿，到了这份上你还嘴硬！可以呀。”

它似乎加剧了对墨熄身体的侵蚀，墨熄闷哼一声，侧过脸，深渊般的黑眸投出目光，落在顾茫身上。他说道：“墨家的禁锢结界，足够支撑大半时辰，就算我被你附身，你也……”他胸膛剧烈起伏着，闭目费力地吞咽，而后继续，“你也动不了顾师姐一根手指。更何况，你以为……在这大半时辰里，她不足以想出办法对付你这宵小？”

“哈哈哈少爷你太可笑啦！你以为我附身在你身上之后，就不会操纵你的身体，解开她周身的禁锢吗？”

“……”

“你带着的这个美人儿生得既标致，又野性……”

那血嘴巴越说越起劲，舌头咂咂作响，发出饕客馋食的声音。

“怎么样，怕了吧？哈哈哈，怕了也无济于事，你既被我成功附身，就再也没什么用了！”

墨熄闭着眼睛喘了会儿气，就在那厉鬼还没反应过来之前，他忽地睁开眼，那双黑褐的眼仁微动，一抬手，“喀”的一声，他竟将自己的左手手指生生折至脱臼！

毛骨悚然。

谁也没料到事情会突然变成这样，但见墨熄抬起眼来，苍白的脸上难抑狠戾之色，他咬牙道：“你白日做梦！”

“你——！”

“我手折了，什么印也结不了。”墨熄森然叩齿，垂眸道，“你自便吧。”

那血嘴唇不说话了，过了一会儿，忽地发出兀鹫般的狂笑：“哈哈哈——！好！你狠！算你厉害！”

“可是你这一道结界，护得了你这位心肝宝贝儿，难道还护得了这附近的其他女人吗？！”

墨熄倏地睁开眼睛，目如冷电，怒道：“你敢！”

“我有什么不敢的，老子可是千里挑万里选的鬼，我怎么不敢？”

“你……”墨熄盛怒攻心，加之邪祟侵体，竟是一时喉头阻鲠，说不出任何话来，唯有那纤长浓密的睫毛在簌簌颤抖着。

邪火游走得越来越厉害，墨熄尚且能动的那只手撑在地上，手指已深深地陷入了泥土中。

他不再吭声，额头沁满了汗水，极力抗拒着不被鬼祟侵占自己的身体，这样坚持了竟一炷香有余，他的眼神终于开始涣散了。

到最后那一刻，他面色苍白，胸膛急剧起伏着，目光赤红却又因为痛苦而显得很湿润，他看着结界里的顾茫，嘴唇微启，模糊道：“你要……阻……阻止……我……”

言毕，黑紫色的邪气从他胳膊攀绕上去，他蓦地垂下头，细碎的额发之下，那张清俊而棱角分明的脸庞毫无生气。

顾茫几乎是耗尽了所有能调动的灵力，才勉强冲破了结界的束缚禁咒，开口厉声喊道：“墨师弟！”

“……”

“墨熄！”

过了好一会儿，墨熄才终于有了些微反应，指尖微动，而后倏地睁开了眼睛——

可当他抬起头时，眸中已是一片异样猩红。

顾茫心中一凛，想要再说什么，却再次被墨家的家族结界封死，一句话也说不出，一寸也无法挪动，只能眼睁睁地看着墨熄站起来，在朗月银辉下朝着荒郊黑暗处远去。

（九）

杏香城，胭脂楼。

走到这里其实只要小半时辰，但墨熄却花了远比半个时辰更多的时间。

烈火灼心，被操控，被侵蚀，被强迫着带到他最厌恶的地方，寄居在他身体里的那个恶鬼甚至还想让他做出荒诞无度的事来。若非他一心抗御，几次重夺身体的掌控权，只怕此刻早已堕入深渊。

可最后他还是来到了邻城的这家青楼里——虽然他此刻再一次夺回了自己的躯体，但他不知道自己还能支撑多久。

“公子，你是哪儿的人呀？”

“嘻嘻，公子你怎么都不看我们？是第一次来，还不习惯吗？”

他视线模糊，每时每刻都在和那个恶鬼拉锯着，可当他能有那么一时片刻揽回身体的控制时，体内的痛楚就会狠狠腐蚀他，击溃他的意识，令他感到钻心剜骨的剧痛。

“滚，滚！都给我滚出去！”

“不……回来……都给我回来。”

煎熬感越来越强烈，他和那恶鬼的意识轮换着各占上风，他反复无常，令那些可怜的女人们也惶恐不解。

强烈的颤抖被生生遏制，墨熄双目赤红，忽然侧过脸，抬起那只未曾受伤的手，猛地捏碎了桌上的瓷盏，二话不说，朝自己另一只手的掌心划去！

“啊——！”

姑娘失声尖叫，花容失色地惊恐瞪着他。

“公子，你，你这是……”

墨熄喉结滚动，睫毛颤抖着，脸色苍白中泛着病态的血色，他捏着血淋淋的瓷片，一个字仿佛是从欲望的深渊里挤出来的。

“滚……”

“公子？”

“都……滚。”

感觉到恶念又将侵袭，他咬牙又在自己掌心扎落一次。鲜血横流中，他蓦地抬起猩红色的眼，淡薄的嘴唇已被自己咬破，血渍瘆人。

墨熄反手一掌拍在桌上，震得杯盏哐当，他怒喝道：“还不都给我快滚？！”

姑娘们争相向外跑去，却惊愕地发现大门笼罩着一层邪戾之气。她们惊慌失措地叫了起来：“怎么回事？”

“门怎么打不开了！”

“呜呜呜……”

墨熄没想到那恶鬼居然还有这样一手，竟强制把自己和这一群女子关在一个屋内，不由又是一阵强烈的怒恨加恶心。这时候，他耳中忽地嗡鸣，那个黏腻的嗓音又探了出来。

“小公子，你还是放弃吧，何必给自己增添痛苦？”

墨熄怒道：“滚！”

“你叫我滚？嘻嘻嘻，你凭什么叫我滚？你知道吗，我附在你身上，能吸嗅到你骨子里天生的……暴虐……凶狠……小少爷……”

“……”

“来吧，君子和恶魔只有一步之遥，来，我带你跨过那一步，你会谢我的，哈哈哈哈，让我来帮你认清你自己。”

恶鬼的声音盘绕回寰，像是自高天飘落的黑鸦羽毛。

“你其实和我是一样的人。不，你甚至比我还要可怕。”

“痛苦吗？只要你不再抵抗，我可以让你体会到这世上最美妙的滋味儿……”

那缥缈得意的嗓音却在须臾间戛然而止！

墨熄用尽力气倏地起身，眼前天旋地转，神识越飘越远。他用沾满了鲜血的手，复又握住那尖利的瓷片，再次往掌心和腿上狠狠扎下去！

痛，但却能维持他最后的清明。一次，再一次。

他慢慢地看不清面前的事物，耳朵里也只有阵阵嗡鸣，听不清周围的声音。他不知道时间过了多久，甚至到最后，也不确定自己是否还真正清醒着，还能把控得了多久。

在意识沦丧前，他隐约听到门外传来一个焦急的喊声——

“墨熄！”

是谁？

是谁这样快地寻了过来，找到了他……

半个时辰前。乱坟坡。

禁制咒甫一失效，顾茫就立刻破开雷霆结界，顾不得手脚僵麻，迅速结了个追踪印——

“灵犬引路！”

金红色的光辉从他竖起的双指间的符纸上破空而出，变成一只猎犬模样，顾茫对那只猎犬道：“去，追墨师弟的下落。”灵犬汪汪两声，原地绕着嗅了几圈，忽然撒开金色的爪子，飞快地向远郊奔去。

顾茫跟随着灵犬追出十里地，穿过水田荒野，过了几个小村，一路跟到了附近的杏香城。这是离事发地最近的一座主城，虽然规制远不如帝都宏大，不过也算繁华。

这时候虽然已经夜深，但城内仍然行人如织，青年男女们相伴逛着天街，三五大汉坐在路边喝酒消夜，其中并不乏路过歇脚的修士。灵犬在人群间左移右窜，所过之处留下点点金色的梅花爪印，最后刹在了一座张灯结彩的楼宇前。

“呜呜汪！”

“知道了，是这里对吗？”

“汪！”

顾茫点点头，抬手将它收回符纸，正要进去，却被斜刺里伸出的一只纤纤皓臂拦住了。

“哎，这位留步，胭脂楼可不是你一个姑娘家能进的地方。”一个穿着翠色襦裙，披着素纱罩衫的女人娉婷走出，她磕着南瓜子儿，娟秀的眉眼间充满了冷嘲之意。

“我进去找人。”

“可不是进去找人嘛，男人来咱们这里寻欢，女人来咱们这里寻仇，哎哟我的姑奶奶，咱们是小本生意，经不起你们这样闹腾，到时候吵起来摔桌砸椅的，还不是要楼里来赔？”

顾茫怔了一下，漂亮的黑眼睛从女人身上移到她身后的楼上。

“……”

刚刚他救人心切，压根儿没有细看这到底是个什么地方，这时候才发觉居然是城中的一家青楼，而眼前的女人有着楚馆花伶独特的艳丽打扮，自己竟一眼没瞧出来。

“回去吧回去吧，妹妹若是真想算账呀，还是等白天里再自己和情郎好生算清吧。”

顾茫说什么也没有料想到事情竟然会变成这样——他这人平时总爱嘻嘻哈哈没个正经，讲话也总是七分胡扯掺着三分真诚，但这并不意味着他真的就是个不负责任的家伙。他只是……他只是没有想过，居然会有人把他的玩笑全部当真。他随口开心说的一句“我什么都不会，你要保护我”，那小少爷却真的信了。

他不由得开始怨恼自己起来，为什么要和这么正经的人说笑话？陆展星说的没错，如果这次陪墨师弟来的换成别的师兄，比如江夜雪，那就绝对不会出这样的意外。

顾茫咬了下嘴唇，望了那灯火繁灿的花楼一眼，在几个揽客姑娘的嘻嘻嘲笑声中蓦地转身，朝最近的那个无人的小巷快步走去……

“唉，最近这些小丫头们都是怎么了，自己风情不够，留不住男人的心，还一个个来咱们场子里找不痛快。”绿衣青楼女赶走了顾茫后，便啐着瓜子皮儿，和旁边的姊妹谈笑风生，“这个月都劝跑了几个了？”

“这是第七个了吧，说句真的，这丫头长得还算标致，嘻嘻，怎么就管不住自己情郎的腿呢？”

“那还不是因为我们楼里的姐妹们太好看？”

“哈哈哈，也是哦，我们一个个风情万种，刚才那姑娘眉眼虽好，但仔细想来，脸庞太过英气，又不会打扮，半点脂粉未施，当然逊色啦。”

“你们不觉得她个子还太高了些吗？”

“难怪相好的跑咱们这里来了。”

这群莺燕叽叽喳喳聊了一阵子，哄笑作一团。她们太过开心，没注意到有个人从旁边的窄巷里出来，直到那人走到她们面前停下，女人们才不甚在意地抬起头，却是齐齐愣住了。

只见红绸灯影里立着一个过分英俊的少年，他身段挺拔，腿长肩宽，一双熠熠生辉的黑眼睛很漂亮，带着些焦灼和不安低下来望着她们。这眉眼似曾相识，好像她们不久前才刚刚见过。可是她们是在哪里见过他的呢？这么好看的男人，理应过目不忘才是啊。

“……我可以进去吗？”

姑娘们这才逐个回过神来，而后便是争先恐后地揽客：“可以啊可以啊，当然可以！怎么会不可以呢？”

“公子请啊，公子是第一次来吗？”

“公子有中意的姑娘吗？你瞧我怎么样，我给你免去茶水钱。”

“呃，我不是……”

“公子别害羞嘛，一回生二回熟哦。”

这个被彩蝶们围簇的青年不是别人，正是解除了换形散药效，换作男装打扮的顾茫。顾茫一边应付她们，与她们一同走进楼内，一边迅速扫过整个大堂，没有寻到墨熄的身影，便仰头向通往二楼的楼梯看去。

他心中默念咒诀，凝神感知，立刻觉察到有一股强烈的鬼息从楼上某个厢间散出。

顾茫转头赔笑道："对不住姑娘们，暂时不劳你们陪了。我有朋友在楼上等我，我去寻他。"

"你朋友？原来公子在楼中已经有熟识的姑娘了？"

"哎哟，难道是我们长得不够漂亮，入不了公子的眼吗？"

顾茫挂念墨熄此时安危，早已心如火烹，他躲闪着姑娘们的眼神，恨不能就此化作隐形赶紧上去把人捞出来。于是他挣开她们，回头朝那一张张失望的俏脸笑道："哪能啊，你们也都很好看，只是我今日已经有约……下回，下回我一定自己再来找你们玩。"

青楼女郎们虽然颇为失望，但既然他都已经这样好言好语地说了，也只得悻悻道："唉，好吧。"

"真羡慕他找的那个姑娘，不知是哪位姐妹？"

"不知道啊，客人的事怎么能打听那么多……"

顾茫循着邪气来到一间檀门紧闭的厢房前，抬起手，还未触及木门，便感到门上被鬼咒加持着，寻常客人根本无法接近。他心中打了个突，立刻聚起灵力，抬脚将门狠踹开——

"墨熄！"

厢房内涨腻着甜透的脂粉香气，满眼映入的都是刺目绯红，地毯、床褥、罗帷、蜡烛都是红色的，那五个来伺候客官的女人也是酡腮朱衣，此刻却尽数倒伏在绣着彩蝶的绣毯上，显是都被人点了昏迷穴，个个不省人事。

墨熄伏在桌前，是屋里唯一素淡的颜色，他还竭力维系着自己最后的清明，但却根本没有办法回应顾茫的声音。

"墨师弟！"

"……"

"墨师弟！"

天地氤氲，似有人隔山隔海地在唤他，墨熄转动眼珠，想要看清是不是真的有这样的一个人，是不是真的有谁在唤着自己。

他并不那么确定。

自从父亲辞世后，世上再也没有谁这样焦急关切地喊过他的名字。

"墨熄！！"

忽然被谁从桌上扶起来，眼前是一团模糊的影子，他以为又是哪个楼里的姑娘，下意识地摇头想要挣脱。可这个"姑娘"的力气也太大了，不由分说地就把他抱扶起来，两人摇摇晃晃地走着。

墨熄青白渗血的嘴唇喃喃道："去……去哪里？"

"我扶你去床上躺着，没事了，没事了。"

墨熄一听“床”这个字，立刻道：“不……不去床上……你松开……滚开……”

“没事了，墨熄，你别动，你流了好多血……”

“我不去……走开，别惹我，离我……咳咳……离我远一些！”

但那个人根本不听他的话，墨熄昏沉沉间被他搀扶着，倒在柔软的枕榻上，他甩手想要推开对方，抗拒得又要摔下去，可他伤痕累累的手却被另一只结实有力的手握住了。继而那个人抱住他。

手臂是那样用力，不像是姑娘，倒像是……

墨熄没来得及想完，他感到那个人摸着他的头发，连哄带骗地对他说：“好了好了没事了，有我，我来了。”

“不去床上。”

“不去不去。”话虽这么说，胳膊却一用力，把墨熄扶抱到榻上躺好，顾茫不停地哄着，“好了好了，没事了，都是师兄不好，师兄不该和你开玩笑。”

“……”

鲜血淋漓的手被小心翼翼地握住。

顾茫看着那已经被划得血肉模糊的手掌，心中也不知是什么滋味，声音蓦地软和下来：“没事了师弟，你已经做得很好了，剩下的都交给我吧。”

被摧折到极致的墨熄睁着涣散的瞳眸，眼前是猩红的罗帐与晃动的珠帘，还有一个模糊的倒影。

无论他怎么努力，他都看不清那个人的脸庞，就像他实在也无法辨清周围所有的声音一样，只有些特定的感官刺激在不断放大——他看不清握着他手的那个人长得什么模样，却能清晰地闻到那人身上的气味，感触到那人的体温。

那舒适的热度与皮肤的触碰令他眼前疾速闪过斑斓光彩。

他蓦地仰起头，大口大口地喘息着，沙哑道：“放手……”

“墨熄……”

不知是因为这身体的气息太过令他觉得好闻，还是因为肌肤的触感太过令他感到刺激，抑或是那恶鬼的欲念终于已经侵蚀了他的内心，他只觉得愈发灼心，他反手一拳砸在床褥上，却陷入柔软的锦被而感受不到一丝疼痛。

墨熄只觉得口干舌燥，近趋疯狂，他几乎是有些绝望地在嘶哑地喝令着：“你放开我——你离我远一点……滚开！”

那人并没有走，而是在低声默念着什么咒诀，有丝丝缕缕的蓝光从两人周围萦绕飘升。

那蓝光让墨熄感到无限的烦躁和焦虑，他的咽喉已如火烤，焦灼地咬牙道：“你……”

“很快就好。”

“你要再不走……我……”

“真对不住，我不该骗你的。我之前只是想和你开个玩笑。”那人的嗓音低缓磁性，很柔软，“本来我应该保护你，却反而让你傻傻地来护着我了。你看我这个师兄当的……”

“我和你道歉。”

墨熄却根本听不清他在说什么，他胸中的焦躁太炽烈了，那是他从未遭受过的灾劫，不知以何压抑，以何熄灭。

某一瞬间那可怕的本能终于在理智溃败后夺得高地，墨熄喘息着，眼眶发红……

过了好一会儿顾茫才率先反应过来，他暗骂一声，强自竭力压下惊愕，单手在暗处悄悄结印，心中默念咒诀。

模模糊糊间，墨熄听到那个恶鬼的声音从心坎里冒出来，它洋洋得意地在他耳边呢喃：“你看，你这不是体会到了吗？你不是圣贤，你也不是君子。每个人心中都有一匹恶兽，你天性里锁着的那一个甚至比我见过的任何人都要黑暗扭曲，只是你自己还未将它释放罢了。但是既然你已尝过了滋味，那么总有一天，嘿嘿嘿，你会……”

可它没有把这句话继续说下去，顾茫的法术已然生效，那厉鬼忽地尖叫了一声，仿佛被掐住了脖子的猫。

“啊！是谁！谁！你们这些人！凭什么捉我？！什么纯血贵族，什么名门少主，都一样！欲望面前，你又比我干净到哪儿去？！”

它最后朝他诅咒般大喊起来，透着一股子疯狂劲，再之后的事情，墨熄便失去了意识，再也不知道了……

（十）

宛如一场太过荒谬的梦魇。

墨熄醒来的时候，发现自己躺在莲生镇那家小客栈的床上。

镂花小窗撑开了一半，光线斜照进来，摆在瓶子里的凤仙花浸沐着柔亮的金色，尘埃在光柱里浮沉着。

他的目光起先还有些涣散，在某个节点，忽然聚焦回神，蓦地就从床榻上坐了起来，昨晚的一幕幕洪流般涌过，他的记忆被冲刷得有些支离破碎，被附身之后的事情记得都不是太连贯，不过大致都有印象，他一下子头疼欲裂，抬手去支撑突突直跳的额角，却发现手上已缠好了纱布，脱臼的手指也被接回了原位。

墨熄怔怔地看着自己的掌心，昨天最后好像进来了一个人。

是个男人，而且……

他想起了昨天他失去控制之后的啮咬，身体一下子僵住了。回忆一点一点上浮，血色一点一点消退——正当这时，客房的门吱呀一声响了，墨熄猛地抬头，余红未退的眼睛利剑般朝着对方削去！

“你——”

进来的果然就是昨夜最后出现的那个少年，墨熄虽然当时没有看清对方的脸，但大致的感觉总是有的，不会错。

墨熄的脸色几乎难看到了极致，他咬牙道：“你根本……你其实……”

“唉，对，我就是顾茫，不过不是顾茫师姐，而是顾茫师兄。你好像已经觉察到了。”少年看了他一眼，苦笑着将门掩上，而后走到墨熄床前，抬手摸了摸墨熄的前额。墨熄本能地想要闪开，却因急怒攻心，不但没有闪开，反而眼前一阵黑，差点又要晕过去。

墨熄气得厉害，喘了一会儿，伸出裹得像狗熊爪子似的手，一掌把顾茫挥开。

他一口怒火噎在胸口，简直快将他逼吐血了。这个姓顾的，明明能打会斗，却要耍无赖说自己毫无能力，明明是个男子，一路上却都不曾坦白，反而对自己百般调侃，还……

“咳咳咳！！”他越想越怒，竟什么话都没说，先侧过身剧烈咳嗽了起来。

“你刚醒，身体还没恢复，如果想骂我的话，还是等养好了再骂吧。”

“你给我出去……”

“我是来给你道歉的，我觉得你昨天可能没听见……”

顾茫不提昨天还好，一提昨天，墨熄咳得更厉害了，那张苍白的面庞霎时浮上一层羞恼至极的薄红，一双锋芒犀锐的眼睛不无愤恨地盯着这个罪魁祸首看，咬牙切齿的动作鲜明地映在他那张俊秀的脸上。

顾茫注意到他的脸色，蓦地闭嘴。

两人又气氛紧张地沉默了片刻，最终墨熄终于大发善心，决定仁慈地结束这个其实令他也耻辱的话题。

“那个鬼呢？”他问道，“抓了没有？”

“抓了，我直接把他从你身体里用法咒引出来的，困在了木傀儡里。”

“拿出来我审他。”

“现在？”顾茫睁大眼睛，“现在还是别了，你被厉鬼附了身，又和他争斗了那么久，虽然你是纯血出身，不会有性命之忧，但我昨天替你诊过脉，你已伤了元气，还是先休息吧。更何况你此时问他，他也答不出什么名堂来。”

“为何？”

“当然是因为你。你昨天一直不愿意被他侵蚀，意识反噬得厉害，他在你体内的时候自己尚且不知，离体之后却魂灵破散，恐怕要明天早上才能重新聚拢成形了。”顾茫感叹道，“你这人是真的了不起，被它附身之后，还能坚持那么久，连一个人都没伤害。”

墨熄冷冷乜了他一眼。

顾茫在他床边坐下，顺势说道：“哎……不过真对不住，一路上都没告诉你我的真实身份，还害你为了救我，受了这么大委屈。要不是你定力好，差一点我就闯祸了。”

“就算你这么说，我也不会替你向长老求情。”

顾茫一怔，随即笑了，他把手伸给墨熄：“你不但不用向长老求情，还可以随便打我，师兄不还手。”

墨熄漠然看了他一眼，似乎真的要打下去。

顾茫立刻无赖至极地惨叫道：“啊！疼啊！”

“……”可事实墨熄的手掌都还没落下，他抬着缠满绷带的手，面无表情道：“我还没打。”

顾茫：“……哦。”

醒转归醒转，墨熄的身体确实是受了邪气影响，损耗得厉害。顾茫在他身边坐了一会儿，跟他说了没太多话，就看出他的精神又开始不好了，一张线条清冷的脸庞在熹微的阳光下显得更憔悴。

于是顾茫起身道：“你睡一会儿吧，我不打扰你了。”

墨熄阖着眼眸，高挺的鼻梁之下，那色泽淡薄的嘴唇微抿着，没有立刻答话。过了一会儿，他睫羽轻轻颤动，而后才似是冷嘲地问了句：“不是娇弱的顾师姐了？”

顾茫尴尬地摸了摸鼻子，咳嗽一声，说道：“只有威武英俊的顾师兄了。”

“师兄见得，英俊威武不见得。”

“好好好，你说什么都对。”顾茫无奈地笑道，“快安心睡吧。”

“……”

深海一般的黑眼睛望着他。

“好好休息。”

墨熄没有再说话，顾茫眨了眨眼睛，过了一会儿，靠过去细看，发现他竟已睡着了，还靠在床背上，脸颊偏侧着，睫毛随着呼吸而轻微颤动着。那张脸庞还很年轻，虽然相较于同龄人已十分沉稳，但下颌的线条还有些属于少年的柔和。

顾茫的目光微微下移，落在墨熄的嘴唇上，顿了须臾，迅速移开。

这位少爷此刻看起来那么矜高，顾茫怎么也无法将他和昨晚那个失去理智的人重合在一起。

顾茫起身将墨熄扶着放躺在床上，替他盖好薄毯，而后轻轻拉上了月白色的罗帐。

“玄武护阵。”

“啸叫结界。”

“梦貘伴枕。”

一连结了三个印，顾茫才从客房里出来，走道上没人，他从乾坤囊里拿出一只桐木雕刻的傀儡偶，那偶人只有巴掌大，做工粗糙，眼睛刻得一只大一只小也就算了，嘴巴还是歪的。偶人起初躺在顾茫掌心里，一动也不动，但当顾茫把它脖子上系着的红绳解开后，它忽然一轱辘爬起来，揉着眼睛尖声尖气道：

“你你你！你这个孽畜！男扮女装的混蛋！你快把我从这个破木偶里放出来！！不然我就……我就——”

原来这偶人不是别人，正是封印了邪鬼元神的那只。

“你就怎么样啊？”顾茫把它放到走廊的窗棂上，哼道，“是打算跳楼自尽，还是打算杀人放火？”

“啊！！”邪鬼——或许现在应该称为小偶人了，小偶人气得仰天大叫，一屁股栽倒在窗边。

“你老奸巨猾，心思歹毒，墨师弟初涉江湖没有经验，这才着了你的道。不过你那一套最好在我面前收起来。不然你以为我们修真学宫出来的人，还真的收拾不了你一只恶鬼？”

小偶人蹬着小短腿儿，嚷道：“不！你以大欺小，不算君子！”

谁知顾茫根本不要脸，故作惊讶道：“你说对了，我就不是君子，我整一个就是流氓，你怎么知道？”

“……”

“那你知不知道这个流氓接下来打算做什么？不知道的话我可以悄悄告诉你。”顾茫双手抱臂盯着它看，“我打算把你关到镇妖塔的第十八层，那里聚着无数冤魂野鬼，个个道行高深，你在里面，三魂六魄都会被啃个精光，你行恶多年，正好给那些倒了血霉的夫妻报个仇。”

偶人还嘴硬：“我哪里行恶了？小道士没听说别人都管我叫送子土地公吗？”

“你还敢说？”

“送人一娃胜造七级浮屠，老子——嗷嗷嗷！！”话还没说话，小偶人就被顾茫提了起来。

顾茫眯起眼睛道：“我没跟你开玩笑，我说真的。”

小偶人这才终于开始慌了，大叫起来：“别啊别啊！小哥哥，好道长，大美人，有话好说啊！那什么塔的第十八层都是大佬，我只是一个小鬼啊，要不咱们换一层？你看一层怎么样？”

“好说。一层关的是上古邪兽，我看它一个人占一层也寂寞，难得你主动请缨去陪它。”

“啊啊啊啊！不要不要！那二层吧，二层成吗大哥？”

“你这是在跟我讨价还价吗？”

“是啊是啊是啊，小哥哥，好道长，大美人，你就给我一条生路吧，我不想灰飞烟灭啊！你看，你扮姑娘的时候我好歹也是真心实意地夸赞过你的，对不对？”

“那我可真谢谢你了。”

“不用谢，不用谢。”

顾茫重新将他掷回窗棂上，忽然严厉道：“我下面问你的话你老实回答，如有一句假的，十八层和第一层你自己挑一个吧。”

“是是是是，好好好好！”

“第一个问题，重华帝都一月前失踪了一对年轻夫妇，他们失踪前是来莲生镇求子的，你有没有见过？”

小偶人委屈道：“我每天见的香客那么多，我哪里记得……”

“你好好想想，你正常附身之下，那些没有灵力的人往往是因为脏腑受到阴气损伤所以委顿而死，给人一种父命换子命的错觉。但那对夫妇却不是这种状况，他们是来你这里祈福后就一齐失踪了，这事如果是你做的，你应该有印象。”

偶人头摇得像拨浪鼓：“拐卖人口我不做的。”

“没说你拐卖人口。”顾茫道，“再说那么大两个人，你怎么拐？我只问你有没有曾经特殊对待过一对夫妇。”

偶人努力想了想，仍是坚定道：“没有。”

这个他没有必要说谎，顾茫于是颔首道：“好，那么向你祈福过的香客里，你记不记得有过‘白柔霞’和‘林韵’两个人。”

“这是那俩失踪夫妇的名字吗？”

“不错。”

小偶人来回在窗棂上踱了几步，摸着凹凸不平还有木屑的下巴道：“白柔霞这个名字一点印象也没有，但是林韵……我总觉得这个名字很耳熟，好像是在哪里见过，而且……”

“而且？”

“而且还不止一次。”

顾茫俊眉微蹙，沉吟着陷入了深思。

小偶人求生欲很强，为求灵魂不被撕成碎片，此时显得相当配合，它抱着脑袋用力想了老半天，如果木偶有血色的话，它的脸恐怕都已憋红了。但最后还是吐了口气摇头道：“唉，我想不起来。但是‘林韵’，好像并不是我在许愿牌上瞧过的名字。”

“我想也是。”顾茫干巴巴道，“不然你也不会觉得看过了很多遍。行吧，这个问题你留着慢慢想，我问你第二件事情。”

“好，那我这么乖，这么愿意改过自新，重新做人，小哥哥你千万要替我求情，不要把我送到第十八层或者第一层去啊。”

顾茫心道，这家伙真正的面目丑恶至极，昨天更是无休无止地折辱墨师弟，可伪装的水平却是一等一的好，扮无辜装天真做可怜，两面三刀的天赋简直无鬼可及。

偶人还在叨叨叨地："其实我也很无奈啊，如果我说，我之前是诓你们的，其实我生前连一个女人都没碰过，你信吗？"

顾茫摇了摇头，但过了片刻，又说："你先回答我两个问题，答完之后，我或许会相信你。"

他低下眼看着那只坐在窗边的小偶人，严肃道："你是被谁移尸到古桃树下的？"

（十一）

小偶人一惊，跳将起来："咦？仙长厉害！你怎么知道我是被人移尸过来的？"

"你这不是废话，古木镇灵，你埋骨的桃树有千年寿数，而且一直受人供奉，根气端正。如果你从一开始就被安葬在这棵树下，哪怕最初怨气颇深，也会渐渐被它同化解脱，绝没有越来越邪的道理。"

"你说的对！你说的非常对！"小偶人激动起来，一大一小的木刻眼睛简直都在往外冒精光，"我就是被人搬过来的啊！"

"说说具体的。"

这似乎问到点上了，小偶人很是亢奋，又像有太多话要说，于是他先是一屁股坐下，后来又站起，随后又原地绕了几圈，最后才下定决心道："丢人就丢人，我跟你讲就是了！但咱们能不能找个隐蔽点儿的地方？"

"……"

顾茫遂又找客栈老板开了一间房，把小偶人放在桌上："你讲吧。"

小偶人费力地从托盘里抱起一只茶杯，把杯子翻过来，手脚并用地爬上去，坐稳了之后重重喘了口气，眼珠转下来。他没有马上说话，就在顾茫觉得这家伙大概要反悔的时候，它才叹息一声，开口了。

"不瞒你说，老子生前曾是隔壁杏香城的一个穷光蛋，活着的时候就喜欢三样东西。赌博，喝酒，女人。"

"你不是说你活着时没女人吗？"

"你听我把话说完。"小偶人摆摆手，示意他安静，"老子生得不好，爹妈死得早，自己又没有半点灵力，只能一辈子当个平民，但这也没啥关系，人各有命嘛，我就在码头当船工，赚来的工钱用来和我那些哥们开赌、喝酒。女人我倒是想来着，但姐儿们都看不起老子，那老子就买些图看看就好了。还是图上的那些妞儿好，对老子笑得可欢实了，一点儿都不狗眼看人低。”

“不过这日子总叫人过得憋屈不是，老子和那帮子兄弟们辛辛苦苦干一年，拿到的贝币还不够给那些贵族老爷裁一件道袍的。”

他嘿嘿笑了两声。

“这多气人呢？”

“所以老子打那时候起，就瞅这些人五人六的修士特不顺眼，不过我不是说你哦，小哥哥好道长大美人，”他怨戾横生间也没忘了补上一句，“不要把我丢到镇妖塔十八层去，第一层也不要。”

顾茫双手抱臂坐在桌边听着，闻言答道：“你把大美人去掉，我会再考虑。”

“好的，小哥哥好道长大——哦，没有大美人。”

顾茫道：“你接着说。”

“好的，那时候，我有的哥们儿看我成天不高兴，就劝我说，贵族老爷们出身高贵啦，这都是老天爷的安排啦，知足常乐啦什么的。我呸啊，谁一天啃个窝头能常乐？你是人，我也是人，你修你的法术，我干我的活儿，我做的还比你们更多，怎么一出生就比你们贱了呢？凭啥你活得像爷，我活得像狗？”

顾茫没接话，只是睫毛微微动了动。

“有一天，老子的一个兄弟跑去跟船工头说，他老娘生病了，病得快死了，听说灵修药铺里有救命的丹药，就跑去求工头借他点钱。工头非但没给，反而还讥讽他一只癞蛤蟆还指着人参果治病，说他当一辈子船工的薪俸都买不起那种仙药。借他，他拿什么还呀？”

“那个船工头也是小贵族吗？”

“哦，他倒不是的，他既不是贵族，也不是修士，他只是运气比我们好，多赚了俩臭钱的那种平头老百姓。不过因为有钱，他成天都是跟修士们混在一起的，你别看他跟我们是同一种人，他比寻常修士还不把船工们当人看呢。”

小偶人说着，想抠抠鼻孔，却发现自己现在没有鼻孔了，于是手在脸上随便挠了两下。

“我瞅着来气，我那兄弟就是个哭包，除了哭，屁用都没有，可我不乐意了，嘿，所以我过了几天就摸去船工房里，把他的金银珠宝摸了一大麻袋，全扛出去和兄弟们分了。然后该吃吃，该喝喝，不过女人还是不敢想，怕被人瞧出端倪。打那之后，我就懒得在码头做活儿了，老子专瞄着人偷东西。”

“这事儿虽然不光彩，但老子乐得快活，偷来的钱吃吃喝喝，多出来的丢去弃婴堂给那些穷小子们买糖吃。老子身手好得很，有个绰号叫作摘金大盗，城里的人老怀疑我，但就是抓不住我把柄。嘿嘿，那阵子可把那群孙子气死了。”小偶人得意扬扬的。

“那后来呢？”

小偶人脸上的得意劲儿一僵，灰蒙蒙地消失了：“后来？后来栽在了你们修士手上。”

“那个修士当时也和你们一样，刚刚入门，出来试炼的，试炼的内容就是来盘查谁是摘金大盗。”

小偶人哼了两声。

“那小道士抓了我以后，就把我押去官府，还假仁假义替我求了个情，官府的混蛋买了他一个面子，没有重判，打了我八十板子就让我走了。嘿，真可笑，老子需要他猫哭耗子？纯血贵族最可恶，我才不稀罕得他这人情。”

“所以你并不是死在那个少年手上。”

“当然不是。”小偶人顿了顿，忽地更气了，“我倒宁愿死在他手上呢，还痛快些。我被揭穿了摘金大盗的身份，以后自然是不能再去偷东西啦，许多地方又不愿用我。后来还是胭脂楼的嬷嬷收留了我，让我在楼里充个劳工。就这样过了三年，有一日，楼里忽然来了一群官兵，二话不说就把我绑走了。”

“他们绑你做什么？”

“谁知道？那些孙子一路将我押过去，关到牢里，几天后忽然来了个人，那人一看就是王亲贵戚，服饰比我见过的任何人穿得都要华贵。那人看了我两眼，就跟旁边的狱卒说——靠谱吗？”

“那狱卒回道‘靠谱，这人有案底，之前就是个臭名昭著的惯偷，无论他说什么，别人都不会信的。’贵族道‘要不要干脆割了他的舌头？’我一听，当时就不干了，跳起来不管不顾将他痛骂一顿。谁知那贵族面色不变地听完，居然笑了，说‘还真是个疯子，讲话颠三倒四的，倒也不必割了，就拿他去搪塞吧。’”

顾茫道：“他们拿你搪塞什么？”

小偶人看起来很努力地想翻出个白眼，发现翻不上去后只得悻悻作罢，说：“我也是到了死的那天才知道的，一群人审我，也不管我说啥，指我平日里吃喝嫖赌，仇视权贵，并说我在某个贵族路过杏香城时给他下药，让他背叛妻儿，与青楼的某个歌女做出了猪狗不如的事情。”

“……”

“那个贵族一直在跟他老婆哭诉，嘿，老子根本连见都没见过他，他却说得有鼻子有眼的，还把老子当时给他下毒的茶水是铁观音都说得一清二楚。要不是我真的没干过这事儿，我怕是就信啦！”

“那个贵族的老婆是个凶女人，我真是从来没见过那么凶的女人，她丈夫为了哄她开心，便下令把我给乱刀砍死。”

小偶人说到这里，发了会儿呆，喃喃地。

“我到现在还觉得，这群权贵真是太会玩了。”

顾茫听得脸色也很难看，半晌道：“那你……是怎么变成鬼的？”

“我怨恨啊，我活这么大岁数，连个姑娘的手都还没摸过就被刨丝儿了，我不甘心啊。我当时一心想着，如果我死了之后能变成厉鬼，那我一定去找那些从前看不起我的女人，还要弄死那些草菅人命的男人！呸！”

小偶人恨恨地啐了口。

“他们为了夫妻和睦，居然能拿老子一条无辜性命来祭，老子便要拆掉这群渣滓的姻缘，让他们妻离子散，生离死别——老子要让那群衣冠禽兽身败名裂，让大家看清这都是群什么货色！”

顾茫心道当真冤孽，这怨鬼也是恨极了，害他的权贵虽不是东西，但贵族们也未必个个都是十恶不赦，比如他家慕容公子，虽然脾气不怎么好，但待下人总是宽厚的，再比如岳家的公子岳夜雪，性子也很温柔，还有刚刚认识的墨公子，帝都最高等阶的权贵子弟，却意外地靠谱……

想到那些无辜勋贵夫妇竟也一同被连累，受厉鬼报复，做了陪葬。顾茫心里极不是滋味，只是这怨鬼心中有结，在怨气未解之前，与它讲道理也是无用，于是他想了想，问道：“那……你还记得那个贵族长什么模样吗？”

“当然记得！他长了两只眼睛，一只鼻子，一张嘴巴！”

“……”顾茫无语道，“还有呢？”

“是个男人！”

顾茫受不了，直接问：“他有没有什么具体的特征？”

小偶人用力点头：“有的！有个最明显的特征！”

“什么？”

“有钱。”

顾茫往后在椅背上一靠，心道看来找到这个贵族给怨鬼解开宿怨是不可能了，于是抬手疲惫地揉了揉自己的眉骨：“行吧，我知道了，不说这个，请你接着讲一讲你死后的事情。”

小偶人于是道：“哦……我死了之后，怨气一直很强，不过他们也不傻，怕我变成恶鬼来复仇，于是就往我的尸身上挂了一块镇魂石，然后拖到这附近的乱葬岗埋了。有那个镇魂石在，我虽然很生气，很想把那些贵族也刨成丝，刨个更细的，刨成蓑衣黄瓜，但我也没办法，我被困在骸骨里，哪里都去不了了，我就每天数自己玩，你知道‘我’一共有多少根吗？”

它兴冲冲地抬头，却对上顾茫的脸色，立刻又缩回了脖子：“好吧，我知道你对这个兴趣不大，那我接着说。”

“日子就那么一天天过着，渐渐地我也觉得复仇无望，越来越心灰意冷，几乎都想就这么算了。但是就在我死了第六百二十天的时候——”

顾茫忍不住好奇：“你记得那么清楚？”

“对啊，我一共有——”

顾茫又好奇顿失，抬手道：“别说。”

小偶人显得很委屈：“你问我我没法儿不说啊。”

顾茫没好气道：“我问你什么了？我问你这个了吗？”

“你问我为什么记得这么清楚，因为每过一天我就把一根‘我’打个结啊！”小偶人理直气壮道，“全部打完我就知道一年过去了，再全部解开我就知道两年过去了，你问我的！所以我才回答！”

顾茫：“……”

一人一木互相瞪了半天，顾茫往后一靠，双手交叠咬牙道：“好，行，你接着讲。”

“第六百二十天的时候，我的坟头忽然被掘开了，一束光照进来，我还没来得及看清，就被套进了一口麻袋里。紧接着那人就举着麻袋哗啦啦一阵狂抖，把我的骸骨震了个稀巴烂，然后将我倒进了一口小瓦罐里。”

“我在里面气得发疯，可一只手在此时伸了进来，从骨头里拣出了那颗镇魂石——我——啊，就算今天想起来那种感觉都好爽，就好像憋了几百年的老尿终于出来了，一身轻松！”

“……”

“我的魂魄终于不再被压着了，虽然暂时还封在那只瓦罐里，但比起镇魂石压着的时候也痛快太多。那个人把瓦罐带到了古桃树下埋起来，然后跟我说——她知道我生前的事情，她也恨透了那些剥皮喝血的王八羔子，恨不能让他们所有人都断子绝孙，吃尽苦头——她给我觅了个法子，让我在树下吸收供奉，变得强大，让我附身在那些男人身上，去损耗他们的阳气，欺辱他们欺辱的人，嘿嘿。”它刚笑了两声，忽然意识到自己已经被人抓了，便又立刻敛去了笑容，僵着木头脸面无表情道，“就是这样了。”

顾茫没有立刻说话，他在听的过程中一直在思忖，指节下意识地轻轻叩击着桌角，眼中闪烁着明暗不定的光。

过了好一会儿，他抬头问：“你看见过你那‘恩公’的长相吗？”

小木人摇了摇头。

顾茫倒没有太抱什么希望，见他摇头，脸上也不曾露出什么失落的神情，更何况照这小木人方才描述仇人的方式，什么两个眼睛一个嘴明显特征是有钱，估计就算看清了也没什么用。

小木人接着道：“不过我记得，在最开始的一年，为了让我的怨气变得更强，那个人每天都会来我埋骨的地方念一段咒文。”

顾茫蓦地抬眸：“什么咒文？”

“肝胆硬如铁，命卑若尘土，恨血煎我骸，仇怨将心煮……”

顾茫凝神听了会儿，忽然指节叩在桌上随着调子敲了两下，说道：“若我复归来，饕尽尔曹骨。”

"咦？你怎么知道？！"

顾茫神色已经非常难看，他说："这根本不是重华的法咒，而是燎国的血魔咒。"

"燎国？"小木人吃了一惊，"那不是咱们重华的老对头、死敌国吗？"

顾茫霍然起身，二话不说将它揣进乾坤囊里，小木人嚷嚷道："哎，你要去哪里啊？喂！"他身影迅疾，不一会儿已到了那古桃树下，此时日头尚早，还无人在此祈福，顾茫将修长的手指张开撑在地上，口中默念咒诀，很快他蓦地睁眼，走到古树的西南侧，睨下眼眸，抬手悬空，但见手背青筋暴突，低喝一声："起！"

泥块石子纷纷抖动，霎时推向两边，一只被铁锁缠绕的瓦罐从地底破土而出，随着顾茫的动作，浮于半空之中，掌心之下。

小木人从顾茫的乾坤囊里探出头来，见状目瞪口呆："虽然我动了你的小师弟，但我正在努力交代罪行啊，大哥，你为啥要刨我的骨灰罐？"

顾茫一把将那铁锁丁零的罐子拎到眼前——

玄铁锁链，七星盘绕，罐上贴着符纸。

符纸上残有模糊的血迹，写着"化魔"两个小篆。

"真的是燎国的血魔咒……"顾茫喃喃，半晌后倏然低头，"你对那个施咒人还有没有别的印象？"

"印象……"小木人苦着脸，"真的没啥印象，他的声音故意扭曲过，是男是女是老是幼都听不清楚，只不过……"

"只不过什么？"

"只不过我记得那人刚来念咒的时候，念得总是磕磕巴巴，甚至还会念错。不像个很老到的人。还有就是，手上有股很难闻的味道。"

顾茫立刻道："你能追踪那个味道吗？"

"不确定，可以试试看……不过现在不行。"小木人挠了挠头，"白天我做不了任何事，何况还被你困在这木偶里。"

它探头看了一眼埋自己骨灰罐的小坑，满是怨念地叹了口气，接着说："要等晚上啦。"

（十二）

顾茫回来的时候，墨熄已经醒了，正靠在床榻边阖目养神，听到动静，他并没有睁眼，只神情寡淡地问了句："去哪儿了？"

“我？我没去哪里啊。”顾茫依旧端出那种令人来气的无赖笑脸，只是漂亮的眼睛心虚地垂了下去，左右瞟了瞟，搜刮着托词，“我太无聊啦，就出去逛逛街，看看俏丽姑娘什么的。”

墨熄没吭声，长睫毛动了一下，舒开眼睛冷冷地看着他，刀裁的眉目显得很峻锐，好像轻易就能把人看穿。

顾茫更心虚了，黑眼睛眨了又眨，好声解释道：“那啥，我在客房布了法咒，并没有丢着你不管。”

“谁在乎这个。”墨熄说，“捉到的鬼在哪里？”

“你要做什么？”

“审他。”

“呃……这个不是说好了等你休息好再审吗？”感到小木人在乾坤袋里不安地扭动，顾茫笑着对墨熄道，“还是等明天吧，我刚刚看过了，它还没有聚拢元神，怕是回答不了你的任何问题。”

不等墨熄质疑，顾茫又嘿嘿笑道：“对了，你要不要吃什么？我下去给你买。鱼片粥好不好？”

“不用了。”

“好的，那就瘦肉粥吧。你乖乖躺着，我很快就回来哦。”说罢退出门去，还“砰”的一声关上了房门。

墨熄：“……”

过了一会儿，门又打开了，顾茫返回房内：“你钱袋在哪里？”

墨熄蹙眉道：“茶桌上，怎么？”

顾茫走过去，果然看到墨少爷的钱袋随意丢在茶桌的花瓶边，于是伸手和鼹鼠偷果子似的在里面掏出一把贝币就往自己兜里揣。

“你在干什么？”

“拿钱给你买粥啊，难道还让我出钱？”顾茫理直气壮地说完，扬长而去。

走在楼梯上，小木人探出头好奇地问：“你为啥不把咱们的发现跟他说？我看他挺狠的一个人，你要查什么东西，他肯定帮得上忙。”

顾茫伸出一根手指把它摁下去，说道：“他是挺狠的，我给他清创的时候数了数，你知道他之前为了保持清醒，在自己手上划了多少伤口吗？”

小木人摇摇头。

顾茫说：“二十七道。”

“整个手掌都划烂了，腿上还刺了三四刀，全都深可见骨。”

小木人不想待在乾坤囊里，于是又挣扎着把头露出来，阿谀道：“那位墨少真是令人生畏。”

顾茫不怀好意地眯眼看着它：“拜谁所赐？”

“……”小木人重新把脑袋缩了进去。

顾茫大摇大摆地下楼，兀自说道：“接下来的委任我不能让他再参与了，原本就是我没做好，才连累他受了苦。他的试炼已经结束，现在就你和我，我们两个今晚把事情解决掉。你懂了没有？”

乾坤袋里传来小木人闷闷的声音：“噢，懂了。”

不过等顾茫买了粥上楼的时候，兜袋里的木头人还是忍不住哼哼唧唧地说了句：“仙长小哥，说句实话，那位高贵少爷他才没你想的那么高贵呢。”

顾茫没在意，随口问了句：“什么？”

“我说，客房里的那位少爷，他和害死我的贵族一样，都是些衣冠禽兽。”小木人哼哼唧唧地，“我看到过他的天性，他不过是在压抑着自己。或者说还没有谁让他失去理智，把他的内心全都暴露出来。他这人根本就不是看起来的那副样子，我昨天想让他屈服，但他太狠倔，所以老子才会失败。”

“高贵少爷有并不高贵的另一张脸，只是少爷不愿接受罢了。”

顾茫立刻想到墨熄那张英俊的面容，因为隐忍和压抑而显得格外阴鸷的五官，还有弥漫着猩红色危险的眼眸。

那双眼睛从昨夜的回忆里蓦地睁开，焦灼又克制地望出来，顾茫仿佛被兀鹰狠戾地盯住，不由得感到一阵强烈的寒意，半晌咬牙道：“闭嘴。”捶了乾坤囊一下。

小木人发出“哎哟”惨叫，立刻不说话了。

粥是粳米熬的，反正是花墨熄的钱，顾茫非常豪气地多塞给了客栈掌勺的几块贝币，哄那胖胖的女厨娘多加点料，于是送到墨熄手里时是满满的一整碗稠厚香粥，肉末调得很细，量足，米粥嫩滑，上头撒着青翠的小葱花、白芝麻、清炸过的锅巴碎末，还卧着一个对切的澄黄流心的白煮蛋。

挺诱人的一碗，虽然都是并不怎么昂贵的食材，掌勺的手艺也和墨府的大厨没得比，不过顾茫自己闻着挺满意的。

可是谁知道少爷并不好伺候，因为他坚持不肯让人喂，所以兀自用纱布捆得很笨重的手在慢慢往嘴里送着，吃起来费力不说，而且也很丢人，如此喝了三四勺后，墨熄就沉默地把勺子放下了。

“不要了？”

“不要了。”

“你这也……太……浪费了吧……”

墨熄皱着眉问：“浪费什么？”

小木人一听这话就来气，显然是想到了朱门酒肉臭，路有冻死骨的日子，在乾坤囊里愤怒地踩了跺脚。

顾茫这才意识到，眼前这位爷是个不知柴米油盐贵的主，跟他讲价钱简直是白费力，只得哄着：“你饿着肚子恢复也慢，好歹再吃点。”

但是墨熄神情恹恹的，确是一副不愿再动汤勺的模样，顾茫没辙，瞪着粥碗，倒是不可能的，里头有好多肉，真倒了他得心疼死，于是最后他转身出门，找了个地儿蹲下，抱着碗自己呼噜呼噜偷偷吃了起来。

小木人听到了动静，从乾坤袋里爬出来一看，顿时大为震惊。

“你在干吗？”

顾茫头也不抬：“吃饭啊。”

“可这是高贵少爷吃过的！”

“你都说了他是高贵少爷了嘛。”顾茫无所谓道，“反正他吃相很斯文，不会东一勺西一勺，你看，他就沿着边舀了两口，没事没事。”

“可这是剩饭！”

“你没吃过剩饭？”

“可你是个修士……”小木人有些凌乱了，“你们修士就应该……应该……”

“应该怎样？”顾茫一口吃掉了墨熄碰都没碰的溏心蛋，含混道。

小木人无语道：“高贵冷艳……”

顾茫飞快地划拉着粥，塞得口中满满的，腮帮都鼓起来，像看傻子似的看了小木人一眼：“那看来你对修士有很大的误解，重华学宫的修士可不全是贵族。”说完又低头饿死鬼投胎似的吃了起来。

小木人刷新了认知，颤巍巍地爬到顾茫肩上，用小手戳了戳顾茫鼓鼓囊囊的脸颊，仍不甘心道：“你饿的话怎么不自己再去买一份？”

“老子没钱。”

小木人差点没从他肩上栽下来。

“你们不是很有钱的吗？！草菅人命，为所欲为，肉池那个……那个什么林的！”

“借你吉言。”顾茫特别无所谓地说，“我也希望自己以后能够飞黄腾达，酒池肉林。”

这时候，走道尽头的房门忽然咔嗒一声开了，小木人立刻呲溜滑进了乾坤囊里，顾茫也吃了一惊，连忙手忙脚乱地把饭碗藏在了身后，飞快地舔掉嘴角的米粒，瞪大眼睛看着暖黄光晕里站着的人。

墨熄：“你蹲着做什么？”

顾茫默默咽下嘴里的粥，脸不红心不跳：“……思考人生。”

“需要蹲着？”

“哈哈哈哈哈。”顾茫笑得很勉强，“个人喜好。”

墨熄一言不发地来回看了他两遍，不打算对他的“个人喜欢”做任何评价，只道：“我有件事想要与你商量。”

“好好好，我一会儿就进来。”毕竟粥还没喝完呢。

然而顾茫的嘴骗人的鬼，顾茫说“一会儿”，实际上墨熄阖着眸，在桌前坐了很久，这家伙才磨磨唧唧地进来了，还在可疑地舔着自己的嘴唇。

“师弟找我什么事？”

昏暗的光线下，墨熄的面容显得很苍白，嘴唇血色少见，脸颊更是冰玉般透明。他面对顾茫已经不再尴尬了，小伙子看起来心理调节的水平相当优异，表现得镇定、冷淡、面无表情，只有纱布下探出的一点细长白皙的手指不自觉地在桌角轻叩着，暴露了他内心的烦躁。

“师弟？”

“叫一声就够了。”墨熄睁开眼睛，自浓深的睫毛下瞥了他一眼，“坐。”

虽然对方年纪比自己小，但气质却很迫人，顾茫在他对面的圆凳上坐了半个屁股，不太确定地看着他。

墨熄道：“今天你不在的时候，我打算去苏姑娘府上还伞。”

“哦……然后呢？这村子绕绕弯弯，你还记得去她家的路？”

“不记得，所以我找到店掌柜。问他村中绣娘家怎么走。他没有马上告诉我，而是反问我为什么要去那个地方。”

顾茫不正经地说：“怕是掌柜有个儿子喜欢苏姑娘，见你生得那么俊来找她，怕你和他们抢丫头。”

“别笑了。”墨熄道，“我跟掌柜说，我之前问苏姑娘借了一把伞，是去还伞的。”

“那他告诉你位置了吗？”

“嗯。”

“哦……然后你就自己过去了？”

墨熄摇了摇头：“我没去把伞还掉。”

顾茫怔了一下，奇怪道：“你干吗不还，怕她知道你去了土地庙骂你打你吗？”

“……”墨熄低垂眼睫，半晌才复抬起，“掌柜说，绣女苏氏不久前才刚刚去世。”

“……”

“我们避雨那天，是她的头七。”

（十三）

屋内一时静得可怕。

半晌后，顾茫才缓缓道："你是说……苏姑娘在我们来之前就已经香消玉殒了？"

墨熄略微点了一下头："自杀。"

顾茫沉默一会儿，问道："原因是什么你知道吗？"

"掌柜说她家里发生了变故，父母接连过世，他们觉得她应该是过度伤心才自尽的。"墨熄道，"他们家原本还有个儿子，不过很早之前那个儿子就成亲了，后来和他们的交集就变少了，父母生病也不曾回乡探望。"

"苏姑娘原来还有一个哥哥……"

"嗯。但没什么亲眷关系。苏姑娘是收养来的，两位老人这几年身体不太好，亲儿子另立门户后，就一直只有她在赡养他们，这户人家没有别的亲戚，苏姑娘一死，家中再无人，她的尸身还是隔壁邻居给收拾的。"

顾茫垂下睫帘，神情默默，过了好一会儿才说："可我们那天去的时候，明明满屋摆设都如一家寻常住户，不像刚刚有人过世的丧宅？"

"因为自殁空宅不吉利，那些邻居没有停棺就把她入殓了。"墨熄说，"屋中的东西也没谁愿意去打理，那些官老爷官太太定的绫罗绸缎都还堆在里头，他们知道绣女绣了一半就身故了，怕沾上晦气，都没人要。"

这恐怕是他们认识以来，墨熄讲过最长的一段话，但顾茫也无心说笑，反而眉头越皱越深。

顾茫还是摇了摇头："我们那天晚上，分明是见过她的，并且我也没有感到她有什么不对劲。你呢？你觉得她有什么蹊跷吗？"

"没有。"

"那真是奇了怪了，就算她是鬼魂，就算我们俩当时都没有使用法术，但至于一点感觉都没有？咱俩不会这么失败吧。"

墨熄道："我想过几种可能。"

"说来听听。"

"第一，那天晚上我们看到的并不是真正的苏姑娘，而是另外有人假扮的。"

"那第二？"

"第二，苏姑娘其实并没有死，她出于某种原因做出了自己自杀身亡的假象，并且清楚自己死后屋子不会有人来收拾，所以继续藏身其中。"

"第三？"

"第三，苏姑娘确实已经死了，屋里也确实没有再混入其他人。我们那天深夜瞧见的确实是她的鬼魂，但是因为一些我们并不知情的法术，她能很好地隐去自己的邪气，如果不仔细辨别，我们会当她是普通人无异。"

顾茫一边听一边点头："还有没有第四？"

"没有了。"墨熄道，"另外我还有一件事情要告诉你。"

顾茫感叹道："成啊，你一个受了伤的小可怜，自己躺在房间里休息都能折腾出个一二三来，你说吧，还有什么事？"

"关于潜灵长老命我们调查的失踪夫妇，林韵和白柔霞。"墨熄顿了顿，神情严峻——"那个林韵，就是苏姑娘的哥哥。"

"什么？！"顾茫这下是真的惊住了，"你怎么知道的？！"

"是客栈掌柜说的。"墨熄道，"我们借宿的那家绣坊，叫作林秀阁，从前是一户姓林的夫妇在打理，林韵就是他们那个早已成家的亲生儿子，至于苏巧，那原是与他们交好的一家屠户的女儿。"顿了顿，"你还记得苏巧说过这个村子多瘴疠，人很容易染上疾病过世吗？"

顾茫点头道："我记得。"

"苏巧的亲生父母在她四五岁的时候就因为这个原因走了，林家夫妇不忍心，于是将她收作养女。所以我方才跟你说这对兄妹并无血缘，算起来，林韵应当是她义兄。"

墨熄说到这里，闭了闭眼睛，而后继续道："林韵夫妇的失踪，苏巧姑娘的死亡都在这个月，我不认为这是巧合。"

顾茫咕哝道："我也不认为。"

墨熄抬起眼来："另外，我也不认为你之前出去真的是在'随便逛逛'。"

"对啊，我也不——"顾茫心不在焉地应到一半，忽然僵住，紧接着黑睫毛微颤，犹豫地看向墨熄。

墨熄双手抱臂，长腿交叠着，咄咄逼人地注视着他。

"把你乾坤囊里藏着的那个鬼傀儡请出来。"

顾茫的表情和元宵彩灯似的变了好几变，最后捧出死皮无赖的那种嘿嘿笑容，只是脚有些不安地碾着地面，开始装聋装傻："什么？"

"鬼傀儡，封着老桃树下怨灵的那一只。你不用藏了，我刚醒的时候就已经知道你在骗我了。"

"……"话到这份上也没啥好说的了，顾茫干巴巴地笑道，"师弟，你看你这个人，怎么什么事都瞒不过你的眼睛呢，啊哈，啊哈哈哈哈。"

墨熄冷冷地："它昨晚在我身体里附了那么久，你觉得我会感应不到它吗？"

顾茫没办法，只得拎起乾坤囊，往桌上倒，哗啦啦地倒出了乱七八糟一堆符纸暗器、一堆牛乳软糖和吃剩的麦秸糖纸，但就是不见小木人的踪影。顾茫叹了口气，提着袋角又晃了两下，嘴里道：“躲也没用的，你还是快出来和墨少爷切腹谢罪吧。”

小木人没辙，这才松开了紧攥着的手，“啪嗒”一声从乾坤囊里掉出来，生无可恋地躺在了桌上。过一会儿，它骨碌从桌上爬起来，开始疯狂用木头脑袋磕桌子，咚咚咚磕得震天响：“少爷饶命啊！我不要去镇妖塔第一层和第十八层！其他层数好商量！少爷你青春年少，英雄有为，衣冠楚楚——”

墨熄道：“停下。”

小木人哪里肯停，秉持着一千个响头不多，一万个响头不少，磕到天荒地老，小命就能得保的求饶原则，它越磕越起劲儿，哐当哐当的声音很快就把隔壁客房的人吵醒了，隔壁不知扔了个什么过来，“咚”的一声砸在墙上。

墨熄脸上黑气缭绕，用他裹成粽子的手在桌上重重一拍，小木人吓得跌坐于桌面瑟瑟发抖，一会儿瞟着墨熄受伤的手，血色正从雪白的纱布下渗出来，一会儿又瞟着墨熄阴沉的脸，目光像淬火的刀一般令人却步。

墨熄咬牙道：“你是不是听不懂人话？”

“听得懂，听得懂，少爷！我错了！”

墨熄不想和它多费唇舌，于是抬眼问顾茫：“这东西跟你都招了些什么？”

“其实也没什么……”对上墨熄的视线，顾茫犹豫片刻，叹了口气，“算了，好吧，是这样，我之前是想瞒着你，自己和它去查清林韵夫妇的下落来着。”

墨熄目光如锋，黑褐眼瞳里隐隐流淌着危险的神色：“为什么？”

顾茫怔了一下：“……还用问吗？我连累你受了那么重的伤，如果还让你跑来跑去，自己嘻嘻哈哈，那我也太不是人了吧。”

墨熄盯着他沉默地看了好一会儿，紧绷的背才慢慢松下来，他把头转开，语气稍缓道：“我受伤跟你没关系。是我自己疏忽大意。”

他的侧颜棱角冷硬，神情倔强，眉目间像落雪般凝着些清寒。顾茫看着他，心中叹道这个人是铁铸的性子，别说他自己现在就已经在调查了，就算真的瞒着他跑去绣坊查探，最后怕是也会得罪了这位墨少爷。

“唉，算我考虑不周，我跟你说就是了，你别再冷着张脸啦，真叫人瘆得慌。”

于是顾茫一五一十地把先前知道的事情都讲给了墨熄听，最后又转头问小木人：“林韵这两个字你究竟在哪里看到过，还是想不起来吗？”

小木人沮丧地摇摇头，但它保证：“我正在努力想！”

墨熄冷冰冰地说：“那你最好再快点。”

小木人分明是块木头，却忍不住打了个寒噤。

顾茫道：“对啦师弟，我打算今晚入夜之后再去一趟绣坊，你跟我一起，但是这一次你不要贸然动手，你可以答应我吗？”

“……可以。”

“那来拉个钩。”

墨熄冷冷地瞥了他一眼。

顾茫一僵，识趣地收回伸到一半的手，在脸上挠了两下，唇角卷了卷，嘿嘿嘿地笑了起来，他正想再和墨熄说些什么，小木人忽然在旁边大叫一声：“哎！我的天！”

顾茫柔亮的黑眼睛和墨熄冰冷的黑眼睛同时转向它，小木人在这两束冷暖不一的目光下先是一噎，而后小心翼翼地说：“那什么……二位仙长，我想起自己是在哪里看到过‘林韵’这个名字啦。”

乱坟坡。

这是附近几个村镇合埋的一处山包，地如其名，这座山包到处都是乱坟，堆埋着客死他乡的无名之尸，遭受重判的罪人之躯，以及没有祖坟的伶仃乞骸。

“我之前死了就被杏香城的人丢在这里，刨了个坑埋了。”小木人一边卖力地沿着山道爬跑，一边说，“后来我的骨头被移到了古桃树下，但我没事就会来这片地头闲逛，这里阴气盛，我觉得格外舒服。”

墨熄问：“林韵的墓在哪里？”

“到了到了，很快。他的墓是这个月才新冒出来的，乱坟坡很少有人来，也很少见到有碑的墓。他的虽然只是块小木牌子，不过已经算是稀罕物件啦，我之前好奇观察过很多次，还坐在他坟头晒过一晚上的月亮。”小木人絮絮叨叨的，“奇怪，我之前怎么就忘了呢。”

不出一会儿，他们来到一棵歪脖子枣树下，那里的土明显是最近才翻刨过的，土堆最前头歪歪斜斜插了块牌子，上头只写了最简单不过的四个字——

林韵之墓

顾茫和墨熄对望了一眼。墨熄俯身，手撑在坟头阖眸感知，然后站起来。

“怎么样？”

他摇了摇头：“没有戾化的征兆，感觉不到他的魂魄。”

一般而言，能被修士感受到召唤到的都是厉鬼，要么就是刚刚死去的新鬼，其他鬼魂都会在头七之后飘往地府，轮回转世去。既然墨熄这么说，那么这座乱坟里林韵的魂魄应该就已经不在了。

可是顾茫若有所思地想了一会儿，却道：“这样，不如我来试试看。”

见墨熄眼神隐有疑惑，顾茫解释道：“人死七天后，魂魄虽然已经不在了，但是尸身却会留有记忆的残影，我们燕别殿有一种法术，就是专门溯回这种残影用的。”他停顿了一下，又说道，“不过这也要分人，如果死者生前就不愿意让人知晓自己的事情，这些秘密我们是读不到的。”

“但是如果林韵生前就有些事情不介意人知道的话……”顾茫的目光投在了那块小小的木牌上，他没有再说下去，而是在坟头坐了下来。

“我先试试看。”他说，“不过这法术我还没完全掌握好，用得不纯熟，如果你随意把我唤醒，我可能会记忆错乱。所以除非我自己睁眼，否则不要叫我。”

得到墨熄答应后，顾茫双手结印盘坐，慢慢地合上了眼睛。

“今弃旧残身，万事俱归虚，叩扉新冢外，闲坐生平叙。问君何所思，明君何所忆，泉骨如有憾，莫湮荒草萋。”

最后一个字从唇边飘落，乱坟坡忽然起了细细微风，似有无数私语喃喃从土地下面浮出，朝着顾茫奔涌而去。顾茫的周身笼上一层幽蓝色的灵火，过了片刻，那火焰彻底和顾茫融在了一起。

有光。

四周渐渐亮起来。

顾茫站在了林韵残存的记忆里。这是一个黄昏，一个七八岁大的男孩哭着跑回绣坊，他浑身上下都是泥，像是刚刚在水稻田里头打过滚的瘦猴。

“爹！娘！呜呜！”

机杼边织布的女人忙站起来，里间忙碌的男人也探出头来，一看男孩的凄惨模样，笑骂：“这小没出息的，又和苏巧打架了？”

“我没有和她打架！我只是想带她去城里看耍猴玩，谁知道她不听我的，还说，还说……”男孩抽噎一阵，放声大哭起来，“还说耍猴不如耍我！就把我踹到稻田里头，还拿石子砸我！！”

顾茫想到墨熄说过的话，心道，这个男孩想必就是林韵了，这两位自然就是林韵的爹和娘。

林父哈哈笑道：“你比她大，还是个男子汉，却天天被她追在屁股后面打，你还哭呢，我都替你羞羞羞。”说着在脸上刮了两下。

林母则回头瞪了眼丈夫：“好了，能不说风凉话吗？来了韵儿，跟娘去后院冲个澡，看你浑身上下脏死了，苏巧也真是不像话，丫头家家的，皮得和个山匪似的。回头等她娘的病好了，我一定要去她家说道说道，女孩子这样养哪儿成啊，以后看哪家敢要。”

当爹的还是笑眯眯的，冲林韵眨了下眼睛：“漂亮就行，儿子你说是不是？”

林韵噎了一下，吹出一个带着泥点的鼻涕泡，没说话。

顾茫看见他没被泥巴遮住的脖子根涨红了。

母子俩牵着手往后院走，当爹的想起什么似的，扯着嗓子吆喝了声：“哎，孩儿他娘，弟妹的病还没好哪？”

“没呢，昨儿刚去瞧过她，在家歪着呢。她要好了，苏巧能跟个上山皮猴似的到处乱窜？回头我杀只鸡炖了，你端去给他们家补补吧，我看苏巧她爹最近也累得够呛，说话老咳嗽来着，别一家夫妻俩都病了，那可麻烦。”

林父就乐呵呵地笑：“我家婆娘就是嘴狠心善，得了，你炖好了跟我说，我给他们家送去。”

顿了顿，忽然扯嗓问儿子：“哎，要不韵儿你给苏巧家送去？”

“我……”林韵的脸红简直从泥壳子下透出来，最后犹犹豫豫道，“去就去，我又不怕她。”

他说完，跟着母亲转去了后院，消失在门框边，不见了。

四周渐渐暗下去，等光线再次亮起来的时候，顾茫发现他已经不在绣坊里了，而是站在莲生镇的郊外。

日子应该没有过去太久，林韵他们一家还是穿着夏天的衣裳，迎头立于酷暑炎阳之下。

可这却已是一场葬礼的情形。

一个比林韵还要小的女孩子披麻戴孝，正是苏巧。苏巧穿着对她而言过大，像布口袋似的丧服，跪在坟前哇哇大哭着，瘦小的肩膀一抽一抽。

周围来帮忙的乡亲们叹息低语，有的妇人揩着泪，有的则满眼同情，不住摇头。

“多可怜，这么小的一个娃娃，爹妈一块儿走了，以后这日子可怎么过啊。”

“唉，有什么法子，得了那种疫病……幸好女娃子还小，没有帮着杀猪割肉，不然也被病畜的血染上了，那就三个人都没了。”

“小姑娘太命苦了……”

人群里头，林韵仰起脸，悄悄拉了拉母亲的衣袖：“娘。”

林母摸着他的头，将含泪的眼从女孩儿身上挪开，垂眸拭泪，问道：“怎么？”

“娘……咱们……咱们要不把巧妹接回来住吧。”他小心翼翼地说，“不然……不然她能去哪里？”

“这……”

“昨天你和爹爹就在商量呢，我听着了。阿娘，咱家虽然不富裕，但如果留巧妹一个人住她原来那家里，屋子里空荡荡的，她爹爹妈妈都不在了，多可怜啊。”看母亲面露犹豫，林韵说，“让她跟我们一块儿过吧，她手脚灵快，能帮你们忙。如果你们……你们怕饭不够吃的话，我……我可以少吃点。”

林母泪光闪烁地看着他。

林韵几乎是在恳求了：“你们真的不用特别费心照顾她的，我都会做好……”

声音渐弱，光线又暗下去了。

顾茫心中却在思忖：好奇怪，按先前客栈掌柜说的话，林韵成亲之后就没有再和自己父母有什么联系，听起来是个冷血薄情的不孝子。可这个记忆里看来，林韵不但不无情，反而心肠善得很，甚至好像还很喜欢他的苏巧妹妹，只是苏巧并不在乎他罢了。

那后来又是怎么……

顾茫没有来得及想完，四周的光线已再度开始变化，但这一次场景没有很快定下来，他只能看到一些模糊的、一闪而过的碎片——

（十四）

顾茫没有来得及想完，四周的光线已再度开始盘扭，但这一次场景没有很快定下来，他只能看到一些模糊的、一闪而过的碎片——

"我说了，我不想出去逛庙会，我要跟干娘学平织。"女孩子的嗓音稚嫩柔软，却很倔强，"你自己去吧。"

"你不去那有什么意思啊。"是林韵在喃喃，"走啦，我给你买糖画吃。"

"我不要，哼，谁跟你一样天天不学好。干爹都教了你一个月了，靛青染料你还是调不出。"她朝他扮着鬼脸，"略略略，猪脑瓜。"

画面又一转，是杨柳岸堤边，社戏欢腾，金红色烟火在夜空轰然绽开，继而锦鱼曳尾般漾开点点碎光。长大一些的俩人看着天上的烟花，湖中的倒影，蜻蜓自他们身边低飞绕过。

苏巧坐在桥沿，晃荡着鹅黄色绣鞋，花瓣般柔软的嘴唇一动一动。她正在和林韵讲着笑话，不过每次讲到一半自己就先岔气了，她的笑话是这样的：

"嘿嘿嘿，我给你说，哈哈，从前有一个人，他噗哈哈哈……然后因为口吃，所以哈哈哈哈你知道的！然后他就哈哈哈哈哈哈哎呀我的娘啊，逗死我了，我眼泪都要笑出来了噗哈哈！"说着真的拭了拭光彩明媚的眼角，"哎，你怎么不笑啊？"

林韵于是就真的配合她露了个笑脸，苏巧满意了，揉着林韵的头发："这才对嘛，我再给你说一个啊，这个更好笑，哈哈哈哈——"

这样的青涩无邪、两小无猜在顾茫眼前如逝水湍流，少年与少女像皮影戏一般越趋成熟。

从垂髫小童，到芳华年少，在林韵的回忆里，他一直都在暗慕着苏巧，但是自始至终，苏巧都一直不明白他的心思，她和他说笑，喝酒，谈心，她把他当世上最亲近的人来看待。至于亲情之外的东西，她好像并不明白。

"巧妹，一起出去走走吧，天气这么好。你不要总是那么操劳，累坏身子就不好了。"

可是苏巧总是说："算啦算啦，忙死老娘啦。"

"你总那么拼做什么？又不是穷到揭不开锅了。"

她摇着机杼上的纺线，低头笑道："穷怕了。穷怕了。"

她是穷怕了，没有灵根，没有钱帛，健康时尚能凑合过日，一旦有个病痛灾祸，像她这样的人，也就只剩下了束手待毙这一条路可走。

这世上不是没有救命的法子，在重华帝都的神农台坐医馆里，端端正正地摆着能愈百病的灵药，能延寿数的仙草，伴随着一个寻常百姓绝对出不起的价钱。

镇上的居民一茬茬地出生，又一茬茬地夭亡，贫瘠瘴疠地，能活到不惑之年的都该去祖坟前头烧炷高香。苏巧看在眼里，心中常感到莫名的焦灼，尤其当听到那些年幼的孩子在爹爹或娘亲去世时无助的哭声，她就愈发停不下手中的纺线，好像那根纤细的线是她唯一可以紧握住的救命稻草，为此她心甘情愿地去向阔少们低头，向小姐们赔笑。

"定些衣裳吧？我们家手艺很好的。"

她总是那么努力地招徕着生意，不知疲倦般伏在机杼前忙碌着。

她的鞋子绣得最漂亮，卖得也最俏，所以她常年都在重复这样一串动作：弯下身子，跪在客人面前，纤细的手小心翼翼地托着那一双双尊贵的脚，耐心地替他们丈量码度。

她比林韵不幸，比林韵早熟，比林韵坚强，可是她也比林韵焦心太多太多……日复一日，她变得越来越偏执，越来越焦虑。

这一段记忆最后的情形是苏巧为了什么在和林韵争吵——

"你什么时候才能懂点事！！"

"那你呢？你什么时候才能明白我……"少年的嘴唇嗫嚅着，向来温柔的眼眸泛着薄红，"我……"

"你什么你啊，整天就知道玩玩玩，怎么啦？现在连话都说不清楚啦？！"

林韵像被隔了夜的冷馒头噎住似的，红的忽然就不止眼睛了，还有脸庞。他满脸涨得通红，瞪着她，似乎很恼怒，又似乎很伤心，但他终究还是太软弱，那些恼怒和伤心最后都化作了喉头的一次吞咽。

"好。"他最后笨拙又难堪地说，"不好意思。是我不好，耽误了你。"

这样子的吵闹已经太多次了，每回争执中她怒不可遏的声音都在此刻交织于一处，像是巨石入水，所有轻盈美好的画面都被震碎，浮沫四散，黑暗浮上来。

待到顾茫眼前的景象再一次变得清晰时，苏巧的身影已经不在了。

林韵一个人出现在了重华帝都里。他背着破旧寒碜的布包，有些惊慌失措地看着往来的车水马龙，原地呆站了好一会儿，才瑟缩着往前走。

"店家，招人吗？"

"掌柜的，您店里还缺人手吗？"

他像个陀螺似的打转几圈，好不容易鼓起勇气迈进那些气派的帝都店铺里问一句，就被呵斥出来，这使得他原本就很紧张的舌头愈发磕磕巴巴。

顾茫注意到他站在第三家糕点铺子门口探头探脑的时候，脚都有些颤抖了，偏生店里的小厮没有眼力见儿，以为他是客人，冲他吆喝："卖花糕了啊，卖花糕，豆沙芝麻花生杏仁八宝，应有尽有，这位爷要点啥？"

林韵连连摆手："我不是爷……"

听他这样认真木讷的回答，有几个客人觉得好笑，选糕之余侧过脸来瞥他。

小厮倒还是笑眯眯的，转口问："哦，那么——公子买点啥？新蒸出来的花糕味道好极了，来一点吧？"

林韵更紧张了，他原本想说："我不是公子，不买花糕。"谁知一结巴，出口就成了，"我不是花糕，不买公子。"

说完之后自己也反应过来，脖子根立刻就涨红了。买糕的客人里有个穿着桃红色小袄、杏黄马面裙的姑娘，闻言扑哧笑出声，一双盈盈眉目饶有兴趣地望向他。

林韵慌张地看了这个姑娘一眼，似乎更加窘迫了。他几乎是在喃喃了："我就是来问问，贵店还需不需要什么帮手……"

小厮一听是来与自己抢饭碗的，霎时脸就黑了："去去去，'公子'和'糕'都分不清楚，还想跟老子抢活儿干呢，不买快走吧你。"

林韵耷拉着脑袋往外走了没多远，忽听得背后传来佩环的叮咚脆响，一个脆生生的女音将他唤住。

"哎，你等等。"

林韵回头，见是刚刚在里头笑出声的那个女子，低头老实巴交地道："姑娘好。"

姑娘笑道："你是刚来帝都，想寻个活儿做的吗？"

"嗯。"

"那你是打哪里来的？"

"莲生镇。"

"哎哟，真是个坏地方。"女子撇了撇嘴，"你想来这里赚钱？"

这回林韵却没有马上回答，他沉默了半晌，才颇为艰难且窘迫地说："我……"咬了咬嘴唇，几乎是在跟自己说话似的，硬着头皮道：

"我来帝都，想……想有点出息。"

他说完之后，耳朵几乎红得发亮，低着头等着女子讥嘲自己。

可是等了半天，没有听到任何刻薄贬损的言辞，他慢慢抬头，看到她有些好笑，又有些好奇地打量着自己。

"你这人心不心细？如果心细的话，刚好我家的铺子有分号要开，那家店归我管，我正缺个账簿伙计，我看你挺老实的，人也还挺有意思。”

姑娘眨眨眼。

“你来吗？”

看到这里，顾茫明白了，这个姑娘想必就是帝都大商户——白家的千金了，也就是林韵后来的结发妻子白柔霞。但这又一次出乎了顾茫的意料。

要知道白家虽然不是贵胄出身，但却很会做生意，他们给修士搜罗五湖四海的珍宝，而作为回报，修士们则以最低廉的售价将一些法器原料卖给他们，渐渐地，白家在重华的大小城镇开出了许多分铺，成了重华民间的一户大商。

在顾茫的印象里，白家是很冷血的，明明只要一百贝币的驱疫法器，他们偏生要卖上五百贝币，用得起的用，用不起的死，反正也没有别处给庶民供更好的法器。像岳家、姜药师府，那通常都只给贵胄提供东西。所以顾茫先前觉得白柔霞应该是那种吝啬鬼，他甚至有猜测过，林韵之所以高攀白家后就和亲生父母淡薄了关系，这或许都是因为白柔霞的过错。并且他还纳闷为什么白家千金会委身给这么一个穷小子，但眼前的这一切却让他多少有些明白了。

木讷的穷小子和好奇的富家女，大概彼此的生命里都有些吸引着对方的东西。

画面不停地在转动着，显出白柔霞和林韵从相识到相伴，从相伴到相知的那些日月。

白柔霞明快，善良，爱玩爱闹。她和苏巧很不一样，与她有关的光影一直都是暖金色的，伴着她无忧无虑的笑声。而在林韵的记忆里，那个倔强好强的绣娘却极少有歇息的时候，也很难得温柔。苏巧不是不心善，她常常在赚了绣银之后去街上买许多馕饼，挨家送给那些失孤的孩子——但是苏巧把生活的困苦看得太清醒了，又或许因为她一直就浸泡在这种困苦里，以至于她不得不清醒，以至于她根本无法歇息，以至于她的身影像是和机杼缝在了一起，以至于那双眼睛里永远燃着一团火，遥看过去，她的脸上似乎已深深刻进了一行字：老娘不服，老娘要出人头地。

同样是如花美眷，一个浑身是刺，一个茎蔓温柔。

林韵捧了那么久带刺的花，想盼它绽放，可是它一直蓓蕾紧闭芳华不现，他到底是捧不动了。

不知道是哪一年，尘埃落定，林韵和白柔霞终于结为了眷属。

大婚前的那天晚上，林韵在莲生镇老宅里笨拙又认真地清点着那些对于白家而言近乎可笑的伴礼。他和白柔霞的婚事自然不是一帆风顺的，白家父母已经西去，如今做主的是她的大哥，大哥对于妹妹执意要嫁给这样一个又穷又笨只有脸好看的小子非常厌弃，百般阻挠无果之后才愤然丢出了一个字：

“瞎。”

“你才瞎呢！他傻傻的多可爱！”白柔霞气哼哼地跟兄长犟嘴，“我成天看你们生意场上钩心斗角，看你讨好姜药师，讨好岳当家，烦都烦死了，我就喜欢老实单纯的。”

白家大哥冷冷地：“那你不如干脆嫁给猪，猪更加单纯。”

不过话虽这么说，他最终还是答应了妹妹和这个穷小子的婚事。不过他没忘了出言嘲讽自己的准妹夫：

“我一直很好奇，究竟是怎样坚硬的材质才能炼就了你的脸皮，居然让你有脸来娶我白家的人。你除了一张细皮嫩肉的小脸，还有什么拿得出手的东西？”

林韵竟真的以为这位白公子是在盘问自己的诚意，于是涨红着脸结巴地说：“大……大哥，我我我还有一颗真心……”

白大哥简直无语：“好，富有。”

林韵直到成婚前的这一晚都还是蒙的，不明白人家是在嫌弃自己穷酸呢。

他的爹娘高兴坏了，却又忧心忡忡：“之前彩礼他们就瞧不上，虽说是入赘，但总归是你娶人家，你补的这些随礼，会不会太少了……唉，咱们到现在都还觉得像做梦一样，那白家虽不是贵族，但在平民里，那可是顶天的大户啊……他们家的闺女怎么就看上你了呢？”

“娘……”

“韵儿，你说他们会不会把你宰来卖了啊？”

林韵正尴尬不已地想嘟哝什么，忽然楼上传来咯噔咯噔的脚步声。

顾茫随着这一家子人一块儿抬头，见苏巧从楼梯上走下来。或许是因为光线黯淡，或许是因为林韵心情复杂，并不敢太过铭记苏巧当时的面庞，所以顾茫并不能真切地瞧见她脸上是什么神情。

直到她走到他们面前，走出阴影里。

苏巧原来是带着笑的。她笑得和以往一样豪气，但却又似乎带着一些从前罕少见到的温柔。烛火将她的面颊映得红红的。当真是夭桃般的姿色。

“你看你！我之前是不是总说你懒洋洋不求好？丢人死啦，娶媳妇连份像样的随礼都送不出。”她笑骂着，把怀里的一只榉木盒子塞进他怀里。

“拿着去！让我给你脸上贴贴金，你这个笨木头……”

盒子打开，里头是金银丝线绣成的一件新妇华袍，袍上彩蝶翩跹浮光踊跃，缀着珍珠碎玉，料子是顶好顶好的蜀锦，摸在指尖像是流水般丝滑。

“怎么样？好不好看？”

林韵怔怔地看着她，半晌才道：“这个……很贵的……”

“是啊，我知道很贵啊，我攒了多少年的积蓄全败光了。”苏巧不客气地点点头，“给你拿去撑场面。”

林氏夫妇也恍过神来，喃喃地：“巧儿……”

“这怎么成呢，这一件衣裳，你白做了多少年的活儿啊……”

苏巧一副不耐烦的样子：“哎呀，好了好了，有什么关系。”她反手拍了一下林韵的胸膛，笑道，“我们小林子都要当白家的姑爷了，我还愁这点小钱吗？哎，你可得记得我的好，回头也要让白小姐记得我的好。”她越说越高兴，端的是神采飞扬的喜气，“发达了，发达了，以后背靠大树好乘凉了，哈哈哈！”

林韵默默看着她，又默默看着盒中的衣裳。这样的绣工，不知要多久才能一针一线地缝好。

他说：“巧妹……”

“客气话就别说了，见外。”苏巧一把捂住他的嘴，还顺带捶了林韵的头两下，“好兄弟，你再让我打一打，以后你当了白家的姑爷，我可再也欺负不了你啦。”

她的眼睛在灯火下亮晶晶的，好像有太过隆盛的碎光。

“真是的……从小欺负到大的，忽然有些不习惯，哈哈。”

她放开捂着林韵的手，林韵讷讷地说：“我还是随你打的。”

“……”

“你要不打了，我大概也不习惯。”

苏巧的笑容僵了一下，眼睛里的光影晃动得越来越厉害，林家夫妇对望一眼，托了个借口出去了。小小的绣坊内只剩下了从前的青梅竹马。

“这你看你说的。”苏巧勉强地笑了两声，“来来来，我教你啊，你听着，以后只有你媳妇儿可以打你，别的姑娘都不能打你，记住没有？”

林韵老实巴交地不明所以，但还是点了点头，过了一会儿又注视着她道：“巧妹，以后带着爹娘常来帝都玩。你想什么时候来看我们都行，你想在帝都待多久我们都陪你。”

他还是小时候那种木讷得近乎憨傻的语气，笨拙地邀请她。

只是句子中的“我”，已经变成了“我们”，而这个我们里，包含的人再不是苏巧，而是另一个姑娘。

“只要你高兴。”

苏巧听着，笑了笑，她低着头，背着手搓着手指尖，顾茫注意到她的指尖破了，大概是为了赶着绣那一套新妇衣裳。

林韵还在认真地保证：“只要你……”

苏巧沉默着，却在此时忽然心绪陡伏，蓦地打断他，她抬起脸，一双眼睛里闪动着异样的光，她的嗓音都有些颤抖了：“那，那要是我——”

然后，她看到他手里捧的新妇衣，眼里的那种光慢慢地就消失了。她再也没有勇气接着说下去。

林韵茫然道：“要是什么？”

苏巧沉默一会儿，最终摇了摇头：“没什么。”

她试图错开话头，于是笑道：“对了，话说回来，以后我上帝都白家的馆子买法器，能便宜不？”

“当然可以。”

“那太好了，莲生镇出了你这么个人物，咱们的苦日子算是结束了。”苏巧很开心，“以后应该就不会有因为染了邪气驱不散而病死的人啦……”

“嗯。”

“你爹娘我会照顾的，他俩就跟我亲生爹娘一样，你不用担心，没事就别常回来看了，多陪陪白小姐。”

“……”

“女孩子喜欢人陪的。”苏巧顿了一会儿，忽然说了这样一句话。

她说这句话的时候有些愣怔，但很快就回过神来，低头搓了搓手：“差不多就这样了，你再准备准备吧，早些歇息。我也先去忙了，明天我还要帮着抬贺礼的，你知道，我从小就力气大。”

林韵默默看着她，然后道：“巧妹，以后也会有人陪你的。”

苏巧愣了一下：“我？我算了吧，我这什么脾气啊，哈哈哈，不行的，我忙着呢。”

“我不逛集市，不会说笑，整天凶巴巴，还掉到钱眼里。”苏巧一边说一边往楼上走，“我……”

她的声音忽然哽住了，她顿了顿脚步，而后忽地加快，几乎是逃也似的奔上楼：“我忙着呢……我太忙了……”

我只有一双手，却要绣日月晨昏，江山万里。

但是你看啊，这是值得的，因为人与人生而不同，我有的太少了，我也只有这样竭尽全力地去争取，才能在你们需要的时候，说一句“我能给你”。

才能照顾好自己，照顾干爹干娘，才能有一点点闲钱，为嫁与你这傻小子的新妇，裁出令她开颜的华贵新衣。

（十五）

回忆残像开始浮现林韵与白柔霞成亲之后的事情。

“霞妹，莲生镇多邪气，许多人都容易得病，你看看我们能不能把驱邪法器便宜一些卖给镇民？”林韵谨慎地问已作新妇打扮的白柔霞，“如果你愿意的话，我就去找大哥谈谈……”

“你找他谈做什么呀？你找他谈，他才不会同意呢。”

“那……那……”

“这种小事我做主就可以啦，你尽管便宜些卖，行善积德，有什么不好的。”

林韵一下子睁大了眼睛:“那……那谢,谢谢你!”

白柔霞扑哧一声笑出来,抬手戳了戳她夫君的脸颊:“真是个小呆子。”

就在这时,光线又突然暗了下去,场景再度转黑,这一次亮起的时候,顾茫却发现眼前的人像和耳边的声音都忽然变得很模糊,像是浸在水里泡开的纸墨,要非常努力才能辨清楚他们对话的内容。

顾茫一凛,他知道,通常出现这种情况只意味着一件事——

这段记忆在林韵死的时候就被攫取过一次。而他已是第二个阅读者了。

那么,攫取这段记忆的人想必就是……

他心里有了个数,但没有立刻深思下去,因为眼前的氤氲回忆仍在断断续续地进行着。顾茫勉强辨认出是白家大哥在和林韵说话,白大哥的声音原本就很低沉,这时候就更是低缓得可怕。

“……真荒唐……”

模模糊糊的声音似是隔水传来。

“你算什么东西?也敢私自妄篡法器售价?”

“太不像话了。来人,给我打!”

一个女子的嗓音愤恨地响起,顾茫听出来叫喊的女人正是白柔霞:“你干什么?是我要他卖便宜些的,有错吗?咱们家赚那么多钱财,如今日子是好过了,但你忘了我们从前也是苦出身?我们也不是贵族,爹爹妈妈从前过的是什么苦日子你难道不记得了吗?!我愿意做点善事怎么了?你觉得亏了我赔你啊!”

她那团杏黄色的身影朝着林韵扑过去:“你们都造反啊,他是我丈夫,我不许你们打他!”

“掌柜……”家仆们面面相觑,犹豫地望向白大哥,“这……”

白大哥摆了一下手,不耐烦道:“打。”

“哥!!你的血是冷的吗?”

“大小姐……”

“不许打!大哥!你少赚一点黑心钱会怎么样?你为了讨好岳家,你就什么都跟着岳钧天学,什么都跟着岳钧天捧!你还有没有一点自己的良知!”

在她越来越愤怒的喊声中,她大哥的嗓音愈发冷漠地响起。

“白柔霞。你给我记清楚一点。这个家是我在做主,不是你。”

“……”

“你看不起我求着岳钧天,可是你又知道什么?在重华做什么都要有贵族依靠,篡改价格开罪了岳家,我们就得跟着完蛋!”

“所以,那些买不起法器的人命数尽了就该死!”她大哥冷冷道,“我开的是法宝堂,不是慈恩寺。你要和你这位贫贱丈夫救苦济世的话,滚出自立门户去。”

“你——！”

“你看我会不会不留你。”

一片撕扯和混乱之中，顾茫听到白柔霞的一声惊叫，紧接着眼前的情形就变得更加模糊，那些朱衣家丁拥簇成团，到了最后顾茫眼睛里只有大片大片猩红的血色。

过了很久之后，顾茫才隐约从那些喧哗与忙乱中听出端倪，原来是白柔霞为了反抗大哥，在争执中不慎被推搡踢打，而她竟不知道自己那时已有身孕，殷红不断地在回忆里涌上来，脚步声、咒骂声、呼痛声……

到最后，只剩下低低的啜泣。

人分三六九，三六九之中又再分三六九，虽然白家小姐在寻常庶民眼里已是富贵，但宅深院大，白家本就是平民出身，日子也并非如苏巧他们想的那样光鲜，每个人都身不由己。在为莲生镇做点事上，白柔霞真的已经尽力。

她躺在榻上，对兄长的气愤与恼恨，失去孩子的心疼与苦楚，万般思绪缠绕着她，让她病痛难愈，终日昏昏沉沉。

她不肯见大哥，身边只留了丈夫林韵一人照顾。

“姑爷，苏姑娘到府上来了，大掌柜正生气，谁也不见，遣她回去。但苏姑娘说什么也不肯走，所以让我来找您通融。”

林韵握着妻子的手，干枯的嘴唇翕动，怔怔地：“巧妹……她……有什么事吗？”

“她急着要两剂孤月续命草，但姜药师府不卖那种草药给庶民，她知道咱们府上有，所以就想给——”

可是林韵只听到孤月续命草五个字，连给谁治病都没听下去，就几乎是自嘲地哽咽着笑了，他未曾等家仆把话说完：“我和柔霞只拿了大哥一些最寻常不过的驱疫法器，大哥就已经苛责至此，孤月续命草是重华最珍贵的药材之一，我们府上的那几剂也是大哥花了好大力气才从姜药师处求来炼器的，眼下这个样子，我怎么敢给她？我怎么能给她？”

家仆犹豫着，几次想要开口，但是眼睛瞟到陷在床褥里昏沉不醒的白柔霞，最后都没有敢把话说全。

“你让巧妹回去吧。”林韵道，“我们不是不愿，而是实在……实在无能为力了……”

“……是。”家仆最终只得欠了欠身，退下掩上了房门。

顾茫看到这里，之前墨熄跟他说过的那些话仿佛又回到耳边——

“掌柜说她家里发生了变故，父母接连过世，他们觉得她应该是过度伤心才自尽的。他们家原本还有个儿子，不过很早之前那个儿子就成亲了，后来和他们的交集就变得很少，父母生病了也不知道回来看看……”

父母生病……孤月续命草……苏姑娘……

顾茫心知，此时应当正是林韵的父母染了疫病，性命危急的时刻。这时候苏巧在外头求见，一定是来替她的养父养母求草药的——这样的话许多事情就能说得通了——或许正是因为苏巧被拒之后心中怨怼，以为林韵攀枝忘本，后来林家父母相继辞世，苏巧无法承受，恨意使她扭曲，所以她设计哄诱刚刚承受了丧子之痛的林韵夫妇来镇上求子，而后将夫妇俩戕害报复。

不过这样一来，疑问也有很多，比如林韵夫妇并非真的无情，他们之后总得得知林家父母的死讯，可为什么他们对此毫无反应，甚至还能有心情来求孩子？

比如白柔霞流产是他们新婚不久后的事情，苏巧也正是那个时候来求的孤月续命草，没有求到草药的话照理那对老人早该去世了，但按客栈掌柜的说法，林韵父母居然是最近才死亡的。这又是怎么回事？

再比如苏巧根本就是个毫无灵根的普通绣女，如果凶手真的是她，她又是怎么布下这一切玄机的呢？

还有很多疑问都还对不上号，顾茫知道一定还有某些关键，只要解开，就……

然而就在此时，他所身处的回忆忽然剧烈地抖动了一下。

顾茫一怔，抬头四望，脸色微变。这是——

紧接着，他周围的色块开始崩塌毁灭，有一曲凄寒幽怨的羌笛之声忽从外面钻进来，顷刻将所有回忆打得粉碎。顾茫像陡然坠入一场暴雨过后的海面，色彩和温暖都不见了，那些萦绕在深处的记忆像是这片海域里的鳞片，它们闪着光沉没。

不好！外面有人来犯！！

“啊！就是这个笛声！那个把我刨出来埋到桃树下的人！好几次念完咒都会在桃树下吹这个笛曲！哎呀呀呀我不能听啊！我一听就会想起自己被冤枉害死的事情，我一听就好气啊！我要杀人啦！我要杀人啦！”

乱坟坡上，小木人嗷嗷惊叫着原地打转，口中不住嚷着：“我要杀人啦！”

“你杀不了人。”墨熄看都不看它一眼，事实上这时候小木人已经开始不受控制地爆发出戾气——它口中呕出大朵大朵黑色的烟云。

“我——呕——！这是——呕——怎么回事？”

“封灵木，你有再深的怨气，道行不够，都只能从木头里吐黑烟。”墨熄一边答着它的话，一边把乾坤囊里最后一张雷霆防护抽出来，他咬着手上纱布的尾梢，把绷带松开，他的伤口没有那么快愈合，但是墨熄浑不在乎，他面色沉凝，蓦地把纱布一扯。

“雷霆结界，开！”

符纸倏地在两指间点燃了，光壁降到顾茫身周。

“上来。”做完这一切，他把手伸给小木人。

小木人还在剧烈地呕黑气：“干——呕——什么？”

“他不能被其他声音惊扰。”墨熄瞥了已经眉头微蹙的顾茫一眼，“雷霆符也防护不了太久，我得想办法。”

“那你把我带着干什么呀？！”

“你以为我会让你和他单独待着吗？”

“……”

这个羌笛声明显是对方觉察到了他们的动静，躲在暗处吹奏出来的。笛声附着扰乱人心的法力，幽幽散了满岗。

小木人坐在墨熄肩头，初时还只是呕着黑气，没过多久，它就开始浑身发抖，木头上蹿出一星两点的火焰：“不，不行……这个羌笛……这个羌笛声……会……它会……”

它会勾起人们心底最憎恶的回忆。

这不是普通的器乐兵刃，它奏出的音不是单纯的攻击或者疗愈，这是一曲魔笛。它明明只有一个声音，却好像从四面八方袭来，令人辨不清吹笛人究竟身在何处。

“我受不了啦！”小木人号啕大哭，虽然木头脸上流不出什么泪来，它声嘶力竭地，显然已堕入了临死前的恨怨中，“为什么要杀我！为什么要拿我顶罪！你们夫妻俩吵架关我什么事啊！别碰我！我好恨……我好恨……”

墨熄的定力很好，倒是能一直隐忍承受，但是随着那羌笛之声渐趋凄然，他的眼前也开始浮现出一幕幕令人五内焚燃的往事——

父亲的战死，墨闲庭的夺权，虚掩的卧房门口，墨闲庭狰狞的嘴脸。

他蓦地半跪在地，伤痕累累的手掌撑在枯枝碎叶间，结出清心咒印，暂压下胸中炽盛的怨恨。

“这不是重华的法咒……”他缓然抬眼，“是燎国的夺魂术。”

作为四代将帅之后，墨熄对敌国的这种暗黑修行简直有刻入骨髓里的厌恶，他咬牙道：“莲生镇怎会有燎国的魔修？！”

“我不知道，我不知道！我要撕碎你们！我要毁去你们这些伪君子的嘴脸！”小木人的嗓音越来越尖锐高亢，“我要你们死……老子不甘！老子不甘！”

天地坟岗都在旋转，墨熄几次尝试想要召出化蛇鞭，指尖却都只能蹿出一缕金红色烟灰，而后他腕上的试炼环就把他的灵流遏限了，还伴随着潜灵长老存封在试炼环里淡薄的声音：

武器试炼，禁止召唤任何家族高阶武器。

“……”墨熄低低咒骂，燎国的魔修都潜进重华的村镇来了，结果留给他使用的兵刃居然只有一些普通铁器，还有几张初阶灵符！

羌笛声如泣如诉，尽散山头，怨泣之意渐趋浓深，几乎成了一串无形的锁链，勒住了墨熄的脖颈，透入了他的五脏六腑。

一时间，他仿佛听到草木唧唧声中有某种熟稔的悲怆战歌吟唱，从荒冢枯坟之间蜿蜒而来——

岁暮阴阳催短景，天涯霜雪霁寒宵。

五更鼓角声悲壮，三峡星河影动摇……

视线越来越模糊。墨熄恍惚间看到一个瘦长的人影在笛声中走过来。银甲闪烁，容姿庄肃。

“熄儿……”

“爹……？”

迷雾里，男人的脸迷蒙不定，他慢慢靠近，向墨熄递出掌心，身后翻绕着滚滚的墨黑烟云：“好孩子，好孩子，跟我一起往前去吧。”

羌笛声萦绕在他们周围，那么清晰，好像吹笛人就坐在他们身畔一样。

墨熄闭了闭眼睛，不。他的父亲早就战死了，这个是假的，是魔笛生出的幻象。他没有往前，他往后退，尽管每一步都消耗着极大的心力，每一步都在真实与混沌中浮沉……

雾中男人的脸开始变得狰狞，眼睛变得狭长，却还维系着最后一丝虚伪：“熄儿，你为什么不过来？”

“……”

“你为什么——”笛声陡转急促，男人的面目倏尔扭曲，化作厉鬼，猛然扑向墨熄，嗓音尖利犹如冰锥入耳，“不再听话？！”

黑暗一下子将墨熄裹挟，冰冷的气息海水般浸透了他。

“熄儿，你不恨吗？”

“他们那样对待你，你不想报复吗？！”

“墨闲庭他折辱你的母亲，他欺凌你……”声声如梦似魇，“他欺凌你……报复他……恨他……我来教你……”

“滴呖——”

醒梦之间，忽然有一个极其凄厉、极其响亮的声乐响起，仿佛一团闪着刺目光华的火球轰然击碎了这片黑暗！

雾气和幻影像奔马般后撤，顷刻化散不见了。

“滴呖——滴呖呖——”

那个打破了魔咒的乐曲还在高昂地继续吹奏着，墨熄喘息着，从地上起来，就连小木人也渐渐地停止了抽泣与咒骂，精神恍惚地坐在墨熄肩头发着呆，神志一点一点地回来。

“这是……”墨熄听了片刻，神情有些微妙，“唢呐……”

没错。这正是唢呐吹出的曲调。羌笛那悲悲切切的笛声在唢呐出来的第一瞬就被压垮，唢呐的曲声像是欺男霸女的流氓，在乱坟坡上横冲直撞，瞬间盖住了所有的杂音。

那吹笛子的人初时还挣扎着想再努把力，可却无济于事，才接着吹了两下音，就被唢呐碾碎在腔管里，后续的调子更是被唢呐带着跑到了爪哇国去。

明明是戚怨的战歌，唢呐一吹，曲子硬被掐着脖子拐成了乱七八糟的粗鄙小调。

“卧龙跃马终黄土，人事音书漫寂寥——”

“小妹你回头望，哥哥我情谊长！”

墨熄：“……”

如果不是情况不允许，其实还真的挺好笑的。

他听到身后传来枯叶破碎的声音，于是回头，看到斜阳晚照下，不知什么时候已经自己清醒的顾茫走了出来。

顾茫手中擎着一把色泽古拙的长管唢呐，末梢系着的白绸随风猎猎飘拂着。

他那张年轻的脸庞上带着鄙薄与不屑，一手叉着腰，一脚踩在某个倒霉鬼的坟碑上，在枯藤老树的荒凉坟地，将一声声唢呐吹响。

“与你进那青纱帐啊呀——”

穿云透日。

墨熄看着顾茫，而顾茫也注意到了师弟的目光。

顾师兄眨了眨漂亮的眼睛，夕阳照着他的灿然面容，将他的轮廓镶上一层慵懒的熟金色。

“莫负有情郎——”

（十六）

“你没事？”

完全驱散魔音后，墨熄这样问他。

顾茫笑着喘了口气，噙过管口的嘴唇潮湿红润，这样的色泽不由得令墨熄停了片刻目光，而后像是想到什么，蓦地移开了。

“能有什么事。”顾茫道，“这点伎俩还在我面前炫技。”他擦了一下嘴，结实紧绷的胸膛起伏着，“她要再撑着吹一会儿，血都让她吐出来。”

墨熄看着他垂在手里的唢呐，素白的薄纱飘飞着。顾茫见他在看这个，便说道：“我的神武。”

“我看过你的对战。”墨熄补了一句，“在校场。”

“哦。”顾茫想起来了，笑道，“那个不能算对战，那是替我哥们解围。”

“你那时候用的是一柄刀。”

“那个是在武器铺买来的，并不是学宫给我求的神武。”顾茫说着，苦笑着扬了一下手中的唢呐，“我的武器其实是这个。不过我不常用，因为我每次吹，学宫里的其他乐修就会说他们没法儿练习了，都跟我生气，所以我……”

他顿了顿，叹了口气：“我一般都自己去后山练，没事的时候也不怎么用它。”

墨熄点了下头，心道其他乐修的抱怨也不无道理，看看方才那个吹羌笛的倒霉鬼就知道了。

看着顾茫把唢呐挥散，化作点点灵光收回掌中，墨熄道：“吹笛子的那个是燎国修士，我们得上报军政署。”

“哎呀，不用不用。”顾茫拍了拍他的肩，“你还太年轻，听了魔笛曲，就会觉得是燎国人。不是的。”

顾茫说着，目光沉了下来：“燎国的修士吹起来不会只有这种威力。如果是他们动手，还没有磨炼过的初阶修士不过眨眼就会丧失理智。”

“当然啦。”他飞快地补了一句，“你可能会是个例外。”他说着，瞥了墨熄为了结印而扯开纱布的手一眼。

“那吹笛人是谁？”

“是绣娘苏巧。”顾茫叹了口气，“我最后在林韵的回忆里看到一些东西，我觉得不管苏巧此刻打算做什么，我们都应该回林家绣坊一趟。白小姐的尸身，还有苏巧为什么会燎国魔咒的秘密，应该都藏匿在那里。”顾茫说，“事不宜迟，我们边走边说。”

他们很快抵达了林家绣坊，顾茫先在绣坊周围布下几层透明结界，将它和周围的人家隔绝开来。而后手扶在门上探了探里头的气息——

“没有鬼魅藏匿。”顾茫说着，更加仔细地感知了一会儿，阖着眸道，“但是这间屋子的灵流确实很蹊跷，像是有某种我们不熟悉的力量在涌动。”

墨熄道：“燎国黑魔诀。”

“应当就是了。”顾茫点了点头，睁开眼，“屋内恐有诡谲，我们分开两路，别在一起。你从正门进，我从后院翻墙偷偷溜进去。进去之后小心点。”

他们于是分开行动，顾茫猫着腰游上了屋脊，很快消失在檐角后头。墨熄“吱呀”一声推开了门，屋内还是和之前避雨时一样，锦绣成堆，幕帘低垂，只是那个招呼他们换衣裳的女主人不在了，绣坊内寂得可怕。

墨熄在烟雾般的绸罗里慢慢走着，袖中扣着暗器机括。走了一圈下来，一层并没有藏着任何东西，但是墨熄总觉得有哪里不太对劲。

有某些东西，似乎和他们第一次来时不一样了。

他一时想不起来，于是决定先上二层查看。木梯在他脚下发出极轻微的细响，二楼的光线非常昏暗，但墨熄一上楼就觉察到了这一层的异状——气味。

有一股刺鼻的血腥气从门缝后飘出来。伴随着这股腥气，还有“滴答，滴答”的水滴声。

墨熄细长冷白的手指按在门上，门没合紧，他略一用力，房门就幽幽开了。墨熄一眼就看到了屋内地板上用鲜血画就的星芒符，一只通体黝黑的狼狗横卧在阵中央，腹部被剖开，心肝脾胃肺被挖出来，分别放在符阵的五角，那滴滴答答的声音正是黑狗血往下渗的动静。这只狗看起来才刚刚被杀死没多久，而在房间的角落里还堆着几十只枯干的狗尸，丢在最上面的那一只腿上还有伤……

是雨夜顾茫追回来的那只黑猎犬？！

墨熄忍着恶心，俯身仔细查看地上的血符，符咒上的文字扭绕繁复，正是燎国的古语，他能识得一些，但却不能立刻解开其中藏匿的意思。

不过有一点可以确认，看来那天他和顾茫夜雨撞到苏巧，苏巧是正在拿那条猎犬施邪法，但却不慎被黑狗咬伤了腿逃脱了，所以她才会冒雨一瘸一拐地追出来。

墨熄又接着查看了其他房间，并没有发现更多的异状。于是他下了楼，打算去后院与顾茫汇合。

然而就在他经过自己那天和顾茫歇坐的地方时，他无意瞥到屋子的某一处，起初并没注意，可片刻之后，他像猛地想起什么，脚步瞬间停下。

顾茫当时说过的话在他脑中闪回——

“这苏姑娘也当真是厉害，绣的山水飞禽栩栩如生也就罢了，就连仕女人物也做得那么漂亮。瞧那罗纱上的剪影，是不是真像一个身材窈窕的姑娘？”

他知道是哪里不对了！！那天夜里他们坐在这里烤火，一起赏过一幅明黄色的罗纱，纱面上绣着一个仕女的侧影，和真人一般大小。

那时候顾茫还笑着说：

“虽然这个仕女，没旁边的仙鹤绣得那般细致，不过却很有意思。就不知道这样大的一幅绣品能拿来做什么。”

可这幅绣品现在不见了。

不，不应该说绣品不见了。那幅明黄薄纱还好端端地挂在梁上，但那个与人同高的“仕女”却已不翼而飞。

这是因为……当晚他们看到的，其实根本不是什么仕女绣像——当时在黄纱后面，站着一个真人！

墨熄脸色骤变，倏然起身快步朝外走去：“顾茫！”

此时此刻，后院。

顾茫在堆摆了满院的染缸之间来回走动查看，小木人坐在他肩头嚷道："啊，对，没错，就是这个味道，把我移到老桃树下，还在我坟头念咒的人身上就是这个味道！"

苏巧身上会带着染料味实在太正常不过了，这十来坛染缸的气息极其呛人，绣娘成年累月地在其间劳作，会沁进她的肌骨里也没什么好奇怪的。不过顾茫在这里徘徊并不是为了研究这些气味，他不停地在院子里翻查，明显是在寻找什么。

"你在找什么东西？"

"找人。"

"找你说的那个苏姑娘？"

"不，另一个人。"

顾茫说完哗地掀开了院角的一堆布料，见下面只有些枯枝败叶，又转身去掀别的遮蔽物了。这后院堆放的杂物太多，有的已经年久锈蚀，他一翻动就铜锈直落，尘灰四起。但顾茫不嫌脏似的，非但不在意，反而还越翻越起劲。

他刚才在林韵的记忆里看到了最后一段，也是最关键的一段——

在林韵临死前，曾收到过一封信函，信中苏巧并没有提及林家父母病逝的事情，反而言辞和柔，告诉林韵他的爹娘一切都好，就是十分挂念他，也挂心白小姐这些年来一直没有身孕。爹娘年纪大了，急着想抱上孙子，希望他们能回镇上一叙。

"土地庙后头的那棵大树，你小时候常去打桃子的那棵，大概是几千年修成树仙啦，求子求福都灵验得很。带着嫂子回来瞧瞧吧。"

这是信上写的原话。

接到这封信时，苏巧已与林韵夫妇很久不曾联系了，林韵知道苏巧是在恼恨自己当初把她拒之府外，事后他也写信解释过，可不知是白府的下人根本没给他送出去，还是苏巧消不了气，总归那天之后两人就再也没见过面。

林韵原本也想回家看看，可惜白柔霞这人命胎本薄，小产之后身体一直养不太好，心情又差，湖边走走都容易生病，更别说出远门了，一来二去的，也就耽搁了下来。

这一天忽然收到了苏巧的信，语气平和，显然巧妹已经不再生气，林韵自是高兴，便去妻子榻边与她说了此事。

白柔霞那时候正坐在窗边看总账本，总账涉及的秘密很多，白家大哥一般都只让自家妹妹去经手。小时候白柔霞翻着账簿也不理解其中内容，反正就按大哥说的来，但随着她年龄越来越大，有了自己的想法，她看着这些账目的时候就愈发厌恶。

一册簿子上，随处可以见的是诸如此类的标注：

"风疫邪祟增多，驱邪铃供不应求，黄天铜、归魂草提价。"

"岳府近日需要大量雪嫣木观赏，此为'平安镇守柱'主料，岳府不可得罪，立将平安镇守柱提价，高价谢客。”

白柔霞原本心肠就好，胎儿堕后，她看到这满纸冷酷之言，就愈发良心难安。她这么多年来一直缠绵病榻，其实有很大一部分缘由是心结未开。

“白家做了许多错事，明明与庶民一脉同生，却依仗着他人之痛漫天要价。我小产久病，这恐怕是遭了老天爷报应。”

林韵拿着苏巧的信找到她，把信给她看了，她看过之后，叹息道：“巧妹不怪我们就太好了，那咱们就回莲生镇看看爹娘吧，你都多少年没回去了。去收拾收拾行李，别的不用带，多去库房里拿些姜药师给的草药，镇上的善仁堂用得到。”

“可是你大哥他决计不肯……”

“就跟他说咱们是为了去莲生镇求子，做些善事结缘的。”白柔霞合上账簿，“另外拿了多少珍宝法器，全都按市价记上，都由我们清付。这样一来，他就算不高兴，也不会再多说什么了。”

林韵应了，又讷讷谢了白柔霞。

小轩窗前，披着鹅黄褙子，梳着少妇髻的白柔霞面色沉凝，只有在她微笑的时候，还能看出当年那个无忧无虑的千金小姐的残影。

“你谢我做什么？你看我戴的珠翠，穿的绫罗，哪一样不是白家从别人身上盘剥来的。”她轻轻叹了口气，“我身轻言微，也没什么本事，动摇不了兄长的心肠。但我不安啊……林大哥，我很煎熬。”

林韵笨拙地不知该怎么宽慰她，只得道：“没事的，你……你是个好人，咱们去庙里拜过，还会有孩子的。”

白柔霞笑着摇头：“我不是在说这个，何况这个也不能强求，比起求子，其实我更想和巧妹说说话。你这个人粗枝大叶，你不懂她这些年有多辛苦。”

“我懂的……”

“你只懂了那么一点点而已。”白柔霞伸出白皙的手比了一个指甲缝那么多的距离，“我与她同为女流，她出身寒门，却做了比我多得多的善事。她那小小的身子里，装了我大哥那种人从来都不曾拥有过的志向，只是那志向太宏大了，她怕人讥笑，所以从来不说而已。”

“巧妹有志向？是什么？”

白柔霞摇了摇头，并没有回答，只是道：“我见过她的次数不多，却瞧得出她这人志向大，心事重，也很骄傲。她每次朝我开口讨东西，其实我都看得出她很赧然，尽管她总是一副无所谓的模样，可她连看都不敢看我。她怕我生气，怕我嫌她事情多，怕我们赶她走。”

林韵喃喃：“原来是这样吗……”

“嗯。后来你是真的赶她走了，等同于将她心里的恐惧坐实，她并不了解我是个怎样的人，只当是你来了白家之后，被我带着心肠越来越硬，最后将她与爹娘弃如敝屣。所以她才怨了你我这么多年。”

“可……可我给她写信解释过……”

白柔霞苦笑道：“你啊，你还亏是和她从小一块儿长大的。你不知道她心气很高吗？你觉得在没消气之前，她会愿意看你写的信，会愿意见你吗？”

“……”

“如今总算盼来她的信啦。你就跟她说，多谢她的求子方，我们很快就定下日子，会去莲生镇看望她和爹爹妈妈。”

事情定了，于是他们揣着装了七八袋乾坤锦囊的灵药，挑了天好日子，回到了莲生镇。

苏巧就当什么事都没有发生，笑嘻嘻地接待了他们。那天晚上，这对夫妻走入了一个精心筹备了好几年的陷阱。苏巧准备了一桌好酒好菜，欺骗他们说爹娘去城里买肉了，哄着两人各饮下一杯毒酒……

林韵的记忆就中断在这里，他最后记得的是腹中的剧痛，白柔霞伏倒于桌，还有烛光下苏巧模糊不清的脸。

温柔、憎恨、痛苦、快意，都在那一刻翻涌于那张清丽的脸上。

“小林子、嫂子，你们怎么了？”她试探着问，声音诡谲又寒凉，还微微有些抖，“你们听得到我说话吗？”

林韵直到死，还没有完全反应过来发生了什么。

最后这一段记忆里，他有迷惑，有茫然，有恐惧，有不解，但唯独没有对苏巧的怀疑。他甚至还想傻傻地提醒她：没什么，只是这酒好像坏了，喝下去难受得紧，巧妹，你可千万别喝，你和爹爹妈妈不要那么省啊，坏了的酒怎么还放着呢……

可这番话化作了哽在喉间鲜血淋漓的一声咕哝。

一切都结束了。

“找到了！”翻了多处未果，用了好几种测灵的法器后，顾茫忽然大叫一声——他手中的黑魔罗盘此时正疯狂转动着，一道红光射向院内的其中一只染缸上。顾茫连忙跑过去，探头往染缸里看。

这缸染剂呈现某种油状的浑浊，颜色诡异，里头的内容更是难以辨清。顾茫盯着看了好一会儿，只能瞧见自己灰头土脸的倒影。他正准备去找根杆子往里面捞一捞，然而就在此时，他忽然感到一只冰冰凉的手搭在了自己肩头。

“……”

顾茫站住没动，过了一会儿，他看到在自己的倒影里身后，慢慢地多出了一张女人的脸，惨白地从他背后探出来，跟他一同望着缸内。

他们的目光在倒影中对上了。

白柔霞！！

顾茫肺腑冰冷，一瞬间就认出了这张在林韵记忆中出现过的脸！他蓦地回身，召出薄弯刀，唰地朝这个看上去不死不活的白柔霞砍去，可那女人的速度却比他料想的还要快，她忽地朝他张开嘴，口腔中喷出大量黑气，顾茫忙下腰去避，刀仍持护在胸前，照理而言这个防守并不会出错，除非白柔霞能够从他身后再变出个手来——

等等，背后！

顾茫一凛，几乎是立刻意识到了什么，但就这灵光一瞬的反应也来不及了，他听到背后染缸里"哗"的一声有什么东西蹿出来，冰滑如蛇般拽住他的脖子，把他勒着栽入了染缸里，刹那间水花四溅！

顾茫呛咳间，看到染缸前神情冰冷的白柔霞，再一侧头，更是骇然——他看到身后拽着自己共赴染缸泡鸳鸯浴的那个怪物——她居然也长着一张和白柔霞一模一样的脸！！

（十七）

顾茫被死勒着脖子，整个人已全然浸入了染料中，那女尸的力道大得骇人，他根本无法呼吸，也无法睁眼，好不容易挣扎着站起来，刚想结阵施咒，却又被女尸拦腰抱住，砰地再次跌入缸中！

女尸过于热情，顾茫滑倒的速度太快了，这一次他甚至来不及合上眼睛，染料水立时浸了他一整眼，顾茫大惊之下，却不觉得刺痛，反而感到刚刚身上的擦伤都在迅速愈合。

这是怎么回事？！

顾茫脑中飞快地闪过那些线索。

两张脸，毒酒，燎国黑魔，贴在瓦罐上的符咒。

乱坟坡，大雨中追着黑狗跑出的苏巧，带着一堆药物来看望苏巧的林氏夫妇，未及送得出手的草药……

这两个女人分别是……

"顾茫！"

混乱间他听到墨熄的声音，顾茫忙用尽全力给了那女尸反手一刀，然后挣扎着冒出水面，吼道："师弟！砸了这口缸！快——唔！"

女人浑不怕疼似的，一声长嘶之后再次跳起来掐住他的脖颈，又力大无比地拽着他沉入缸水中。墨熄指捻引火符，两指一用力，符纸霎时熊熊燃烧！他二话不说径直将它甩向站在缸外的白柔霞，喝道："爆！"白柔霞被震得往后跌退十数步，这时第二张符纸已然贴在了染缸外，墨熄将这张符也引爆了，轰的一声缸体四裂，水哗地流散一地！

奇的是勒着顾茫的那具女尸，她几乎是在水流散尽的瞬间就失去了力气，一下子瘫倒在地，不会说话也不会动了。

顾茫喘息着从地上站起来，撩开湿漉漉的黑发，他脖子上有五道指痕，被勒得暂且发不出声音，只得舔了下嘴唇，朝墨熄比了个拇指。

墨熄走到他身边，掣出乾坤囊里的凡铁剑，正欲绝去地上那具女尸的后患。却见得疾风突起，另一个白柔霞已不顾自己受伤，飞掠而至，尖声喝道："不许动她！！"

墨熄的剑尖点在女尸咽喉，寒光熠熠却未立刻下刺。

白柔霞面目扭曲，愤然道："滚！都给我滚！恩将仇报的东西！老娘瞎了眼那天晚上才会好意留你们过夜！早知道老娘就该一人一刀宰了你们！孽畜！孽畜！！"

墨熄盯着她的脸："你是苏姑娘？"

"哈哈哈哈哈！"她突然仰天长笑起来，笑完了又猝然狠戾道，"是不是跟你有什么关系！放下你的剑！带着你同伴给老娘赶紧滚！不然老娘有万千种办法，足够你们死无葬——"

"你没办法了。"

"地……"苏巧瞪着充血的眼，慢慢扭头，看着刚刚说话的顾茫。

顾茫揉着自己的咽喉口，嗓音仍然很沙哑："你学的根本就是三脚猫的燎国黑魔诀。你在山上想要杀我们，没有杀成后就跟过来，又想在这里杀我们。两次都没成功，你现在却反而要放我们走。"

"……"

"你是真想放我们走还是已经黔驴技穷没了本事？"

苏巧眼中陡现一股怒恨，但怒恨过后，又是一阵茫然涌上，她喘着粗气，没有吭声。

顾茫忽然问了句："苏姑娘，你后悔吗？"

如此前言不搭后语的一句，却扎得苏巧整个人浑身一抖，她似乎非常激动，脸颊和嘴唇都在哆嗦着，目光里又是凶煞又是懊恼，眼睛满充着血红。

"后悔……"她夜枭般怪笑起来，"哈哈哈哈——后悔？你在说什么疯话！我后悔什么？！"

"你杀错了人。"

"没杀错！！"她像被刺痛般，猛地吼断他，满面狰狞，"我杀错了什么？！他们就该死！！一对贱人！贼夫妻！！"

荒败的院落里，她张牙舞爪着，不知是不是她过于激动的情绪影响了她的法术，她的脸这会儿已经不那么像白柔霞了，而是在逐渐扭曲模糊，变成一副介于白柔霞和她自己本来面目之间的样子。

“他娶了她，却孬得像个孙子！我每次去白府讨药，都要受尽下人白眼！他吭过哪怕一声吗？阿爹阿娘病得要死的时候，我跪在他们府邸前磕头，我就为了见他一面，我磕了四千九百个头！磕到最后整额都在淌血，肉都磕烂了，他呢？他连一句话都不肯听我多说！——他爹娘，我们的爹娘就要病死了！！他连听都听不见！”

苏巧说到恨极处，抓扯着自己的乱发，眼中射出精光。

“你说！我为什么不杀他？！因为他有他的难处？因为他不知情？因为他寄人篱下，他身轻言微——哈，省省吧！”

苏巧蓦地啐出来。

“他自幼就是个孱孙！废物！”

小木人之前吓得蹿到了乾坤囊里，这时候又从乾坤囊里探出头来，喃喃道：“……我还以为给我移尸的是个什么厉害人物，原来是个女疯子……”

“你才疯了！”苏巧怒道，“我什么都没有做错！”她倏地扭头看着顾茫，“是啊！你瞧过他的记忆了，但你瞧过我的记忆吗？！”

“整个莲生镇都被瘴雾笼罩，镇上的人穷得厉害，许多连背井离乡都做不到，所有的人都活不长久，包括他的爹娘！我原以为他和白家小姐成了亲，一切都会好起来，但他呢？他信里说他有苦处，他身不由己——谁没有苦处，谁逍遥自在啊！”大概这些话积压在她心底太久了，苏巧歇斯底里起来，“这就是他爹娘眼看要死了，而他袖手不管的理由吗？！”

“就是因为他的懦弱，爹娘在病痛中死去，临走连他最后一面都没见到！我能有多恨？”

顾茫看着她，这时候已近黄昏，如血残阳浇在石墙颓砖上，也照得苏巧的瞳孔一片疯狂的猩红色。

顾茫道：“所以你就隐瞒了你养父母死亡的消息，反正他们之前病重，乡人怕染上痼疾，也不敢来探视。从那天起，你就开始四处搜寻可报复之法，对不对？”

“……是又怎样！”苏巧狠狠地，“本来我是决计没有本事报复他们的。可连老天爷都看不下去他的背信负义，让我寻到了燎国的黑魔诀……”

墨熄皱眉道：“黑魔诀怎会出现在重华境内？”

“应当是残本，而且也不是什么了不起的法术。”顾茫道，“这种书黑市上偶尔会有的卖，不过通常也就是修真宫买来看着玩的，没人敢真的照着修炼，燎国的法术都很邪门，谁知道练了之后会有什么后果，那些法术就算送我，我都不愿意碰。”

苏巧却在此时哼了一声：“是啊……”她眯着眼道，“是残本，也确实代价惨重。”

她咧开嘴角，绽开一个鬼气森森的笑：“但不管怎么样。重华所谓的那些正经法术都一定要有修为蕴藏的人才能驾驭，燎国的却不用，甭管是乞儿还是歌女，只要愿意付出代价，人人都能成为修士——哈哈哈哈——又有什么不好！”

墨熄道：“……你真是疯了。”

“疯？不，不，我清醒得很！那残本上写着各种各样的法术，我照着布法传出求子的消息——白家的人自私自利，只有拿他们最渴望的好处来诱，他们才会愿意回到这个穷僻的小镇子来。”

小木人一听到这里，气得“哇”一声叫出来：“你原来是在利用我？”

苏巧冷冷的：“不然呢？”

“……你为了让他们相信莲生镇求子一事，移尸作法，不断造势，害死了那么多夫妇。”顾茫闭了闭眼睛，“苏姑娘，你这又是何苦。”

“我乐意！”她厉声道，“何况我雨夜见你的时候就和你们说过——能去那庙宇里的全是富太老爷，死了就死了，平时我们受的苦楚还不够多吗？！”

小木人一听这话，觉得对他胃口，刚想抬手拍巴掌，看到顾茫的脸色，手又颤巍巍地放下来了。

顾茫直视着她，说道：“你当时设下这个局，只因你相信用别的理由请他们夫妇俩，他们也不会回莲生镇。可你在林韵被你鸩杀后，读过了他的记忆。”

苏巧目光一颤，并未否认。

“你现在应该早已知道，其实他们一直在等的只是你的一封信。只要你不生气了，你请他们，他们都会回来。”顾茫说，“还有白柔霞，她甚至比林韵还明白你。白家这些年的所作所为，她也说她问心有愧。”

“谎话！！”苏巧忽然爆破似的嘶吼道，她苍白的脸都在刹那间涨红了，眼球也暴突着，“她撒谎！她假仁假义！她装模作样！他们……他们……”

她忽然说不下去了，一双充血的眼睛盈满了泪水。

顾茫慢慢道：“他们对你满怀内疚与信任，带了那么多驱魔的法宝和灵药，还没有来得及给你，就死在了你的毒酒下。”

苏巧听到这句话，身体滑稽地抽搐了一下，但脸上并没有太多意外的神色。很显然，在林氏夫妇死亡之后，苏巧曾经翻过了他们的行囊，并且发现了那些未及拿出手的乾坤囊……

“谎话！！谎话！那是假的记忆，那是他想蒙蔽我！”

“记忆不会说谎。”

“你怎么知道不会？！”苏巧声嘶力竭地朝他吼起来，泪水却簌簌滚落，她似是极度痛苦，又似是极度癫狂，“我没有杀错人！我没有恨错人！我这些年步步为营，殚精竭虑，我做的都是对的！”

小木人瑟瑟发抖地缩回了乾坤囊里。

顾茫叹了口气，显然知道自己叫不醒一个装睡的人，他看着夕阳下那个女人崩溃的模样，眼神很复杂。

苏巧跌跌撞撞地冲过去，揪起地上那具软绵绵的尸体："我没有做错……是她不配拥有那么多东西。我已经做到这步了，我没有退路了，我要取代她……我要取代她……你们谁也不能拦着我……"

在她的手抓住白柔霞尸身的那一刻，她身上的皮肉忽然开始起伏扭曲，就好像沸腾的熔浆一样，她的脸又开始变得像白柔霞。

可这个过程显然十分痛苦，她仰头惨叫着，过了一会儿，呼吸越来越急促，口中不住喃喃："黑狗血……黑狗血……我要喝黑狗血……"

她的状况实在是太惨了，虽然脸开始变得和白柔霞相似，但她却开始七窍流血，痛不欲生地撕扯着自己的衣裳。

这一下更悚然，原来她衣服遮掩下的躯骸早已完全黑烂了……

墨熄看不下去，上前似乎想要做什么，一只手却把他拦住了。

顾茫的神情落在熟金色的余晖里，第一次显得那么沉重，他的目光注视着苏巧，对墨熄说："你帮不了她。"

"……"

"这就是妄用燎国邪术修行的后果。她已经快不行了，之前一直是倔不服输，在做困兽之斗。可你看到她锁骨以下的地方了吗？都烂光了。"

"她为什么……"

顾茫道："你听她刚才说了，她觉得白柔霞不配拥有那么多东西。她应该是从黑魔诀里找到了一种永久易容术，她想杀死白柔霞后取代她的位置。如果成功了，苏巧就会以白柔霞的身份回到帝都，继续做她想做的事情。"

院落里的女人还在尖叫和狂笑着，她与白柔霞的样貌变得越来越像，可流的血却越来越多，那些血流到最后都是不祥的黑色。

顾茫轻声道："但她显然是失败了。白柔霞的尸气侵蚀了她，她一直用黑狗血压着自己身体的腐烂，可这却并不能改变什么。"

他说完，垂下眼帘，睫毛打碎了残辉，夕阳合着女人的嘶喊和血流满地。

"你知道我们之前为什么探查不到她的异样吗？"顾茫闭上眼睛，"因为她确实不是个死人。但在她开始用邪术，开始试图侵吞白柔霞的躯体时，她也已不再是个活人。"

落子无悔，纵使苏巧嘴上再不承认，错杀的就是错杀的。

而这一切，都已无可回头了。

良久后，暮色四合。

昏鸦在枝上呕哑作鸣，天地间只剩最后一点金红色，最终也被暗黑吞没。院中枯叶随风走，拖着这具腐烂的躯体挣扎了已近一月的苏巧终于彻底被黑魔诀吞噬，成了邪术的祭品。

到最后，那个林韵记忆里担当一面的俏丽绣娘，竟就这样在她生前忙碌过的院落里，烂作了一汪血水。

小木人从乾坤囊里爬出来，有些感慨又有些惆怅地绕着那血水走了一圈，看了很久，嘴里一会儿说“该，叫你利用我”，一会儿又说“唉，其实你和我一样，也是个苦命人，但你疯得比我可厉害多了”“活着的女人真可怕，还是死了的女人好。”

叨叨了一会儿，忽然发现顾茫正在旁边一语不发地查看着白柔霞的尸体。

墨熄刚刚已从机杼暗盒里寻到了苏巧得到的那本黑魔诀，顾茫翻过上面的内容，苏巧使用的法术都能找到对应，可只有一点非常蹊跷——

使用那个永久易容术，并不需要保留原主的尸身，也就是说苏巧其实只要记住白柔霞的相貌就好了，根本没必要把她的尸体藏在后院里，还用愈合浸液保持着尸体不腐不烂。

小木人慢慢走过来，一屁股坐在顾茫旁边。

顾茫正在发呆。

小木人道：“那个女尸刚刚还勒着你哦。”

“……”

“她之前好像还会动的。”

顾茫没理它，托着腮，在为这一点异样而陷入思考。

过了一会儿，身后传来脚步声，墨熄从屋内出来，把一只破木盒放在了顾茫手边。

“这什么？”

“你看了心情会更不好的东西，我清理那些黑狗尸体的时候在最下面看到的，你考虑一下要不要现在看。”

顾茫把盒子拽过来，不假思索地就打开了它。

那里面躺着两页薄薄的纸，显是从那本黑魔诀上撕下来的，苏巧大概是格外重视这两页纸，怕它们被人发现或者被人损坏，所以把它们藏在狗尸堆底下。

顾茫拿起那两张薄脆的纸，第一张纸上写的是：

驱瘴圣方考

那是姜药师府出的书籍，上面记载着燎国人驱逐瘴气的药剂配方，罗列了几百种名贵草药，说是将它们施咒炼化，洒在被瘴气所困的城镇，就能使那里的瘴气散去，效力可维持十年之久。

顾茫苦笑一下，抬头看着墨熄：“看来苏姑娘是打算变成白小姐之后用这个法子把莲生镇的瘴疠驱逐掉。”

墨熄问：“你觉得有用吗？”

“燎国别的法术邪门，但驱散瘴气的药方应该是没错的。他们的大半疆域都受瘴气所扰，这种方子在那边流传很广。”

顾茫这样说着，把这张药方揣在自己怀里，又打算去看第二张纸。可还没低头，就被墨熄叫住了。

“你……”

“怎么？”

“……”墨熄沉默片刻，最终还是摇了摇头，“没什么。”

顾茫的目光就低了下去，落在第二张纸上——

接魂还尸法

他看了一遍这个名字，并没有反应过来什么，但莫名地已觉得一阵凄楚。于是他带着困惑又读了第二遍。

顾茫是个很聪明的人，世上很少有什么法术是他读了两遍还弄不明白的。可是这个接魂还尸法，他却足足读了四遍，才抬起头来，心中已是一片骇然惊涛。

或许之前他并不是不懂，只是不敢确信这一切竟是真的，或许他在第一眼看到这五个字的时候，就已隐隐明白了这究竟意味着什么。

接魂还尸法，将以自身性命献祭，唤来亡人回魂。需死者尸身未腐未损，为了混淆黄泉判官，献祭者的容貌需得先以“永久易容术”变得与死者全然一致。易容非一蹴可就，往往反复无常，施术所需物件见下所列……

后面诸多蝇头小楷，顾茫却是怎么也读不进去了。

他最后只瞧见最后一行写着：

此术凶险，初时尸身能言能动，然随日推移，献祭者剧痛难熬，唯黑狗血阵可略压制。然皮肉溃烂势不能阻，献祭者将于死者真正回魂之际脏腑烂尽，化为脓血。此术百人尝试，成者不足五人。

三思后行。

顾茫呆愣愣地拿着这张纸，逐渐觉得身上有些发凉。

他明白了——苏巧一开始确实是想杀死林氏夫妇后取代白柔霞的位置回到白家的，但或许在她处理尸身的时候，她发现了他们带回的乾坤囊，这个发现令她心中隐约不安，所以她读看了林韵的记忆。

或许在她从林韵的记忆里出来之后，她的内心就已崩溃，她天性好强，虽然嘴上不肯承认自己多年来的算计谋划都是错的，但是悔愧却促使她最后并没有按计划用“永久易容术”变成白柔霞的模样，而是选择了凶险的“接魂还尸法”，希望能用自己的性命将错杀的人从黄泉换回来。

顾茫猜对了几乎全部的秘密，却猜错了这最后一节——苏巧并不是想代白柔霞去活，她是想代她去死。

夜沉了，云渐渐厚重起来，天边有电光隐现。初夏多雷雨，又是和他们初来莲生镇那天一样的天气。

墨熄安置好了白柔霞的尸身，转头看向还在对着那张薄纸发呆的顾茫，叹了口气，说：“要下雨了。进去避个雨吧。”

顾茫有些迟钝地抬起头，呆呆地又看了墨熄一会儿，然后吸了吸鼻子，露出一个挺勉强的笑容。

“我刚刚浸了一身尸水，在雨里冲冲干净也好。你进去吧，我待一会儿。”

他说完从地上站起来，还没事人一样地拍了拍身上的土灰。

小木人没眼色道：“那我要不也站着陪你淋一会儿？我也掉进尸水里去了，而且我现在是棵树人，我不淋雨是不是会枯萎？”

它还想再说什么，墨熄已经把它拎起来，放到自己的乾坤囊里，又看了顾茫的背影一眼，走进了屋内。

满屋绫罗倚翠，一帘惊梦游园。

天幕尽头传来轰隆闷雷，过了一会儿，暴雨倾至，又是一宵长夜。墨熄站在屋内，看着之前白柔霞站过的地方。

他们来避雨的那天晚上，苏巧是在施接魂法吧？后来他们来了，尸体虽可听命，却僵直无法爬楼，不能被藏到楼上。而苏巧甚至不忍心让白柔霞回到院外瓢泼的大雨中，所以只命尸身立在帘幕后面，尽管有被发现的危险。

她不是傻。

她只是心中有愧，口中难言。

哪怕到了最后，快死了，快消散了，功亏一篑，她也不肯在他们面前承认她的这份心软，不肯承认她错了，她输了。

又或者，濒死前的苏巧被这一切折磨得太过痛苦，已趋疯魔，但这都不得而知了。

院外风雨里，忽有一声悠远哀声，唢呐穿透雷鸣电闪，声震九霄，但那曲声听来很茫然，似乎吹唢呐的人也不知该如何自处，他简直是乱吹的，那清亮之音初时奏《百鸟朝凤》，后又成了《粮满仓》，最后竟是一曲《抬花轿》，凌乱交错在雷声雨声里。

过了好久，唢呐声才停歇，顾茫从院外走进来，他浑身都淋透了，黑眼睛透亮而湿润。

墨熄问他：“洗干净了？”

他怔了一下，一时竟不知墨熄问的是他身上的尸水，还是苏巧留在地上的血水。但墨熄从阴影中向他走过来，在他面前不远处停下，注视着他。那双眼睛毫无保留地告诉了顾茫答案，于是顾茫吸了吸鼻子，垂眼露出一个苦笑。

“那么大的雨，很快就什么都没了。”

墨熄没再说话，过了好一会儿，他忽然和顾茫同时道：“我想亲自把他们的遗体送回白家。”

顾茫：“……”

墨熄：“……”

顾茫静了一会儿，愣怔地看着墨熄。

墨熄仍旧是双手抱臂靠在墙边的那种淡漠模样，但他点了下头。

“还有你锁在木傀儡里的那个人，回去之后，寻人将他度化了吧，原也是他受了污蔑，又受了黑魔之气的怨戾影响，戾变所致，这一切并非他所愿。”

顾茫愣了一下，然后他笑了，这次他是真的笑了。他又撩开垂在额前湿漉漉的头发，朝墨熄非常认真地比了两个拇指：“好。”

“不过在走之前，我还想替苏姑娘他们完成一件事……”顾茫说着，指了指那张苏巧留下的薄纸，转而认真看向墨熄，“不知墨公子可愿帮我这个忙？”

苏巧藏着的那一张“驱瘴圣方考”，上头记载的用料虽都极为金贵，但墨熄是帝都最为显赫的出身，他随身的乾坤药囊里各种圣药都不缺。

两人很快就将驱瘴药粉调配了出来，他们去了镇口，小木人也被放了出来，亦步亦趋地跟在他们后面。

“来，顾茫哥哥给你们来段表演。”少年说着，把药纸包衔咬在齿间，双手张开，如履平地般迅速掠上了高高的牌楼，踩在檐角朝墨熄挥手。

其时残月当空，黎明将至未至，天边已有一道血色，顾茫将纸包从齿间拿下，召出了那柄名为“风波”的唢呐。他一手叉腰，一手擎着唢呐柄，仰头鼓气，吹起“呜——”的一声唢呐，霎时间数丛青色的浓雾从唢呐的喇叭口里飘出来，雾气越聚越多，最后在顾茫跟前汇成了一群通体幽青的鹊鸟。鹊鸟们展开两翼，呼呼扑闪，羽尖振落点点流萤之光。

“好孩子，乖，乖。”顾茫笑着走到青鹊之间，抬手，一只拖着长长尾羽的鹊王稳稳停在了他的指尖，“你知道该带着它们怎么做。”顾茫对它说，把纸包递到它浆红色的喙间。鹊王含混地应了，顾茫用额头亲昵地蹭了蹭它的脑袋，“好了，那就去吧，把瘴气都驱散掉。”

青鹊鼓起羽翼扑腾两下，蓦地腾空，将药粉洒向身后，众鸟紧随其后，翅上皆沾粉末，浩浩荡荡朝四方飞去，扎进经久不散的迷障浓雾里——

瘴雾在群鹊翾翔中被不断稀释淡去，霞光越来越清澈，顾茫看着众鸟低飞，笑着举起唢呐，阖眸吹响：

“玉匣卷悬衣，针楼开夜扉。姮娥随月落，织女逐星移。离前忿促夜，别后对空机。倩语雕陵鹊，填河未可飞。”

一曲终罢，恰迎旭日东升，他立在巍峨的牌楼之上，站在晨昏更迭之间，银发扣束，扎着的马尾随风飘摆，手中白绸逆风招展，被天地间第一缕朝霞染上一层熹微红光。

他忽然将手聚拢在脸颊边，和个小疯子似的，铆足劲乡土气十足地吆喝了一声："喂——兄弟们！姐妹们！祖宗们！孙子们！天亮啦——天——亮——啦！"

顾茫喊着，回头看向站在牌楼下的墨熄，逆着光，他没有看清墨熄是什么神情，但他自己已经笑起来，笑纹从唇角漫到黑眼睛里。

天亮了，瘴疫沉沉散去。

在漫长的黑夜过后，这天地间终于迎来了一片辉煌灿然。

云霞的颜色很美，瑰丽如花朵，却因太过绚烂而显得并不那么真实，恰如他与他少年时——这一段梦一般的过往。

——番外《少年幻梦》完——